ISBN 2-940125-22-8
«L'Année Formule 1 1997-98» est publiée en langue anglaise sous le titre «Formula 1 Yearbook 1997-98»
et en langue allemande sous le titre «Das Formel-1 Jahrbuch 1997-98»
(ISBN 0-75252-386-4 édition anglaise, ISBN 2-940125-21-X édition allemande)

© 1997, Chronosports Editeur, Route de Bioley, CH-1041 St-Barthélemy, Suisse. Tél. : (++41 21) 883 02 33. Fax : (++41 21) 883 02 34. Photogravure entièrement réalisée sur Macintosh™ par D.P.I. Sarl, CH-1196 Gland, Suisse. Imprimé et relié en France par l'Imprimerie Sézanne, 11 rue du 35e Régiment d'Aviation, F-69500 Bron.

CRÉDIT PHOTOGRAPHIQUE

Photos double-pages – Steve Domenjoz: 88/89, 138/139, 186/187, 210/211. *Thierry Gromik / SIPA Press*: 92/93, 96/97, 100/101, 106/107, 110/111, 114/115, 120/121, 124/125, 130/131, 134/135, 146/147, 150/151, 154/155, 158/159, 170/171, 174/175, 178/179, 182/183, 194/195, 202/203, 206/207. *Vincent Kalut*: 80/81, 82/83, 162/163. *Masakazu Miyata*: 16/17, 42/43, 54/55, 142/143, 198/199. *Jean-Paul Thomas / SIPA Press*: 166/167. *Manfred Giet*: 190/191.

REMERCIEMENTS

Les auteurs remercient tous ceux qui les ont aidé dans la réalisation de ce livre. En particulier, un grand merci à Olivier Panis, toute l'équipe de Carbone Industrie et Madame Chantal Cerruti. Un merci particulier à Lise Schaeffler et à Denis Jacquérioz pour le soin apporté à la photogravure, ainsi qu'à Olivier Ducommun pour les nuits passées à flasher les pages.

L'ANNÉE FORMULE 1
1997-98

Photos
Steve Domenjoz
Thierry Gromik / SIPA Press

Textes et mise en pages
Luc Domenjoz

Statistiques, résultats et corrections
Ruth Domenjoz-Leibold

Illustrations et plans de circuits
Pierre Ménard

CHRONOSPORTS
EDITEUR

MOTEUR RS03	MOTEUR RS05	MOTEUR RS06	MOTEUR RS07	MOTEUR RS08	MOTEUR RS09
Champion du Monde	Champion du Monde	Champion du Monde	Champion du Monde	Champion du Monde	Champion du Monde
1992	**1993**	**1994**	**1995**	**1996**	**1997**

Renault six fois Champion du Monde de Formule 1

20 ans de Formule 1 - 1977•1997

RENAULT F1
SIX FOIS
CHAMPION DU MONDE
92 93 94 95 96 97

AEROSPATIALE
Partenaire de Renault en Formule 1

Internet : http :// www.renaultf1.com

RENAULT

Sommaire

FORMULE 1

FORMULE 2 LAMES

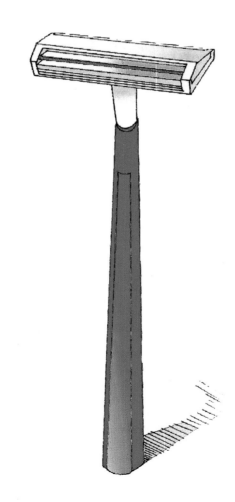

Préface

"*Je suis très heureux de signer pour la première fois la préface de «L'Année Formule 1». J'en suis un fidèle lecteur depuis des années, et j'espère que vous prendrez autant de plaisir que moi à en parcourir les pages et à en admirer les superbes photos.*

Chacun de ses chapitres évoque dans ma mémoire un morceau d'une saison qui me laisse un sentiment mitigé. D'un côté, ce fut l'année du renouveau, avec l'arrivée d'Alain Prost à la tête de l'écurie. Jamais je n'avais conduit une monoplace aussi compétitive que la JS45, qui n'était pas loin de rivaliser avec les Williams et les Ferrari.

D'un autre côté, 1997 restera bien sûr l'année de mon accident. En fait, pour moi, ce dernier ne serait plutôt qu'un incident de parcours. Lorsque l'on exerce le métier de pilote, ce genre de mésaventure fait partie des risques encourus et admis.

Mais je préfère oublier 1997 pour me concentrer sur 1998. Avec le moteur Peugeot, et avec une nouvelle monoplace dessinée sous la direction d'Alain, c'est un formidable défi qui se profile la saison prochaine.

Je pense que j'y disposerai d'une voiture qui me permettra de remporter quelques Grands Prix, et je suis plus qu'impatient de me retrouver sur la grille de départ de Melbourne, en mars 1998.

En attendant, pour tromper l'attente, je vais me replonger dans «L'Année Formule 1». Bonne lecture..."

Olivier Panis

Pour un coup de volant de trop, pour un roulement de roue de moins

Frank Williams, cette année, est entré dans la légende du sport automobile. Son écurie a en effet remporté son neuvième titre mondial des constructeurs, le record absolu sur les tabelles de la F1. A condition de se souvenir que ce titre n'existe que depuis 1958, et que quelques belles années de Ferrari ne sont donc pas prises en compte.

▽▷

CHAMPIONNATS DU MONDE 1997

Conducteurs :

1.	Jacques VILLENEUVE	81
2.	Michael SCHUMACHER	78
3.	Heinz-Harald FRENTZEN	42
4.	David COULTHARD	36
	Jean ALESI	36
6.	Gerhard BERGER	27
	Mika HAKKINEN	27
8.	Eddie IRVINE	24
9.	Giancarlo FISICHELLA	20
10.	Olivier PANIS	16
11.	Johnny HERBERT	15
12.	Ralf SCHUMACHER	13
13.	Damon HILL	7
14.	Rubens BARRICHELLO	6
15.	Alexander WURZ	4
16.	Jarno TRULLI	3
17.	Mika SALO	2
	Pedro DINIZ	2
	Shinji NAKANO	2
20.	Nicola LARINI	1

Constructeurs :

1.	Williams / Renault	123
2.	Ferrari	102
3.	Benetton / Renault	67
4.	McLaren / Mercedes	63
5.	Jordan / Peugeot	33
6.	Prost / Mugen Honda	21
7.	Sauber / Petronas	16
8.	Arrows / Yamaha	9
9.	Stewart / Ford	6
10.	Tyrrell / Ford	2

Jamais on n'avait connu pareille tension avant le départ d'un Grand Prix. Côte à côte sur la grille de départ de Jerez, dernière épreuve de la saison, Jacques Villeneuve et Michael Schumacher savent que les efforts de toute une saison vont se jouer dans les deux heures à venir. La Formule 1 n'avait plus connu pareille finale de championnat depuis des temps immémoriaux.

Une telle pression ne peut mener qu'à la catastrophe. Et celle-ci finit effectivement par se produire au 48e tour, après que les deux hommes se soient adonnés à une course-poursuite éperdue. Jacques Villeneuve, deuxième, ne peut se permettre de rester derrière la Ferrari. Pour remporter le titre mondial, il doit s'imposer, ou tout au moins finir devant son adversaire. Au 48e tour, venant juste de ravitailler, il sait qu'il doit profiter de ses pneus neufs pour porter l'estoquade.

C'est maintenant ou jamais. Michael Schumacher, devant, gère au contraire sa course dans l'optique d'épargner ses gommes.

Portant une attaque désespérée, Villeneuve parvient à glisser sa Williams à l'intérieur de la courbe Dry Sac. Tout se joue alors en une fraction de seconde. Le Québécois arrive si vite qu'il va sortir dans le gravier. Mais Michael Schumacher lui assène alors un coup de volant rageur, qui a l'effet inverse de celui souhaité et qui replace la Williams sur la bonne trajectoire.

Deuxième miracle pour Villeneuve, sa voiture n'est pas trop endommagée par le choc et il peut continuer. Si la Ferrari avait tapé l'une de ses roues, c'en aurait été fini pour lui. Mais le choc s'est produit exactement au niveau du ponton de la Williams, et celle-ci fait preuve de sa robustesse habituelle. Si son comportement s'en retrouve modifié, elle peut tout de même terminer la course.

Le titre mondial s'est donc décidé sur un formidable coup de chance de Jacques Villeneuve. Et sur une belle gaffe de Michael Schumacher. Une issue qui ne faisait en fait que refléter le restant de la saison. A plusieurs reprises déjà, Jacques Villeneuve avait bénéficié du coup de pouce du destin pour s'imposer – comme à Silverstone, à Budapest et au Nürburgring.

Michael Schumacher, lui, ne fut pas toujours aidé. A Silverstone, l'Allemand avait vu sa Ferrari le lâcher alors qu'il était en passe de s'imposer. Une victoire qui aurait changé la face de la saison, et qui fut gâchée par rupture d'un roulement de roue. Une panne extrêmement rare.

Les erreurs de Williams

De tout temps, il a fallu un brin de chance pour remporter un titre mondial. La couronne de Jacques Villeneuve n'est donc en rien diminuée par ces circonstances.

Le Canadien a même parfaitement mérité son titre. A Jerez, en ce fameux dimanche décisif, il s'est montré tout à fait extraordinaire de maîtrise et de vitesse pure. En l'espace d'une course d'anthologie, il a balayé toutes les critiques à son encontre, a effacé des mémoires toutes les erreurs commises cette saison.

Des erreurs, il y en eu. Avec le matériel dont il disposait, comme il l'avoue lui-même, le Québécois aurait dû être assuré du titre bien avant la dernière course si l'écurie Williams et lui-même n'avaient commis plusieurs gaffes qui ont permis à Michael Schumacher de se montrer menaçant jusqu'au bout. Les exemples les plus flagrants restent Monaco et Spa, où l'équipe Williams s'est à chaque fois fourvoyée dans ses choix de pneus pluie.

Avant le Grand Prix d'Europe, il semblait que Michael Schumacher méritait de décrocher un troisième titre mondial. Auteur de véritables exploits sous la pluie, sauveur de la Scuderia Ferrari, son talent l'imposait comme favori.

A Jerez, tout s'est inversé au 48e tour. En essayant grossièrement de sortir Jacques Villeneuve, la conduite cavalière de l'Allemand a non seulement permis à son rival de décrocher le titre mondial, mais a de surcroît valorisé ce succès.

En se posant comme la victime, et en parvenant malgré tout à décrocher le titre, Jacques Villeneuve est devenu le héros d'une saison que l'on n'est pas prêt d'oublier...

Une saison magnifique

△

La Formule 1 contemporaine tient de moins en moins de l'activité sportive. Et de plus en plus du show planétaire, savant mélange d'intrigues politiques, de contrats financiers juteux, de haute technologie et – tout de même – de duels purement sportifs.

Une recette qui déplaît sans doute aux puristes et aux amateurs du sport automobile des années 60. Au niveau de la popularité publique, pourtant, cette mayonnaise semble prendre plus que jamais.

La Formule 1 est de plus en plus suivie de par le monde, surtout du côté des populations asiatiques qui la découvrent à peine. En 1997, comme l'a expliqué Max Mosley à Jerez, 70% de l'audience télévisée des Grands Prix provient des pays d'Extrême-Orient.

Dépourvus de connaissance historique de la F1, ces nouveaux amateurs prennent la discipline comme elle leur vient aujourd'hui: aussi passionnante et compliquée qu'un feuilleton télévisé américain.

Même si quelques intrigues ont entaché la fin de la saison 1997, il n'en reste pas moins que 1997 fut un millésime absolument superbe de suspense. Par la dimension mythique que revêt la Scuderia, assister à un combat entre Villeneuve et Schumacher, soit entre Williams et Ferrari, s'est avéré en effet infiniment plus passionnant que suivre le duel entre les deux pilotes Williams de 1996.

De plus, les grilles de départ, cette saison, se sont resserrées comme jamais. En Autriche, pour prendre un exemple, l'écart entre le premier et le 18e ne fut que de... 1″316!

En résumé, cette saison fut absolument fantastique. Pourvu que cela dure...

Pour son cinquantenaire, la Scuderia Ferrari a brillé de mille feux cette saison. 1997 l'a confirmé: la Scuderia est bel et bien de retour au sommet. Certains prédisent même qu'une nouvelle ère tout en rouge vif se prépare dans les saisons à venir.

◁ ▽

Place aux jeunes

Ces dernières années, les doyens de la Formule 1 avaient tendance à s'incruster. Pour les jeunes pilotes, les places étaient devenues rares, chères, et généralement limitées aux écuries de second plan.

Une situation qui s'est pourtant débloquée en 1997. Désormais, les jeunes pilotes passent par l'étape du «pilote-essayeur» avant d'arriver en F1. Ils s'y forgent de l'expérience, et ne perdent pas leur temps une fois placés sur une grille de départ. C'est ainsi que non moins de sept débutants ou quasi-débutants – Ralf Schumacher, Giancarlo Fisichella, Shinji Nakano, Norberto Fontana, Alexander Wurz, Tarso Marquès et Jan Magnussen – firent leur apparition en Grands Prix cette année, certains d'entre eux dans des écuries de pointe comme Jordan ou Benetton.

Parmi tous ces jeunes couteaux, deux noms sortent manifestement du rang: Giancarlo Fisichella et Alexander Wurz. Ce n'est pas un hasard, tous deux se retrouveront chez Benetton la saison prochaine. Désormais, en F1, certaines grandes équipes osent parier sur des jeunes. Et c'est tant mieux pour l'avenir de la discipline.

◁

Que cette photo n'induise pas en erreur: Giancarlo Fisichella n'a pas commis beaucoup d'erreurs cette saison. Il s'est au contraire montré d'une belle constance tout en étant très rapide. Il n'y a qu'à demander à Ralf Schumacher ce qu'il en pense...

Beaucoup d'appelés pour un élu

Arrivé au terme d'une saison, il est toujours amusant de comparer les ambitions qu'affichaient les différents protagonistes avec les résultats qu'ils ont finalement obtenus. On constate alors invariablement que l'optimisme semble universel en début de saison, un optimisme souvent rapidement refroidi par la réalité des courses. Et mué en explications plus ou moins fumeuses à l'heure de dresser le bilan. Chez Benetton, toutefois, on n'a rien expliqué. On a agi. Au vu de la nouvelle débâcle de 1997, Alessandro Benetton a décidé de donner un coup de balai dans les structures de l'écurie, en bombardant David Richards, le patron de ProDrive, à la tête de Benetton Formula. Sera-ce suffisant pour redresser le navire? Il est permis d'en douter, mais le sang nouveau apporté par Giancarlo Fisichella et Alexander Wurz, en 1998, devrait en soi changer la face, et donc peut-être les résultats, des Benetton. Autre déception notoire: la saison de Damon Hill. Au cours de l'hiver, le Britannique annonçait espérer remporter au moins une victoire en 1997. S'il fut tout près d'y parvenir, en Hongrie, il sembla que c'était davantage le fait de circonstances exceptionnelles – la forme de ses pneus Bridgestone – plutôt que des qualités de sa voiture.

A ranger également dans le tiroir des ratés: les tristes performances de Heinz-Harald Frentzen, qui n'a réussi à remporter qu'une seule victoire pendant que son coéquipier en alignait sept. Enfin, on relèvera aussi la saison effacée des Sauber. Si la modestie naturelle de l'équipe suisse lui avait interdit de faire des pronostics trop optimistes, on pouvait espérer mieux d'une monoplace équipée du moteur Ferrari de 1996.

Remous politiques en toile de fond

Si la saison 1997 fut des plus disputées sur la piste, au soleil des dimanches après-midis, elle ne le fut pas moins dans les coulisses, à l'ombre des motorhomes.

En guise de fil rouge: les fameux Accords Concorde 1997. Cette sorte d'entente entre les différentes écuries régit la Formule 1 depuis 1981. Elle définit le rôle de chacun, de même que – et surtout – la clé de répartition des revenus générés par les droits télévisés et les publicités autour des circuits.

Ces revenus se sont notablement accrus ces derniers mois, avec les juteux contrats signés par Bernie Ecclestone avec les nouvelles chaînes de télévision numérique. Pour une écurie com-

me Minardi, ils représentaient pratiquement la moitié du budget de fonctionnement, soit une manne d'environ 25 millions de dollars.

En août 1996, au moment de renouveler ces accords, Williams, McLaren et Tyrrell refusèrent de parapher le document. Tout au long de la saison, Bernie Ecclestone a tenté de les convaincre, leur obstination l'empêchant de faire entrer sa société à la bourse de Londres – celle-ci insistant pour que la F1 fonctionne parfaitement avant de lui accorder sa confiance.

Rien n'avait changé en fin de saison. Un accord semblait «proche», mais c'était ce que répétait Ron Dennis depuis plus d'un an...

McLaren et Ferrari: actions à la hausse

Si la saison s'achevait sur un constat négatif pour la plupart des écuries, ce ne fut pas le cas pour tous. Du côté des bonnes surprises, on pouvait relever les trois victoires de l'écurie McLaren-Mercedes, qui attendait depuis 1995 de sceller par le champagne d'une victoire le partenariat entre l'écurie britannique et le motoriste allemand.

Pourtant, à entendre Ron Dennis, ce n'était pas suffisant. Au moment de la présentation de l'écurie, dans une débauche de moyens encore jamais vue en Formule 1, ce dernier avait prédit une saison plus que brillante pour son écurie. Les trois victoires de 1997 ne répondent pas franchement à cette définition, les Grands Prix d'Australie et d'Europe ayant surtout été remportés par chance.

En fait, l'écurie McLaren n'a affiché de vraie supériorité qu'à une seule reprise, à Monza, où David Coulthard dut la victoire à la tactique de course supérieure décidée par ses ingénieurs et à la célérité de ses mécaniciens pour ravitailler sa MP4/12.

Beaucoup d'ombres continuent toutefois de masquer une partie du tableau McLaren, les flèches d'argent ayant abandonné à de nombreuses reprises des victoires presque acquises – à Silverstone et surtout au Nürburgring, lorsque les deux voitures étaient en tête.

Mario Ilien, le concepteur du moteur Mercedes, se préparait à un bel hiver pour déterminer la cause de ces problèmes...

L'autre bonne surprise de la saison vint évidemment de Ferrari, qui fut la seule écurie à faire mieux que ses objectifs de la saison – Williams excepté, l'équipe britannique se refusant par tradition à tout pronostic.

Jean Todt avait averti viser les quatres victoires en 1997, alors que son équipe en a finalement remporté cinq, et surtout est restée en lutte pour le titre mondial jusqu'au terme du championnat.

Une saison qui a prouvé qu'avec Ross Brawn à la direction technique, Rory Byrne à la conception de la voiture et Jean Todt à la direction sportive, la Scuderia est en mesure de retrouver le chemin des succès. Tous des étrangers, bien sûr, mais les Italiens, heureusement, ne sont pas chauvins.

Lorsque Renault a annoncé son intention de se retirer de la Formule 1, en juin 1996, la nouvelle semblait à peine croyable tant le constructeur français avait toutes les raisons de se féliciter de sa présence au plus haut échelon du sport automobile mondial.

Tout lui avait réussi, et ces succès avaient petit à petit conférés à la société l'image jeune et dynamique recherchée.

Mais toutes les bonnes choses ont une fin. Au soir de Jerez, dans l'ambiance de liesse générale engendrée par le titre mondial de Jacques Villeneuve – le onzième de la marque –, Renault s'est donc retiré la tête haute.

Son palmarès est si exceptionnel qu'il vaut la peine de s'y attarder en quelques chiffres révélateurs.

Un départ en fanfare

Renault, en Formule 1, c'est ainsi:
- 6 titres de champion du monde des constructeurs, et cinq titres de champion du monde des pilotes.
- 95 victoires
- 135 pole-positions (dont 23 par Alain Prost)
- 105 records du tour
- 250 podiums
- 2016 points marqués
- 76 premières lignes 100% Renault
- 2 quadruplés (France 1996 et Luxembourg 1997)
- 10 triplés
- 34 doublés
- 34 pilotes différents

Voilà des chiffres qu'il sera bien difficile de battre avant plusieurs années...

△ *L'instant-clé de la victoire de David Coulthard à Monza: l'Ecossais, qui restait bloqué derrière Jean Alesi depuis plusieurs tours, s'arrête aux stands en même temps que le Français. Et en repart une fraction de seconde plus tôt (photo). La victoire était dans la poche.*

Un duel à la gomme

Comme le prétendent de nombreux observateurs, les victoires en F1 sont davantage remportées par les voitures que par les pilotes. On donne à ces derniers, selon les cas, une importance qui varie de 5 à 20% des performances globales d'une monoplace.

Même si elle ne passionne pas autant les foules que la vie privée des pilotes, la technique revêt donc un intérêt capital en F1. Et l'apparition d'une nouvelle idée, d'une nouvelle marque ou d'un nouveau constructeur est aussi digne d'intérêt que celle d'un nouveau pilote.

Dans ce contexte, la venue en Formule 1 de la marque de pneus Bridgestone a causé une petite révolution dans les paddocks. Jusque-là, le manufacturier américain Goodyear menait une existence tranquille, étant seul à occuper le terrain.

Depuis l'arrivée de la marque japonaise, tout a changé. Les ingénieurs de Goodyear se sont sérieusement remis au travail, et les temps au tour ont souvent été abaissés de plus de deux secondes par rapport à l'année précédente. Les modifications de règlement qui interviendront en 1998 (lire en page 216) et destinées à ralentir les monoplaces, permettront donc à peine de compenser cette incroyable avancée.

◁ *Les Sauber-Petronas n'étaient pas les plus rapides des monoplaces, mais par contre, elles comptaient parmi les plus esthétiques avec leur look moiré de violet.*

Jacques Villeneuve, le champion au naturel

C'est au terme d'un duel sans répit contre Michael Schumacher que Jacques Villeneuve a remporté cette année son premier titre de champion du monde sur sa Williams-Renault. Ce qui ne l'empêche pas de garder les pieds sur terre.
Souvent mal rasé, chemise jeans sortant du pantalon, décontracté, Jacques Villeneuve fait potache parmi des pilotes de Formule 1 qui préfèrent pour la plupart les vêtements Cerruti et les mallettes Louis Vuitton.
Le Québécois affirme pourtant ne pas cultiver délibérément ce comportement de rupture. Il est comme ça, tout simplement, et ce n'est pas la F1 qui changera son look ni son vocabulaire rock-and-roll. Jacques Villeneuve ne connaît pas le politiquement correct. Il dit toujours ce qu'il pense, même si cela doit lui valoir les pires ennuis – en juin, il a ainsi reçu un blâme de la FIA pour ses critiques à l'encontre des règlements 1998 de Formule 1.
Désormais largement multi-millionnaire, Jacques Villeneuve refuse de sacrifier à la rivalité du plus beau jet privé qui fait rage parmi ses confrères. Il préfère plus simplement bichonner son pick-up Chevrolet de 1951.

Vous ne semblez pas avoir de goûts de luxe. Vrai?

Sourire espiègle, Jacques Villeneuve semble traverser le ciel de la Formule 1 d'un air très détaché, mais tout à la fois très décidé. Un caractère très difficile à déchiffrer...

Jacques Villeneuve: Effectivement, je ne crois pas en avoir. Je n'ai pas d'avion personnel, je n'en vois pas l'intérêt. Mais lorsqu'il est plus facile de me rendre quelque part en vol privé, j'en loue un. Ce sont des choses plus simples qui me rendent heureux. Mes goûts de luxe, c'est mon vieux pick-up, où tout a été rafistolé. C'est aussi d'acheter mes CD ou de nouvelles extensions pour mon ordinateur. Mais ce n'est pas la grosse montre en diamant, ni la voiture à un million, ni un appartement à dix pièces alors que je n'en ai besoin que de deux...

Pensez-vous connaître la valeur des choses?

Jacques Villeneuve: Je crois que oui. Par contre, quand je vais au supermarché, je ne regarde pas les prix pour acheter telle marque plutôt que telle autre. Ça, je m'en fous. En général, je prends ce qui me plaît, c'est tout. Je ne suis pas capable de dire combien je dépense, ou même combien j'ai en banque. Mais je sais que j'ai de la marge et que je ne jette pas l'argent par les fenêtres.

Quelle est la différence entre le Jacques Villeneuve public, que l'on voit sur les circuits, et l'homme que l'on peut rencontrer en privé?

Jacques Villeneuve: Quand je suis chez moi, je suis sans doute plus gamin, plus tranquille. Je ne sais pas, il m'est difficile de

juger. En public, je me renferme un peu plus. Je déteste me trouver au milieu d'un groupe de gens qui me reconnaissent et qui hurlent mon nom.

Vous n'aimez pas votre existence de personnage public?

Jacques Villeneuve: Je déteste être le centre de l'attention générale, par exemple quand tout un restaurant se retourne sur moi. A Monaco, l'été, avec tous les vacanciers, cela devient un peu difficile. Alors, je m'enferme dans mon appartement. Sur un circuit, par contre, j'accepte d'être entouré par la foule. Les gens sont venus pour me voir et c'est mon métier. Mais si je vais assister à un tournoi de tennis, et qu'on me demande des autographes, là, ça me gêne. A Montréal, lors d'un match de hockey, les gens m'ont applaudi plus fort que les joueurs du match, et j'étais complètement gêné.

En général, êtes-vous plutôt sûr de vous?

Jacques Villeneuve: Oui, je crois. Ça n'a rien à voir avec la course automobile, mais je pense que pour bien faire n'importe quelle activité, il faut y croire.

Qu'est-ce que la peur pour un pilote?

Jacques Villeneuve: La peur, j'imagine que ça existe. Mais ça ne m'est pas encore arrivé. Le jour où l'on commence à avoir peur, je pense que c'est le moment d'arrêter. Parce qu'on ne peut sûrement plus être aussi relax dans la voiture et ne faire qu'un avec elle...

Êtes-vous un homme heureux?

Jacques Villeneuve: Oui, très heureux. Il y a des trucs qui me font mal, comme pour tout le monde, mais je n'ai jamais été malheureux sur de longues périodes. Je suis de nature assez positive. Et ma carrière se passe plutôt bien, ça aide (rires).

On vous dit perfectionniste a en devenir râleur...

Jacques Villeneuve: Ça dépend. Avec les gens qui bossent avec moi, oui. Si Craig (Pollock, son manager) me réserve dix interviews et que je dois interrompre un briefing avec un ingénieur, oui, je vais râler.
Mais bon, c'est vrai que même quand tout va bien, on peut toujours et encore améliorer la situation.

Qu'est-ce que ce premier titre mondial représente pour vous?

Jacques Villeneuve: Je suis pleinement heureux dans ma vie, et gagner le championnat ne change rien de ce point de vue. Ce n'est pas un titre qui me comble côté humain. Côté carrière, par contre, oui. J'y tenais plus que tout. J'aurais très mal accepté de ne pas le décrocher.

Est-ce que vous envisagez déjà votre existence future, après la Formule 1?

Jacques Villeneuve: Il faut toujours regarder très loin. Mais en fait, on ne connaît pas le chemin à suivre. Bon, après la Formule 1, ça m'étonnerait que je reste dans le sport automobile. Une fois qu'on a consacré vingt ans à un truc, il faut tourner la page. Il y a tellement de choses intéressantes à faire, je ne sais pas moi, l'informatique, la musique... Plein de trucs. L'être humain est capable de découvrir tant de choses qu'il serait dommage de se limiter à la même activité toute sa vie.

Pratiquez-vous déjà une autre activité avec assiduité?

Jacques Villeneuve: Je pratique un peu le piano à mes heures perdues.
Je suis capable de m'asseoir quatre heures devant mon piano et travailler sans relâche. J'aime faire les choses à fond quand je m'y mets.

Dans la légende

En décrochant cette saison, le titre mondial de Formule 1, Jacques Villeneuve est entré de plein pied dans la légende du sport automobile. Avec l'Américain Mario Andretti, il est en effet le seul à avoir remporté à la fois les 500 Milles d'Indianapolis, le championnat Indycar et le championnat du monde de Formule 1.
Jacques Villeneuve est né le 9 avril 1971 à St-Jean sur le Richelieu (Québec). Fils de Gilles Villeneuve, toute son enfance a été baignée dans le milieu de la course, et il commence à courir en karting à l'âge de 15 ans. Il pratique ensuite trois ans de championnat italien de Formule 3, de 1989 à 1991, un an de Formule 3 au Japon, en 1992, avant de passer à la Formule Atlantique et à l'Indycar en 1994.
L'année suivante, il remporte le championnat Indycar et les 500 Milles d'Indianapolis. En 1996, il démarre en F1 chez Williams-Renault et termine vice-champion du monde. Un parcours sans faute couronné cette saison de la récompense suprême, le titre mondial de Formule 1.

Un look «grunge» volontairement amélioré

Jacques Villeneuve, fils de Gilles, est bien décidé à ne pas tirer la casserole de son patronyme toute sa carrière. Le fils, d'ores et déjà, a signé davantage de résultats que Gilles, sans compter son titre mondial. «*Il nous a fallu une année pour que les gens ne pensent plus à Gilles en évoquant Jacques*», explique Craig Pollock, le manager du pilote québécois. «*Ce fut pareil lorsque Jacques est arrivé en Formule 3, au Japon, puis en Formule Atlantic et en Indycar.*»

Craig Pollock, suisse et britannique de passeport, était le professeur de sport de Jacques Villeneuve pendant les cinq années que le pilote a passé dans un collège privé de Villars-sur-Ollon, en Suisse. C'est sur les pentes de ski qu'ils se sont liés d'une amitié qui dure toujours aujourd'hui.

Partout où passe le pilote Williams, on peut être certain que Craig Pollock n'est pas loin. «*Mon rôle est de m'occuper de toutes les activités de Jacques en-dehors du cockpit*, résume-t-il. *Il doit pouvoir arriver au circuit et monter dans sa voiture sans avoir rien d'autre à penser que ses réglages de suspension...*»

C'est encore Craig Pollock qui conseille son pilote dans ses tenues vestimentaires. «*Le look* d*e Jacques est naturel. Il s'habille comme il le fait par pur goût. Le rôle d'un manager consiste à étudier ce qu'il a à disposition et à en tirer le meilleur. Lorsqu'il était en Indycar, les vêtements de Jacques étaient très nord-américains. En Formule 1, on a décidé de les adapter un peu à la sauce européenne. Il est habillé comme un jeune, mais il est vrai que je lui donne quelques conseils. On fait un peu exprès de le vêtir de cette manière pour entretenir une certaine image.*»

Craig Pollock avec Frank Williams. A 41 ans, le manager de Jacques Villeneuve compte parmi les personnages les plus élégants des paddocks. Le pli du pantalon toujours impeccable, il couve son champion pour le décharger de toutes les activités hors pilotage...
▽

Le plaisir avant tout

Jacques Villeneuve est épicurien dans l'âme. Avant tout, il aime s'amuser et passer des heures à pratiquer les jeux de donjons et dragons sur son ordinateur.

Pour lui, le plaisir de piloter l'emporte sur toute autre considération. Il l'avoue sans honte, une course remportée sans avoir combattu ne vaut pas un bon duel pour gagner une place. Cette saison, de ce point de vue, le Québécois en a eu pour son argent.

Formé à l'école américaine, son approche de la Formule 1 est foncièrement anti-conformiste. Ce qui le pousse à tenter quelques manœuvres d'anthologie, que personne d'autre n'oserait risquer – comme son dépassement de Michael Schumacher en 1996 à Estoril. Mais ce qui lui vaut aussi régulièrement les foudres du directeur technique de l'écurie Williams, Patrick Head, qui digère mal les réglages bizarres qu'adopte le Québécois.

En fait, Jacques Villeneuve ne s'amuse pas vraiment au sein d'une écurie Williams-Renault réputée pour son austérité. Mais au moins a-t-il disposé avec la FW19 d'une machine capable de l'amener au titre. Parfois, il faut bien faire quelques concessions au plaisir pur.

Cap sur le second titre

Avec ses succès aux 500 Miles d'Indianapolis, au championnat américain Indycar, et au championnat du monde de Formule 1, Jacques Villeneuve a assouvi toutes ses ambitions. Quelle pourrait bien être la prochaine? «*Mais, un deuxième titre de champion du monde, bien sûr!*», répondait-il sans hésiter au soir du Grand Prix d'Europe, au moment de célébrer sa couronne mondiale. «*Cette année, on aurait dû mener facilement toute la saison, et ça n'a de loin pas été le cas. J'ai dû me battre en permanence, et j'espère que 1998 sera plus tranquille...*»

Désormais couronné, Jacques Villeneuve pouvait profiter d'une clause de son contrat qui lui permettait de quitter l'écurie Williams s'il était champion.

La rumeur de son transfert au sein de l'écurie Prost avait fait couler beaucoup d'encre un mois plus tôt, au moment du Grand Prix du Luxembourg. En fin de saison, pourtant, elle ne semblait plus d'actualité. Jacques Villeneuve devait rester au sein de la formation championne du monde en 1998. Pour remettre sa couronne toute fraîche en jeu.

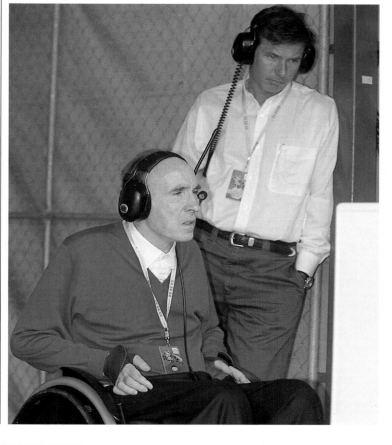

Les acteurs

Le grand cirque de la Formule 1 compte beaucoup d'artistes. Les vedettes, bien sûr, ceux qui occupent le devant de la scène les dimanches après-midi. Mais aussi les hommes de l'ombre, directeurs d'écurie ou ingénieurs en chef.
Avant les représentations, voici les présentations...

Arrows-Yamaha

1. Damon HILL

FICHE D'IDENTITÉ

- Nom : *HILL*
- Prénoms : *Damon Mark*
- Nationalité : *britannique*
- Date de naissance : *17 septembre 1960*
- Lieu de naissance : *Londres (GB)*
- Domicilié à : *Dublin (IRL)*
- Etat-civil : *marié à Georgie*
- Enfants : *3 enfants (Oliver, Joshua, Tabatha)*
- Hobbies : *golf, musique, moto, tennis*
- Musique favorite : *Elvis Presley, Otis Redding*
- Plat favori : *cuisine anglaise traditionnelle*
- Boissons favorites : *lait, vin, bière, champagne*
- Taille : *182 cm*
- Poids : *70 kg*

STATISTIQUES | DÉBUTS

STATISTIQUES		DÉBUTS	
• Nbre de Grands Prix :	84	1983 :	Moto 500cc
• Victoires :	21	1984 :	F. Ford 1600 (10e)
• Pole-positions :	20	1985 :	F. Ford 1600 (3e)
• Meilleurs tours :	19	1986 :	F. 3 GB (9e)
• Accidents/sorties :	12	1987 :	F. 3 GB (5e)
• Non-qualifications :	6	1988 :	F. 3 GB (3e)
• Tours en tête :	1325	1989 :	F. 3000 (11e)
• Kil. en tête :	6062	1990 :	F. 3000 (13e)
• Points marqués :	333	1991 :	F. 3000 (7e)

CARRIÈRE EN F1

1992 : *Brabham / Judd. 0 point.*
1993 : *Williams / Renault. 69 points. 3e du championnat.*
1994 : *Williams / Renault. 91 points. 2e du championnat.*
1995 : *Williams / Renault. 69 points. 2e du championnat.*
1996 : *Williams / Renault. 97 pts.* **Champion du monde.**
1997 : *Arrows / Yamaha. 7 points. 13e du championnat.*

2. Pedro DINIZ

FICHE D'IDENTITÉ

- Nom : *DINIZ*
- Prénoms : *Pedro Paulo*
- Nationalité : *brésilienne*
- Date de naissance : *22 mai 1970*
- Lieu de naissance : *São Paulo*
- Domicilié à : *Monte Carlo, São Paulo*
- Etat-civil : *célibataire*
- Enfants : -
- Hobbies : *voyages, lecture, tennis*
- Musique favorite : *rock doux, Sade*
- Plat favori : *spaghetti alla crudaiola*
- Boisson favorite : *eau minérale*
- Taille : *174 cm*
- Poids : *69 kg*

STATISTIQUES | DÉBUTS

STATISTIQUES		DÉBUTS	
• Nbre de Grands Prix :	50	1987-88 :	Karting
• Victoires :	0	1989 :	F. Ford Brésil
• Pole-positions :	0	1990 :	F. 3 Amér. du Sud
• Meilleurs tours :	0	1991 :	F. 3 GB
• Accidents/sorties :	8	1992 :	F. 3 GB
• Non-qualifications :	0	1993-94 :	F. 3000
• Tours en tête :	0		
• Kil. en tête :	0		
• Points marqués :	4		

CARRIÈRE EN F1

1995 : *Forti / Ford. 0 point.*
1996 : *Ligier / Mugen. 2 points. 15e du championnat.*
1997 : *Arrows / Yamaha. 2 points. 18e du championnat.*

Licencié trop tard par Williams pour dénicher un bon volant pour 1997, Damon Hill a dû se rabattre sur l'écurie Arrows cette saison. En sachant que sa nouvelle monture ne lui permettrait pas de défendre sa couronne.
Toutefois, Damon espérait au moins décrocher une victoire. S'il ne fut pas loin d'y parvenir (en Hongrie), le reste de la saison fut terriblement décevant, avec cinq abandons au cours des six premiers Grands Prix. Entre le pilote et son écurie, la situation s'est rapidement envenimée, Tom Walkinshaw, son patron, l'accusant de ne pas faire honneur à son salaire de 4.5 millions de livres sterlings.
Finalement, Damon a tout de même terminé sa saison chez Arrows, tant bien que mal. Mais vivement l'année prochaine, chez Jordan !

Décidément, le talent de Pedro Diniz ne se mesure pas qu'à la taille de son porte-feuille. En 1997, le Brésilien s'est parfois montré plus rapide que son coéquipier Damon Hill. Il a sans doute profité du manque de motivation du Britannique, mais il n'en reste pas moins qu'il a réussi à marquer deux points au Nürburgring. Vu le niveau de son châssis, c'est une performance très honorable.
Par contre, Pedro s'est quelque fois montré légèrement brouillon. Le nombre de sorties de route qu'il a effectuées cette saison n'arrivent pas à la cheville de celles d'un Ukyo Katayama ou d'un Ralf Schumacher, mais il n'en est pas loin...

ARROWS-HART A18 – DAMON HILL
GRAND PRIX DE HONGRIE

Arrows-Yamaha A18

CARACTÉRISTIQUES

- Châssis : Arrows A18
- Moteur : Yamaha OX11A
- Pneus : Bridgestone
- Roues : BBS
- Carburant / huile : Elf
- Disques de freins : Carbone Industrie
- Etriers : AP Racing
- Transmission : Arrows 6 vitesses
- Radiateurs : Secan
- Bougies / batterie : NGK / FIAMM
- Gestion électronique : Zytek
- Amortisseurs : Dynamic
- Suspensions : poussoirs (av/ar)
- Poids à vide : 600 kg, pilote à bord
- Empattement : 3000 mm
- Voie avant : 1650 mm
- Voie arrière : 1600 mm
- Longueur totale : 4700 mm

FICHE D'IDENTITÉ

- Adresse : Arrows Grand Prix Int. Ltd.
  Leafield Technical Centre
  Leafield
  NR Witney
  Oxon OX8 5PF
  Grande-Bretagne
- Téléphone : (44) 1993 87 10 00
- Téléfax : (44) 1993 87 14 00
- Ecurie fondée en : 1977
- Premier Grand Prix : Brésil 1978
- Directeur général : Tom Walkinshaw
- Directeur technique : John Barnard
- Team-manager : John Walton
- Chef mécanicien : Lee Jones
- Nombre d'employés : 170
- Sponsor : Danka

STATISTIQUES

- Nombre de Grands Prix disputés : 305
- Nombre de victoires : 0
- Nombre de pole-positions : 1
- Nombre de meilleurs tours en course : 0
- Nombre de titres mondiaux conducteurs : 0
- Nombre de titres mondiaux constructeurs : 0
- Nombre total de points marqués : 150

CLASSEMENTS AU CHAMPIONNAT

1978 : 9e – 11 points	1988 : 4e – 23 points
1979 : 9e – 5 points	1989 : 7e – 13 points
1980 : 7e – 11 points	1990 : 9e – 2 points
1981 : 8e – 10 points	1991 : non classée
1982 : 10e – 5 points	1992 : 7e – 6 points
1983 : 9e – 4 points	1993 : 9e – 4 points
1984 : 9e – 6 points	1994 : 9e – 9 points
1985 : 8e – 14 points	1995 : 8e – 5 points
1986 : 10e – 1 point	1996 : 9e – 1 point
1987 : 6e – 11 points	1997 : 8e – 9 points

Tom Walkinshaw a beaucoup dépensé pour s'adjoindre les services de Damon Hill, mais sans grand résultat.
▽

◁
«Bon, encore sept Grands Prix et je change d'air.» Damon Hill, au Grand Prix de Hongrie, songeait déjà à son avenir. Qui n'allait de toute façon pas passer par Arrows-Yamaha.

Le canon à mouches

Damon Hill avait été impressionné, disait-il, par les installations de Leafield, la nouvelle usine Arrows montée par Tom Walkinshaw.

Ce dernier n'a en effet pas lésiné sur les moyens pour atteindre son but: remporter le championnat du monde de F1. Malheureusement pour lui, il n'est pas seul à partager cet objectif, et il n'est pas seul à disposer d'une usine ultra-moderne.

Au moment de tirer le bilan de la saison, on se demande si la débauche de moyens de l'écurie Arrows ne fait pas figure de canon à mouches. Seuls neufs points sont venus récompenser une saison très décevante. Le seul rayon de soleil, dans cette brume, fut le Grand Prix de Hongrie, et l'on se demande encore comment cette éclaircie put avoir lieu.

L'ambiance, en fait, se dégrada assez rapidement au sein de l'écurie. L'engagement de John Barnard, en mai, ne changea rien à l'affaire.

PILOTE-ESSAYEUR 1997

Jörg MÜLLER (D), Martin BRUNDLE (GBR)

SUCCESSION DES PILOTES 1997

- Damon HILL : tous les Grands Prix
- Pedro DINIZ : tous les Grands Prix

Williams-Renault

3. Jacques VILLENEUVE

FICHE D'IDENTITÉ

- Nom : **VILLENEUVE**
- Prénoms : *Jacques*
- Nationalité : *canadienne*
- Date de naissance : *9 avril 1971*
- Lieu de naissance : *St-Jean-sur-Richelieu, Québec, CAN*
- Domicilié à : *Monaco*
- Etat-civil : *célibataire*
- Enfants : *-*
- Hobbies : *musique, computer, cinéma, lecture*
- Musique favorite : *rock et pop*
- Plat favori : *pâtes*
- Boisson favorite : *lait*
- Taille : *171 cm*
- Poids : *66,5 kg*

STATISTIQUES

		DÉBUTS	
• Nbre de Grands Prix :	33	1986 :	Ecole Jim Russel
• Victoires :	11	1987 :	Ecole de pilotage Spenard-David
• Pole-positions :	13	1988 :	Champ. ital. Alfa
• Meilleurs tours :	9	1989-91 :	F3 (-, 14e, 6e)
• Accidents/sorties :	5	1992 :	F3 Japon (2e)
• Non-qualifications :	0	1993 :	Série Atlantic (3e)
• Tours en tête :	634	1994 :	IndyCar (6e)
• Kil. en tête :	2972	1995 :	IndyCar (Champion)
• Points marqués :	159		

CARRIÈRE EN F1

1996 : *Williams / Renault. 78 points. 2e du championnat.*
1997 : *Williams / Renault. 81 pts.* **Champion du Monde**

4. Heinz-Harald FRENTZEN

FICHE D'IDENTITÉ

- Nom : **FRENTZEN**
- Prénom : *Heinz-Harald*
- Nationalité : *allemande*
- Date de naissance : *18 mai 1967*
- Lieu de naissance : *Mönchengladbach (D)*
- Domicilié à : *Monaco*
- Etat-civil : *célibataire*
- Enfants : *-*
- Hobbies : *courir, mountain-bike, manger*
- Musique favorite : *funk, soul, rap*
- Plat favori : *poisson, paella*
- Boisson favorite : *jus de pommes*
- Taille : *178 cm*
- Poids : *64,5 kg*

STATISTIQUES

		DÉBUTS	
• Nbre de Grands Prix :	64	1980-84 :	Karting
• Victoires :	1	1981 :	Champion Jr. d'Allemagne Karting
• Pole-positions :	1	1885-87 :	F. Ford 2000 d'Allemagne
• Meilleurs tours :	6	1988 :	Champion F. Opel Lotus
• Accidents/sorties :	14	1989 :	F. 3 d'Allemagne
• Non-qualifications :	0	1990-91 :	F. 3000
• Tours en tête :	76	1992-93 :	F. 3000 du Japon
• Kil. en tête :	379		
• Points marqués :	71		

CARRIÈRE EN F1

1994 : *Sauber / Mercedes. 7 points. 13e du championnat.*
1995 : *Sauber / Ford. 15 points. 9e du championnat.*
1996 : *Sauber / Ford. 7 points. 12e du championnat.*
1997 : *Williams / Renault. 42 pts. 3e du championnat.*

Champion du monde! Avec sept victoires en 17 Grands Prix, ce premier titre mondial du Québécois est amplement mérité. Jacques a montré cette année qu'il comptait parmi ces pilotes à qui la pression permet de donner le meilleur d'eux-mêmes. Sa course de Jerez, en tout cas, fut absolument remarquable d'attaque, de vitesse et de maîtrise.
S'il connut beaucoup de réussite cette saison – avec des victoires en cadeau, comme à Silverstone, à Budapest ou au Nürburgring –, Jacques Villeneuve ne reçut pas toujours le soutien qu'il aurait souhaité de la part de son écurie. Sa couronne n'en est que plus méritoire.

Si l'on devait décerner la médaille de la poisse, cette saison, Heinz-Harald serait le mieux qualifié pour la décrocher. Car si l'Allemand rencontra beaucoup de difficultés à s'adapter à l'écurie Williams, et s'il a commis quelques belles gaffes, il a surtout été victime d'une malchance hors du commun – l'exemple le plus frappant reste sa course de Budapest, lorsqu'il allait s'imposer lorsque son bouchon de réservoir a lâché.
La saison de «Heinzi» n'en demeure pas moins très décevante. On s'attendait à franchement mieux de la part d'un pilote que Michael Schumacher a toujours décrit comme son rival le plus sérieux en terme de vitesse pure.

WILLIAMS-RENAULT FW19 –
JACQUES VILLENEUVE
GRAND PRIX D'ARGENTINE

Williams-Renault FW19

CARACTÉRISTIQUES

- Châssis : Williams FW19
- Moteur : Renault RS9 V10
- Pneus : Goodyear
- Roues : OZ
- Carburant / huile : Elf
- Disques de freins : Carbone Industrie
- Etriers : AP Racing
- Transmission : Williams 6 vitesses
- Radiateurs : Secan (eau) / IMI (huile)
- Bougies : Champion
- Gestion électronique : Magneti Marelli
- Amortisseurs : Williams / Penske
- Suspensions : Williams à poussoir
- Poids à vide : 600 kg, pilote à bord
- Empattement : 2890 mm
- Voie avant : 1670 mm
- Voie arrière : 1600 mm
- Longueur totale : 4150 mm

FICHE D'IDENTITÉ

- Adresse : Williams Grand Prix Engineering
  Grove, Wantage
  Oxfordshire OX12 0DQ,
  Grande-Bretagne
- Téléphone : (44) 1235 77 77 00
- Téléfax : (44) 1235 76 47 05
- Ecurie fondée en : 1969
- Premier Grand Prix : Argentine 1975
- Directeur général : Frank Williams
- Directeur technique : Patrick Head
- Team-manager : Dickie Stanford
- Chef mécanicien : Carl Gaden
- Nombre d'employés : 220
- Sponsor : Rothmans

STATISTIQUES

- Nombre de Grands Prix disputés : 379
- Nombre de victoires : 103
- Nombre de pole-positions : 107
- Nombre de meilleurs tours en course : 109
- Nombre de titres mondiaux conducteurs : 7
- Nombre de titres mondiaux constructeurs : 9
- Nombre total de points marqués : 1909.5

CLASSEMENTS AU CHAMPIONNAT

1975 : 9e – 6 points	1987 : 1er – 137 points
1976 : non classée	1988 : 7e – 20 points
1977 : non classée	1989 : 2e – 77 points
1978 : 9e – 11 points	1990 : 4e – 57 points
1979 : 2e – 75 points	1991 : 2e – 125 points
1980 : 1er – 120 points	1992 : 1er – 164 points
1981 : 1er – 95 points	1993 : 1er – 168 points
1982 : 4e – 58 points	1994 : 1er – 118 points
1983 : 4e – 38 points	1995 : 2e – 112 points
1984 : 6e – 25.5 points	1996 : 1er – 175 points
1985 : 3e – 71 points	1997 : 1er – 123 points
1986 : 1er – 141 points	

Patrick Head songeur. Le directeur technique de l'écurie Williams a connu une saison très difficile, de son propre aveu. Mais une fois encore, la victoire était au bout de la route.

▽

Toujours les meilleurs

Année après année, l'écurie Williams aligne les succès avec une constance qui a de quoi irriter la concurrence. Cette saison pourtant, la FW19 n'était qu'une évolution de la FW18 de 1996, et elle ne fut pas absolument parfaite.
Au niveau fiabilité, rien à redire: sur 34 départs, la FW19 n'a lâché son pilote qu'à trois reprises (Jacques Villeneuve à Saint-Marin, Heinz-Harald Frentzen en Argentine et en Hongrie). Côté structurel, par contre, l'écurie s'est aperçue en milieu de saison, à Hockenheim, d'un problème d'équilibre aérodynamique affectant sa voiture. Heinz-Harald s'en plaignait depuis le début de la saison, mais sans se voir écouté – il venait d'arriver au sein de l'écurie, et Jacques ne se plaignait de rien.
Le problème corrigé, la FW19 reprit de sa superbe perdue au cours des Grands Prix de l'été. Un titre des constructeurs parfaitement mérité d'autant que Renault avait effectué un superbe effort avec le bloc RS9. Qui n'a pas cassé une seule fois en course.

PILOTE-ESSAYEUR 1997

Jean-Christophe BOULLION (F)

SUCCESSION DES PILOTES 1997

- Jacques VILLENEUVE : tous les Grands Prix
- Heinz-H. FRENTZEN : tous les Grands Prix

Ferrari

5. Michael SCHUMACHER

FICHE D'IDENTITÉ

- Nom : *SCHUMACHER*
- Prénom : *Michael*
- Nationalité : *allemande*
- Date de naissance : *3 janvier 1969*
- Lieu de naissance : *Hürth-Hermühlheim (GER)*
- Domicilié à : *Vufflens-le-Château (CH)*
- État-civil : *marié à Corinna*
- Enfants : *1 fille (Gina Maria)*
- Hobbies : *karting, mountain-bike, vélo*
- Musique favorite : *Phil Collins, M. Jackson, T. Turner*
- Plat favori : *cuisine italienne*
- Boisson favorite : *jus de pommes avec eau minérale*
- Taille : *174 cm*
- Poids : *74,5 kg*

STATISTIQUES | DÉBUTS

STATISTIQUES		DÉBUTS
Nbre de Grands Prix :	102	1984 : *Champion d'Alle-*
Victoires :	27	*magne jr. de karting*
Pole-positions :	17	1987 : *Champion d'Europe*
Meilleurs tours :	28	*de karting*
Accidents/sorties :	18	1988 : *Champion d'Alle-*
Non-qualifications :	0	*magne de F. Ford*
Tours en tête :	1568	1990-91 : *Voitures de*
Kil. en tête :	7211	*Sports avec*
Points marqués :	440	*Mercedes*

CARRIÈRE EN F1

1991 : *Jordan / Ford & Benetton. 4 points. 12e du champ.*
1992 : *Benetton / Ford. 53 points. 3e du championnat.*
1993 : *Benetton / Ford. 52 points. 4e du championnat.*
1994 : *Benetton / Ford. 92 points.* **Champion du monde**
1995 : *Benetton/Renault. 102 pts.* **Champion du monde**
1996 : *Ferrari. 49 points. 3e du championnat.*
1997 : *Ferrari. 78 points. 2e du championnat.*

6. Eddie IRVINE

FICHE D'IDENTITÉ

- Nom : *IRVINE*
- Prénom : *Edmund*
- Nationalité : *britannique*
- Date de naissance : *10 novembre 1965*
- Lieu de naissance : *Newtownards (IRE)*
- Domicilié à : *Dublin, Oxford (GB) & Conlig (IRE)*
- Etat-civil : *célibataire*
- Enfants : *-*
- Hobbies : *golf, natation, pêche*
- Musique favorite : *rock, Van Morrison*
- Plat favori : *chinois*
- Boisson favorite : *-*
- Taille : *178 cm*
- Poids : *75 kg*

STATISTIQUES | DÉBUTS

STATISTIQUES		DÉBUTS
Nbre de Grands Prix :	65	1983-87 : *F. Ford 1600*
Victoires :	0	1988 : *F. 3 GB*
Pole-positions :	0	1989 : *F. 3000*
Meilleurs tours :	0	1990 : *F. 3000 (3e)*
Accidents/sorties :	23	1991 : *F. 3000 Japon (7e)*
Non-qualifications :	0	1992 : *F. 3000 Japon (8e)*
Tours en tête :	23	1993 : *F. 3000 Japon (2e)*
Kil. en tête :	125	
Points marqués :	52	

CARRIÈRE EN F1

1993 : *Jordan / Hart. 0 point.*
1994 : *Jordan / Hart. 6 points. 14e du championnat.*
1995 : *Jordan / Peugeot. 10 points. 12e du championnat.*
1996 : *Ferrari. 11 points. 10e du championnat.*
1997 : *Ferrari. 24 points. 8e du championnat.*

On savait que Michael Schumacher était le meilleur pilote actuel. Cette saison, il n'a fait que le confirmer en signant quelques-unes des plus belles pages de sa carrière. A Monaco, il fut princier sous la pluie, mais en Belgique, il fut carrément royal sur piste humide.

Son génie technique a également permis à Ferrari de disputer une saison plus qu'honorable malgré un châssis F310B que le pilote allemand décrivit comme «catastrophique» à sa première prise en main, en janvier. Malheureusement, ce tableau idyllique a été quelque peu terni par l'incident de Jerez. Même si Michael refuse de l'avouer, il semble bel et bien coupable d'avoir voulu sortir Jacques Villeneuve. Une manœuvre peu élégante qui entame sérieusement la réputation du pilote Ferrari. Jusqu'à ce que le public oublie tout à l'occasion de son prochain exploit.

Tout comme la saison précédante, Eddie Irvine a joué à la perfection son rôle de lieutenant de Michael Schumacher. Rapide et efficace, il est exactement l'homme qu'il fallait à Ferrari. L'Allemand le décrit d'ailleurs comme le coéquipier le plus rapide qu'il ait jamais eu. Malheureusement pour lui, Eddie sait qu'il ne pourra jamais devenir champion du monde en restant le second de Schumacher. Il a déjà dû sacrifier sa première victoire potentielle, à Suzuka, sur l'autel de sa loyauté envers son écurie. Irvine le sait et prend son mal en patience: comme il le dit lui-même, il apprend énormément en côtoyant Michael Schumacher.

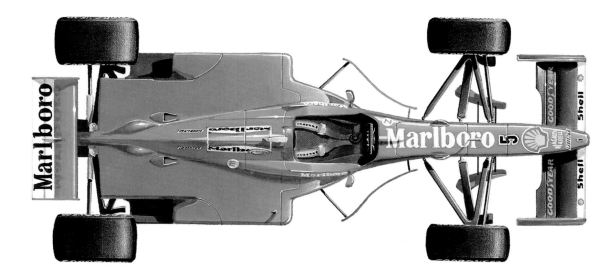

FERRARI F310B – MICHAEL SCHUMACHER
GRAND PRIX DE BELGIQUE

Ferrari F310B

CARACTÉRISTIQUES

- Châssis : *Ferrari F310B*
- Moteur : *Ferrari 046/2 V10*
- Pneus : *Goodyear*
- Carburant / huile : *Shell*
- Disques de freins : *Carbone Industrie*
- Etriers : *Brembo*
- Transmission : *Ferrari 7 vitesses*
- Radiateurs : *non révélé*
- Bougies : *NGK*
- Gestion électronique : *Magneti Marelli*
- Amortisseurs : *non révélé*
- Roues : *BBS*
- Suspensions : *poussoirs (av/ar)*
- Poids à vide : *600 kg, pilote à bord*
- Empattement : *2935 mm*
- Longueur totale : *4358 mm*
- Hauteur totale : *968 mm*
- Voie avant : *1690 mm*
- Voie arrière : *1605 mm*

FICHE D'IDENTITÉ

- Adresse : *Ferrari SpR*
  Via Ascari 55
  41053 Maranello (MO)
  Italie
- Téléphone : *(39) 536 94 91 11*
- Téléfax : *(39) 536 94 64 88*
- Ecurie fondée en : *1929*
- Premier Grand Prix : *Monaco 1950*
- Directeur général : *Luca Di Montezemolo*
- Directeur technique : *Ross Brawn*
  Paolo Martinelli (moteurs)
- Concepteur châssis : *Rory Byrne*
- Recherche : *Gustav Brunner*
- Team-manager : *Jean Todt*
- Chef mécanicien : *Nigel Stepney*
- Nombre d'employés : *330*
- Sponsors : *Marlboro, Fiat, Shell, Asprey*

STATISTIQUES

- Nombre de Grands Prix disputés : *586*
- Nombre de victoires : *113*
- Nombre de pole-positions : *121*
- Nombre de meilleurs tours en course : *126*
- Nombre de titres mondiaux conducteurs : *9*
- Nombre de titres mondiaux constructeurs : *8*
- Nombre total de points marqués : *2082.5*

CLASSEMENTS AU CHAMPIONNAT

1958 : *2e – 40 points*	1972 : *4e – 33 points*	1986 : *4e – 37 points*
1959 : *2e – 32 points*	1973 : *6e – 12 points*	1987 : *4e – 53 points*
1960 : *3e – 24 points*	1974 : *2e – 65 points*	1988 : *2e – 65 points*
1961 : ***1er – 40 points***	1975 : ***1er – 72,5 points***	1989 : *3e – 59 points*
1962 : *2e – 18 points*	1976 : ***1er – 83 points***	1990 : *2e – 110 points*
1963 : *4e – 26 points*	1977 : ***1er – 95 points***	1991 : *3e – 55,5 points*
1964 : ***1er – 45 points***	1978 : *2e – 58 points*	1992 : *4e – 21 points*
1965 : *4e – 26 points*	1979 : ***1er – 113 points***	1993 : *4e – 23 points*
1966 : *2e – 31 points*	1980 : *10e – 8 points*	1994 : *3e – 71 points*
1967 : *4e – 20 points*	1981 : *5e – 34 points*	1995 : *3e – 73 points*
1968 : *4e – 32 points*	1982 : ***1er – 74 points***	1996 : *2e – 70 points*
1969 : *5e – 7 points*	1983 : ***1er – 89 points***	1997 : *2e – 102 points*
1970 : *2e – 55 points*	1984 : *2e – 57,5 points*	
1971 : *4e – 33 points*	1985 : *2e – 82 points*	

Presque au but

Cette fois, il semble que la Scuderia Ferrari soit sur le bon chemin. En janvier 1997, au moment de dévoiler la nouvelle F310B, l'objectif avoué par Jean Todt était de remporter plus de victoires qu'en 1996. Au bilan, avec cinq Grands Prix remportés par Michael Schumacher, l'objectif est atteint.

Evidemment, en cours de saison, ce dernier s'était transformé en ambition au niveau du titre mondial, puisque le pilote allemand occupait la tête du classement du championnat à partir du Grand Prix de Monaco.

C'est finalement raté, mais de peu. Il n'en reste pas moins que Ferrari, cette année, a connu de très loin sa meilleure saison depuis 1983 – lorsque la Scuderia remporta pour la dernière fois le titre des constructeurs. En fin d'année, la F310B senblait à la hauteur de la Williams. Il semble donc que tout soit en place pour que 1998 soit le millésime que toute l'Italie pourra célébrer.

PILOTES-ESSAYEUR 1997

Gianni MORBIDELLI (I)

SUCCESSION DES PILOTES 1997

- Mich. SCHUMACHER : *tous les Grands Prix*
- Eddie IRVINE : *tous les Grands Prix*

◁
Complices de tous les instants: Michael Schumacher et Jean Todt, le directeur sportif de la Scuderia.

Benetton-Renault

7. Jean ALESI

FICHE D'IDENTITÉ

- Nom : *ALESI*
- Prénom : *Jean*
- Nationalité : *française*
- Date de naissance : *11 juin 1964*
- Lieu de naissance : *Avignon (F)*
- Domicilié à : *Nyon (CH)*
- Etat-civil : *divorcé, fiancé à Kumiko*
- Enfants : *une fille (Charlotte)*
- Hobbies : *ski, tennis, golf, ski nautique*
- Musique favorite : *-*
- Plat favori : *pâtes*
- Boisson favorite : *Vichy Menthe*
- Taille : *170 cm*
- Poids : *75 kg*

STATISTIQUES

- Nbre de Grands Prix : *135*
- Victoires : *1*
- Pole-positions : *2*
- Meilleurs tours : *4*
- Accidents/sorties : *23*
- Non-qualifications : *0*
- Tours en tête : *239*
- Kil. en tête : *1113*
- Points marqués : *225*

DÉBUTS

- 1981-82 : *Karting*
- 1983-84 : *Renault 5 Turbo*
- 1985 : *F. Renault de France (5e)*
- 1986 : *F. 3 de France (2e)*
- 1987 : *Champion de France de F. 3*
- 1988 : *F. 3000 (10e)*
- 1989 : *Champion F. 3000*

CARRIÈRE EN F1

- 1989 : *Tyrrell / Ford. 8 points. 9e du championnat.*
- 1990 : *Tyrrell / Ford. 13 points. 9e du championnat.*
- 1991 : *Ferrari. 21 points. 7e du championnat.*
- 1992 : *Ferrari. 18 points. 7e du championnat.*
- 1993 : *Ferrari. 16 points. 6e du championnat.*
- 1994 : *Ferrari. 24 points. 5e du championnat.*
- 1995 : *Ferrari. 42 points. 5e du championnat.*
- 1996 : *Benetton / Renault. 47 points. 4e du championnat.*
- 1997 : *Benetton / Renault. 36 points. 5e du championnat.*

8. Gerhard BERGER

FICHE D'IDENTITÉ

- Nom : *BERGER*
- Prénom : *Gerhard*
- Nationalité : *autrichienne*
- Date de naissance : *27 août 1959*
- Lieu de naissance : *Wörgl (A)*
- Domicilié à : *Monte Carlo, Kundl (A)*
- Etat-civil : *marié à Ana*
- Enfant : *deux filles (Christina, Sarah Maria)*
- Hobbies : *ski, hockey sur glace, moto, dormir*
- Musique favorite : *Beatles*
- Plat favori : *cuisine italienne*
- Boisson favorite : *eau*
- Taille : *184 cm*
- Poids : *74 kg*

STATISTIQUES

- Nbre de Grands Prix : *210*
- Victoires : *10*
- Pole-positions : *12*
- Meilleurs tours : *21*
- Accidents/sorties : *26*
- Non-qualifications : *0*
- Tours en tête : *654*
- Kil. en tête : *3184*
- Points marqués : *382*

DÉBUTS

- 1981 : *Coupe d'Europe Alfa Sprint (7e)*
- 1982 : *F. 3 d'Allemagne (3e)*
- 1983-84 : *F. 3 d'Europe (8e et 3e)*

CARRIÈRE EN F1

- 1984 : *ATS / BMW. 0 point.*
- 1985 : *Arrows / BMW. 3 points. 17e du championnat.*
- 1986 : *Benetton / BMW. 17 points. 7e du championnat.*
- 1987 : *Ferrari. 36 points. 5e du championnat.*
- 1988 : *Ferrari. 41 points. 3e du championnat.*
- 1989 : *Ferrari. 21 points. 7e du championnat.*
- 1990 : *McLaren / Honda. 43 points. 3e du championnat.*
- 1991 : *McLaren / Honda. 43 points. 4e du championnat.*
- 1992 : *McLaren / Honda. 49 points. 5e du championnat.*

Une saison de plus sans la moindre victoire pour Jean d'Avignon. Ce n'est pourtant pas faute d'avoir essayé: une nouvelle fois, il a signé quelques exploits exceptionnels cette saison. Mais sa B197 souffrait d'un comportement vraiment trop lunatique pour lui permettre d'espérer quoi que ce soit. Au final, il reste une saison où Jean s'est souvent battu pour des places anonymes et indignes de son talent – à Jerez, il a ainsi terminé à la... 13e place! Son seul haut fait restera sa pole position de Monza.
A part ça, Jean a enregistré quatre deuxièmes places supplémentaires. De là à le surnommer le Poulidor de la Formule 1...

Etrange saison que celle de Gerhard Berger. Une saison en demi-teinte, parsemée d'exploits comme de ratages. Gerhard explique que c'est sa sinusite qui a tout gâché. Attrapée au Grand Prix d'Argentine, cette infection l'a gêné à Saint-Marin, à Monaco et en Espagne avant que ses médecins lui interdisent finalement de participer au Grand Prix du Canada.
A son retour, l'Autrichien a fait exploser le chronomètre. Déchaîné, il s'empara à la fois de la pole-position et de la victoire à Hockenheim. Pour retomber ensuite dans l'anonymat, à nouveau gêné par sa sinusite.
Finalement, après mûre réflexion, Gerhard décida de prendre sa retraite – qu'il qualifie de «provisoire» – à la fin de la saison. Le Papy de la Formule 1 a fini de faire de la résistance.

- 1993 : *Ferrari. 12 points. 8e du championnat.*
- 1994 : *Ferrari. 41 points. 3e du championnat.*
- 1995 : *Ferrari. 31 points. 6e du championnat.*
- 1996 : *Benetton / Renault. 21 points. 6e du championnat.*
- 1997 : *Benetton / Renault. 27 points. 6e du championnat.*

**BENETTON-RENAULT B197 –
GERHARD BERGER
GRAND PRIX D'ALLEMAGNE**

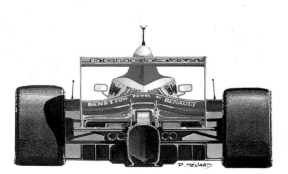

Benetton-Renault B197

CARACTÉRISTIQUES

- Châssis : *Benetton B197*
- Moteur : *Renault RS9 V10*
- Pneus : *Goodyear*
- Roues : *BBS*
- Carburant / huile : *Agip*
- Disques de freins : *Carbone Industrie*
- Etriers : *Brembo*
- Transmission : *Benetton 6 vitesses*
- Radiateurs : *Benetton*
- Bougies : *Champion*
- Gestion électronique : *Magneti Marelli*
- Amortisseurs : *Bilstein*
- Suspensions : *poussoirs (av/ar)*
- Poids à vide : *550 kg (sans pilote)*
- Empattement : *2880 mm*
- Voie avant : *1700 mm*
- Voie arrière : *1600 mm*

FICHE D'IDENTITÉ

- Adresse : *Benetton Formula Ltd.
  Whiteways Technical Centre
  Enstone, Chipping Norton
  Oxon OX7 4EE
  Grande-Bretagne*
- Téléphone : *(44) 1608 67 80 00*
- Téléfax : *(44) 1608 67 86 09*
- Ecurie fondée en : *1970 (sous le nom de Toleman)*
- Premier Grand Prix : *Italie 1981*
- Directeur général : *Flavio Briatore / David Richards*
- Directeur technique : *Pat Symonds*
- Team-manager : *Joan Villadelprat*
- Chef mécanicien : *Mike Ainsley-Cowlishaw*
- Nombre d'employés : *175*
- Sponsors : *Mild Seven, United Colors of Benetton*

STATISTIQUES

- Nombre de Grands Prix disputés : *251*
- Nombre de victoires : *26*
- Nombre de pole-positions : *15*
- Nombre de meilleurs tours en course : *36*
- Nombre de titres mondiaux conducteurs : *2*
- Nombre de titres mondiaux constructeurs : *1*
- Nombre total de points marqués : *797.5*

CLASSEMENTS AU CHAMPIONNAT

1981 : *non classée*	1990 : *3e – 71 points*
1982 : *non classée*	1991 : *4e – 38,5 points*
1983 : *9e – 10 points*	1992 : *3e – 91 points*
1984 : *7e – 16 points*	1993 : *3e – 72 points*
1985 : *non classée*	1994 : *2e – 103 points*
1986 : *6e – 19 points*	1995 : ***1er – 137 points***
1987 : *5e – 28 points*	1996 : *3e – 68 points*
1988 : *3e – 39 points*	1997 : *3e – 67 points*
1989 : *4e – 39 points*	

Nouvelle déception !

Dans l'édition 1996 de «L'Année Formule 1», ce même chapitre expliquait que 1997, pour l'écurie Benetton, ne pourrait pas s'avérer pire que 1996. Et pourtant si! Cette année, l'écurie multicolore a marqué un point de moins que l'année passée.

Par contre, elle aura au moins sauvé l'honneur en enregistrant une victoire, due à un sursaut d'énergie de Gerhard Berger lors de son retour à la course, au Grand Prix d'Allemagne.

Si la B197 ne se comportait pas trop mal sur les circuits rapides, elle était par contre complètement larguée sur les tracés sinueux. A témoin, l'humiliation subie par Gerhard Berger lors de son Grand Prix national, en Autriche, où il se qualifia 18e!

Les causes du problème étaient très nombreuses, et d'autant plus difficile à résoudre que les concepteurs de la voiture, Ross Brawn et Rory Byrne, étaient partis chez Ferrari. A leur place, un groupe de jeunes ingénieurs qui n'ont apparemment guère fait le poids...

PILOTE-ESSAYEUR 1997

Alexander WURZ (AUT)

SUCCESSION DES PILOTES 1997

- Jean ALESI : *tous les Grands Prix*
- Gerhard BERGER : *AUS-BRE-ARG-RSM-MON-ESP-D-HON-BEL-ITA-AUT-LUX-JAP-EUR*
- Jarno TRULLI : *CAN-FRA-GB*

Alexander Wurz n'a pris part qu'à trois Grands Prix, en remplacement de Gerhard Berger. Mais il a déjà réussi à impressionner son monde en terminant sur le podium à Silverstone.
▽

Flavio Briatore n'a pas connu une saison brillante. Licencié par Alessandro Benetton, il fut remplacé par David Richards au soir du Grand Prix du Luxembourg.
▽

McLaren-Mercedes

9. Mika HAKKINEN

10. David COULTHARD

Enfin une victoire! Le talent indiscutable de Mika Hakkinen, un pilote hyper-rapide, s'est vu récompensé in extremis par sa victoire à Jerez, arrachée dans le dernier tour du dernier Grand Prix de la saison.

Jusque-là, comme souvent, le Finlandais avait été victime d'une incroyable malchance. A Silverstone, il était en tête à 7 tours de l'arrivée lorsque son moteur l'a lâché. A Spielberg, rebelote. Mika menait – nous n'en étions certes qu'au premier tour – lorsqu'il dut abandonner sa monoplace sur le bas-côté. Sans compter qu'en Belgique, il fut dépossédé d'une troisième place gagnée de haute lutte.

La victoire de Jerez est donc venue comme la compensation de tous ces efforts. Voilà qui va sans doute remonter le moral d'un pilote qui avait toujours l'air un peu triste et effacé cette année. En début de saison, il sembla avoir du mal à entrer dans le rythme. Mais sur la fin, par contre, il a allumé son coéquipier lors de toutes les séances qualificatives.

FICHE D'IDENTITÉ

- **Nom :** HAKKINEN
- **Prénoms :** Mika Pauli
- **Nationalité :** finlandaise
- **Date de naissance :** 28 septembre 1968
- **Lieu de naissance :** Helsinki (SF)
- **Domicilié à :** Monte Carlo
- **Etat-civil :** célibataire
- **Enfants :** -
- **Hobbies :** ski, natation, golf, tennis
- **Musique favorite :** Michael Jackson, Phil Collins
- **Plat favori :** -
- **Boissons favorites :** eau, lait,
- **Taille :** 179 cm
- **Poids :** 70 kg

FICHE D'IDENTITÉ

- **Nom :** COULTHARD
- **Prénom :** David
- **Nationalité :** britannique
- **Date de naissance :** 27 mars 1971
- **Lieu de naissance :** Twynholm (Ecosse)
- **Domicilié à :** Monaco
- **Etat-civil :** célibataire
- **Enfants :** -
- **Hobbies :** sport automobile, golf, natation
- **Musique favorite :** Queen, Phil Collins
- **Plat favori :** pâtes
- **Boisson favorite :** thé
- **Taille :** 182 cm
- **Poids :** 75 kg

STATISTIQUES | DÉBUTS

- Nbre de Grands Prix : 96 | 1974-86 : Karting (5 fois Champion de Finlande)
- Victoires : 1
- Pole-positions : 1
- Meilleurs tours : 1 | 1987 : Champion F. Ford
- Accidents/sorties : 14 | 1988 : Opel Lotus Euroseries
- Non-qualifications : 2
- Tours en tête : 66 | 1989 : F. 3 (GB, 7e)
- Kil. en tête : 319 | 1990 : F. 3 / Champion West Surrey
- Points marqués : 118

STATISTIQUES | DÉBUTS

- Nbre de Grands Prix : 58 | 1983-88 : Karting
- Victoires : 3 | 1989 : Champion junior de F. Ford 1600
- Pole-positions : 5
- Meilleurs tours : 5 | 1990 : F. Opel Lotus
- Accidents/sorties : 10 | 1991 : F. 3 GB (2e)
- Non-qualifications : 0 | 1992 : F. 3000 (9e)
- Tours en tête : 330 | 1993 : F. 3000 (3e)
- Kil. en tête : 1596
- Points marqués : 117

CARRIÈRE EN F1

1991 : Lotus / Judd. 2 points. 15e du championnat.
1992 : Lotus / Ford. 11 points. 8e du championnat.
1993 : McLaren / Ford. 4 points. 15e du championnat.
1994 : McLaren / Peugeot. 26 points. 4e du championnat.
1995 : McLaren / Mercedes. 17 points. 7e du championnat.
1996 : McLaren / Mercedes. 31 points. 5e du championnat.
1997 : McLaren / Mercedes. 27 points. 7e du championnat.

CARRIÈRE EN F1

1994 : Williams / Renault. 14 points. 8e du championnat.
1995 : Williams / Renault. 49 points. 3e du championnat.
1996 : McLaren / Mercedes. 18 points. 7e du championnat.
1997 : McLaren / Mercedes. 36 pts. 4e du championnat.

Une belle saison pour David Coulthard. En 1997, l'Ecossais a affiché une belle constance, parvenant à faire mieux que son coéquipier à six reprises au cours des essais. Mais c'était en début de saison: sur la fin, Hakkinen fut nettement plus rapide.

David compensait par des départs-canons, pour lesquels l'anti-patinage de McLaren ne suffisait pas à tout expliquer. En course, il s'est toujours montré très aggressif et presque impossible à doubler.

Après mûre réflexion, l'écurie McLaren décida de le garder une saison supplémentaire. Il n'aurait en tout cas pas mérité de se voir évincé.

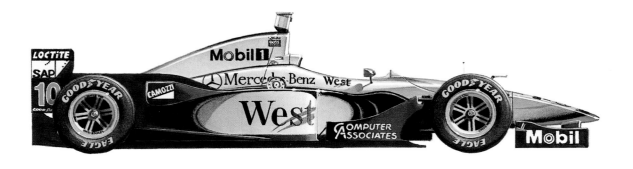

**McLAREN-MERCEDES MP4/12 –
DAVID COULTHARD
GRAND PRIX D'AUSTRALIE**

McLaren-Mercedes MP4/12

CARACTÉRISTIQUES

- Châssis : McLaren MP 4/12
- Moteur : Mercedes-Benz FO 112 V10
- Pneus : Goodyear
- Roues : Enkei
- Carburant / huile : Mobil
- Disques de freins : Hitco
- Etriers : AP Racing
- Transmission : McLaren 6 vit., semi-autom.
- Radiateurs : McLaren / Calsonic
- Bougies / batterie : NGK / GS Battery
- Gestion électronique : TAG Electronic System
- Amortisseurs : Penske
- Suspensions : poussoirs
- Poids à vide : 600 kg, pilote à bord
- Empattement : non révélé
- Voie avant : non révélée
- Voie arrière : non révélée

FICHE D'IDENTITÉ

- Adresse : McLaren International Ltd.
  Woking Business Park
  Albert Drive
  Woking, Surrey GU21 5JY
  Grande-Bretagne
- Téléphone : (44) 1483 728 211
- Téléfax : (44) 1483 720 157
- Ecurie fondée en : 1963
- Premier Grand Prix : Monaco 1966
- Directeur général : Ron Dennis
- Directeur technique : Adrian Newey
- Team-manager : Jo Ramirez
- Chef mécanicien : Paul Simpson
- Nombre d'employés : 210
- Sponsors : Reemtsma, Hugo Boss, Tag-Heuer

STATISTIQUES

- Nombre de Grands Prix disputés : 460
- Nombre de victoires : 107
- Nombre de pole-positions : 80
- Nombre de meilleurs tours en course : 71
- Nombre de titres mondiaux conducteurs : 9
- Nombre de titres mondiaux constructeurs : 7
- Nombre total de points marqués : 2049.5

CLASSEMENTS AU CHAMPIONNAT

1966 : 7e – 3 points		1982 : 2e – 69 points	
1967 : 8e – 1 points		1983 : 5e – 34 points	
1968 : 2e – 51 points		1984 : 1er – 143.5 points	
1969 : 4e – 40 points		1985 : 1er – 90 points	
1970 : 4e – 35 points		1986 : 2e – 96 points	
1971 : 6e – 10 points		1987 : 2e – 76 points	
1972 : 3e – 47 points		1988 : 1er – 199 points	
1973 : 3e – 58 points		1989 : 1er – 141 points	
1974 : 1er – 73 points		1990 : 1er – 121 points	
1975 : 3e – 53 points		1991 : 1er – 139 points	
1976 : 2e – 74 points		1992 : 2e – 99 points	
1977 : 3e – 60 points		1993 : 2e – 84 points	
1978 : 7e – 15 points		1994 : 4e – 42 points	
1979 : 7e – 15 points		1995 : 4e – 30 points	
1980 : 7e – 11 points		1996 : 4e – 49 points	
1981 : 6e – 28 points		1997 : 4e – 63 points	

Ron Dennis hilare. Son écurie a retrouvé le chemin des succès cette saison.
▽

Qui dira encore que chez McLaren, ce ne sont pas des lumières? En tout cas, les uniformes fluos de l'écurie font leur effet sous le coup des flashes...
▽

Concrétisation

L'écurie McLaren-Mercedes avait changé de couleur au cours de l'hiver, passant du rouge Marlboro au gris West. Un changement qui permit à l'écurie d'adopter le look «flèches d'argent» sur les voitures, qui étaient de loin les plus belles du plateau cette année.

Mais sous la carrosserie, les progrès étaient aussi présents. Après plusieurs saisons «sans», le tandem McLaren-Mercedes vit son partenariat couronné de succès pour la première fois à Melbourne. Une victoire quelque peu chanceuse, mais qui fut confirmée par le succès indiscutable de Monza. Une dernière victoire à Jerez, sous forme de doublé, finit de combler les dirigeants de l'écurie.

L'équipe connut pourtant encore trop de casses mécaniques, essentiellement du côté moteur, ce qui la priva de plusieurs autres bons résultats.

Ce fut la meilleure saison de McLaren depuis longtemps, et ça devrait aller encore mieux en 1998, avec une voiture dessinée par Adrian Newey, l'ex-concepteur de l'écurie Williams.

PILOTE-ESSAYEUR 1997

SUCCESSION DES PILOTES 1997

- Mika HAKKINEN : tous les Grands Prix
- David COULTHARD : tous les Grands Prix

Jordan-Peugeot

11. Ralf SCHUMACHER

FICHE D'IDENTITÉ

- Nom : *SCHUMACHER*
- Prénom : *Ralf*
- Nationalité : *allemande*
- Date de naissance : *30 juin 1975*
- Lieu de naissance : *Hürth (D)*
- Domicilié à : *Monte Carlo*
- Etat-civil : *célibataire*
- Enfants : *-*
- Hobbies : *karting, tennis*
- Musique favorite : *soft rock*
- Plats favoris : *pâtes*
- Boisson favorite : *jus de pommes avec eau minérale*
- Taille : *178 cm*
- Poids : *73 kg*

STATISTIQUES | DÉBUTS

STATISTIQUES		DÉBUTS
• Nbre de Grands Prix :	17	1978-92 : Karting
• Victoires :	0	1993 : Champ. ADAC
• Pole-positions :	0	Junior
• Meilleurs tours :	0	1994 : Champ. F. 3 (D, 3e)
• Accidents/sorties :	5	1995 : Champ. F. 3 (D, 2e),
• Non-qualifications :	0	vainqueur finale
• Tours en tête :	0	mondial F. 3 à
• Kil. en tête :	0	Macao
• Points marqués :	13	1996 : Champion F. 3000
		(Japon)

CARRIÈRE EN F1

1997 : Jordan / Peugeot. 13 points. 12e du championnat.

12. Giancarlo FISICHELLA

FICHE D'IDENTITÉ

- Nom : *FISICHELLA*
- Prénom : *Giancarlo*
- Nationalité : *italienne*
- Date de naissance : *14 janvier 1973*
- Lieu de naissance : *Rome (I)*
- Domicilié à : *Monte Carlo*
- Etat-civil : *célibataire*
- Enfants : *-*
- Hobbies : *ski, pêche, football, tennis*
- Musique favorite : *musique disco, Zucchero*
- Plats favoris : *pâtes, pizza, steaks et poisson*
- Boisson favorite : *jus d'orange*
- Taille : *172 cm*
- Poids : *69,5 kg*

STATISTIQUES | DÉBUTS

STATISTIQUES		DÉBUTS
• Nbre de Grands Prix :	25	1984-88 : Karting
• Victoires :	0	1989 : champ. du Monde
• Pole-positions :	0	karting (4e)
• Meilleurs tours :	0	1991 : F. Alfa Boxer; karting
• Accidents/sorties :	6	(EUR) (2e)
• Non-qualifications :	0	1992-94 : F 3 (ITA),
• Tours en tête :	7	champion en 1994
• Kil. en tête :	48	1995 : DTM/ITC Alfa
• Points marqués :	0	Romeo

CARRIÈRE EN F1

1996 : Minardi / Ford. 0 point.
1996 : Minardi / Ford. 0 point.
1997 : Jordan / Peugeot. 20 points. 9e du championnat.

Evidemment, débarquer en F1 en tant que frère de Michael Schumacher n'est certainement pas des plus aisé.
Ceci posé, Ralf Schumacher aurait pu rêver mieux pour cette première saison en F1. Prétentieux, arrogant, et dangereux en piste (Giancarlo Fisichella en Argentine et Johnny Herbert en Italie ont pu en faire l'expérience), Ralf s'est très vite vu surnommé «Rex» sur les circuits. Rapide, il l'est sans doute. Mais sans plus: pendant toute la deuxième partie de saison, son coéquipier se qualifia régulièrement devant lui.
En fait, Ralf s'est surtout illustré par le nombre hallucinant de sorties de route dont il fut l'auteur, tout spécialement au cours des essais.
Une première année très négative en résumé. Ralf va devoir batailler ferme pour se racheter l'an prochain.

Les demoiselles le trouvent beau gosse, les directeurs d'écurie le jugent très rapide: Giancarlo Fisichella mérite largement le titre de révélation de la saison.
Alors qu'il ne disputait cette année que sa première véritable saison de F1, «Fisico» fut l'auteur d'exploits dignes des plus grands. Et pour ne rien gâcher, l'homme est très sympathique.
Pas étonnant dès lors que Jordan et Benetton se soient arrachés ses services pour 1998.

**JORDAN-PEUGEOT 197 –
GIANCARLO FISICHELLA
GRAND PRIX DE BELGIQUE**

Jordan-Peugeot 197

CARACTÉRISTIQUES

- Châssis : *Jordan 197*
- Moteur : *Peugeot A14 V10*
- Pneus : *Goodyear*
- Roues : *OZ*
- Carburant / huile : *Total*
- Disques de freins : *Carbone Industrie*
- Etriers : *Brembo*
- Transmission : *Jordan 6 vitesses*
- Radiateurs : *Secan / Jordan*
- Bougies / batterie : *FIAMM / FIAMM*
- Gestion électronique : *TAG Electronics*
- Amortisseurs : *Jordan*
- Suspensions : *poussoirs (av/ar)*
- Poids à vide : *600 kg, pilote à bord*
- Empattement : *2950 mm*
- Voie avant : *1700 mm*
- Voie arrière : *1618 mm*

FICHE D'IDENTITÉ

- Adresse : *Jordan Grand Prix Ltd.*
  Buckingham Road, Silverstone,
  Northants NN12 8TJ
  Grande-Bretagne
- Téléphone : *(44) 1327 857 153*
- Téléfax : *(44) 1327 858 120*
- Ecurie fondée en : *1981*
- Premier Grand Prix : *USA 1991*
- Directeur général : *Eddie Jordan*
- Directeur technique : *Gary Anderson*
- Team-manager : *Trevor Foster*
- Chef mécanicien : *Tim Edwards*
- Nombre d'employés : *80*
- Sponsors : *Benson&Hedges, Total*

STATISTIQUES

• Nombre de Grands Prix disputés :	114
• Nombre de victoires :	0
• Nombre de pole-positions :	1
• Nombre de meilleurs tours en course :	2
• Nombre de titres mondiaux conducteurs :	0
• Nombre de titres mondiaux constructeurs :	0
• Nombre total de points marqués :	118

CLASSEMENTS AU CHAMPIONNAT

1991 : *5e – 13 points*	1995 : *6e – 21 points*
1992 : *11e – 1 point*	1996 : *5e – 22 points*
1993 : *10e – 3 points*	1997 : *5e – 33 points*
1994 : *5e – 28 points*	

*«Salut Giancarlo. Tu
verras, tu nous
regretteras la saison
prochaine...»*

▽

Toujours cinquième...

Une fois de plus, l'écurie Jordan termine à la cinquième place du championnat. Par rapport à la saison précédente, les progrès ne sont donc guère spectaculaires!

Sur le plan des résultats, le haut fait de la saison restera donc la deuxième place signée par Giancarlo Fisichella en Belgique. Pourtant, ce constat brut doit être quelque peu nuancé: sur la piste, il semblait que les Jordan n'étaient parfois plus très loin du véritable exploit. A Hockenheim, par exemple, Fisichella aurait pu s'imposer avec un peu moins de malchance. Les Jordan souffrirent malheureusement de problèmes récurrents de fiabilité. De plus, avoir confié le développement de la voiture à deux pilotes débutants n'était peut-être pas la meilleure des solutions. D'autant que les deux jeunes loups n'attendirent pas plus loin que le troisième Grand Prix de la saison pour se disputer... Au final, Eddie Jordan a perdu l'appui de Peugeot pour 1998. Il est retombé sur ses pieds avec Mugen, mais gare à la baisse des performances...

PILOTE-ESSAYEUR 1997

SUCCESSION DES PILOTES 1997

- Ralf SCHUMACHER : *tous les Grands Prix*
- Giancarlo FISICHELLA : *tous les Grands Prix*

14. Olivier PANIS

15. Shinji NAKANO

FICHE D'IDENTITÉ

- Nom : *PANIS*
- Prénoms : *Olivier Denis*
- Nationalité : *française*
- Date de naissance : *2 septembre 1966*
- Lieu de naissance : *Lyon (F)*
- Domicilié à : *Grenoble (F)*
- Etat-civil : *marié à Anne*
- Enfant : *un fils (Aurélien)*
- Hobbies : *ski, vélo, karting, haltères*
- Musique favorite : *Stevie Wonder*
- Plat favori : *pâtes*
- Boisson favorite : *Coca Cola*
- Taille : *173 cm*
- Poids : *76,1 kg*

STATISTIQUES | DÉBUTS

• Nbre de Grands Prix :	59	1981-87 : *Karting*
• Victoires :	1	1988 : *Champion Volant*
• Pole-positions :	0	*Elf Paul Ricard*
• Meilleurs tours :	0	1989 : *Champion F.*
• Accidents/sorties :	10	*Renault de France*
• Non-qualifications :	0	1990 : *F. 3 de France (4e)*
• Tours en tête :	0	1991 : *F. 3 de France (4e)*
• Kil. en tête :	0	1992 : *F. 3000*
• Points marqués :	70	1993 : *Champion F. 3000*

CARRIÈRE EN F1

1994 : *Ligier / Renault. 9 points. 11e du championnat.*
1995 : *Ligier / Mugen. 16 points. 8e du championnat.*
1996 : *Ligier / Mugen. 13 points. 9e du championnat.*
1997 : *Prost / Mugen Honda. 16 points. 10e du champ.*

FICHE D'IDENTITÉ

- Nom : *NAKANO*
- Prénoms : *Shinji*
- Nationalité : *japonaise*
- Date de naissance : *1er avril 1971*
- Lieu de naissance : *Osaka (JAP)*
- Domicilié à : *Marseilles*
- Etat-civil : *célibataire*
- Enfant : *-*
- Hobbies : *tennis, squash, ski, vélo*
- Musique favorite : *pas de goût particulier*
- Plat favori : *cuisine japonaise*
- Boisson favorite : *eau*
- Taille : *174 cm*
- Poids : *63 kg*

STATISTIQUES | DÉBUTS

• Nbre de Grands Prix :	17	1987 : *Karting (JAP, 2e)*
• Victoires :	0	1988 : *Champion Super*
• Pole-positions :	0	*Kart (JAP)*
• Meilleurs tours :	0	1989 : *Champ. F3 JAP (7e)*
• Accidents/sorties :	3	1990-91 : *F. Opel-Lotus*
• Non-qualifications :	0	1992 : *Champ. F3 et*
• Tours en tête :	0	*F3000 (JAP)*
• Kil. en tête :	0	1993-94 : *Champ. F3 (JAP)*
• Points marqués :	2	1995-96 : *Champ. F3000*

CARRIÈRE EN F1

1997 : *Ligier / Mugen Honda. 2 points. 19e du champ.*

Pour ceux qui en doutaient encore, 1997 a été la confirmation de l'extraordinaire talent d'Olivier Panis. Au volant de sa JS45, le Grenoblois a été l'auteur de performances d'autant plus remarquables qu'il était seul pilote à assurer la mise au point de la voiture. Evidemment, sa saison fut complètement gâchée par son accident du Grand Prix du Canada. Sans lui, il paraît probable qu'Olivier serait parvenu à s'imposer à Montréal – il remontait sur la tête de la course, et était équipé de pneus Bridgestone. Mais il se serait sans doute aussi très bien placé à Magny-Cours – à peine remonté dans son châssis, en septembre, il signait un temps qui lui aurait valu la pole au Grand Prix de France.
Revenu en piste au Nürburgring, Olivier a pu montrer qu'il n'avait rien perdu de son coup de volant. 1997 est désormais oublié. Le Grenoblois attend impatiemment 1998 et son moteur Peugeot.

Bien sûr, il n'est pas facile de s'intégrer dans une écurie française lorsque l'on est Japonais. Shinji eut effectivement les pires difficultés cette saison. D'autant que son patron, Alain Prost, avait manifestement envie de s'en débarrasser dès que possible. Grâce au soutien de Monsieur Honda, Shinji a tenu jusqu'au bout de la saison. Pour être juste, il faut lui accorder quelques jolies performances, comme son point de Hongrie. Ce sera toutefois insuffisant pour lui assurer une place en F1 en 1998. Même Honda n'a pas insisté auprès de Jordan...

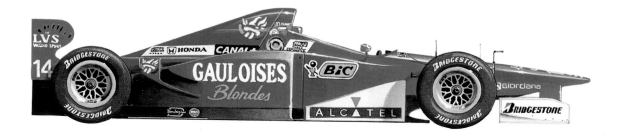

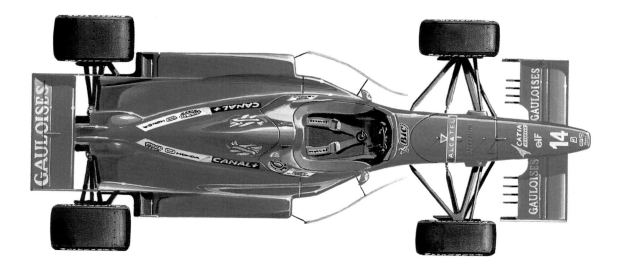

**PROST-MUGEN HONDA JS45 –
OLIVIER PANIS
GRAND PRIX D'ESPAGNE**

Prost-Mugen JS45

CARACTÉRISTIQUES

- Châssis : *Prost JS45*
- Moteur : *Mugen-Honda MF-301HB-V10*
- Pneus : *Bridgestone*
- Carburant / huile : *Elf*
- Disques de freins : *Carbone Industrie*
- Etriers : *Brembo*
- Transmission : *Ligier 6 vitesses*
- Bougies / batterie : *NGK / FIAMM*
- Amortisseurs : *Showa*
- Suspensions : *poussoirs (av/ar)*
- Poids à vide : *600 kg, pilote à bord*
- Empattement : *2995 mm*
- Voie avant : *1693 mm*
- Voie arrière : *1608 mm*
- Longueur totale : *4335 mm*
- Hauteur totale : *950 mm*

FICHE D'IDENTITÉ

- Adresse : *Prost Grand Prix*
  Technopole du Circuit
  58470 Magny-Cours
  France
- Téléphone : *(33) 4 86 60 62 00*
- Téléfax : *(33) 4 86 21 22 97*
- Ecurie fondée en : *1969*
- Premier Grand Prix : *Brésil 1976*
- Directeur général : *Alain Prost*
- Directeur technique : *Loïc Bigois*
- Team-manager : *Cesare Fiorio*
- Chef mécanicien : *Robert Dassaud*
- Nombre d'employés : *80*
- Sponsors : *Gauloises Blondes, Alcatel, BIC*

STATISTIQUES

- Nombre de Grands Prix disputés : 343
- Nombre de victoires : 9
- Nombre de pole-positions : 9
- Nombre de meilleurs tours en course : 11
- Nombre de titres mondiaux conducteurs : 0
- Nombre de titres mondiaux constructeurs : 0
- Nombre total de points marqués : 408

CLASSEMENTS AU CHAMPIONNAT

1976 : *5e – 20 points*	1987 : *11e – 1 point*
1977 : *8e – 18 points*	1988 : *non classée*
1978 : *6e – 19 points*	1989 : *13e – 3 points*
1979 : *3e – 61 points*	1990 : *non classée*
1980 : *2e – 66 points*	1991 : *non classée*
1981 : *4e – 44 points*	1992 : *7e – 6 points*
1982 : *8e – 20 points*	1993 : *5e – 22 points*
1983 : *non classée*	1994 : *6e – 13 points*
1984 : *10e – 3 points*	1995 : *5e – 24 points*
1985 : *6e – 23 points*	1996 : *6e - 15 points*
1986 : *5e – 29 points*	1997 : *6e - 21 points*

Soucieux, Alain Prost. Comme il l'avouait cette saison, le rôle de directeur d'écurie semble bien plus stressant que celui de pilote...
▽

En pleine croissance

14 février 1997. Au siège de Peugeot, avenue de la Grande Armée, à Paris, Alain Prost annonce sa prise de contrôle de l'écurie Ligier. Désormais, l'équipe se nommerait «Prost Grand Prix». Une appellation nouvelle pour des ambitions nouvelles.

Quelques semaines plus tard seulement, tout le monde avait déjà oublié que l'écurie Prost avait un passé. L'élan nouveau insufflé par le quadruple champion du monde avait tout balayé, et les résultats ne tardèrent pas à venir: une troisième place au Brésil, une deuxième en Espagne.

La spirale du succès était entamée. De nouveaux sponsors firent leur apparition. Rien ne semblait devoir résister à l'écurie Prost. Jacques Villeneuve lui-même prédisait que l'équipe française serait en mesure de jouer le titre mondial dès cette année.

L'accident d'Olivier Panis est venu casser l'élan. Ce n'est que partie remise: Prost Grand Prix, la saison prochaine, devrait jouer les premiers rôles.

PILOTE-ESSAYEUR 1997

–

SUCCESSION DES PILOTES 1997

- Olivier PANIS : *AUS-BRE-ARG-RSM-MON-ESP-CAN-LUX-JAP-EUR*
- Jarno TRULLI : *FRA-GB-D-HON-BEL-ITA-AUT*
- Shinji NAKANO : *tous les Grands Prix*

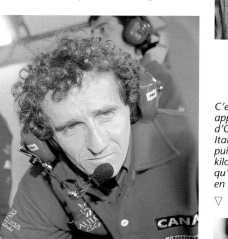

C'est Jarno Trulli qui a été appelé en remplacement d'Olivier Panis. Le jeune Italien n'a pas démérité, puisqu'il l'a mené 160 kilomètres en Autriche, et qu'il a marqué 3 points en Allemagne
▽

Sauber-Petronas

16. Johnny HERBERT

FICHE D'IDENTITÉ

- Nom : *HERBERT*
- Prénom : *Johnny*
- Nationalité : *britannique*
- Date de naissance : *27 juin 1964*
- Lieu de naissance : *Romford (GB)*
- Domicilié à : *Monaco*
- Etat-civil : *marié à Rebecca*
- Enfants : *deux filles (Amy, Chloe)*
- Hobbies : *golf, squash, pêche*
- Musique favorite : *rock, pop*
- Boisson favorite : *jus de pommes*
- Taille : *167 cm*
- Poids : *65 kg*

STATISTIQUES		DÉBUTS
• Nbre de Grands Prix :	112	1984-85 : *F. Ford 1600*
• Victoires :	2	1986 : *F. Ford 2000*
• Pole-positions :	0	1987 : *Champion*
• Meilleurs tours :	0	*d'Angleterre de F. 3*
• Accidents/sorties :	17	1988 : *F. 3000*
• Non-qualifications :	3	
• Tours en tête :	27	
• Kil. en tête :	149	
• Points marqués :	82	

CARRIÈRE EN F1

1989 : *Benetton / Ford & Tyrrell / Ford. 0 point.*
1990 : *Lotus / Lamborghini. 0 point (2 GP uniquement).*
1991 : *Lotus / Judd. 0 point.*
1992 : *Lotus / Ford. 2 points. 14e du championnat.*
1993 : *Lotus / Ford. 11 points. 8e du championnat.*
1994 : *Lotus / Honda. 0 point.*
1995 : *Benetton / Renault. 45 points. 4e du championnat.*
1996 : *Sauber / Ford. 4 points. 14e du championnat.*
1997 : *Sauber / Petronas. 15 points. 11e du championnat.*

17. Gianni MORBIDELLI

FICHE D'IDENTITÉ

- Nom : *MORBIDELLI*
- Prénom : *Gianni*
- Nationalité : *italienne*
- Date de naissance : *13 janvier 1968*
- Lieu de naissance : *Pesaro (ITA)*
- Domicilié à : *Monte-Carlo*
- Etat-civil : *célibataire*
- Enfants : *-*
- Hobbies : *musique, gymnastique*
- Musique favorite : *disco*
- Boisson favorite : *eau, Coca Cola Light*
- Taille : *167 cm*
- Poids : *59 kg*

STATISTIQUES		DÉBUTS
• Nbre de Grands Prix :	68	1980-85 : *Karting*
• Victoires :	0	1987 : *Championnat*
• Pole-positions :	0	*d'Italie de F. 3 (6th)*
• Meilleurs tours :	0	1988 : *Championnat*
• Accidents/sorties :	11	*d'Italie de F. 3 (5th)*
• Non-qualifications :	2	1989 : *Champion*
• Tours en tête :	0	*d'Italie de F. 3*
• Kil. en tête :	0	
• Points marqués :	8.5	

CARRIÈRE EN F1

1990 : *Dallara / Ford & Minardi / Ford. 0 point. (3 GPs)*
1991 : *Minardi / Ferrari & Ferrari (1 GP). 0.5 point. 24e*
1992 : *Minardi / Lamborghini. 0 point.*
1994 : *Arrows / Ford. 3 points. 22e du championnat.*
1995 : *Arrows / Hart. 5 points. 14e du championnat.*
1997 : *Sauber / Petronas. 0 point. (8 GPs)*

Johnny Herbert compte parmi les pilotes les plus sympathiques du paddock. Et lorsqu'il a la frite, il est capable des plus grands exploits. A témoin, ses premiers essais du Grand Prix de Monaco, où il occupa la tête du classement à la stupéfaction générale.

Sinon, il mena une saison plus qu'honorable, sans jamais baisser les bras. Avec Jean Alesi comme coéquipier, la saison prochaine, il aura enfin du renfort pour le développement de la voiture. Les choses ne pourront aller que mieux en 1998.

Gianni Morbidelli n'est pas un pilote Sauber. Il a simplement été prêté à l'écurie suisse par Ferrari, en remplacement de l'Italien Nicola Larini qui ne faisait décidément pas le poids. Morbidelli a pris sa tâche à cœur, mais il ne fut jamais en mesure de faire mieux que Johnny Herbert.

De plus, il se cassa le bras en essais privés, à Magny-Cours, ce qui obligea Peter Sauber à remplacer le remplaçant pour le Grand Prix de France.

Gianni revint aux affaires à Budapest, mais se foula une nouvelle fois le poignet à Suzuka. Et ce fut à nouveau Norberto Fontana qui prit place à bord de la deuxième Sauber. Des conditions peu idéales pour en assurer le développement...

Nicola Larini devait à l'origine disputer la totalité de la saison 1997 chez Sauber, mais ses résultats franchement insuffisants poussèrent l'écurie suisse à le remplacer à partir du Grand Prix d'Espagne. Sans grand progrès.
▽

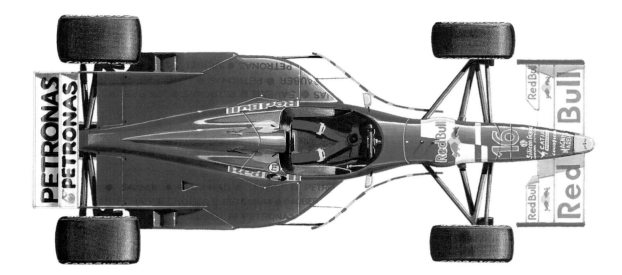

SAUBER-PETRONAS C16 –
JOHNNY HERBERT
GRAND PRIX DE HONGRIE

P.MÉNARD

Sauber-Petronas C16

CARACTÉRISTIQUES

- Châssis : *Sauber C16*
- Moteur : *Petronas SP01*
- Pneus : *Goodyear*
- Carburant / huile : *Shell*
- Disques de freins : *Carbone Industrie*
- Etriers : *Brembo*
- Transmission : *Sauber 6 vitesses*
- Radiateurs : *Behr/Secan*
- Bougies : *NGK*
- Gestion électronique : *Magneti Marelli*
- Amortisseurs : *Sachs*
- Suspensions : *poussoirs (av/ar)*
- Poids à vide : *600 kg, pilote à bord*
- Empattement : *2940 mm*
- Voie avant : *1660 mm*
- Voie arrière : *1610 mm*

FICHE D'IDENTITÉ

- Adresse : *Red Bull Sauber AG*
  Wildbachstrasse 9
  8340 Hinwil
  Suisse
- Téléphone : *(41) 1 938 14 00*
- Téléfax : *(41) 1 938 16 70*
- Ecurie fondée en : *1972*
- Premier Grand Prix : *Afrique du Sud 1993*
- Directeur général : *Peter Sauber*
- Directeur technique : *Leo Ress*
- Team-manager : *Max Welti*
- Chef mécanicien : *Beat Zehnder*
- Nombre d'employés : *80*
- Sponsors : *Red Bull, Petronas*

STATISTIQUES

- Nombre de Grands Prix disputés : 81
- Nombre de victoires : 0
- Nombre de pole-positions : 0
- Nombre de meilleurs tours en course : 0
- Nombre de titres mondiaux conducteurs : 0
- Nombre de titres mondiaux constructeurs : 0
- Nombre total de points marqués : 68

CLASSEMENTS AU CHAMPIONNAT

1993 : *6e – 12 points*	1996 : *7e – 11 points*
1994 : *8e – 12 points*	1997 : *7e – 16 points*
1995 : *7e – 18 points*	

Le moment le plus effrayant de la saison de Johnny Herbert: sa sortie de route de Monza, à plus de 300 km/h, saisie sur le vif. On pardonnera le photographe de la mise au point imparfaite du sujet...
▽

Très moyen

La saison 1997 de l'écurie Sauber n'aura pas vraiment marqué les mémoires. Avec un moteur pourtant réputé excellent – le bloc Petronas n'étant autre que le Ferrari V10 de 1996 –, la saison s'annonçait sous les meilleures auspices. Il n'y avait qu'un seul hic: le manque total d'essais privés avant le début de la saison, la voiture n'ayant pu être prête qu'à la toute dernière minute.

A part son podium du Grand Prix de Hongrie, l'écurie n'a donc pas cassé la baraque cette saison. Le châssis s'est révélé profondément sous-vireur, et difficile à mettre au point. Sur chaque circuit, ses deux pilotes devaient souvent passer leur vendredi à tenter de remédier à ses défauts.

Malheureusement, pour compliquer le tout, Johnny Herbert fut le seul pilote à marquer des points. L'autre baquet ayant vu se succéder trois pilotes dont aucun ne fut réellement convaincant.

PILOTE-ESSAYEUR 1997

Norberto FONTANA (ARG)

SUCCESSION DES PILOTES 1997

- Johnny HERBERT : *tous les Grands Prix*
- Nicola LARINI : *AUS-BRE-ARG-RSM-MON*
- Gianni MORBIDELLI : *ESP-CAN-HON-BEL-ITA-AUT-*
  LUX-JAP
- Norberto FONTANA : *FRA-GB-D-EUR*

Tyrrell-Ford

18. Jos VERSTAPPEN

FICHE D'IDENTITÉ

- Nom : *VERSTAPPEN*
- Prénom : *Johannes Franciscus*
- Nationalité : *hollandaise*
- Date de naissance : *4 mars 1972*
- Lieu de naissance : *Montfort (HOL)*
- Domicilié à : *Monte-Carlo*
- Etat-civil : *marié à Sophie (enceinte)*
- Enfants : *-*
- Hobbies : *squash, jogging, mountain-bike*
- Musique favorite : *pop, UB40, Phil Collins*
- Plat favori : *pâtes*
- Boisson favorite : *Coca Cola*
- Taille : *175 cm*
- Poids : *73 kg*

STATISTIQUES

- Nbre de Grands Prix : 48
- Victoires : 0
- Pole-positions : 0
- Meilleurs tours : 0
- Accidents/sorties : 12
- Non-qualifications : 0
- Tours en tête : 0
- Kil. en tête : 0
- Points marqués : 11

DÉBUTS

- 1980-91 : karting
- 1983+84 : Champion HOL
- 1986 : Champion Bénélux
- 1989 : Champion Européen
- 1991 : Champion BEL
- 1992 : F. Opel Lotus (champion Bénélux)
- 1993 : Champion F3 D; F. Atlantic

CARRIÈRE EN F1

1994 : Benetton / Ford. 10 points. 10e du championnat.
1995 : Simtek / Ford. Forfait après 5 courses.
1996 : Arrows / Hart. 1 point. 16e du championnat.
1997 : Tyrrell / Ford. 0 point.

19. Mika SALO

FICHE D'IDENTITÉ

- Nom : *SALO*
- Prénom : *Mika Noriko Endo*
- Nationalité : *finlandaise*
- Date de naissance : *30 novembre 1966*
- Lieu de naissance : *Helsinki (SF)*
- Domicilié à : *Londres*
- Etat-civil : *célibataire, fiancé à Noriko*
- Enfant : *-*
- Hobbies : *motoneige, squash, mountain bike*
- Musique favorite : *rock*
- Plat favori : *boules de viande, pâtes*
- Boisson favorite : *lait*
- Taille : *175 cm*
- Poids : *66 kg*

STATISTIQUES

- Nbre de Grands Prix : 52
- Victoires : 0
- Pole-positions : 0
- Meilleurs tours : 0
- Accidents/sorties : 4
- Non-qualifications : 0
- Tours en tête : 0
- Kil. en tête : 0
- Points marqués : 12

DÉBUTS

- 1989 : F. 3 en Angleterre
- 1990 : F. 3 GB (2e)
- 1991-94 : F. 3000 Japon

CARRIÈRE EN F1

1994 : Lotus / Mugen. 0 point. (2 GP uniquement)
1995 : Tyrrell / Yamaha. 5 points. 14e du championnat.
1996 : Tyrrell / Yamaha. 5 points. 13e du championnat.
1997 : Tyrrell / Ford. 2 points. 17e du championnat.

La confrontation entre «Le Boss» et Mika Salo promettait d'être chaude. Tous deux clamant haut et fort leur talent, il allait être intéressant de voir lequel écraserait l'autre. Celui qui allait être battu, en tout cas, pouvait dire adieu à sa carrière.

Au final, il s'avère que les deux pilotes de Tyrrell ont pratiquement fait jeu égal au cours des qualifications – avec un petit avantage tout de même à Mika Salo. Jos «Le Boss» s'est bien battu, mais toujours pour les places en fin de grille. Ce qui n'empêchait pas les supporters bataves de soutenir en masse leur idole. Avec 10 000 membres inscrits, Jos Verstappen compte ainsi le plus gros fan-club de tous les pilotes de F1, après celui de Michael Schumacher. Bizarres, ces Hollandais...

Une nouvelle saison peu convaincante de la part de Mika Salo. Celui qui se prétend plus rapide que Michael Schumacher s'est vu battre à six reprises aux essais par son coéquipier.

Il semble toutefois difficile de jeter la pierre à Mika. Sa Tyrrell n'était mue que par le souffreteux moteur Ford V8, et personne n'aurait pu en tirer un meilleur parti. Le Finlandais parvint tout de même à marquer deux points, grâce à la débandade qui s'était produite lors du Grand Prix de Monaco, et à la puie qui lui permit de gommer quelque peu les défauts de sa monture. L'année prochaine, il se retrouvera chez Arrows à la place de Damon Hill. Et retrouvera le moteur Yamaha qui l'avait déjà tant fait souffrir chez Tyrrell en 1996.

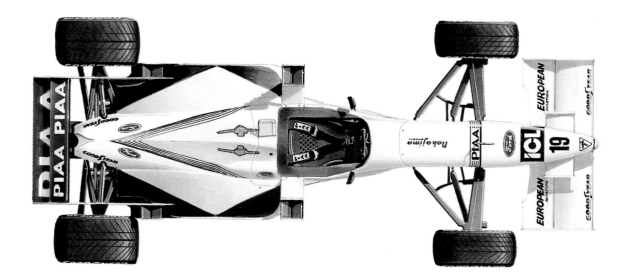

**TYRRELL-FORD 025 – MIKA SALO
GRAND PRIX DE MONACO**

Tyrrell-Ford 025

CARACTÉRISTIQUES

- Châssis : *Tyrrell 025*
- Moteur : *Ford Cosworth ED4*
- Pneus : *Goodyear*
- Carburant / huile : *Elf*
- Disques de freins : *Hitco*
- Étriers : *AP Racing*
- Transmission : *Tyrrell 6 vitesses*
- Radiateurs : *Secan*
- Bougies : *NGK*
- Gestion électronique : *Ford*
- Amortisseurs : *Koni*
- Suspensions : *poussoirs (av/ar)*
- Poids à vide : *600 kg*
- Empattement : *2990 mm*
- Voie avant : *1700 mm*
- Voie arrière : *1610 mm*
- Longueur totale : *4430 mm*
- Hauteur totale : *950 mm*

FICHE D'IDENTITÉ

- Adresse : *Tyrrell Racing Organisation Ltd. Long-Reach, Ockham Woking, Surrey GU23 6PE*
- Téléphone : *(44) 1483 284 955*
- Téléfax : *(44) 1483 284 892*
- Écurie fondée en : *1960*
- Premier Grand Prix : *Canada 1970*
- Directeur général : *Ken Tyrrell*
- Directeur technique : *Harvey Postlethwaite*
- Directeur sportif : *Satoru Nakanjima*
- Team-manager : *Steve Nielsen*
- Chef mécanicien : *Nigel Steer*
- Nombre d'employés : *75*
- Sponsor : *PIAA*

STATISTIQUES

- Nombre de Grands Prix disputés : 402
- Nombre de victoires : 23
- Nombre de pole-positions : 14
- Nombre de meilleurs tours en course : 20
- Nombre de titres mondiaux conducteurs : 2
- Nombre de titres mondiaux constructeurs : 1
- Nombre total de points marqués : 617

CLASSEMENTS AU CHAMPIONNAT

1971 : *1er – 73 points*	1985 : *9e – 7 points*
1972 : *2e – 51 points*	1986 : *7e – 11 points*
1973 : *2e – 82 points*	1987 : *6e – 11 points*
1974 : *3e – 52 points*	1988 : *8e – 5 points*
1975 : *5e – 25 points*	1989 : *5e – 16 points*
1976 : *3e – 71 points*	1990 : *5e – 16 points*
1977 : *5e – 28 points*	1991 : *6e – 12 points*
1978 : *4e – 38 points*	1992 : *6e – 8 points*
1979 : *5e – 28 points*	1993 : *non classée*
1980 : *6e – 12 points*	1994 : *6e – 13 points*
1981 : *8e – 10 points*	1995 : *8e – 5 points*
1982 : *7e – 25 points*	1996 : *8e – 5 points*
1983 : *7e – 12 points*	1997 : *10e – 2 points*
1984 : *non classée*	

Courage et persévérance

De plus en plus incroyable, Ken Tyrrell. Si sa voiture était pratiquement dépourvue de sponsors en 1996 (à part Mild Seven, qui était amené par Ukyo Katayama), le départ du Japonais chez Minardi signifiait encore moins d'argent pour le vieux Ken. Une situation d'autant plus critique qu'il n'était pas signataire des Accords Concorde, et qu'il ne recevait ainsi aucune retombée des droits télévisés. Un malheur ne venant jamais seul, l'écurie perdit son partenariat avec Yamaha, et dut payer en espèces sonnantes et trébuchantes pour de poussifs moteurs Ford V8 dont personne d'autre ne voulait plus.

Malgré ces déboires financiers, l'écurie gardait le cap et le moral (lire en page 79). Harvey Postlethwaithe, son directeur technique, tenta même quelques singularités, comme cet espèce d'aileron médian en forme de rétroviseur, pour les circuits lents. Sans que cela procure les 100 chevaux qui manquaient...

PILOTE-ESSAYEUR 1997

Toranosuke TAKAGI (JAP)

SUCCESSION DES PILOTES 1997

- Jos VERSTAPPEN : *tous les Grands Prix*
- Mika SALO : *tous les Grands Prix*

La bonne entente régnait entre Jos Verstappen et Mika Salo cette saison. Pourtant, le cocktail était a priori explosif...
▽

Minardi-Hart

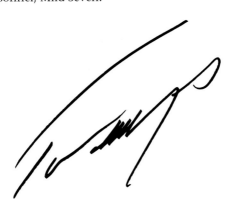

20. Ukyo KATAYAMA

FICHE D'IDENTITÉ

- Nom : *KATAYAMA*
- Prénom : *Ukyo*
- Nationalité : *japonaise*
- Date de naissance : *29 mai 1963*
- Lieu de naissance : *Tokyo (J)*
- Domicilié à : *Monte Carlo et Tokyo*
- Etat-civil : *marié à Rumiko*
- Enfant : *un fils (Ryui), 1 fille (Risa)*
- Hobbies : *golf, lecture, fitness*
- Musique favorite : *toutes les musiques*
- Plats favoris : *cuisines japonaise et italiennes*
- Boisson favorite : *-*
- Taille : *165 cm*
- Poids : *60 kg*

STATISTIQUES

		DÉBUTS
Nbre de Grands Prix :	95	1983 : *Champion du Japon*
Victoires :	0	*de F. Ford 1600 B*
Pole-positions :	0	1984 : *Champion du Japon*
Meilleurs tours :	0	*de F. Ford 1600 A*
Accidents/sorties :	30	1985 : *F. 3 Japon (6e)*
Non-qualification :	1	1986-87 : *F. 3 France*
Tours en tête :	0	1988-90 : *F. 3000 Japon*
Kil. en tête :	0	1991 : *Champion F. 3000*
Points marqués :	5	*Japon*

CARRIÈRE EN F1

1992 : *Venturi / Lamborghini. 0 point.*
1993 : *Tyrrell / Yamaha. 0 point.*
1994 : *Tyrrell / Yamaha. 5 points. 17e du championnat.*
1995 : *Tyrrell / Yamaha. 0 point.*
1996 : *Tyrrell / Yamaha. 0 point.*
1997 : *Minardi / Hart. 0 point.*

21. Tarso MARQUES

FICHE D'IDENTITÉ

- Nom : *MARQUES*
- Prénom : *Tarso*
- Nationalité : *brésilienne*
- Date de naissance : *19 janvier 1976*
- Lieu de naissance : *Curitiba (BRE)*
- Domicilié à : *Curitiba (BRE)*
- Etat-civil : *célibataire*
- Enfant : *-*
- Hobbies : *ski nautique*
- Musique favorite : *rock*
- Plats favoris : *pâtes*
- Boisson favorite : *jus d'orange*
- Taille : *175 cm*
- Poids : *64 kg*

STATISTIQUES

		DÉBUTS
Nbre de Grands Prix :	9	1988-91 : *Karting*
Victoires :	0	1992 : *Formule Opel (BRE)*
Pole-positions :	0	1993 : *Champ F. 3 BRE et*
Meilleurs tours :	0	*Amérique du Sud*
Accidents/sorties :	1	1994 : *Champ. Int. F 3000*
Non-qualifications :	0	1995 : *Champ. Int. F 3000*
Tours en tête :	0	*(2e)*
Kil. en tête :	0	
Points marqués :	0	

CARRIÈRE EN F1

1996 : *Minardi / Ford. 0 point. (2 GPs)*
1997 : *Minardi / Hart. 0 point.*

Ukyo Katayama a été fidèle à lui-même cette saison: beaucoup de sorties de route, beaucoup de tête-à-queues, beaucoup de petits problèmes. Le meilleur résultat de la saison du Japonais fut deux dixièmes places. Pas de quoi faire la fête, et pas de quoi terminer sa carrière en Formule 1 en beauté.
Ukyo Katayama a annoncé à Suzuka qu'il prendrait sa retraite à la fin de la saison. Personne ne le regrettera vraiment: après tout, il ne trouvait ses volants en F1, année après année, que par la grâce des millions de son sponsor personnel, Mild Seven.

Réputé très talentueux par ceux qui l'ont connu à l'époque où il courait dans son Brésil natal, Tarso Marquès n'a pas vraiment fait forte impression cette saison chez Minardi. Où il officiait en tant que pilote-essayeur avant d'être appelé à remplacer le départ de Jarno Trulli pour l'écurie Prost.
Mais comment Tarso aurait-il pu faire autrement? Une Minardi-Hart n'est guère une foudre de guerre, puisque c'est la seule voiture qui n'a pas marqué un seul point cette saison. Pour le sympathique Brésilien, ses 9 Grands Prix se sont donc résumés à batailler avec les Tyrrell...

**MINARDI-HART M197 – UKYO KATAYAMA
GRAND PRIX DE SAINT-MARIN**

Minardi-Hart M197

CARACTÉRISTIQUES

- Châssis : *Minardi M197*
- Moteur : *Hart 830 AV 7*
- Pneus : *Bridgestone*
- Carburant / huile : *Agip / Motul*
- Disques de freins : *Carbone Industrie*
- Étriers : *Brembo*
- Transmission : *Minardi/ XTrac 6 vitesses*
- Radiateurs : *Minardi*
- Bougies / batterie : *Champion / FIAMM*
- Gestion électronique : *Magneti Marelli*
- Amortisseurs : *Penske*
- Suspensions : *poussoirs (av/ar)*
- Poids à vide : *600 kg, pilote à bord*
- Empattement : *2900 mm*
- Voie avant : *1680 mm*
- Voie arrière : *1620 mm*

FICHE D'IDENTITÉ

- Adresse : *Minardi Team SpA
  Via Spallanzani 21 (Z.I.)
  48018 Faenza
  Italie*
- Téléphone : *(39) 546 620 480*
- Téléfax : *(39) 546 620 998*
- Écurie fondée en : *1974*
- Premier Grand Prix : *Brésil 1985*
- Directeur général : *Gian Carlo Minardi*
- Directeur technique : *Gabriele Tredozi*
- Team-manager : *Frédéric Dhainaut*
- Chef mécanicien : *Gabriele Pagliarini*
- Nombre d'employés : *80*
- Sponsors : *Mild Seven, Fondmetal, Bossini*

STATISTIQUES

• Nombre de Grands Prix disputés :	205
• Nombre de victoires :	0
• Nombre de pole-positions :	0
• Nombre de meilleurs tours en course :	0
• Nombre de titres mondiaux conducteurs :	0
• Nombre de titres mondiaux constructeurs :	0
• Nombre total de points marqués :	27

CLASSEMENTS AU CHAMPIONNAT

1985 : *non classée*	1992 : *11ᵉ – 1 point*
1986 : *non classée*	1993 : *8ᵉ – 7 points*
1987 : *non classée*	1994 : *10ᵉ – 5 points*
1988 : *10ᵉ – 1 point*	1995 : *10ᵉ – 1 point*
1989 : *10ᵉ – 6 points*	1996 : *non classée*
1990 : *non classée*	1997 : *non classée*
1991 : *7ᵉ – 6 points*	

*Une Minardi à l'attaque,
freins rouges allumés. Des
efforts qui n'ont pas
vraiment été récompensés
cette année...*
▽

Aucun progrès en vue

Bien sûr, il ne fallait pas trop espérer de miracle de la saison des Minardi.

Pourtant, Giancarlo Minardi avait réussi à échanger ses moteurs Ford V8 «client» de 1996 contre les moteurs de Brian Hart. Pourtant encore, Minardi bénéficiait désormais de l'aide de personnalités bien connues du sport automobile italien, de Flavio Briatore à Alessandro Nannini.

Pourtant enfin, Minardi alignait cette saison l'excellent Jarno Trulli, et se payait le luxe de disposer d'un pilote-essayeur avec Tarso Marquès.

Hélas, ces perspectives positives ne se concrétisèrent guère, d'autant que Trulli, véritable responsable du développement de la voiture, fut retiré à Minardi à partir du Grand Prix de France. Aujourd'hui, Giancarlo Minardi avoue lui-même qu'il ne croit plus que son écurie pourra gagner un jour...

PILOTE-ESSAYEUR 1997

– (à l'origine Tarso Marquès)

SUCCESSION DES PILOTES 1997

- Ukyo KATAYAMA : *tous les Grands Prix*
- Jarno TRULLI : *AUS-BRE-ARG-RSM-MON-ESP-CAN*
- Tarso MARQUES : *FRA-GB-D-HON-BEL-ITA-AUT-LUX-JAP-EUR*

Stewart-Ford

22. Rubens BARRICHELLO

FICHE D'IDENTITÉ

- Nom : *BARRICHELLO*
- Prénoms : *Rubens Gonçalves*
- Nationalité : *brésilienne*
- Date de naissance : *23 mai 1972*
- Lieu de naissance : *São Paulo (BRE)*
- Domicilié à : *Monaco*
- Etat-civil : *marié à Silvana*
- Enfants : *-*
- Hobbies : *course à pied, jet-ski*
- Musique favorite : *pop, rock*
- Plat favori : *pâtes*
- Boisson favorite : *Diet Pepsi, Pepsi Max*
- Taille : *172 cm*
- Poids : *71 kg*

STATISTIQUES

- Nbre de Grands Prix : 81
- Victoires : 0
- Pole-positions : 1
- Meilleurs tours : 0
- Accidents/sorties : 12
- Non-qualifications : 0
- Tours en tête : 8
- Kil. en tête : 47
- Points marqués : 46

DÉBUTS

1981-88 : *Karting (5 fois Champion du Brésil)*
1989 : *F. Ford 1600 (3e)*
1990 : *Champion Opel Lotus Euroseries*
1991 : *Champion F. 3 (GB)*
1992 : *F. 3000*

CARRIÈRE EN F1

1993 : *Jordan / Hart. 2 points. 17e du championnat.*
1994 : *Jordan / Hart. 19 points. 6e du championnat.*
1995 : *Jordan / Peugeot. 11 points. 11e du championnat.*
1996 : *Jordan / Peugeot. 14 points. 8e du championnat.*
1997 : *Stewart / Ford. 6 points. 14e du championnat.*

23. Jan MAGNUSSEN

FICHE D'IDENTITÉ

- Nom : *MAGNUSSEN*
- Prénoms : *Jan*
- Nationalité : *danoise*
- Date de naissance : *4 juillet 1973*
- Lieu de naissance : *Roskilde (DK)*
- Domicilié à : *Silverstone*
- Etat-civil : *célibataire*
- Enfants : *1 fils (Kevin)*
- Hobbies : *Art, parapente*
- Musique favorite : *Dance, pop*
- Plat favori : *McDomald's*
- Boisson favorite : *Coca-Cola*
- Taille : *170 cm*
- Poids : *58 kg*

STATISTIQUES

- Nbre de Grands Prix : 17
- Victoires : 0
- Pole-positions : 0
- Meilleurs tours : 0
- Accidents/sorties : 3
- Non-qualifications : 0
- Tours en tête : 0
- Kil. en tête : 0
- Points marqués : 0

DÉBUTS

1987-89 : *Karting (Champ. du monde junior)*
1990 : *Champion du monde de karting*
1991-92 : *Formule Ford*
1993 : *Vauxhall Lotus + F3*
1994 : *Champion F3 (GB)*
1995 : *DTM (Mercedes), 8e*
1996 : *ITC et Indycar*

CARRIÈRE EN F1

1995 : *McLaren / Mercedes. 0 point (1 GP)*
1997 : *Stewart / Ford. 0 point.*

Après quatre années passées chez Jordan – soit toute sa carrière en F1 –, c'était une petite révolution qui attendait Rubens Barrichello cette saison. Non seulement, il changeait d'écurie, mais en plus il devait participer à l'élaboration de celle-ci à partir de zéro.

Au moment de dresser le bilan, il n'est guère facile de juger des performances du Brésilien. Sur l'ensemble de la saison, il n'a pu en effet terminer un Grand Prix qu'à deux reprises (!) au fil de la saison.

Heureusement, l'une de ces deux arrivées, à Monaco, a permis à «Rubinho» de terminer sur la seconde marche du podium. Un exploit qui, à lui seul, rachète un peu cette année difficile.

Au moment de la présentation de l'écurie, dans les salons d'un hôtel londonnien, en décembre 1996, la famille Stewart décrivait Jan Magnussen comme le plus talentueux des jeunes pilotes qu'elle avait jamais rencontré. Jackie Stewart le compara même à un nouvel Ayrton Senna.

Des louanges qui firent que le tout jeune Danois était attendu aux virages de sa première saison. Une pression qui ne lui fut guère salutaire, puisqu'il commit un grand nombre de fautes en début de parcours. Sur l'ensemble de l'année, il n'est de plus parvenu à se qualifier devant Rubens Barrichello qu'à deux reprises. Après avoir longuement hésité à le conserver une année supplémentaire, les Stewart ont finalement décidé de lui renouveler leur confiance. Une deuxième chance qu'il s'agira de ne pas rater.

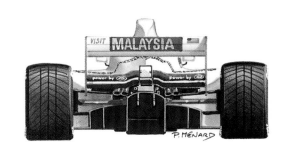

STEWART-FORD SF01
– RUBENS BARRICHELLO
GRAND PRIX DE MONACO

P. MÉNARD

Stewart-Ford SF01

CARACTÉRISTIQUES

- Châssis : *Stewart Ford SF-1*
- Moteur : *Ford Zetec R V10*
- Pneus : *Bridgestone*
- Carburant / huile : *Texaco*
- Disques de freins : *Carbone Industrie*
- Etriers : *AP Racing*
- Transmission : *Stewart / XTrac*
- Radiateurs : *Secan*
- Bougies / batterie : *Champion / FIAMM*
- Gestion électronique : *Ford*
- Amortisseurs : *Stewart / Penske*
- Suspensions : *poussoirs (av/ar)*
- Poids à vide : *600 kg, pilote à bord*
- Empattement : *2950 mm*
- Voie avant : *1690 mm*
- Voie arrière : *1585 mm*

FICHE D'IDENTITÉ

- Adresse : *Stewart Grand Prix*
  16 Tanners Drive, Blakelands
  Milton Keynes, MK14 5BW
  Grande-Bretagne
- Téléphone : *(44) 1908 216122*
- Téléfax : *(44) 1908 216133*
- Ecurie fondée en : *1996*
- Premier Grand Prix : *Australie 1997*
- Directeur général : *Paul Stewart*
- Directeur technique : *Alan Jenkins*
- Team-manager : *David Stubbs*
- Chef mécanicien : *Dave Redding*
- Nombre d'employés : *75*
- Sponsor : *HSBC, Visit Malysia, Havoline,*
  Sanyo

STATISTIQUES

- Nombre de Grands Prix disputés : 17
- Nombre de victoires : 0
- Nombre de pole-positions : 0
- Nombre de meilleurs tours en course : 0
- Nombre de titres mondiaux conducteurs : 0
- Nombre de titres mondiaux constructeurs : 0
- Nombre total de points marqués : 6

CLASSEMENTS AU CHAMPIONNAT

1997 : 9e – 6 points   1

Peu convaincant

Evidemment, le projet avait été soigneusement ficelé. Jackie Stewart en personne lançant sa propre écurie, voilà qui semblait apporter toutes les garanties de sérieux. C'est d'ailleurs ce qui avait convaincu les dirigeants de Ford de lâcher la proie – l'écurie Sauber, avec qui le constructeur américain collaborait depuis 1995 – pour l'ombre de cette nouvelle équipe.

Le bilan 1997 n'est guère positif. Sur 34 départs, l'écurie n'a vu ses voitures franchir la ligne d'arrivée que six fois. La casse-moteur fut à l'origine de 10 de ces abandons, le bloc Ford V10 se montrant aussi fragile que peu puissant.

Sans doute les admirateurs de Jackie Stewart attendaient-ils trop de cette première saison. Il faut laisser le temps au temps, et ce n'est qu'en 1998, les leçons de ces premières expériences tirées, que l'on pourra juger sur pièce. La saison prochaine, de toute façon, ne pourra pas s'avérer pire que 1997 pour l'écurie écossaise.

PILOTE-ESSAYEUR 1997

–

SUCCESSION DES PILOTES 1997

- Rubens BARRICHELLO: *tous les Grands Prix*
- Jan MAGNUSSEN: *tous les Grands Prix*

◁

Le clan des Stewart, père et fils. Avec ce nouveau défi, Jackie s'est replongé dans une tâche à sa mesure, d'autant plus qu'il continua d'agir en tant que conseiller de Ford.

Signé Stewart: quoique totalement nouvelle, l'écurie n'avait rien laissé au hasard... le motif de tartan qui décorait ses pantalons ou ses casquettes a ainsi été enregistré comme propriété intellectuelle.

FERRARI 046/2

CARACTERISTIQUES

- Puissance : *760 chevaux à 14 800 tours/minute*
- Régime maximal : *15 300 tours/minute*
- Poids : *140 kilos*
- Cylindrée : *2998.1 cm³*
- Architecture : *10 cylindres en V à 75 degrés*
- Matériau : *bloc en fonte*
- Soupapes : *4 par cylindre*

EN COURSE

- Premier Grand Prix : *Monaco 1950*
- Ecurie 1997 : *Ferrari*
- Nbre de victoires 1997 : *3*
- Nbre de pole-positions 1997 : *5*

STATISTIQUES

- Nombre de Grands Prix disputés : 587
- Nombre de titres mondiaux constructeurs : 8
- Nombre de pole-positions : 121
- Nombre de victoires : 113

FORD ZETEC-R V10

CARACTERISTIQUES

- Puissance : *720 chevaux à 15 100 tours/minute*
- Régime maximal : *16 000 tours/minute*
- Poids : *120 kilos*
- Cylindrée : *2998 cm³*
- Architecture : *10 cylindres en V à 72 degrés*
- Matériau : *bloc en fonte, aluminium et titanium*
- Soupapes : *4 par cylindre*

EN COURSE

- Premier Grand Prix : *Brésil 1994*
- Ecurie 1997 : *Stewart*
- Nbre de victoires 1997 : *0*
- Nbre de pole-positions 1997 : *0*

STATISTIQUES

- Nombre de Grands Prix disputés : 66
- Nombre de titres mondiaux constructeurs : 0
- Nombre de pole-positions : 6
- Nombre de victoires : 8

FORD COSWORTH ED4

CARACTERISTIQUES

- Puissance : *665 chevaux à 13 700 tours/minute*
- Régime maximal : *14 200 tours/minute*
- Poids : *130 kilos*
- Cylindrée : *2998 cm³*
- Architecture : *8 cylindres en V à 75 degrés*
- Matériau : *bloc en aluminium*
- Soupapes : *4 par cylindre*

EN COURSE

- Premier Grand Prix : *USA 1963*
- Ecuries 1997 : *Tyrrell*
  Lola
- Nbre de victoires 1997 : *0*
- Nbre de pole-positions 1997 : *0*

STATISTIQUES

- Nombre de Grands Prix disputés : 451
- Nombre de titres mondiaux constructeurs : 12
- Nombre de pole-positions : 131
- Nombre de victoires : 165

HART TYPE 830 AV7

CARACTERISTIQUES

- Puissance : *680 chevaux à 13 100 tours/minute*
- Régime maximal : *13 600 tours/minute*
- Poids : *115 kilos*
- Cylindrée : *2996 cm³*
- Architecture : *8 cylindres en V à 78 degrés*
- Matériau : *bloc en aluminium*
- Soupapes : *4 par cylindre*

EN COURSE

- Premier Grand Prix : *Italie 1981*
- Ecurie 1997 : *Minardi*
- Nbre de victoires 1997 : *0*
- Nbre de pole-positions 1997 : *0*

STATISTIQUES

- Nombre de Grands Prix disputés : 135
- Nombre de titres mondiaux constructeurs : 0
- Nombre de pole-positions : 1
- Nombre de victoires : 0

MERCEDES-BENZ FO 112

CARACTERISTIQUES

- Puissance : *760 chevaux à 15 800 tours/minute*
- Régime maximal : *16 600 tours/minute*
- Poids : *non révélé*
- Cylindrée : *3000 cm³*
- Architecture : *10 cylindres en V à 75 degrés*
- Matériau : *bloc en aluminium*
- Soupapes : *4 par cylindre*

EN COURSE

- Premier Grand Prix : *France 1954*
- Ecurie 1997 : *McLaren*
- Nbre de victoires 1997 : *0*
- Nbre de pole-positions 1997 : *0*

STATISTIQUES

- Nombre de Grands Prix disputés : 77
- Nombre de titres mondiaux constructeurs : 0
- Nombre de pole-positions : 13
- Nombre de victoires : 12

MF-301HB **MUGEN-HONDA**

CARACTERISTIQUES

- Puissance : *710 chevaux à 13 900 tours/minute*
- Régime maximal : *14 500 tours/minute*
- Poids : *140 kilos*
- Cylindrée : *3000 cm³*
- Architecture : *10 cylindres en V à 72 degrés*
- Matériau : *bloc en fonte*
- Soupapes : *4 par cylindre*

EN COURSE

- Premier Grand Prix :
  Afrique du Sud 1992
- Ecurie 1997 : *Prost*
- Nbre de victoires 1997 : *0*
- Nbre de pole-positions 1997 : *0*

STATISTIQUES

- Nombre de Grands Prix disputés : 98
- Nombre de titres mondiaux constructeurs : 0
- Nombre de pole-positions : 0
- Nombre de victoires : 1

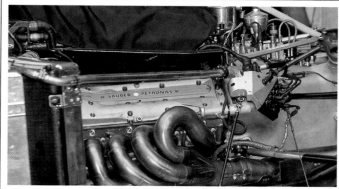

SP01 **PETRONAS**

CARACTERISTIQUES

- Puissance : *760 chevaux à 14 500 tours/minute*
- Régime maximal : *15 200 tours/minute*
- Poids : *140 kilos*
- Cylindrée : *2998.1 cm³*
- Architecture : *10 cylindres en V à 75 degrés*
- Matériau : *bloc en fonte*
- Soupapes : *4 par cylindre*

EN COURSE

- Premier Grand Prix : *Australie 1997*
- Ecurie 1997 : *Sauber*
- Nbre de victoires 1997 : *0*
- Nbre de pole-positions 1997 : *0*

STATISTIQUES

- Nombre de Grands Prix disputés : 17
- Nombre de titres mondiaux constructeurs : 0
- Nombre de pole-positions : 0
- Nombre de victoires : 0

A14 **PEUGEOT**

CARACTERISTIQUES

- Puissance : *740 chevaux à 13 900 tours/minute*
- Régime maximal : *14 400 tours/minute*
- Poids : *133 kilos*
- Cylindrée : *2998 cm³*
- Architecture : *10 cylindres en V à 72 degrés*
- Matériau : *bloc en fonte*
- Soupapes : *4 par cylindre*

EN COURSE

- Premier Grand Prix : *Brésil 1994*
- Ecurie 1997 : *Jordan*
- Nbre de victoires 1997 : *0*
- Nbre de pole-positions 1997 : *0*

STATISTIQUES

- Nombre de Grands Prix disputés : 66
- Nombre de titres mondiaux constructeurs : 0
- Nombre de pole-positions : 0
- Nombre de victoires : 0

RS 9 / 9B **RENAULT**

CARACTERISTIQUES

- Puissance : *755 chevaux à 14 600 tours/minute*
- Régime maximal : *15 300 tours/minute*
- Poids : *132 kilos*
- Cylindrée : *3000 cm³*
- Architecture : *10 cylindres en V à 71 degrés*
- Matériau : *bloc en aluminium*
- Soupapes : *4 par cylindre*

EN COURSE

- Premier Grand Prix :
  Grande-Bretagne 1977
- Ecuries 1997 : *Williams*
  Benetton
- Nbre de victoires 1997 : *9*
- Nbre de pole-positions 1997 : *13*

STATISTIQUES

- Nombre de Grands Prix disputés : 286
- Nombre de titres mondiaux constructeurs : 6
- Nombre de pole-positions : 135
- Nombre de victoires : 95

OX 11 A **YAMAHA**

CARACTERISTIQUES

- Puissance : *700 chevaux à 14 000 tours/minute*
- Régime maximal : *14 400 tours/minute*
- Poids : *105 kilos*
- Cylindrée : *2996 cm³*
- Architecture : *10 cylindres en V à 72 degrés*
- Matériau : *bloc en aluminium*
- Soupapes : *4 par cylindre*

EN COURSE

- Premier Grand Prix : *USA 1991*
- Ecurie 1997 : *Arrows*
- Nbre de victoires 1997 : *0*
- Nbre de pole-positions 1997 : *0*

STATISTIQUES

- Nombre de Grands Prix disputés : 116
- Nombre de titres mondiaux constructeurs : 0
- Nombre de pole-positions : 0
- Nombre de victoires : 0

Les moteurs

Ambiances

«Une image vaut mieux qu'un long discours», prétend le dicton populaire. C'est la raison pour laquelle la tradition veut que «l'Année Formule 1» débute toujours par un feu d'artifice de photos. Histoire de se couler dans le bain de la saison tout en douceur...

Haute compétition chez les filles

Si les pilotes se battent sur les pistes, les demoiselles du paddock, elles, rivalisent de beauté dans les coulisses. On ne sait pas toujours quelle est la plus acharnée de ces deux types de compétition…

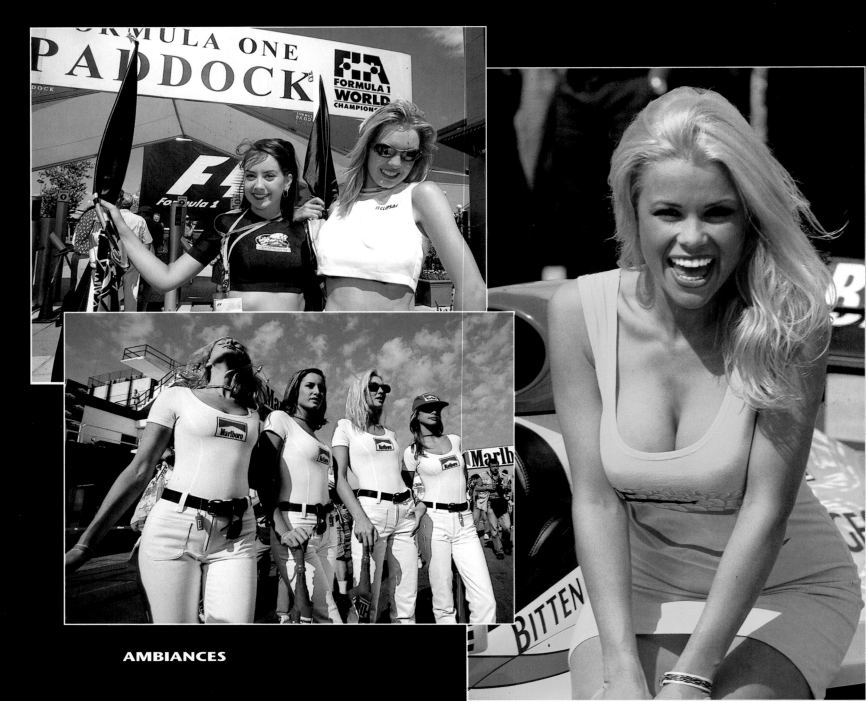

AMBIANCES

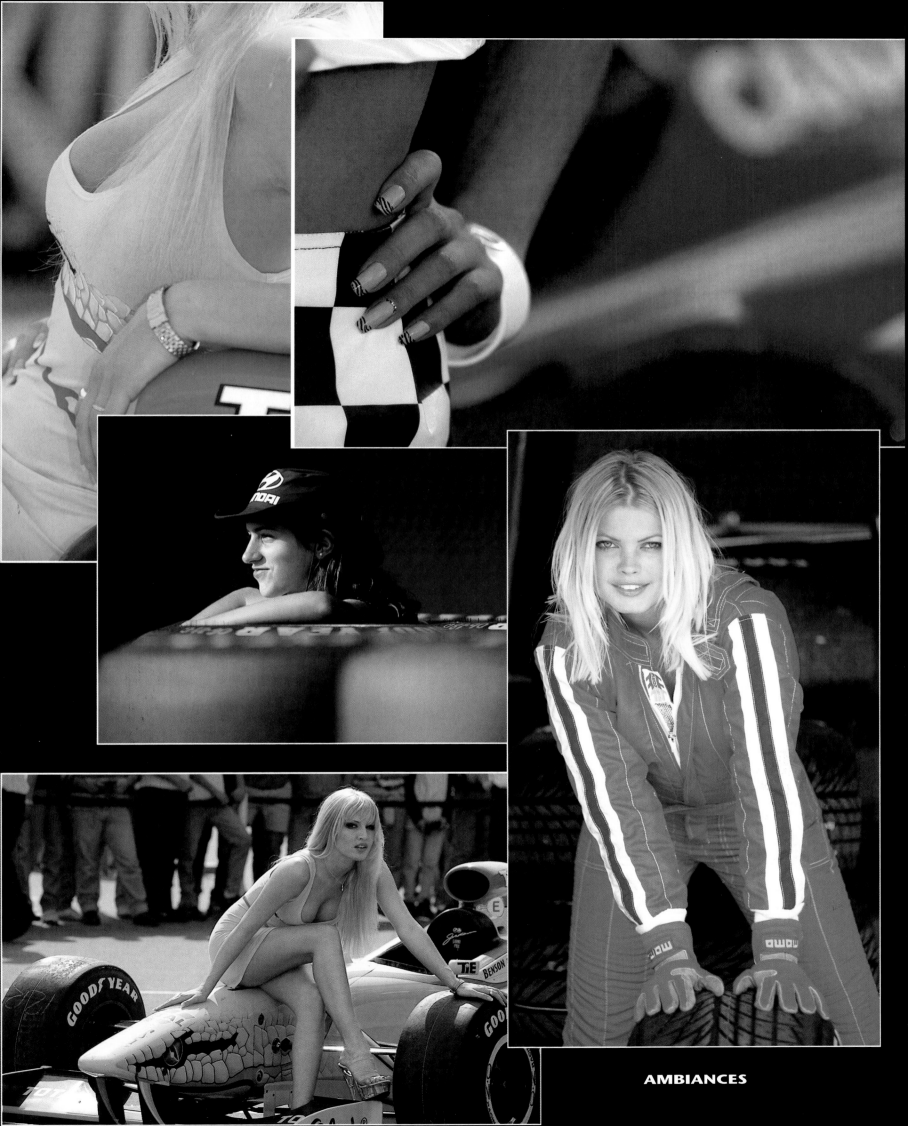

AMBIANCES

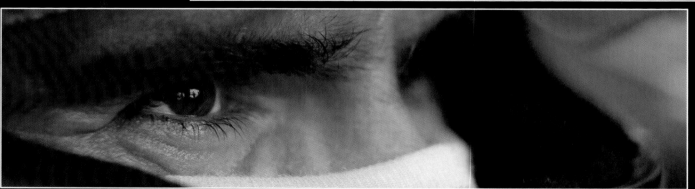

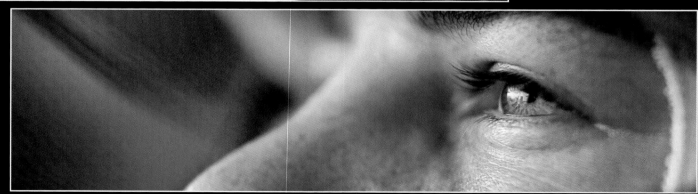

Regards de gagneurs

Les pilotes ont des regards si particuliers qu'ils sont autant de signatures propres à chacun. Saurez-vous les reconnaître?

(dans l'ordre, Mika Salo, Ukyo Katayama, Jean Alesi, Damon Hill, Jacques Villeneuve et Jos Verstappen)

La belle et la bête

Il n'y aurait pas assez de place dans toute «L'Année Formule 1» pour décrire les dizaines de sorties de route signées par Ralf Schumacher cette saison, que ce soit en essais ou en course. Le tout sous l'œil moqueur de Giancarlo Fisichella, que de nombreuses demoiselles considèrent comme le pilote le plus mignon du paddock.

AMBIANCES

AMBIANCES

Reconversion parfaite

*Depuis sa retraite sportive, fin 1993,
Alain Prost semblait se chercher. Avec
le rachat de l'écurie Ligier, le
«Professeur» a trouvé défi à la
hauteur de ses ambitions et de son
talent.*

*Les résultats, d'ailleurs, ne se sont pas
fait attendre cette saison. Alain Prost
vise le record des cinq titres
mondiaux. Le cinquième ne sera pas
décroché sur la piste, mais ce sera
sans doute le plus ardu d'entre eux...*

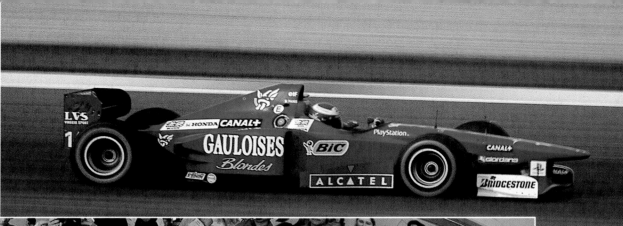

AMBIANCES

En Formule 1, les duels font rage aussi bien à l'arrière-garde du peloton qu'aux avant-postes. Ce qui donne parfois l'occasion de superbes clichés. Ici, le dépassement de l'Arrows de Pedro Diniz par une Stewart-Ford.

Mieux que hier, moins bien que demain: les McLaren-Mercedes se sont montrées en progrès cette saison. Mais les deux victoires décrochées par David Coulthard ne sauraient suffire à rassasier l'appétit de victoire de l'écurie aux reflets d'argent.

Éclairages

Destinés à mieux expliquer les enjeux et les décors d'une saison de Formule 1, ces «éclairages» laissent carte blanche à cinq des plus éminents spécialistes mondiaux de la discipline. Avant de dévoiler quelques-uns des aspects les plus méconnus des coulisses des Grands Prix.

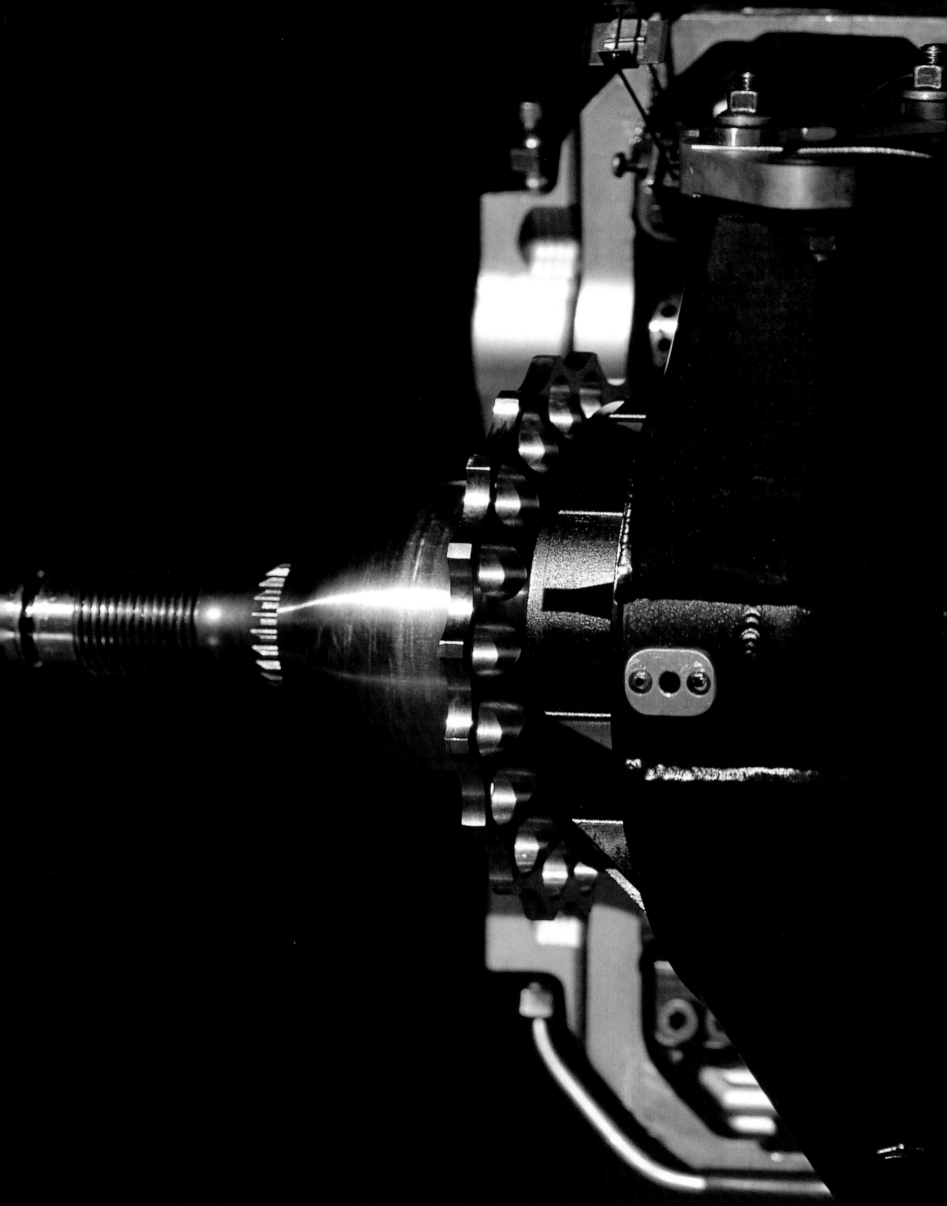

Comment gâcher une saison de F1 en 17 leçons...

1997 : a British point of view

par Nigel Roebuck
«Autosport»

«Est-ce que je me sens favori pour le championnat du monde ?» répondait sur un ton évasif Jacques Villeneuve lorsque la question lui fut posée lors du lancement de la nouvelle Williams-Renault FW19 en janvier... «Bon, ce serait bien que je me sente favori, mais ce serait dangereux aussi, parce qu'on ne peut jamais savoir ce qui va se passer. Mon principal adversaire ? Bon, je pense que c'est mon coéquipier (Heinz-Harald Frentzen), définitivement, parce qu'il dispose du même matériel. A part lui, il faut mentionner Michael (Schumacher), pour autant que Ferrari parvienne à faire fonctionner sa voiture. Il faut considérer également que Williams avait la meilleure voiture en 1996. Par conséquent il sera plus difficile d'améliorer notre monoplace de manière aussi significative que des écuries qui avaient un moins bon matériel l'an dernier.»

Prudent, me suis-je dit à l'époque. Très prudent. Après tout, en 1996, Williams avait remporté 12 des 16 Grands Prix, avec un certain Damon Hill qui en décrocha 8 sur le chemin du titre mondial. Au fil de la saison, Jacques Villeneuve s'était rapproché de plus en plus des performances de Hill, et désormais, pour 1997, le Québécois était le chef de l'écurie - Damon ayant été remplacé de manière très cavalière par Frentzen.

Etant donné que la FW19 n'était pas une voiture totalement nouvelle, mais plutôt un raffinement de celle qui avait dominé 1996, Jacques semblait avoir en main des chances de remporter le championnat qu'il ne retrouverait sans doute jamais plus dans sa carrière, et cela alors même qu'il ne disputait que sa seconde saison en F1.

Tout dans ce tableau n'était pas rose pour autant. Premièrement, Adrian Newey avait quitté l'écurie. Et bien que Patrick Head, le Directeur technique de Williams, était naturellement resté en place, la portée du départ de Newey ne devait pas être sous-estimée. Et ne l'était certainement pas par Head lui-même : «Le départ d'Adrian signifie du changement pour nous, et il serait inconscient de suggérer que celui-ci n'aura aucune conséquence. Je lui accorde une grande part de crédit pour les succès que nous avons connus ces dernières années. Depuis quelque temps déjà, il était responsable de la conception générale de la voiture, avec un accent particulier sur son aérodynamique. Il va être intéressant de voir comment nous nous en sortirons sans lui, quoique les effets

de son départ ne seront vraisemblablement pas autant apparents cette année que la prochaine.» Ça au moins, c'était un fait certain. Au moment où il était parti précipitamment à mi-novembre 1996, Newey avait terminé l'essentiel de la conception de la nouvelle FW19.

D'un autre côté, il délaissait Williams pour rejoindre les rangs de McLaren. «Perdre quelqu'un aussi doué qu'Adrian n'est que la moitié de l'histoire», lâchait Frank Williams pendant l'hiver. «L'autre moitié, c'est qu'il travaillera contre nous dans le futur.»

Damon Hill, lui aussi, s'apprêtait à travailler contre Williams, bien que cela n'avait pas la même importance. Car au moment où Damon a été informé que ses services n'étaient plus requis chez Williams pour 1997, il était trop tard pour qu'il trouve un volant vaguement comparable à celui de la Williams. Il finit par signer pour Arrows, où les perspectives n'étaient guère spectaculaires, mais où la fiche de paie était au moins réconfortante.

La décision de Williams de remplacer Hill par Frentzen semblait pour le moins excentrique, et j'utilise là un doux euphémisme.

Cette décision était issue de la peur du propriétaire d'écurie de voir Ferrari fournir enfin à Michael Schumacher une voiture réellement compétitive. «Si vous voulez vraiment savoir pourquoi nous remplaçons Hill», confiait un membre de l'écurie à l'époque, «c'est parce qu'il n'est pas fichu de doubler en piste.»

Cette remarque semblait un brin exagérée. Parce que tout dépassement, dans la Formule 1 contemporaine, est virtuellement impossible la plupart du temps.

Mais il était indiscutable que doubler des attardés rapidement – une spécialité de Schumacher – n'était guère la tasse de thé de Damon Hill. Williams a suspecté qu'avec Frentzen il disposerait non seulement d'un pilote ultra-rapide, mais aussi plus agressif que son pilote du moment.

Toutefois, il en faut plus que cela pour être un pilote victorieux. Gerhard Berger était ainsi stupéfié par la décision de Williams: «Premièrement, Frentzen n'a encore rien prouvé. Et deuxièmement, quoique Damon n'est peut-être pas le pilote le plus naturellement talentueux du monde, il sait comment gagner des courses – et c'est quelque chose qui ne s'apprend pas. Soit vous l'avez, soit vous ne l'avez pas.»

Williams a perdu quelque chose d'autre avec le départ de Hill. Il n'existe sans doute aucun autre pilote d'essai meilleur que Damon. Et ses talents allaient certainement manquer à l'équipe.

En gros, ses goûts en matière de réglages respectaient la méthode courante en Formule 1, tandis que Villeneuve, ayant fait ses classes en Indycar, amenait des idées plus radicales. Qui marchaient parfois, et qui ne marchaient parfois pas. Hill en d'autres termes, fournissait une ligne de conduite, une référence de base, qui serait sans doute dessinée moins clairement en son absence.

Au début de la saison toutefois, l'écurie Williams-Renault a montré tous les signes d'une continuation à partir du point exact où elle en était restée fin 1996.

Aux essais qualificatifs de Melbourne, Villeneuve s'est montré carrément stupéfiant, s'emparant de la pole-position avec un écart à peine croyable de 1.8 seconde sur tous ses adversaires. Ce jour-là, personne ne fut plus démoralisé que son nouveau coéquipier Frentzen, qui n'avait réussi à se hisser sur la première ligne qu'au cours des toutes dernières secondes de la séance.

Si Villeneuve était par conséquent l'écrasant favori de la journée, au Grand Prix d'Australie, sa course fut terminée en quelques secondes. Après un départ moyen, il était poussé hors de la piste par Eddie Irvine. Bien que Frentzen ait ensuite mené pour quelques instants, il perdit du terrain pendant les ravitaillements et roulait en seconde position au moment où l'un de ses disques de frein a explosé.

Frank Williams est par conséquent revenu des antipodes sans un seul point. Mais au Brésil et en Argentine, Villeneuve a restauré des conditions plus normales en remportant les deux courses, bien qu'avec une avance très faible en comparaison des normes habituelles de l'écurie Williams.

NIGEL ROEBUCK,
50 ans, a décidé de quitter son emploi dans l'industrie à 24 ans pour se lancer dans le journalisme. En 1971, il travaille ainsi pour le magazine américain «Car & Driver», avant de passer à l'hebdomadaire britannique «Autosport» en 1976. Il couvre la Formule 1 pour ce dernier depuis 1977, tout en travaillant également pour le «Sunday Times», pour «Auto Week» et pour le magazine japonais «Racing On».

Le souci, toutefois, était constitué par Frentzen qui n'était de loin pas proche de son coéquipier, puisqu'il s'était qualifié 8e au Brésil où il avait ensuite terminé 9e. Au sein de l'écurie, plusieurs membres notèrent avec intérêt que Damon Hill, qui avait largement dominé la course pour Williams la saison précédente, avait occupé un temps la 4e place dans son Arrows. Devant Frentzen.

Heinz-Harald Frentzen s'est remis sur les rails à Imola, toutefois, remportant son premier Grand Prix après l'abandon de Villeneuve. Et lorsque l'Allemand s'est aussi emparé de la pole-position à Monaco, il semblait qu'il avait surmonté sa période de crise.

Peu avant le départ de la course, pourtant, il commença à pleuvoir, et l'écurie Williams, mystère insondable, a opté de faire partir ses deux voitures en pneus slicks.

Le raisonnement suivi était que la pluie ne serait qu'une petite averse qui allait rapidement stopper. Mais même si cela avait été le cas, il était évident que Schumacher, en pneus pluie intermédiaires, et se servant de son génie sur le mouillé, serait alors de toute façon hors d'atteinte.

Un autre point aurait dû également frapper les pilotes : la décision de Schumacher de partir avec des pneus intermédiaires fut prise par... Schumacher, et non par son écurie.

« Le manager de Villeneuve a été engagé dans une tentative de monter une écurie dont le but était de battre Williams. »

Jacques a remis les pendules à l'heure à Barcelone, partant de la pole-position et dominant la course grâce à une tactique intelligente. Un revêtement de circuit abrasif, et une météo chaude avaient créés de chaotiques problèmes de cloquage des pneus pour les concurrents en Goodyear. Mais Villeneuve, propre et discipliné, prit soin de ses gommes et fit la différence.

Montréal, où le Canadien courait à domicile, aurait pu marquer un tournant dans sa saison et lui procurer un avantage psychologique décisif.

Quelque temps plus tôt, toutefois, il s'était montré très critique sur les changements des règlements techniques qui devaient être introduits par la FIA en 1998. En conséquence, il avait été convoqué à Paris pour recevoir un savon, quatre jours avant le Grand Prix du Canada. La signification cachée de cette « coïncidence » de date n'avait échappé ni à Jacques ni à quiconque quelque peu familier avec le fonctionnement interne de la Formule 1...

La location d'un jet privé pour le voyage du Canada en France (et retour) a permis au trajet de se faire sans trop d'effort. Mais la routine de préparation à la course de Villeneuve en avait tout de même été perturbée, et cela avait donné le ton sur son week-end.

Battu dans le duel de la pole par Schumacher était un léger souci, rien de plus. Mais ce qui se produisit alors en course - avec Jacques partant dans le mur au deuxième tour - l'a affecté profondément. Au moment de sortir de sa voiture, ses gestes furent éloquents : il n'arrivait pas à croire ce qu'il venait de faire.

Quand nous l'avons vu pour la fois suivante, à Magny-Cours, c'est nous qui n'arrivions pas à croire ce qu'il venait de faire, car désormais ses cheveux étaient teints en blond.

C'était juste pour rire, disait-il, mais d'autres y virent des connotations plus profondes. *« Vous savez ce qu'on dit des gens qui ont eu un grand choc – qui ont été licenciés ou quelque chose du genre »*, murmurait un sage du paddock. *« Ils ont tendance à laisser pousser leur barbe, ou à la raser s'ils*

en ont déjà une. C'est psychologique, un besoin de changer son apparence, de sortir de votre esprit ce qui vous est arrivé. Peut-être est-ce la raison pour laquelle Jacques a fait cela...* »

Oui, peut-être. Mais quels que soient ses motifs pour se teindre en blond, toutefois, personne ne doutait que Villeneuve avait été profondément affecté par son erreur de débutant. Sans compter, en plus, que Michael Schumacher avait gagné le Grand Prix du Canada et repris la tête du championnat.

Schumacher a gagné en France également, menant toute la course. Cette fois, anticipant la pluie, Villeneuve était parti avec des réglages de compromis, qui l'ont sérieusement handicapé car – ironie –, la pluie n'a commencé à tomber que très tard dans la course. Il termina quatrième, deux places derrière Frentzen.

La chance était avec Jacques à Silverstone. Partant de la pole position, il a mené, puis perdu du temps avec une roue avant mal fixée, mais parvint à gagner tout de même après que Michael Schumacher et Mika Hakkinen se soient retirés de la première place. Heinz-Harald Frentzen avait calé sur la grille, était parti de l'arrière et avait eu un accident lors du premier tour... La routine.

Heinz sortit aussi lors du premier tour à Hockenheim, après un accrochage avec Irvine tandis que son coéquipier effectua un tête-à-queue quelques tours plus tard alors qu'il se battait avec... Jarno Trulli!

Aucun des deux pilotes Williams n'avait été rapide en qualifications. Tout bien considéré, c'était la pire course de l'écurie Williams en une décennie. La panne de performances qui n'avait rien à voir avec un manque de puissance sur ce circuit de lignes droites, comme Gerhard Berger l'a prouvé en dominant la course dans sa Benetton propulsée par un moteur Renault. Tout simplement, ni Frentzen, ni Villeneuve ne purent trouver un réglage qui fonctionnait à Hockenheim.

Pendant les qualifications, Frentzen avait suggéré que l'écurie ne lui permettait pas de choisir ses réglages. Ce qui avait fait bondir Patrick Head : *« L'histoire c'est que Heinz utilise justement son propre réglage – et c'est probablement de là que viennent les problèmes. Ce n'est pas de l'animosité entre l'écurie et les pilotes : c'est simplement une question d'obtenir les meilleurs réglages, et il m'arrive de penser que ceux-ci devraient être quelque peu différents de ceux que nos pilotes considèrent comme les meilleurs... »*

Une nouvelle fois les pensées se tournèrent en direction de Hill, qui personnifiait jadis la ligne de conduite de Williams, et qui avait facilement remporté le Grand Prix d'Allemagne l'année précédente.

A ce stade de la saison, certains membres de l'écurie admettaient ouvertement – officieusement bien sûr – que le licenciement de Damon Hill avait été une grossière erreur. Un point de vue encore amplifié par les événements de Hongrie, où Villeneuve a gagné, certes, mais seulement après avoir doublé l'Arrows de Hill en perdition, au cours du tout dernier tour.

Il a plu à Spa. Ce qui permit à Michael Schumacher de remporter le Grand Prix de Belgique comme il voulait, sa tâche étant encore facilitée par le fait que – comme à Monaco – il a pris le départ sur les bons pneus, des pluie

intermédiaires, tandis que la plupart de ses rivaux sont partis en pneus pluie classiques. Villeneuve, majestueux au cours des qualifications, se serait promené pendant la course s'il n'avait pas plu. Les événements en voulurent autrement.

A Monza, un circuit qui empêche pratiquement tout dépassement, Frentzen et Villeneuve menaient la chasse. Mais pas pour la victoire, puisqu'ils terminèrent troisième et quatrième respectivement.

Comme la fin de la saison s'approchait, par conséquent, tout semblait avoir été de travers chez Williams.

Ainsi, après être parti en pole-position des quatre premières courses, Villeneuve n'en avait ajouté que trois de plus au cours des neuf Grands Prix suivants, ce qui constituait un gros changement par rapport à la culture Williams. Car se qualifier en pole avait depuis longtemps été considéré comme la norme dans l'écurie.

Vous pouvez énumérer de nombreux facteurs pour expliquer la chute de l'équipe Williams en 1997. Vous pouvez désigner la perte de Newey, ou alors l'insistance permanente – et peu bienvenue – de la justice italienne à l'encontre des membres de l'écurie, suite à l'accident d'Ayrton Senna en 1994.

Vous pouvez mentionner encore le fait que le manager de Villeneuve a été lourdement engagé dans une tentative de monter une nouvelle écurie, dont le but était de battre Williams – pas de quoi rendre ce dernier heureux. Vous pouvez citer bien d'autres facteurs encore.

Au bout du compte pourtant, tous ceux-ci amènent à la constatation suivante: Villeneuve et Frentzen n'ont pas réussi à tirer le meilleur de leur voiture.

A plusieurs reprises dans le passé, Damon Hill était au départ insatisfait de l'équilibre de sa voiture, avant de travailler méthodiquement avec ses ingénieurs au cours du week-end et de se présenter sur la grille de départ avec un réglage satisfaisant.

Parfois, comme à Melbourne et à Spa, Villeneuve a disposé de ce qu'il considérait comme une voiture parfaite, mais c'était comparativement rare en 1997.

Il y a quelque chose d'autre, aussi. Aucune Formule 1 n'est parfaite à chacune de ses sorties. Le secret de la victoire au championnat du monde est de marquer des points de manière constante, même les jours où vous ne pouvez pas gagner.

Villeneuve et Frentzen ont dilapidé trop de points cette année, tandis que Schumacher n'en a pas gâché un seul. Quelle qu'allait être la manière dont allait finalement s'achever le championnat, Michael était celui qui méritait de le remporter.

△
« Tu vas voir, Frank, nous allons les écraser. » Patrick Head semble parfois perdre de son traditionnel flegme britannique lorsqu'il s'agit d'évoquer la lutte contre Ferrari...

◁
(page de gauche) Frank Williams à l'écoute de Heinz-Harald Frentzen au cours des essais. Le courant n'est pas toujours très bien passé entre le patron et ses deux pilotes...

Frank Williams avec Christian Contzen, le Directeur Général de Renault Sport. Une relation d'amitié et de travail qui durait entre les deux hommes depuis... 1989. Et qui s'achevait cette année sur un sixième titre mondial du constructeur français.
▽

Ferrari a terminé sa mutation. Le papillon est prêt à s'envoler.

1997 : punto di vista Italiano

par Christiano Chiavegato
«La Stampa»

Pour Ferrari, 1998 représente avant tout l'année du retour aux sources. L'ère du centre technique basé en Angleterre est terminée. Les relations difficiles avec John Barnard sont enfin finies, et l'ère des longs fax et téléphones interminables avec le FD&D de Shalford font désormais partie du passé. Passés aussi les malentendus et les problèmes provenant de la trop longue attente du dessin d'une pièce d'une manufacture distante de centaines de kilomètres de l'usine.

Personne ne peut nier l'habileté du designer anglais, ses qualités et ses inventions astucieuses – comme la boîte de vitesses semi-automatique, qui en 1989, apporta une évolution technique importante à la Formule 1.

Cependant, la situation était devenue intenable du point de vue pratique. C'est pourquoi Jean Todt – c'était l'une des tâches que lui avait confiées le Président Luca di Montezemolo –, se retrouva avec le soin de rapatrier à Maranello tout le travail de conception et quelques éléments de la fabrication.

Cette mission avait déjà commencé l'année précédente, en 1996, lorsque Barnard avait été libéré de ses fonctions.

Ross Brawn vint à bord en tant que directeur technique, suivi peu après par Rory Byrne, qui devint le chef dessinateur de la Scuderia. Une fois de plus il s'agissait de trouver les bonnes personnes dans le marché terriblement fermé de la Formule 1.

De nos jours, il ne peut plus y avoir de frontière nationale pour un sport qui exige l'engagement d'experts internationaux en mesure de réussir le meilleur travail possible. Le plus important pour Ferrari était d'avoir retrouvé le niveau de compétence qui lui avait manqué pendant quelques années, ainsi que de s'être créé l'opportunité de faire à nouveau quelque chose de leur propre initiative.

Le plan est désormais en place à cent pour cent, grâce à la construction d'une soufflerie nouvelle et d'avant-garde, juste à côté de l'usine.

Elle est l'oeuvre du grand architecte italien, Renzo Piano, qui a créé, entre autres, le très original et très admiré aéroport Kansai d'Osaka.

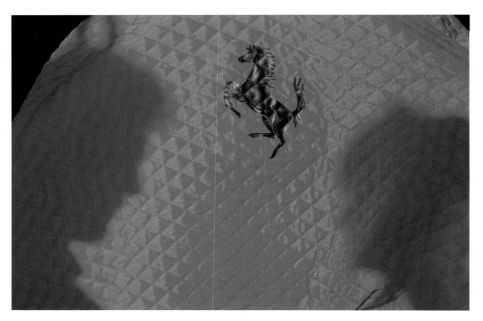

«1997 nous a permis de finaliser la structure organisationnelle de l'écurie», commenta le Directeur sportif Jean Todt. «Dans le courant de la nouvelle saison, nous aurons besoin, au mieux, de quelques ajustements mineurs pour la consolider et nous préparer au mieux pour nous lancer dans une nouvelle période de l'histoire de Ferrari. Où nous ne serons plus des outsiders, mais de sérieux concurrents pour la victoire. C'est aussi pour cette raison qu'il a été préférable d'assurer la continuité dans une équipe qui peut compter sur l'habileté d'un pilote comme Michael Schumacher. C'est pourquoi nous avons gardé Eddie Irvine, pour qu'il n'y ait pas un nouvel élément pour créer des problèmes et qui aurait nécessité une nouvelle période d'adaptation. Il est évident que nous devons maintenant viser directement le championnat du monde, sans la moindre demi-mesure. C'est notre objectif déclaré. Alors qu'en 1997, nous avons lutté pour le titre jusqu'à la toute dernière course - ce qui a signifié que nous avons dû accorder un effort supplémentaire pour continuer le développement de la F310B - nous n'avons pas pour autant laissé de côté notre travail sur la voiture de 1998. Celle-ci bénéficiera d'un concept complètement nouveau, et pas simplement en raison des changements radicaux aux règlements techniques. Une maquette de cette voiture était déjà en soufflerie en avril 1997, et un groupe d'ingénieurs totalement détachés de notre voiture du moment a continué d'étudier et de dessiner la nouvelle monoplace. Qui n'a absolument rien en commun avec le modèle précédent. Nous voulons démarrer tout de suite avec une voiture fiable et compétitive.»

Le Français a expliqué que Ferrari bénéficie désormais d'une structure extrêmement simple, divisée en trois sections. Comme mentionné ci-dessus, Ross Brawn endosse le rôle de Directeur technique, chargé de la coordination et de l'organisation, à la fois en piste et à l'usine.

Rory Byrne est chargé de la conception de la voiture, tandis que Paolo Martinelli supervise la conception et le développement des moteurs. L'équipe d'essais fonctionne toujours sous la direction de l'ingénieur Luigi Mazzola, tandis que l'ingénieur Ascanelli coiffe le fonctionnement de l'équipe de course. «Notre but est d'obtenir une écurie très flexible», explique Jean Todt. «Elle doit réagir très rapidement tout en étant capable de développer toujours plus loin les domaines de l'électronique, de la mécanique et de l'aérodynamique. Nous n'avons pas l'intention de suivre nos concurrents, mais nous ferons tout au contraire pour montrer la voie en matière de développement. Ce n'est pas une tâche aisée, compte tenu de la qualité de nos rivaux, toujours plus nombreux et mieux armés. Mais c'est le seul moyen de nous trouver devant, aux avant-postes du sport et d'éviter de mauvaises surprises. Tout notre travail doit consister à tirer le meilleur de nos ressources, tout en tenant compte de la capacité de nos fournisseurs extérieurs, avec lesquels nous avons l'intention de collaborer de manière plus rapprochée. Dans cette perspective, nous planifions également de mieux utiliser les autres structures qui sont à notre disposition, tels que les circuits de Fiorano et de Mugello, qui sont équipés de tout ce qui est nécessaire au niveau infrastructure pour mener des tests approfondis dans beaucoup de domaines.»

Pendant la période hivernale, tous les départements de Ferrari travaillent à fond absolu, à la fois sur la piste et à l'usine.

Un des domaines qui est l'objet d'un effort particulier, presque à un niveau fanatique, reste le développement du moteur 047, qui ne partage pratiquement aucune pièce avec son prédécesseur.

Basée sur le nouveau règlement technique, qui exige une voiture plus étroite, les hommes de Paolo Martinelli durent repenser entièrement leur philosophie en matière de structure du moteur V10. Avec ce règlement en tête, le travail a commencé au cours de l'été 96 déjà, et plus d'une douzaine de prototypes ont été construits et testés de manière intensive sur le banc, dans un processus d'évolution constante.

Dans ce domaine, la plus grande nouveauté dont a bénéficié Ferrari est un super-ordinateur, que le Président Luca di Montezemolo voulait déjà acheter en 1994.

Tout au long de la période de développement, ce «cerveau» a analysé les données concernant différents matériaux, différentes méthodes de production, ainsi que tous les éléments possibles qui pouvaient être étudiés. Le résultat final a donné jour à un moteur totalement nouveau, désormais parfaitement intégré à l'intérieur du châssis et sa configuration aérodynamique.

Le but principal a été d'abaisser le poids du moteur aussi bien que gagner 10% en termes de sa hauteur au-dessus du sol. Ce procédé a été permis par l'utilisation d'une nouvelle génération d'embrayage, à diamètre réduit, qui a permis au vilebrequin d'être abaissé dans le bloc.

Le second défi auquel Ferrari s'est heurté a été l'augmentation de la vitesse de rotation du moteur à un niveau qui était encore considé-

CHRISTIANO CHIAVEGATO, 56 ans, a débuté très jeune dans le journalisme. Entré à «La Stampa» en 1959, tout en continuant de couvrir divers sports pour «La Gazzetta dello Sport» pendant une quinzaine d'années. Il a assisté à une dizaine de Jeux Olympiques d'hiver et d'été, avant de se tourner vers les sports mécaniques à la fin des années 60. A partir de 1976, il n'a plus manqué un seul Grand Prix de F1 et a rédigé plusieurs ouvrages sur Ferrari, ainsi qu'une biographie de Niki Lauda.

ré récemment comme impossible, en travaillant en particulier avec des températures d'eau plus élevées, ceci grâce à de meilleurs échanges thermiques. Ce qui signifie que la surface des radiateurs ont même pu être réduites, apportant d'évidents avantages aérodynamiques. Avec des radiateurs plus étroits, la monoplace pénètre dans l'air de manière plus efficace ce qui profite à sa vitesse de pointe – l'un des princi-

Un autre domaine sur lequel Maranello a orienté son attention est celui des freins. Avec le nouveau règlement interdisant l'utilisation de matériaux hautement spécialisés pour les étriers, et avec la réduction de l'épaisseur des disques, l'écurie a mené une longue série de recherches et d'essais, tout d'abord sur la F310B puis sur le nouveau modèle. Bien qu'il soit vrai qu'à l'opposé d'autres écuries, Ferrari a effectué

quelque peu nébuleuse par le règlement, il est clair qu'il jouera un rôle fondamental dans le développement des monoplaces du siècle prochain. Les spécialistes de Ferrari ont travaillé étroitement avec ceux de Magneti Marelli, qui bénéficie d'une expérience sans pareille dans ce domaine. Ces derniers travaillent avec plusieurs grands constructeurs, dont Mercedes, pour qui ils ont effectué des développements

paux problèmes dont souffrait la F310B pendant la saison 1997.

Ferrari s'est fixé le but de construire un moteur plus compact, plus léger et capable d'un niveau de performance plus élevé tout en restant facile à conduire et fiable. Evidemment, pour accompagner ce nouveau moteur, une nouvelle boîte de vitesses à été étudiée, dont tous les composants sont également nouveaux.

peu de tests avec une voiture-laboratoire au cours de l'été 97, il faut préciser que les ingénieurs de Maranello ont utilisé intensivement les simulations par ordinateur pour affiner leur réglage de leur configuration, de manière à être prêts au moment où le modèle 1998 doit être produit. Il est évident que le domaine de l'électronique n'a pas été négligé. En dépit du fait que celui-ci se voit limité d'une manière

pour la série américaine Indycar. En partenariat avec Ferrari, ils ont tout fait pour développer des systèmes qui seront indispensables pour devenir une écurie de pointe. Des différentiels hydrauliques programmables jusqu'aux accélérateurs fly-by-wire en passant par les systèmes d'acquisition et de contrôle des données, tout a été examiné en détail pour être certain qu'il n'y ait aucune surprise en 1998, mais aussi pour explorer toute nouvelle possibilité.

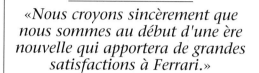

Michael Schumacher fend l'azur du rouge de sa Ferrari. L'embauche de l'Allemand a été un moment-clé du retour au succès de la marque au cheval cabré.

«Nous croyons sincèrement que nous sommes au début d'une ère nouvelle qui apportera de grandes satisfactions à Ferrari.»

Finalement, nous en venons à l'aérodynamique. Le groupe d'ingénieurs mis à la disposition de Rory Byrne est constitué d'ingénieurs expérimentés ainsi que de jeunes talents prometteurs.

Un groupe qui a essayé de suivre aussi fidèlement que possible le résultat des recherches menées par le concepteur sud-africain. Mais ce ne sera que sur la piste qu'ils pourront constater si le travail mené en soufflerie a conduit à une voiture permettant à l'écurie de Maranello d'atteindre les buts qu'elle s'est fixés pour la saison 98.

En théorie, tout semble donc en place pour la saison prochaine. Mais le test ultime ne viendra que de la piste, face à face avec la concurrence, dans ce qui promet d'être une lutte très serrée.

Une seule chose reste certaine: Ferrari n'a rien laissé au hasard dans ses efforts pour fournir à Michael Schumacher et Eddie Irvine une monoplace de première classe, capable de battre la concurrence à plate couture sur tous les circuits qui accueilleront le championnat du monde.

Jean Todt et ses hommes savent que tout dépendra d'un bon départ ou non de la saison. *«Cette fois, espérons que nous ne serons pas contraints de jouer les seconds rôles»*, martèle Jean Todt. *«En 1998, nous devons jouer le rôle de l'équipe à battre. Nous savons que cela ne sera pas facile, et que nous devrons continuer de travailler à fond absolu, de toute de notre force.»*

«L'histoire de la Formule 1 montre que peu d'équipes sont en mesure de rassembler les caractéristiques nécessaires pour gagner le championnat. Nous croyons sincèrement que nous sommes au début d'une ère nouvelle qui apportera de grandes satisfactions à Ferrari et ses innombrables tifosi de par le monde. Leur passion sans égale sera alors récompensée.»

Ross Brawn, le directeur technique de Ferrari, a l'air de bien s'amuser dans son nouveau rôle au sein de la Scuderia. Où il a retrouvé Rory Byrne et Michael Schumacher. Le trio qui avait remporté le championnat du monde en 1994 et 1995 était reformé.

1997 vu du Canada

Un beau dimanche au bord du Saint-Laurent

par Philippe Cantin
«La Presse»

C'était un de ces matins de juin qui font rêver, quand le soleil chauffe le corps et la brise caresse le visage. Dans l'Île Notre-Dame, à cinq minutes du centre-ville de Montréal, des dizaines de milliers de spectateurs convergeaient vers le circuit Gilles-Villeneuve où le départ du Grand Prix du Canada serait bientôt donné.

Dans l'air, on sentait l'électricité des grands jours. Agitant d'immenses drapeaux du Québec, cet étendard bleu et blanc aux quatre fleurs de lys, les partisans de Jacques Villeneuve envisageaient la journée avec enthousiasme. Cette fois, leur enfant chéri ne se ferait pas damer le pion par Damon Hill, comme en 1996. Il coifferait l'épreuve, renforcerait son avance au championnat du monde des pilotes et, surtout, fermerait le clapet à ses dénigreurs de la Fédération internationale de l'automobile (FIA), dont la cote d'estime n'avait jamais été si basse.

Imaginez: moins d'une semaine avant la course, cet organisme avait eu le culot de convoquer Villeneuve à ses bureaux de Paris pour lui rappeler l'importance du «politically correct». Dans les journaux, à la radio et à la télé, les commentateurs dénonçaient avec vigueur la tenue de cette audience. Pourquoi obliger Villeneuve, qui séjournait alors à Montréal, à traverser deux fois l'Atlantique à si brève échéance du Grand Prix? Comment expliquer que le sport automobile, repaire de la plus haute technologie, n'utilise pas un système de vidéo-conférence pour entendre le pilote de 26 ans?

L'affaire trouvait son origine quelques semaines plus tôt. Mécontent des changements à la réglementation de la Formule 1 en vue de 1998, Villeneuve ne s'était pas gêné pour crier haut et fort sa colère. «Il ne faut pas transformer la Formule 1 en cirque, avait-il ragé. Si ça continue ainsi, un pilote prêt à pousser ses limites n'en tirera aucun avantage. La Formule 1 est plus sécuritaire que jamais. Elle l'est même trop. Moi, je suis déjà habitué à la vitesse de la F 1 et je veux aller encore plus vite. Si un autre pilote que Senna était mort en 1994, on ne réagirait pas ainsi aujourd'hui. Je souhaite rester en F 1, mais pour autant qu'elle demeure ce qu'elle est. Et que je puisse m'y amuser.»

Les journaux du monde entier avaient rapporté les propos de Villeneuve. Et la FIA, incommodée par la virulence de la critique, le sommait d'expliquer son langage. Au Québec, cette convocation devant le pouvoir sportif demeurait incompréhensible. Dans la mentalité nord-américaine, on accepte mal qu'un homme doive justifier le simple fait d'exprimer son opinion, même s'il a utilisé des mots durs. On y voit une déplorable entrave aux libertés fondamentales. Des avocats interrogés sur la question notaient que les commentaires de Villeneuve n'avaient pourtant rien de libelleux. Bref, l'affaire faisait grand bruit!

Villeneuve en fut finalement quitte pour une remontrance, la FIA lui conseillant de choisir son vocabulaire avec plus de soin. Mais l'épisode avait encore, si besoin était, augmenté sa cote de popularité dans le pays où il est né. C'est dans ce contexte chargé d'émotion que Villeneuve a amorcé le Grand Prix du Canada.

Mais dès le deuxième tour de l'épreuve, il a perdu le contrôle de sa Williams-Renault dans une chicane et embroché le museau de son bolide... dans un panneau invitant les touristes à visiter le Québec. Un cauchemar pour Villeneuve, une douche d'eau froide pour le public. Au volant d'une des voitures les plus fiables du peloton, il était hors-course avant même que ses chauds partisans aient véritablement l'occasion de l'encourager. «Une erreur tellement bête, a répété Villeneuve. Je n'attaquais même pas. Je roulais derrière Michael Schumacher et j'essayais de ménager mes pneus quand la voiture m'a complètement échappé. La piste était poussiéreuse et je me méfiais un peu. C'est le genre d'erreur qu'on peut pardonner en Formule 3 ou en Atlantique, mais pas en Formule 1.»

Décidément, ce 15 juin ne fut pas la journée des pilotes francophones. Plus malchanceux, Olivier Panis fut victime d'un grave accident qui stoppa net et sec une saison encourageante.

Malgré cette issue décevante pour le public québécois, le Grand Prix a de nouveau représenté un vif succès commercial. Le jour de la course, plus de 100 000 spectateurs ont pris place autour de la piste dans une ambiance bon enfant. Les spectacles tenus en marge de l'événement ont aussi attiré les foules, notamment les concerts rock en plein centre-ville de Montréal, là où les festivals de jazz, d'humour, de feux d'artifice, de cinéma et de la chanson française se succèdent à un rythme fou durant l'été. Alors si tout se déroule si bien, pourquoi les amateurs craignaient-ils de perdre leur Grand Prix au profit de la Chine ou de la Malaisie? En raison de la nouvelle loi anti-tabac, qui a provoqué un débat virulent.

Malgré l'ampleur des enjeux, le dossier est simple: en avril 1997, dans un louable souci de protéger la santé publique, le gouvernement fédéral, siégeant à Ottawa, a adopté une législation pour contrer le tabagisme. Un de ses articles-clé limite le droit des fabricants de cigarettes à publiciser leur commandite de grands événements culturels et sportifs, une restriction qui devrait provoquer leur désengage-

ment. La loi interdit également aux voitures de course d'arborer le nom de marques de cigarettes à compter du 1er octobre 1998. Devant le tollé suscité par ces mesures, le premier ministre du Canada a promis de les adoucir. Une exception devrait donc permettre à Marlboro, Rothman's et tous les autres d'afficher leur nom sur les Formules 1.[1]

Normand Legault, le promoteur du Grand Prix du Canada et bon copain de Bernie Ecclestone, a été à l'avant-plan de cette levée de boucliers.

PHILIPPE CANTIN,
38 ans, a étudié le droit avant de se tourner vers le journalisme en 1984. Il a couvert les Jeux Olympiques, le Tour de France et de nombreux autres événements sportifs de premier plan en Amérique et en Europe. Il a aussi été correspondant politique. En plus de la Formule 1, il s'intéresse particulièrement aux dossiers traitant de l'économie et du sport.

Sur toutes les tribunes, il a cité l'exemple de l'Australie, où la Formule 1 connaît un succès remarquable malgré une sévère loi anti-tabac. *«Le ministre de la Santé peut accorder des exemptions selon des critères précis, a-t-il répété. Ce n'est pas le far-west, croyez-moi... Les organisateurs doivent démontrer que la compétition fait partie d'un championnat international, qu'elle regroupe des athlètes étrangers, qu'elle sera diffusée à travers le monde et qu'elle attirera des spectateurs de l'étranger. Ils doivent aussi prouver que si l'exemption n'est pas décernée, l'événement n'aura pas lieu. La loi a des dents, mais le gouvernement fait montre de souplesse pour protéger des acquis.»*

Le transfert du Grand Prix dans une ville asiatique représenterait un dur coup pour l'économie montréalaise, déjà sérieusement éprouvée au cours des dernières années. La course attire en effet des milliers de passionnés venant des Etats-Unis, d'Europe et du Japon. Ces gens dépensent des millions de dollars dans les hôtels, les restaurants et les magasins. Ils apportent de l'argent neuf. D'autres sports, également très populaires, n'ont pas le même impact, le public montréalais composant la presque totalité de l'assistance.

«J'ai déjà essayé un produit semblable, un truc de chez Dior, couleur champagne, c'est sympa, non?»

M. Legault détient les droits d'organisation d'un éventuel Grand Prix de Chine. *«Le circuit de Zhuhai est déjà construit au milieu d'un triangle composé de Hong Kong, Macau et Canton. Les installations sportives sont prêtes: garages, tour de contrôle, etc... Reste à bâtir les structures d'accueil pour les spectateurs.»*

Si le Grand Prix du Canada devait quitter Montréal, c'est dans cette région du monde qu'il se retrouverait. Mais à moins d'un retournement de situation, cette menace devrait être levée durant l'année 1998. M. Legault en profitera alors pour apporter des améliorations au circuit Gilles-Villeneuve, notamment au niveau de la salle de presse et du paddock.

Le Grand Prix du Canada terminé, Montréal a dit au revoir au grand cirque jusqu'à l'an prochain. Mais les aventures de Jacques Villeneuve sur les circuits européens ont continué de faire la une des journaux jusqu'à la fin de la saison.

Deux semaines après ses déboires de Montréal, Villeneuve s'est retrouvé à Magny-Cours, en vue du Grand Prix de France. Le jeudi précédant la course, lors d'une rencontre de presse tenue en la présence d'une poignée de journalistes français, anglais et québécois, Villeneuve a tiré à boulets rouges, jugeant manifestement excessive la réaction à l'accident d'Olivier Panis. *«Quand on est pilote, on connaît les risques, a-t-il dit. C'est toujours dommage quand un grave accident survient. Il s'agit d'une claque dans une carrière, surtout quand on connaît de beaux moments comme c'était le cas d'Olivier. Mais deux jambes cassées, ça se produit en ski, par exemple. Et tout le monde s'en fout, personne ne dit que le ski est dangereux, qu'il faut arrêter de skier.»*

«Mais là, après l'accident de Montréal, j'ai lu partout qu'on avait oublié combien la Formule 1 était dangereuse et qu'il fallait augmenter la sécurité. Pourtant, deux jambes cassées, ce n'est pas si grave. Oh, bien sûr, c'est grave pour Olivier. Mais une blessure semblable, ça arrive aussi aux motards sur la route.»

«Par rapport à la situation il y a 15 ans, on n'a pas à se plaindre. A l'époque, un gars n'aurait plus eu de jambes après un accident comme celui-là. Et à chaque saison, plusieurs pilotes se faisaient très mal. Il y en avait même un par année qui se tuait. Il faut donc se calmer un peu et arrêter de se plaindre. S'il n'y avait pas de risques dans le sport automobile, les gens s'y intéresseraient beaucoup moins. Gamin, quand on est passionné de course, c'est qu'on a envie de faire des folies.»

L'accident de Panis a stoppé le Grand Prix du Canada, une décision désapprouvée par Villeneuve. *«Moi, même si je crevais sur un Grand Prix, je ne voudrais pas que la course soit arrêtée. Je connais les risques et je les prends pour mon propre plaisir.»*

La force de ces propos – acérés, mais conséquents avec ses déclarations antérieures – était suffisante pour placer Villeneuve sous le feu des projecteurs. Mais il a retenu l'attention pour un autre motif, n'ayant rien à voir avec la course: il est débarqué à Magny-Cours avec les cheveux teints en blond platine. Pourquoi? *«Juste pour le plaisir, parce que j'en avais envie»*, a-t-il expliqué, ajoutant que Frank Williams avait trouvé l'initiative très drôle. En salle de presse, les avis étaient partagés sur le sens de l'esthétique de Villeneuve. Martine, une collègue française, l'a cependant appuyé avec vigueur: *«J'ai déjà essayé un produit semblable, un truc de chez Dior, couleur champagne, c'est sympa, non?»*

En voyant son pilote coiffé à la couleur Marilyn Monroe, Williams a donc souri. En revanche, il a trouvé moins amusant les commentaires de son pilote concernant la philosophie de l'écurie en matière de réglages. Le problème avait déjà fait surface l'année précédente. En clair, Villeneuve ajuste sa voiture d'une façon qui ne plaît pas toujours aux gens de Williams. Et ceux-ci essaient d'imposer leurs vues. Le pilote assimile ces recommandations à des pressions pour que son ingénieur et lui partent dans des directions ne les intéressant pas. Résultat, il estime perdre beaucoup de temps en préparant sa course. Patrick Head, le directeur technique de Williams-Renault, rejette cette interprétation des faits. En quittant le circuit de Magny-Cours après le Grand Prix de France, il déclare: *«Nous n'avons jamais empêché Jacques d'ajuster la voiture à son goût.»*

Au sein de l'écurie, l'ambiance est lourde. Et en arrivant en Angleterre une dizaine de jours plus tard, les rumeurs courent: Villeneuve quitterait Williams pour joindre son agent Craig Pollock, qui souhaite acheter une écurie ou en créer un nouvelle. Cette fois, Villeneuve demeure de glace. Avec les journalistes, il se contente d'énumérer des clichés sans intérêt, évitant de soulever de nouveau la controverse. La tactique lui réussit puisque, profitant de l'abandon de Mika Hakkinen en toute fin de course, il coiffe l'épreuve pour une deuxième année d'affilée.

S'il s'en tire avec les honneurs, et si on parle de ce Grand Prix plutôt que d'autres courus plus tard dans la saison, c'est parce qu'il a illustré avec éclat la principale qualité de Villeneuve: l'acharnement. Au 23e tour, on ne donnait en effet pas cher de sa peau. Pendant que Michael Schumacher, impérial, roulait en tête, Villeneuve restait bloqué à son stand durant 33 secondes, un écrou endommagé empêchant les mécanos de changer rapidement la roue avant gauche de sa voiture. En revenant en piste, il a poursuivi la lutte et les hasards du sport automobile l'ont finalement favorisé.

En fin de saison, malgré toutes les rumeurs à son sujet, Villeneuve confirmait son retour au sein de l'écurie de Frank Williams en 1998. Ses partisans québécois, qui apprécient son franc-parler, seront encore derrière lui, souhaitant qu'il remporte enfin le Grand Prix du Canada. Plusieurs d'entre eux sont animés d'un autre espoir: que Patrick Carpentier, un pilote québécois ayant effectué ses premières armes en série CART en 1997, le rejoigne un jour en Formule 1.

Sandrine Gros d'Aillon, la compagne de Jacques Villeneuve, n'a pas assisté à beaucoup de Grands Prix cette saison. Mais lorsqu'elle se rendait sur un circuit, c'était pour soutenir son champion de toute sa foi...
▽

Mercedes vise Michael Schumacher. Evidemment

par Anno Hecker
«Frankfurter Allgemeine Zeitung»

1997 aus deutscher Sicht

Echauffé, en sueur, mais heureux, Norbert Haug présenta un communiqué interne en public, qui disait : «*Faites en sorte de venir à Francfort.*» Ce n'était pas une menace de la part de l'équipe Mercedes, mais plutôt une invitation. Pour le chef des sports de la firme, une manière de rentabiliser le deuxième succès 1997 pendant l'exposition internationale de l'automobile (IAA). Quelques instants auparavant, David Coulthard avait amené sa McLaren-Mercedes à la première place au terme du Grand Prix d'Italie, sur l'Autodromo du «parc royal» de Monza.

Ceci grâce à un timing parfait pendant son premier et unique ravitaillement. Il fut ainsi facile pour Jürgen Hubbert, membre du comité de direction de Daimler-Benz et responsable pour les voitures de tourisme, d'en déduire une signification stratégique pour tous ceux impliqués de cette course tactiquement parfaite : «*Cette victoire arrive au meilleur moment.*»

Pendant ce temps, Mario Ilien sirotait tranquillement un verre de champagne devant l'auvent du motorhome Mercedes. Le constructeur de moteurs suisse ne s'étale guère, même si tout le monde ne parle plus que de son moteur. «*Oui, la consommation en essence a certainement dû jouer un rôle.*»

L'homme a l'air aussi modeste que son moteur en consommation. Le dix cylindres et ses 775 chevaux, doté de l'étoile Mercedes sur le capot, permet à l'écurie une stratégie de course variable grâce à une consommation relativement faible. McLaren, pendant son unique arrêt, n'a pas dû mettre autant d'essence que la concurrence. Ce qui réduisit la tâche des 21 mécaniciens. Ainsi, pendant que le Français Jean Alesi, qui avait mené la course jusque-là, faisait un arrêt plus long d'une seconde, Coulthard repartait en direction de la victoire.

L'homme de Mercedes, Hubbert, parla quelques heures plus tard d'une victoire évidente de toute l'équipe. Il n'est pas dans la tradition de l'entreprise de se vanter des propres succès. Mais au fond d'eux-mêmes les gens de Stuttgart étaient très fiers de l'inscription sur le T-shirt de Coulthard : «*Thank you for the power.*»

Mercedes a presque dû attendre cinq ans pour obtenir la preuve officielle de sa force. La victoire de Coulthard pendant le Grand Prix d'Australie, au début de la saison, avait seulement été considérée comme un succès chanceux et obtenu grâce aux nombreux abandons de la concurrence. «*Mais Monza*, commenta Hubbert, *fut une victoire de notre propre force.*»

Et cette force venait du nouveau moteur F110F, que Ilien avait fait monter après le premier tiers de la saison. La tactique des Allemands portait ainsi ses fruits pour la première fois. Car depuis la fin de l'été 1996, il n'y a plus qu'un but à Stuttgart, «*la machine d'abord, l'homme ensuite*», que l'entreprise applique en collaboration avec McLaren. Comme chez Williams, le produit doit être sur la piste le plus rapidement possible en tant

ANNO HECKER,
33 ans, a débuté comme professeur de gymnastique, avant de se tourner vers le journalisme en 1986. Après un stage dans une agence de presse de Bonn en tant que correspondant politique, il entre à la «Frankfurter Allgemeine Zeitung» en 1991, en tant que responsable pour le sport automobile. Il s'est spécialisé dans les thèmes mêlant sport et politique.

que meilleur offre avec le meilleur pilote. Il faut surtout que ce soit une offre que Michael Schumacher ne puisse plus refuser.

Compte tenu de ce dernier point, les négociations échues avec Damon Hill, et les accords pris avec l'ancien et le nouveau pilote Coulthard et Mika Hakkinen prennent tout leur sens. «*Tout le monde sait ce que signifierait un titre de champion du monde de Michael sur Mercedes. Rien ne pourrait l'égaler, ce serait vraiment le top.*»

Au vu des performances médiocres des deux pilotes, Hakkinen et Coulthard, Mercedes se devait de changer de personnel. Et Damon Hill semblait avoir de bonnes chances grâce à l'amitié le liant au nouvel aérodynamicien de l'équipe, Adrian Newey.

Les patrons de Stuttgart apprécient les compétences du Britannique à développer une voiture de course. Mais la manière avec laquelle Hill briga la faveur de Mercedes en perturba les dirigeants. «*Il a essayé par tous les moyens. Il n'y a pas un chemin qu'il n'ait pas essayé. Mais il n'a pas cherché le contact direct avec le département de sport automobile*», disait-on chez Mercedes. Une erreur encore pardonnable si Hill s'était comporté un peu plus intelligem-

ment au téléphone pendant l'entretien en vue de son engagement. En interne, on disait qu'il avait commencé par critiquer ses collègues Coulthard et Hakkinen. «*Ce ne sont pas les bonnes manières britanniques auxquelles il nous avait habitué*», disait un collaborateur de Mercedes.

Les propos de Hill blessèrent la coquetterie des responsables, puisque c'était eux qui avaient choisi ces soi-disant mauvais pilotes.

A part cela, il était difficile à Mercedes et McLaren de congédier un des deux pilotes pour laisser la place à Hill. Le patron, Ron Dennis, tient David Coulthard en haute estime, lui qui est plutôt du genre «brave gendre». Norbert Haug, le patron du sport chez Mercedes, lie de son côté une grande amitié avec ce «casse-cou» de Hakkinen.

Sa réaction suite à la rumeur d'engagement possible par McLaren-Mercedes, le vendredi après-midi du Grand Prix de Belgique, montra à quel point les deux hommes étaient en discussion. Les deux parurent très étonnés et relativement soulagés. Ils acceptèrent ce que Hill avait refusé comme étant impertinent: un contrat d'une année avec un salaire peu élevé et une prime pour chaque point au championnat. Le champion du monde considéra l'offre de deux millions de dollars et une prime de rendement (un million de dollars par victoire) tellement insignifiante, qu'il douta pour finir du sérieux de l'offre. Au cours d'un dernier téléphone au paddock il reçut une dédite courte mais claire : «*You missed the boat.*» La seule personne manquant encore à bord, selon Hubbert, était Michael Schumacher.

Jusqu'alors, Mercedes avait justifié l'absence du fils perdu par une voiture trop lente. «*Michael est un bon ami de la maison. Mais aussi longtemps que nous ne pouvons pas lui démontrer que nous avons une voiture compétitive, nous ne sommes pas une alternative pour lui.*» Ce qui

semble plausible mais n'est pas tout à fait vrai. En tout cas, il y deux ans, quand Schumacher cherchait à quitter Benetton, McLaren-Mercedes aurait eu de bonnes chances de pouvoir l'engager.

Ferrari n'était pas meilleure à l'époque que l'écurie anglo-allemande. Et les Italiens n'avaient pas offert plus d'argent. Mais Ferrari avait promis qu'il aurait son mot à dire à l'engagement d'ingénieurs importants. Ron Dennis, par contre, refusa qu'on se mêle de la politique du personnel de son entreprise. «Si Schumacher était pilote Mercedes», prétendit quelqu'un à l'interne. «Ils en seraient déjà beaucoup plus loin.» Mais même sans Schumacher, Mercedes croit, avec du retard, qu'ils pourront mener en 1998. Hubbert mise sur les capacités de Adrian Newey, qui ne peut travailler que depuis le 1er août 1997 pour l'écurie.

«S'il est écrit BMW quelque part, il y a bien du BMW dedans»

Déjà, après la victoire à Monza, Mercedes reconnut l'aide de l'aérodynamicien qui avait travaillé chez Williams. «C'est étonnant ce que Adrian a déjà accompli en cinq semaines. L'équipe a déjà fort bien progressé», commenta Hubbert. Pour la nouvelle saison il s'attendait à une avance énorme malgré les débuts de Newey avec les nouveaux règlements. «Cet homme a modelé la Williams pour devenir la meilleure voiture du plateau et l'a maintenu pendant des années à ce niveau. Pourquoi n'y arriverait-il pas chez nous?»

Et plutôt aujourd'hui que demain. Car si Newey réussit déjà en 1998, Mercedes pourrait accepter une légère défaite au championnat des conducteurs – à condition que Schumacher mène Ferrari au titre.

Les meilleurs vœux de Mercedes accompagnent l'Allemand, mais non sans intérêt. Car Hubbert et ses collègues savent que Schumacher pourrait très bien vouloir chercher ailleurs après une victoire mondiale avec Ferrari. Son contrat court jusqu'à fin 1999, comme le confirme son Manager Willi Weber. Mais dans les coulisses, on parle d'une clause de départ qui permettrait à Schumacher de s'échapper en cas de nouveau challenge.

Au mieux, Mercedes présentera son «dream-team» une année avant un concours germano-allemand intéressant.

BMW s'apprête à fournir des moteurs à Williams à partir de l'an 2000. Ce qui est très apprécié des fans de sport automobile chez Mercedes, car ils ont alors un argument de plus pour leur propre enjeu. «Le jeu sera encore plus attractif et intense du côté allemand. Il est positif de se mesurer en Formule 1 et d'essayer de séduire les clients dans la vie de tous les jours.»

A peine l'entreprise bavaroise avait-elle annoncé son come-back – d'ailleurs le lendemain de la victoire de McLaren à Monza –, que Mercedes réagit, dans l'euphorie de la victoire, avec des conseils sportifs bien intentionnés. «Ils ne feront pas les erreurs que nous avons faites. J'espère que les collègues s'octroyeront plus de temps», commenta Hubbert en disant que la direction avait été mécontente du lent départ de l'étoile en Formule 1. «Après le retour, en 1993, nous nous sommes un peu assis sur nos lauriers d'antan. Le public s'attendait à un départ canon à cause de la liaison avec McLaren. Nous sommes bien vite revenus sur terre. Les lauriers fanent vite.»

Hubbert évoquait l'ère glorieuse des flèches d'argent, sous la direction d'Alfred Neubauer, aux succès de Rudolf Caracciola en passant par Manfred von Brauchitsch et jusqu'à Juan Manuel Fangio.

A l'époque, Mercedes vint, vit et gagna. De nos jours, il faut trois années de pratique à un constructeur de moteurs pour pouvoir suivre vaguement le rythme, affirment les ingénieurs en Formule 1. «La construction d'un moteur ne représente qu'un aspect. Il leur faut construire des

machines spéciales, des bancs d'essai et récolter beaucoup d'expérience», explique Mario Ilien. La voie la plus rapide vers la gloire passe par la collaboration avec une entreprise spécialisée, capable de plus de flexibilité vis-à-vis du développement continu ou des changements de règlements qu'une énorme compagnie.

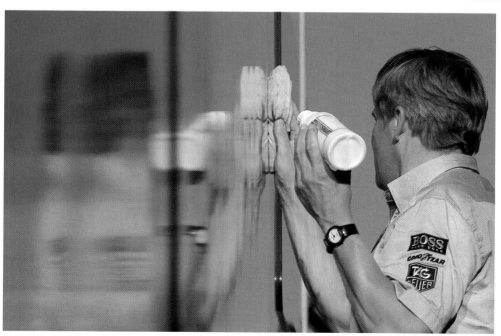

Comme par exemple la firme britannique Ilmor, appartenant à Ilien, à laquelle Mercedes participe à hauteur de 25 pour cent.

Mercedes n'utilise d'ailleurs le terme de «flèche d'argent», synonyme de position intouchable dans le sport automobile des années trente et cinquante, qu'avec circonspection. Hubbert sait à quel point la concurrence peut dépecer sans ménagement la vraie part de Mercedes dans les victoires de McLaren dans l'ère moderne. «Nous développerons notre propre moteur de Formule 1 et n'emprunterons rien aux autres firmes. Nous n'achèterons pas de technique non plus, mais développerons indépendamment notre propre agrégat», expliqua le chef de sport automobile chez BMW, Karl-Heinz Kalbfell. Et pour que la concurrence de Stuttgart se sente bien visée, Kalbfell poursuivit : «S'il est écrit BMW quelque part, il y a bien du BMW dedans. Si nous le faisons, nous le faisons bien jusqu'au bout. Nous ne voulons pas attendre 50 courses pour gagner.»

Le duel a commencé. Kalbfell sera mesuré à ses paroles. Mais Mercedes ne se simplifie pas la tâche. «Nous ne partirons pas en tant que perdants», disait Hubbert à Monza, «nous ne pouvons pas nous le permettre.»

Au Japon, la passion pour la F1 croît un peu. Mais bien lentement...

1997 wo hurikaeru

par Kunio Shibata
«GPX Press», Tokyo

Cette année, dès son entrée en Formule 1, Bridgestone a démontré une performance hors du commun contre son rival Goodyear.

Et on murmure le retour de Honda, prévu dans quelques années. Pourtant, la popularité de la F1 au Japon reste assez faible par rapport à l'Allemagne ou l'Italie. Et surtout, les Japonais sont obligés de se contenter d'y jouer un rôle secondaire malgré leur présence à la fois technique et financière importante. Qu'est-ce qui cloche dans le système japonais ?

Depuis quelques années, je me sens de plus en plus las et triste en écrivant des articles sur la Formule 1. Bien qu'ils soient destinés aux lecteurs japonais, les pilotes nippons sont totalement absents de la lutte pour une victoire ou une autre. Ils font des efforts désespérés, mais restent souvent dans le peloton de queue. C'était une nouvelle fois le cas cette saison.

Ukyo Katayama est en Formule 1 depuis 1992. Par son pilotage kamikaze, il a été désigné en 94 comme «le plus courageux pilote de la saison» par les lecteurs du magazine italien «Autosprint». Cette année, il a changé son volant de Tyrrell à Minardi, mais il lui arrive rarement de finir la course.

En ne parvenant jamais sur le podium de sa carrière, Ukyo a été contraint à annoncer sa retraite à Suzuka. «Je me sens toujours capable de courir et de me battre en Formule 1, mais je sens que le moment est venu», disait Ukyo juste après sa déclaration. «A la fin de la saison 94, Flavio Briatore m'a invité à être coéquipier de Michael Schumacher. Mais à l'époque, j'étais encore sous le contrat de Tyrrell, et mon sponsor personnel, Japan Tobacco m'a conseillé d'y rester. Je n'aurais pas dû l'obéir. J'ai eu tort de ne pas tenter les nouvelles aventures..., mais c'est déjà du passé.»

L'autre pilote japonais, Shinji Nakano, a effectué des débuts assez difficiles. En qualification, il était à plus d'une seconde de retard par rapport à son coéquipier Olivier Panis.

En course, malgré le moteur Mugen dont il dispose – l'un des plus puissants du plateau –, Shinji se contente de courir avec des voitures équipées de V8, pendant qu'Olivier se bat pour le podium.

L'accident du pilote français n'a pas facilité sa tâche. Le remplaçant d'Olivier, Jarno Trulli, également débutant en F1, était, dès son arrivée chez Prost, beaucoup plus rapide que son homologue japonais. Shinji a finalement obtenu deux points (deux fois 6e place au Canada et en Hongrie), ce qui n'est pas forcément mauvais pour un débutant. Mais vu les performances d'autres jeunes talents comme Trulli, Fisichella, Ralf Schumacher ou Wurz, il faut admettre qu'il reste complètement dans l'ombre de ses rivaux.

Hirotoshi Honda, le fils du fondateur Honda Motors et le président de Mugen, soutenait le pilote japonais depuis qu'il était en karting. Sa montée «inattendue» en Formule 1 (puisqu'il n'a jamais gagné en Formule 3000 au Japon) a été poussée par Mr. Honda.

Mais ses performances, cette année, l'ont tellement déçu que Mr. Honda n'a même pas insisté auprès de son futur partenaire, Eddie Jordan pour trouver un volant à Shinji chez l'Irlandais. Il pourrait éventuellement courir chez Minardi en 98 grâce au soutien de certains sponsors japonais, mais il est peu probable

KUNIO SHIBATA, 41 ans, a quitté le Japon et son métier de journaliste en 1982 pour s'installer à Paris afin d'y suivre des études à Sciences Po. Devenu ensuite réalisateur free-lance pour la télévision japonaise, il s'est toujours intéressé au sport automobile et a commencé à suivre les Grands Prix pour une agence de presse en 1987, avec l'arrivée du pilote Satoru Nakajima. Il collabore au magazine spécialisé nippon «Grand Prix XPress» depuis 1991.

qu'il obtienne un meilleur résultat que cette année.

La guerre des pneumatiques

Je ne suis pas extrêmement chauvin, mais ce que nous a montré Bridgestone cette saison a été pour le moins un grand plaisir !

Depuis le retrait de Pirelli, Goodyear continuait tout seul à fournir des pneumatiques à toutes les écuries pendant près de 10 ans. C'était un gros effort, incomparable, que j'apprécie

beaucoup. Mais c'était tout de même un monopole qui risquait de tuer la compétition.

L'entrée de la firme japonaise en F1 a été donc globalement bien accueillie, même par le rival direct Goodyear. Désormais, les Américains n'ont plus besoin de s'occuper de tout le monde, ni de dépenser autant d'argent. En plus, ils ont un savoir-faire accumulé pendant 30 ans et ont réussi à garder les 4 premières écuries (Williams, Ferrari, Benetton et McLaren) en tant que partenaires privilégiés. Ils n'avaient donc aucun risque de se voir pressés par l'ennemi...

Pourtant, au cours des essais d'intersaison déjà, Bridgestone avait démontré un potentiel non négligeable, surtout sur des surfaces mouillées (à Magny-Cours, avec des pneus pluie, Olivier Panis courait 4 secondes plus vite que Jacques Villeneuve).

Assez timide mais déterminé, le Directeur technique, Mr. Hamashima disait: «Nous sommes venus en F1 un an plus tôt que prévu. Cette année sera donc celle d'apprentissage. Mais nous souhaitons aussi pouvoir se reconnaître comme concurrent de Goodyear le plus tôt possible.»

Dès le début de la saison, ils ont réussi à démontrer leur compétitivité. Au Brésil déjà, la deuxième épreuve de la saison, Panis a hissé la couleur rouge et noir de la firme japonaise sur le podium. Et deux semaines plus tard, en Argentine, il était à deux doigts de la pole position.

Bien entendu, toutes ces performances n'ont pas été uniquement réussies grâce à Bridgestone, mais il est certain que les pneus l'ont beaucoup aidé. Les pneus Bridgestone étaient (sont encore) bien supérieurs à ceux de Goodyear en deux points. Premièrement, sur le sol mouillé, surtout sous forte pluie. Deuxièmement, malgré une gomme plus tendre, leurs performances sont constantes et la construction est beaucoup plus résistante, notamment contre une force latérale (c'est-à-dire sur un circuit lent). C'est ainsi que les pneus japonais ont

contribué à la deuxième place de Rubens Barrichello au Grand Prix de Monaco, puis à une autre deuxième place à Budapest (cette fois par Damon Hill).

Vers la fin de la saison, il semblait que les performances de Bridgestone devenaient plus modestes, puisque depuis le Grand Prix de Hongrie, les pilotes Bridgestone n'ont jamais réussi à monter sur le podium. Et ils n'ont pas remporté de victoire cette année.

«J'aurais été plus heureux si Bridgestone avait gagné», dit Hamashima, après la contre-performance au Grand Prix du Japon (leur meilleur résultat était seulement la 12e place de Hill). «Pourtant cette saison, on a pu avoir des résultats vraiment inespérés. Je n'avais jamais sous-estimé la compétence de Goodyear, et je n'ai pas eu tort ! Et je vous jure que cette première saison m'a totalement satisfait.»

Par rapport à la saison dernière, le temps moyen au tour s'est amélioré de plus de deux secondes! Et cela sur tous les circuits, sans exception. Le moteur et le châssis ont, bien sûr, beaucoup progressé, mais le facteur le plus important était, incontestablement, les pneus. Timide en entrée, Bridgestone a pratiquement déclaré la guerre à Goodyear. Et le manufacturier américain a bien résisté, en faisant des gros efforts pour lancer des modèles d'évolution. Il est incontestable que la bataille entre ces deux pneus a bien animé le championnat 1997.

Takagi : nouvel espoir ?

Dans l'édition précédente de «L'Année Formule 1», j'ai présenté Toranosuke Takagi comme la future star japonaise. Aujourd'hui, c'est chose faite. Takagi sera l'un des pilotes chez Tyrrell en 98. Mais je me demande, un an plus tard, si j'ai vraiment eu raison en écrivant mon premier article.

Depuis quelques années, la Formule Nippon (équivalent de F3000) est devenue une escale inévitable pour les jeunes pilotes qui visent la Formule 1. Parmi les 22 pilotes actuels de la F1, non moins de 8 ont couru au Japon pendant au moins un an.

Le dernier était Ralf Schumacher, qui a découvert la course japonaise et a remporté immédiatement le championnat. Takagi y participait avec Ralf et gagnait quelques courses. Mais il n'est jamais parvenu à le menacer.

Cette année, après que le pilote allemand soit parti en F1, le candidat le plus probable pour le titre n'était, logiquement, autre que Takagi.

Hélas ! Il n'a gagné qu'une course, et le titre a été remporté par un pilote espagnol, un certain Pedro De la Rosa. Ah, encore un champion étranger en Formule Nippon...

Il a, bien sûr, des tas d'excuses. Le châssis n'était pas du tout compétitif, et Takagi n'arrivait pas à se concentrer sur les courses, en voyageant tout le temps en Europe, etc. etc. N'empêche, il fallait qu'il gagne! Cela fait déjà trois ans qu'il se bat en Formule Nippon. Si c'est un vrai espoir, s'il a du talent, ce n'est pas le moment de piétiner dans une catégorie locale.

A propos de ces voyages en Europe, c'était pour faire des essais chez Tyrrell, et participer en Porsche Supercup. Pourquoi Porsche? Tout simplement, parce que ce championnat utilise souvent des circuits communs à la F1, et que cela aidera Takagi pour apprendre ces circuits inconnus.

C'était une idée de Satoru Nakajima, le premier pilote japonais en F1 et actuellement le patron d'une écurie F-Nippon pour laquelle Takagi courait cette année. Nakajima a aidé à chacun des voyages de Takagi en Europe, et s'occupait de tout (réservation d'hôtel, shopping, chercher des restaurants japonais, etc.). Quel soin parfait ! Puisque c'est une future étoile, il faut, bien entendu, le traiter avec beaucoup d'attention.

Le résultat ? Il n'a jamais remporté de victoire en Porsche, ni même terminé sur le podium. Mais malgré tout, Takagi avait toujours bon moral, en disant : «Le but n'est pas de gagner, mais d'apprendre des circuits.»

En entendant cela, je n'ai vraiment plus de courage de lui dire quoi que ce soit... Si c'est un pilote de race, il ne devra pas choisir sa catégorie. «La Porsche est trop différente d'une voiture de Formule, et surtout trop lourde», disait-il. Mais il n'y avait pourtant qu'à voir Mika Hakkinen, à Monaco, en 1992. C'était sa tou-te première course en Porsche, et il n'a jamais cédé sa première place, de la pole-position jusqu'à la ligne d'arrivée.

Mais passons. En dehors de la course, que faisait-il, ce jeune Japonais? Apprendre l'anglais? Essayer de communiquer avec des ingénieurs ou des mécaniciens chez Tyrrell? Ou observer le pilotage de ses futurs rivaux, comme Schumacher ou Villeneuve?

Pas du tout. Soit il reste assis dans le motorhome sans parler à personne, soit il part du circuit avant même que la course soit terminée («pour éviter l'embouteillage», dit-il). Il ne voit aucune nécessité d'apprendre le mécanisme d'une voiture de F1, ni de communiquer avec les gens. Il possède pour le moment une grande fierté d'être rapide. Et malheureusement pour lui, il aura perdu cette auto-confiance dès le début de la saison prochaine.

Après ce choc «culturel», j'espère sincèrement qu'il se remettra au travail le plus tôt possible, et qu'il deviendra capable de faire face à la réalité et d'exploiter ses facultés de pilotage. Après tout, il est encore jeune (23 ans), le plus jeune parmi les pilotes japonais de la F1. C'est pour le moment son seul et unique argument...

Echec du système...

On dit parfois que les Japonais sont invisibles dans le monde, bien qu'ils soient présents partout. En F1, c'est pareil. Honda, Bridgestone, MildSeven, Pioneer, Showa, Piaa, etc. Il y a bien peu d'écuries qui ne bénéficient pas, du point de vue technique ou du financement, du pays du soleil levant. Pourtant, il est assez difficile de se rappeler qui représente ces sociétés dans ce milieu.

Pourquoi ? Parce que les Japonais pensent qu'il vaut mieux travailler incognito, et que le leadership individuel est nuisible. Quand ils commencent quelque chose de nouveau, ils établissent d'abord un système. Ensuite, ils mettent des gens adéquats dans ce système. Il existe, dans ce système, un manuel. Pour bien travailler, il suffit de le suivre. La Japon est une société de modes d'emploi. «Pouvoir s'adapter à vivre dans un système (famille, groupe, communauté, etc.) est la vertu principale des Japonais.» Tout le monde peut participer au système et tous sont remplaçables. En F1, d'ailleurs, tout le personnel est remplacé au plus en trois ans. C'est la raison pour laquelle on voit difficilement le visage des Japonais.

Mais la F1 est un monde d'individualisme, voire d'égoïsme total. Et parmi les égoïstes, l'ego le puissant est évidemment celui du pilote. Depuis peu, les Japonais se rendent compte que leur système ne convient pas pour former un bon pilote.

Le Japon a une histoire en sport automobile depuis presque 40 ans. Moins ancienne que celle de pays européens, mais aussi longue que celle du Brésil, un grand producteur de champions non-européens. Par rapport à ce pays, nous n'avons jusqu'à maintenant aucun champion du monde, ni même un pilote ayant remporté une victoire. Les Japonais font des efforts en créant des écoles de pilotage ou de système de bourse. Mais pour le moment, rien ne marche. Je dois avouer qu'après Takagi, il n'y a aucun jeune talentueux, ni en F-Nippon, ni en F3. Mes collègues japonais disent parfois : «Plutôt chercher des jeunes Italiens ou des Brésiliens, et les naturaliser Japonais, comme le pratique le football japonais (pour pouvoir participer à la Coupe du Monde).» Quelle triste blague !

Je me demande d'ailleurs si ce n'est pas une question de mentalité. Nous sommes assez bons pour prouver notre capacité, à condition d'appartenir à un système. Une fois arraché de la racine, nous avons tendance à nous sentir perdus. Nous nous sentons bien à l'aise dans la famille, dans la société, dans la communauté, bref dans un monde homogène.

Il me semble que les jeunes pilotes ont un comportement similaire. Ils sont tellement contents de courir dans leur pays natal qu'ils ne voient pas la nécessité de partir dans un monde inconnu, comme souvent font des jeunes loups non-européens.

D'ailleurs, tant qu'ils restent au Japon, ils peuvent gagner plus que confortablement (même un pilote de F3 touche plus d'un million de francs français à l'année!). Et tant qu'ils courent au Japon, ils comptent toujours parmi les plus rapides. Jamais ils n'ont l'occasion de perdre la face.

Vous comprenez peut-être mieux maintenant pourquoi Takagi se comporte ainsi, et pourquoi je suis suffisamment pessimiste. Pourtant, j'espère encore que le miracle se produise un jour...

△

Katayama-San, malgré son manque patent de résultats, continuait d'être très populaire au Japon. Et l'annonce de sa retraite, à Suzuka, fit l'effet d'un drame national. Qui ne s'arrangeait pas avec son abandon en début de course.

◁

Sur le circuit de Suzuka, le public semblait aussi nombreux que d'habitude. Le circuit nippon, de toute façon, tourne à plein régime et continue de voir son Grand Prix se jouer à guichets fermés.

Bridgestone: bilan positif pour 1997

La marque japonaise n'est pas passée loin de remporter un Grand Prix pour sa première saison de Formule 1. Entretien avec ses deux dirigeants, Hiroshi Yasukawa et Hirohide Hamashima.

La Formule 1 contemporaine ne saurait se résumer aux seuls duels sportifs qui opposent les pilotes sur la piste. Elle représente aussi une formidable joute technique entre des grandes marques qui y engloutissent des budgets de plus en plus considérables.

Dans ce contexte, on ne peut que se réjouir de l'arrivée d'une nouvelle marque dans le concert de la F1. De la différence naît l'intérêt, veut le dicton, et l'arrivée de Bridgestone, cette saison, n'a fait que le confirmer.

Jusqu'à l'an dernier, Goodyear était seul manufacturier de pneus présent en F1. Avec les conséquences que ce manque de compétition impliquait: les ingénieurs d'Akron n'étaient guère motivés à chercher de nouveaux mélanges de gommes, et de fait ils n'amenaient qu'un seul type de pneus sur chaque circuit. Les écuries, si elles n'étaient pas toujours satisfaites de cette situation, devaient bien s'en accommoder.

C'est alors qu'en août dernier, le Président de Bridgestone Corporation a annoncé officiellement l'arrivée de sa marque en Formule 1 pour 1997. Ce qui n'était d'ailleurs plus qu'un secret de polichinelle, l'écurie Arrows menant déjà des essais avec ces pneus depuis plusieurs semaines – en mesure de représailles, Goodyear refusait d'ailleurs de la fournir en gommes compétitives, ne lui donnant plus de pneus pour ses essais privés.

En se lançant en Formule 1, Bridgestone faisait un pas en avant logique en regard de la trajectoire que la marque avait suivie jusque-là en sport automobile.

Fondée en 1931, Bridgestone occupe en effet aujourd'hui plus de 92 000 employés dans le monde, et tient la place de numéro 1 mondial en part de marché. *«Il y a trois ans, Bridgestone, Goodyear et Michelin possédaient chacun 17% de part du marché mondial des pneus,* se souvient Hiroshi Yasukawa. *Aujourd'hui, Bridgestone atteint 19%, contre 18% à Michelin et 15% à Goodyear.»*

Pour Bridgestone, le sport automobile faisait partie des activités courantes de la marque jusqu'en 1973, l'année de la crise mondiale de

l'énergie. *«Nous avons alors cessé toute implication en sport»,* poursuit Hiroshi Yasukawa, lui-même ancien pilote de voitures de tourisme. *«Nous avons recommencé à nous lancer en 1976, mais seulement sur un plan national. Pendant cinq ans, nous n'avons virtuellement participé qu'au championnat japonais de Formule 2.»*

C'est d'ailleurs à cette époque que remontent les débuts de Bridgestone en Formule 1, même si ce n'était alors qu'à un niveau purement anecdotique. *«J'ai été nommé directeur du sport automobile en 1976, et mon rêve a toujours été de nous lancer en Formule 1,* enchaîne Hiroshi Yasukawa. *En 1976, nous avons d'ailleurs fourni l'écurie privée de Monsieur Hoshino pour le Grand Prix du Japon, sur le circuit du Mont Fuji. Il avait beaucoup plu cette année-là, et pendant un instant, «notre» voiture était troisième, ce qui était une performance exceptionnelle vu notre manque total d'expérience...»*

L'année d'après, Bridgestone répétait l'opération avec la même écurie, mais attendit 1980 pour débarquer en Europe. *«C'est au moment où Honda a décidé de se lancer dans le championnat d'Europe de F2,* précise Hiroshi Yasukawa. *J'avais demandé à Monsieur Honda si nous ne pouvions pas nous associer à eux, et il m'a répondu qu'il ne le ferait que si nous avions le niveau de performance qu'il souhaitait. Je me suis donc rendu en Europe avec des pneus dans mes bagages, mais l'écurie ne les a testé qu'à la troisième course. Avec succès, puisque la saison suivante, nous sommes devenus champions de F2 avec le pilote Geoff Lees.»*

Depuis ce premier succès, les événements se sont enchaînés tout naturellement pour Bridgestone. La marque est restée en Formule 2 jusqu'en 1984, puis a remporté la première saison où celle-ci a été renommée Formule 3000, en 1985, avec Christian Danner. En 1986, Bridgestone se lançait en Groupe C, puis en DTM en 1991, avec Mercedes-Benz. Un championnat remporté l'année suivante.

En 1994 commençait le programme d'essais pour l'Indy. L'année d'après, Bridgestone décrochait le championnat ITC et songeait à la F1. La marque remportait son premier titre Indycar en 1996, avec Jimmy Vasser, et faisait rebelote cette année avec Alessandro Zanardi.

C'est alors que la Formule 1 est entrée en scè-

ne. *«Nous avions fait une étude de marché sur la connaissance de notre marque,* explique Hiroshi Yasukawa. *Un institut de sondage a demandé au public s'ils connaissaient la compagnie Bridgestone. Au Japon, le résultat était de 100%. Mais en Europe, seules 15% des personnes interrogées nous connaissaient. Nous avons donc décidé d'y remédier, et nous avons considéré de nombreuses solutions, depuis les campagnes de pubs à la télévision jusqu'à l'association avec des équipes de football. Finalement, nous avons jugé que c'était la Formule 1 qui conviendrait le mieux. Il faut dire que*

depuis que nous nous sommes lancés en Indycar, nos revenus ont augmenté aux Etats-Unis.»

Mais les ingénieurs de la marque n'avaient pas attendu la décision de l'an dernier pour se mettre au travail. Responsable du développement chez Bridgestone, Hirohide Hamashima explique que les travaux en vue de la F1 avaient débuté en 1989 déjà. *«A l'époque, nous n'avions qu'un châssis de F3000 sur lequel nous avions monté un moteur de F1 prêté par Mugen. En fait, c'était Honda qui nous avait demandé des pneus de Formule 1, parce qu'ils n'en trouvaient pas au Japon pour mener les tests de châssis qu'ils avaient planifié.»*

En 1988, toutefois, Bridgestone a racheté son ancien concurrent Firestone, le deuxième manufacturier américain. Une fusion qui fit quelques vagues. *«Les premières années ont été difficiles, car nous avons dû nous réorganiser entièrement,* remarque Hiroshi Yasukawa. *Cette restructuration a été très dure, et ce n'était vraiment pas le moment de songer au sport automobile.»*

C'est en 1993 que la Formule 1 est revenue

▷ *Grand Prix de Monaco. La Stewart de Rubens Barrichello vient de terminer deuxième, et donc d'offrir à Bridgestone son meilleur résultat jusque-là.*

▷ *A chaque Grand Prix, Bridgestone amenait près de 2000 pneus pour fournir ses quatre écuries sous contrat. Soit deux types de gommes slicks, et... six types de pneus pluie.*

dans l'esprit des dirigeants de la marque. «A l'époque, nous n'avions que deux ou trois personnes qui travaillaient à plein temps sur notre projet de F1, se souvient Hirohide Hamashima. Par contre, nous avons profité de l'aide ponctuelle de nombreux collaborateurs de tous nos services.»

Les premiers tests menés avec Arrows, en 1996, s'avérant très positifs, le Président de Bridgestone Corporation, Yoichiro Kaizaki, a donc décidé de se lancer dans le grand bain. Avec les écuries Ligier (qui devint Prost), Arrows, Minardi et Stewart – à l'origine, l'équipe Lola faisait elle aussi partie de l'aventure. Au terme de cette première saison, le bilan est très positif, puisque la marque a enregistré quatre podiums, dont deux grâce à Olivier Panis. Bridgestone a même mené des Grands Prix l'espace de quelques tours, en Hongrie et en Autriche.

«Les pneus décident à 70% des performances d'une monoplace»

Compte tenu du fait que les meilleures équipes sont toutes sous contrat avec Goodyear, ce n'est pas si mal. «Je crois en effet que nous pouvons nous montrer très fiers de cette première saison, analyse Hirohide Hamashima. Notre objectif, cette année, était simplement de mettre en place une logistique, un soutien technique, un motorhome et une infrastructure qui fonctionnent. C'était le but premier, et nous avons réussi largement plus que cela.»

Pour cette première année, les ingénieurs de Bridgestone ont été confrontés à la difficulté de faire face à des circuits sur lesquels ils n'avaient aucune expérience, pour n'y avoir jamais tourné en essais privés ou en GT (DTM et ITC). «C'est arrivé notamment en Australie et en Argentine, se souvient Hirohide Hamashima. Parfois, ce fut très difficile de nous décider pour tel ou tel type de gommes. Pour y arriver, nous prenions en considération tous les éléments: le tracé du circuit, sa surface, les commentaires des pilotes et des ingénieurs. Nous faisions une simulation par ordinateur, et nous espérions que son résultat coïncide avec l'avis des ingénieurs de nos écuries partenaires. Si c'était le cas, tant mieux. Mais sinon, nous devions trouver un compromis. Ce fut d'ailleurs un travail extrêmement intéressant.»

Si le bilan de la saison 1997, pour Bridgestone, est globalement positif, tout ne fut pourtant pas rose: «Pour nous, le plus difficile a été de nous faire comprendre de nos équipes partenaires, poursuit Hirohide Hamashima. En F1, plus personne n'avait l'habitude d'une quelconque compétition au niveau des pneus, et les écuries n'avaient pas tellement envie de perdre du temps pour nous. Ils ne comprenaient pas quels étaient nos besoins. On a dû beaucoup se battre pour faire admettre nos exigences. En fin de saison, c'était mieux. Après que les premiers bons résultats soient arrivés, les gens ont compris qu'il fallait parfois passer une journée ou deux à tester exclusivement les pneus, et rien d'autre, pour avoir un point de comparaison.»

Mais pour l'ingénieur en chef de la marque, il y avait également un problème de culture: «Nous avons eu beaucoup de difficulté pour communiquer avec les ingénieurs des écuries. Nous faisons un travail différent du leur, et nous parlons une langue différente de la leur. On doit donc tout le temps se confirmer ce que nous comprenons les uns et les autres, et ce n'est pas toujours simple.»

Cette saison, la marque Bridgestone était surtout réputée pour ses pneus pluie, dont les essais d'hiver avaient montré des performances incroyables – depuis, Goodyear a quelque peu rattrapé son retard. «C'est vrai que nos pneus sculptés sont assez efficaces, admet Hirohide Hamashima. Mais je ne pense pas qu'il y ait un quelconque secret là-derrière. C'est simplement le résultat de notre grande expérience sous la pluie. Peut-être tout simplement que notre logique est meilleure que celle des autres.» Bridgestone amenait d'ailleurs généralement six types de pneus pluie différents sur chaque circuit: un pour de très fortes averses, trois pour une quantité d'eau normale, et deux pour la pluie fine.

Comme le reconnaît Hirohide Hamashima, il est sans doute plus aisé de gagner des dixièmes de seconde en changeant de mélange de gomme plutôt qu'en tentant d'améliorer un châssis. «Pour moi, le potentiel des pneus décide à 70% des performances d'une monoplace, le reste étant dû au châssis. En fait, il est vain de régler son châssis avant d'avoir décidé quel type de pneu on va utiliser en course.»

Cette saison, Bridgestone s'est payé le luxe de produire des pneus spécialement adaptés à certains circuits: ce fut le cas en Autriche, avec une gomme moins large qu'autorisée par le règlement, pour passer au mieux le double gauche suivant le virage Gösser, mais ce fut aussi le cas au Nürburgring. Là, Bridgestone avait amené un pneu spécialement étudié pour les météos très froides – manque de chance pour la marque, il a fait très beau pendant tout le week-end. Enfin, à Suzuka, circuit que le manufacturier nippon connaît sur le bout de l'asphalte, un mélange particulier avait aussi été fabriqué, sans trop de succès toutefois puisque le premier pilote en Bridgestone, Damon Hill, n'était que 12e à l'arrivée.

Un pneu de F1, aujourd'hui, est composé de gomme, mais aussi de carbone, d'huile, et de nombreux autres composants qui tiennent du secret de fabrication – et que Hirohide Hamashima refuse de dévoiler. «Nous travaillons sur le mélange, mais aussi sur la structure du pneu elle-même. L'un ne va pas sans l'autre.»

Pour Hiroshi Yasukawa, l'implication en Formule 1 porte déjà ses fruits après une saison à peine. «Nous allons mener une enquête détaillée, mais il semble que la connaissance de notre marque, en Europe, a déjà doublé par rapport à l'an dernier. Nos ventes croissent également pas à pas, et nous sommes donc commercialement très satisfaits des résultats obtenus. A l'intérieur de la société, cette implication en F1 motive aussi les gens.»

Pour 1998, la marque se penche naturellement sur les futurs pneus sculptés. Avec des objectifs un peu plus élevés. «Nous allons y aller en douceur. Goodyear bénéficiait d'un monopole absolu depuis si longtemps qu'il nous faudra du temps pour arriver à leur niveau. Mais je ne suis pas inquiet. En tout cas, je suis très heureux des performances de nos quatre écuries sous contrat. Elles ont fait un excellent travail. J'ai confiance dans ces équipes, mais il est vrai que j'ai été contacté par plusieurs écuries de pointe pour le futur.»

△
En Argentine, des techniciens de Goodyear ont été surpris à recueillir des déchets de gomme sur la piste – sans doute pour tenter d'analyser les mélanges proposés par Bridgestone.
Les techniciens de la marque japonaise affirment ne pas avoir tenté ce type d'espionnage. «C'est inutile, assure Hirohide Hamashima. Après utilisation, une fois déposé sur la piste, le mélange change de composition. Toute analyse serait vaine, voir même dangereuse...»

(à gauche) Hiroshi Yasukawa ▷
travaille chez Bridgestone depuis 1972, et dirige son activité sportive depuis 1976.

(à droite) Hirohide Hamashima ▷▷
travaille chez Bridgestone depuis 1977. Il a rejoint le bureau britannique de Bridgestone en décembre 1996 pour prendre en charge le support technique des pneus de Formule 1.

Habiller une écurie de F1: comment concilier style et exigences

Depuis janvier 1994, la marque parisienne Cerruti officie en tant que couturier officiel de l'écurie Ferrari. Un partenariat qui fut l'occasion de repenser complètement la gamme des vêtements de la Scuderia, des tenues de ville des mécaniciens aux combinaisons de travail des ingénieurs – en passant par de nombreuses autres tenues diverses.

Pour les dessinateurs de Cerruti, le défi posé par l'équipement de Ferrari fut l'objet d'une étude inédite. Nino Cerruti et Jean Todt, le directeur sportif de l'écurie de Maranello, ont ainsi conçu des produits simples et confortables, qui ont pour vocation d'exprimer une certaine élégance sportive, tout en répondant aux hautes exigences techniques attachées à la Formule 1: aisance, résistance, légèreté, étanchéité et facilité d'entretien.

Mais avant d'en arriver à la production en série – et sur mesure – des habits des membres de l'écurie, de nombreux dessins furent réalisés par l'atelier de création de Cerruti. «*Nous avons effectué plusieurs études*», explique Patrick Banville, l'un des stylistes du studio «homme» du couturier de la place de la Madeleine. «*Notre cahier des charges était extrêmement précis, et nous avons réalisé des propositions qui ont été soumises à Monsieur Todt à plusieurs reprises. Toutefois, nous n'avons pas effectué d'essais sur la piste, parce que nous remplacions évidemment des équipements existants chez Ferrari, et qu'il ne pouvait pas y avoir d'essais.*»

Chez Cerruti, on avait l'habitude des vêtements de sport, et l'équipement de la Scuderia n'a donc pas posé de difficulté technique majeure. «*A l'époque des années 70 ou 80, nous avions déjà une ligne de sport importante, notamment des vêtements de tennis*», poursuit Patrick

Même sous leur casque de ravitaillement, les mécaniciens travaillent en tenue Cerruti...
▷ ▽

Réunion sous les couleurs de Cerruti: de gauche à droite, David Ginola, Jean Todt, Eddie Irvine, le Prince Albert de Monaco et Nino Cerruti.
▽

Banville. «*Et nous n'avions pas laissé tomber nos fournisseurs d'alors – notamment une petite usine qui confectionne des coutures parfaitement bien renforcées.*»

Selon Patrick Banville, l'exigence principale de la Scuderia était constituée par les conditions météo: «*Les vêtements destinés à Ferrari devaient être totalement étanches. Les hommes qui travaillent en piste doivent pouvoir sortir sous la pluie sans être mouillés. Les projections d'essence ne doivent pas traverser, mais par contre ils doivent pouvoir transpirer lorsqu'il fait chaud. De ce point de vue, nous avons dû respecter de nombreuses contraintes. Il fallait que les vêtements soient à plusieurs configurations: parka seule pour le froid, gilet amovible pour les temps plus chauds, gilet seul, etc... Nous avons dû penser une ligne pour différentes conditions météo.*»

Pour les dessinateurs de Cerruti, la collection destinée à Ferrari ne posait toutefois aucun problème au niveau des matériaux. «*Au niveau du produit lui-même, pas de problème*, affirme Patrick Banville. *Le côté pratique était très très important, mais nous tenions à ne pas négliger l'aspect esthétique. Pour les mécaniciens sur les circuits, l'esthétique n'était qu'un plus, rien d'autre. Mais pour nous, elle était naturellement très importante. En fait, notre plus grande difficulté, dans ce projet, a été de placer les différents logos sur les vêtements! Nous avons rencontré passablement de problèmes pour contenter tout le monde...*»

Rien n'a été laissé au hasard dans les différentes tenues destinées à la Scuderia Ferrari. Position des poches, forme de celles-ci: tout devait répondre aux besoins fonctionnels de l'écurie de Maranello.

Depuis, Cerruti et Ferrari ont décidé de créer ensemble la ligne «les Authentiques», pour faire profiter au grand public des vêtements conçus pour la compétition.

Le développement des freins en carbone: une science complexe

△ *Michael Schumacher à l'attaque. Et en pleine freinage de ses quatres disques en carbone.*

Les freins en carbone constituent une petite merveille de technologie. Alors qu'un moteur pesant plus de 140 kilos permet à peine à une Formule 1 d'attendre les 2 G en accélération, quatres disques d'1.3 kilo chacun lui permettent d'encaisser près de 5G en décélération. Une valeur phénoménale pour des disques mesurant 280 millimètres de diamètre (une dimension comparable aux disques montés à l'avant d'une voiture de type GTI).
Jusqu'ici, leur fabrication complexe s'apparente presque à la recherche de la pierre philosophale. La science du freinage n'est en effet pas une science exacte, et c'est sur leur expérience que se basent les ingénieurs de Carbone Industrie pour développer leurs disques. «La tribologie, la science des frottements, ne repose sur aucune formule mathématique absolue», explique Philippe Rerat, responsable du service compétition au sein de la firme française. «On se base beaucoup sur l'expérience et le feeling pour déterminer dans quelle direction orienter nos recherches.»
Carbone Industrie dispose toutefois de plusieurs outils pour palier à cette situation qui peut sembler précaire: les écuries fournissent en effet à la société lyonnaise énormément d'informations sur les réactions de leurs freins en course. «Les équipes nous fournissent des disquettes reprenant leurs relevés télémétriques, poursuit Philippe Rerat. On y trouve les vitesses, les décélérations, la pression des circuits de frein à tout moment ainsi que la température des disques. On demande généralement d'avoir ces relevés sur le tour le plus rapide, ou sur un ensemble de tours. Heureusement, les écuries sont de plus en plus systématiques pour nous transmettre ces informations.»
Carbone Industrie se base ainsi énormément sur l'expérimentation «grandeur nature» pour orienter le développement de ses produits. «Nous menons beaucoup d'essais privés avec les écuries. Nous leur demandons parfois de ne tester rien d'autre que les freins, afin de ne pas fausser

les mesures. En général, elles s'y prêtent de bonne grâce, en fonction de leurs priorités.»
Pour les trois techniciens de Carbone Industrie qui sillonnent les circuits pendant les Grands Prix, l'accès aux informations télémétriques de toutes les écuries implique un secret de fonction total. «Notre crédibilité est à ce prix, enchaîne Philippe Rerat. Si nous transmettions des infos d'une écurie à l'autre, cela finirait immanquablement par se savoir, par exemple lors du transfert d'un ingénieur d'une écurie à une autre. Nous devons donc traiter les équipes sur un total pied d'égalité.»
Carbone Industrie, devenue aujourd'hui une division de Messier Bugatti, dispose également de son banc d'essais pour étudier les réactions de ses disques: «Ce banc est unique au monde, avance Philippe Rerat. Parce qu'il est en mesure de simuler le système de freinage de véhicules allant de la Formule 1 au camion. C'est-à-dire un véhicule léger à faible inertie et haute vitesse tout comme un poids-lourd à très haute inertie et faible vitesse.» Pour ce qui est du freinage ferroviaire et aéronautique, les essais se font respectivement à Pau, chez Dehousse (une filiale de Messier Bugatti) et à Vélizy, au siège de Messier Bugatti.
Ce banc est constitué d'un arbre tournant sur lequel on peut accrocher des masses. Il suffit de faire varier ces dernières pour augmenter ou réduire l'inertie conférée au tout. «La difficulté, révèle Philippe Rerat, c'est qu'en Formule 1, l'inertie varie pendant le freinage lui-même, parce qu'il y a transfert de masse de l'arrière vers l'avant, et parce que la charge aérodynamique des ailerons diminue au fur et à mesure de la perte de vitesse. Sur le train arrière, l'inertie diminue tandis qu'elle augmente sur le train avant. Sur notre banc d'essais, cette variation est simulée par ordinateur, qui pilote un moteur simulant une force extérieure.»
Ce banc d'essais a été mis en service en septembre 1996. Avant cette date, les tests se faisaient sur un autre banc, plus rudimentaire et utilisé aujourd'hui pour des essais de matériaux. «Avec l'ancien banc, nous faisions des comparaisons, précise Philippe Rerat. Aujourd'hui, nous nous attaquons à la compréhension des phénomènes.»
Pour les applications automobiles, ce banc d'essais peut simuler des vitesses allant jusqu'à 400 km/h à une inertie de 100 m²/kg (soit un véhicule d'environ 3 tonnes). Le moteur d'entraînement délivre une puissance de 400 chevaux

par roue. Le tout est surmonté d'une énorme boîte qui assure la ventilation des disques, asservie à la vitesse des véhicules. «Cette vitesse varie pendant l'accélération et la décélération, et notre soufflerie réagit au dixième de seconde. En quelques dixièmes, elle peut faire passer l'air de 80 à 350 km/h.» Le refroidissement simulé des disques est très important: si la température n'a pas un grand effet sur les performances du freinage, elle influe beaucoup sur l'usure des disques – qui «s'usent» par oxydation s'ils ne sont pas suffisamment ventilés.
Mieux encore que le banc, Carbone Industrie développe des outils informatiques de simulation, qui permettent d'aller encore plus loin dans l'étude du freinage. «Ces outils doivent nous permettre de simuler n'importe quelle situation, plaide Philippe Rerat. Par exemple, si nous apprenons qu'en 1999, les monoplaces de de Formule 1 n'auront plus d'aileron avant, il faut que nous soyons capables de simuler cet état et que nous puissions évaluer les conséquences que cela a sur nos produits et le fonctionnement des freins. Nous sommes en passe de créer le logiciel ad hoc, mais il ne sera pleinement opérationnel qu'à la mi-98. Les outils de simulation deviennent de plus en plus fiables, et il n'est plus possible d'être performant sans eux. Ensuite, notre système permettra même de prendre en compte l'efficacité des écopes, l'effet de la forme des ailerons, etc...» Dans le freinage comme dans beaucoup d'autres domaines du sport automobile, l'avenir appartient aux ordinateurs...

1998 en ligne de mire

Pour Carbone Industrie, c'est déjà demain. Les essais concernant le nouveau règlement 1998 ont commencé depuis longtemps. «C'est avec Williams, les premiers à avoir effectué des essais en voiture type 98, que nous avons procédé aux premiers essais, explique Philippe Rerat. Nous connaissons les spécifications des voitures 1998, et nous essayons d'en reproduire les caractéristiques sur le banc d'essai. Nous faisons des tests avec des matériaux et des procédés de fabrication différents. L'expérience nous a bien aidé pour nous indiquer dans quelle direction nous orienter, et le banc nous permet de valider les options. Ceci étant, malgré tous les progrès des outils de simulation dont nous disposons, la course automobile – et tout particulièrement la Formule 1 – est loin d'êrtre une science exacte. Tout peut y être remis en cause très rapidement.»
Au niveau du freinage, le règlement 1998 précise que l'épaisseur des disques sera limitée à 28 millimètres. «Cela nécessite un frein plus facile à gérer, moins violent, et ayant une durée de vie plus importante. A l'origine, la dimension devait être d'un pouce (25.4 millimètres), mais nous avons alors expliqué que cela n'allait pas dans le sens de la sécurité, et la fédération s'est orientée vers la taille de 28 millimètres. Sachant que des disques de 32 mm d'épaisseur ont été utilisés cette année, notre partenariat avec chaque équipe devra être encore plus poussé en 1998.»

◁ *Le banc d'essai de Carbone Industrie, sur le site de Villeurbanne. On distingue l'énorme soufflerie au niveau de la galerie.*

Alcatel et Prost Grand Prix: le partenariat technologique parfait

par Dominique Caussanel
«Drapeau à Damier»

«*Depuis le Grand Prix de Monaco 1997, Alcatel est partenaire de l'équipe Prost Grand Prix. Ce partenariat se divise en deux actions autour de la présence d'Alcatel au sein de cette écurie au nom prestigieux*», explique Caroline Mille, Directeur de la Communication du Groupe Alcatel Alsthom. «*Notre partenariat porte notamment sur un apport technologique en compétences humaines ainsi qu'en technologies les plus avancées du Groupe apportant une vraie valeur ajoutée à l'écurie pour lui permettre de devenir championne du Monde. Notre Groupe, présent dans 130 pays dans le monde, avec près de 180.000 salariés trouve la pleine justification de sa nouvelle stratégie «Hi-Speed Company», en s'associant avec l'une des plus prometteuses écuries de Formule 1.*»
Avec ce partenariat, la Formule 1 est entrée dans l'ère de la communication moderne. L'apport technique d'Alcatel se situe dans quatre directions ayant pour objectif une communication totale et parfaite entre tous les membres de l'équipe.
Aujourd'hui, Alcatel, un leader mondial des télécommunications, développe des produits a destination du Grand Public à travers le monde entier. Ce n'est donc pas un hasard si Alcatel est aux côtés de la seule écurie française Prost Grand Prix, qui défendra les couleurs d'Alcatel sur tous les continents, en effet Alcatel est présent dans chacun des pays accueillant le

Championnat du Monde de Formule 1. Pour Alcatel la philosophie de ce partenariat consiste à démontrer que les produits Alcatel destinés au Grand Public peuvent aussi être un apport déterminant à l'efficacité d'une grande équipe de Formule 1. Ainsi, chacun des prototypes destinés à l'utilisation Formule 1 sont

Le boîtier de communication Alcatel situé sur le mur des stands. C'est lui qui permet de relier en permanence l'écurie à la voiture en piste.

▷▽

Ingénieur Alcatel spécialisé en liaison radio, Joël Comtesse est intégré à l'écurie comme un membre à part entière.

▽

des dérivés de produits commercialisés par Alcatel à travers le monde. En échange, la Formule 1 représente pour Alcatel un challenge technique qui lui permettra à l'avenir de développer de nouveaux produits à partir des connaissances recueillies sur les sites des Grands Prix.

Remise en question

«*Pour notre groupe, ce partenariat représente aussi un défi humain*», comme l'explique Laurent Lachaux, directeur du sponsoring d'Alcatel. «*Une équipe/projet menée par Gilles Thévenet, project manager, a été mise en place pour coordonner avec efficacité les différentes filiales du Groupe dans leur travail avec l'écurie. Cette cellule intégrée aux 180.000 collaborateurs d'Alcatel Alsthom doit prouver que la réactivité de l'entreprise et sa capacité d'adaptation sont des atouts majeurs pour entrer dans le troisième millénaire. Joël Comtesse est intégré à l'écurie tout au long de la saison, pour apporter en permanence la meilleure solution à tous les besoins radio tout au long du contrat. La Formule 1 est une discipline qui demande une remise en question régulière. Alcatel est prêt à apporter à Prost Grand Prix sa connaissance des technologies de pointe pour parvenir aux objectifs de l'écurie.*»

Alcatel, qui s'est fixé à lui-même le défi de devenir "The Hi-Speed Company" dans chacun de ses métiers, trouve donc un challenge à sa taille en devenant partenaire technologique de Prost Grand Prix.
Déjà au sein d'Alcatel, l'ensemble du personnel s'est mobilisé par l'intermédiaire d'un Fan Club Formule 1 interne à l'entreprise. Une opération unique en son genre qui rassemble aujourd'hui plus de 7.500 membres à travers le monde.
Le partenariat avec Prost Grand Prix fait souffler un vent nouveau dans les relations internes de cette entreprise dont le personnel est disséminé dans le monde entier. Fabienne Brunet, directrice de la communication interne du Groupe, explique: «*Dans tous les pays et lors de chaque Grand Prix, une délégation du Fan Club Formule 1 se déplace pour soutenir son équipe. L'esprit "Hi-Speed" s'est rapidement identifié autour de la présence d'Alcatel en Formule 1 et le Fan Club en est l'un des aspects les plus réels avec l'inscription en moins de trois mois de 7.500 membres, dans 25 pays à travers le monde.*»
Petit à petit, l'action des responsables du Fan Club permet d'avoir au sein du groupe une structure associative exemplaire et dynamique. Des produits spécifiques sont élaborés et étudiés à destination des membres du Club qui s'investissent personnellement lors des opérations proposées.
Des concours avec visite sur les Grands Prix, des compétitions de karting internes, l'esprit "Hi-Speed" est rapidement devenu une réalité au sein du groupe.

Un cahier des charges complexe

Techniquement, quatre objectifs majeurs ont été inscrits au cahier des charges mis en place par Alain Prost et les ingénieurs d'Alcatel.

- La communication avec les trois monoplaces engagées dans chaque Grand Prix, et les relations pilote-stand durant les périodes actives, doivent être parfaites. Par exemple, au début de la saison 1997 à Melbourne, Jean Alesi a été victime d'une panne d'essence alors qu'il était en tête de la course. Il n'avait pas entendu correctement dans sa radio embarquée, les injonctions de son stand qui le suppliait de rentrer ravitailler à son stand. Dans cet aspect, liaison pilote-écurie pendant les périodes d'essais et de course, l'apport d'Alcatel a été déterminant dès son arrivée. Pour 1998, des projets sont à l'étude pour augmenter d'avantage la qualité de cette transmission et le passage au son numérisé devrait intervenir dès le début de la prochaine saison.

- Le second volet technique sur lequel les ingénieurs d'Alcatel ont été amenés à se pencher concerne les relations entre les différents membres de l'équipe pendant les week-end de Grand Prix. Que ce soit lors d'une séance d'essais normale ou lors de la course proprement dite. L'environnement sonore dans lequel travaillent les mécanos d'une écurie de Formule 1 est très souvent perturbé par les bruits ambiants provenant du travail de l'écurie, des équipes voisines ou de la piste. Aussi, pour augmenter l'efficacité de chaque membre d'une équipe, il est primordial que celui-ci puisse communiquer parfaitement avec ses partenaires. Ainsi, Alcatel a développé un réseau spécial destiné aux mécaniciens et aux ingénieurs de l'équipe Prost Grand Prix qui peuvent ainsi communiquer entre eux sans intervenir sur le réseau destiné aux pilotes ou aux responsables de l'équipe.

- C'est sur ce dernier point, concernant la communication entre les ingénieurs res-

ponsables, le team Manager de l'équipe et le Directeur de l'équipe Alain Prost qu'Alcatel doit développer ses produits pour l'année prochaine. Déjà, des progrès sensibles ont été accomplis, Alain Prost les a souligné lors de son intervention à ce sujet. Mais dans ce domaine, l'équipe Prost Grand Prix souhaite bénéficier du meilleur service. C'est sur ce point que les responsables de projet d'Alcatel souhaitent faire porter le plus gros de leur effort en 1998.

Le staff de l'écurie, Alain Prost, Cesare Fiorio, les deux ingénieurs de piste – un pour chaque voiture –, le technicien de Bridgestone et les ingénieurs mototoristes doivent être à tout moment capables d'échanger dans le plus grand secret des informations capitales pour le déroulement de la course ou des essais.

Confidentialité à garantir

Compte tenu du fait que les fréquences radios sont attribuées soit par la FIA, soit par les responsables des transmissions locales (Réseaux Télécoms de chaque pays), celles-ci ne sont pas garanties contre le brouillage et les écoutes frauduleuses. Or, il est capital que cette transmission soit d'une qualité irréprochable, comme toutes celles au sein de l'équipe, mais aussi d'une confidentialité totale.
De plus, Alain Prost, de par ses accords avec Canal+ peut, à tout moment, intervenir sur l'antenne. Pour satisfaire à ce cahier des charges très particulier et garantir les meilleures communications croisées entre les staff, les pilotes et les mécaniciens, notamment lors des ravitaillements, Alcatel a mis au point une console de communication à disposition d'Alain Prost sur le pit-wall. Depuis ce centre de décision, pendant les essais ou la course, Alain Prost peut à tout instant communiquer et faire communiquer entre eux les membres de son écurie selon ses besoins et cela dans le meilleur confort d'écoute et surtout sans risque d'être écouté par un journaliste (souvent) ou une équipe concurrente (suivant les besoins).

On le voit, le travail demandé à Alcatel relève de la stratégie globale de l'entreprise mise sur pied par Alain Prost. Plus qu'un partenaire technique et qu'un sponsor, Alcatel est au cœur du centre de décision de l'écurie.

Le boîtier radio Alcatel placé dans le cockpit de chaque voiture doit parfaitement s'adapter au peu d'espace, ainsi qu'aux contraintes (accélérations, vibrations) de la voiture en action.

Des problèmes concrets à résoudre

L'une des activités les plus prisées du club des supporters: la visite de l'usine de l'écurie, guidée par Alain Prost en personne...

Pour compléter le dispositif technique décrit ci-dessus, Alcatel a mis à la disposition de Prost Grand Prix certains de ses produits traditionnels.

Ainsi, le système de visioconférence trouve-t-il toute sa dimension dans l'univers de la Formule 1. En effet, tous les quinze-jours, en période de compétition, plus de 60% du personnel de l'écurie se trouve sur le site des courses. Pour conserver la possibilité de faire évoluer les monoplaces pendant les Grands Prix, l'équipe d'Alain Prost peut communiquer en permanence avec son usine par visioconférence.

Les ingénieurs présents sur le site des courses peuvent ainsi à tout moment interroger et échanger idées et solutions, par la voix et l'image avec les responsables techniques situés dans l'usine de Prost Grand Prix.

Mais pour mettre au point cet ensemble complexe de transmissions en tous genres, les ingénieurs d'Alcatel doivent faire face à une série de problèmes liés au milieux "naturel" de la Formule 1.

En premier lieu, tout matériel destiné aux Grands Prix doit être interchangeable et facilement transportable. Lors d'une séance d'essais déterminante, un pilote peut souhaiter changer de voiture à tout instant. L'équipement radio de sa monoplace relié à son casque, doit être interchangeable de la même manière dans un minimum de temps.

Le faisceau électrique est associé au baquet et au pilote et le boîtier radio embarqué dans la voiture doit être d'un accès aisé. De façon plus générale, tout matériel disponible sur un Grand Prix doit être monté et démonté lors de chaque course, il faut donc prévoir d'utiliser un matériel très fiable et d'une solidité à toute épreuve, facilement modulable et modifiable. En quinze secondes, les ingénieurs d'Alcatel sont capables de rebrancher la radio embarquée sur une nouvelle voiture, sans apporter de modifications à l'équipement du pilote.

Proche de la saturation

Mais la Formule 1 est aussi un centre d'échange d'informations en tous genres. Outre les autres équipes, les organisateurs et leurs hommes d'action, les services de sécurité très nombreux, les services de communication des média, télévisions, radios et presse écrite, les services aéroportés sont aussi présents sur les ondes simultanément. Autour d'un Grand Prix, l'environnement électro-magnétique est proche de la saturation. Dans ces conditions, le maté-riel mis à disposition de l'équipe Prost Grand Prix doit garantir une fiabilité exempte de défauts. La recherche de l'absolu ne se fait pas que sur la piste, elle commence aussi sur les ondes et lors de l'étude d'approche effectuée avant la signature des accords avec l'équipe d'Alain Prost, les ingénieurs d'Alcatel ont été très intéressés par ce challenge qu'ils ont rapidement relevé grâce à la technologie conventionnelle "Private Mobile Radio" qu'ils maîtrisent et qu'ils ont parfaitement adapté à ces contraintes.

Petit à petit, Alcatel a tissé une véritable toile d'araignée entre tous les membres de l'écurie présents sur les courses. Quatre fréquences doublées ont été mises en place pour régir le réseau de communication global de l'équipe.

Alain Prost est le seul à pouvoir utiliser ces quatre fréquences une à une ou simultanément. Alcatel a développé un logiciel qui gère sur le relais radio les intervenants de la fréquence.

L'objectif est de mettre rapidement à disposition de l'équipe un système de communication à reconnaissance vocale. Pour ce faire, la technologie de la numérisation fera son apparition en Formule 1 dans le domaine des communications radio de Prost Grand Prix.

La carte de membre du club des supporters en grandeur nature. 7500 membres ont adhéré au fan-club dans 25 pays à travers le monde.

Alain Prost enchanté

«Un accord comme celui qui nous lie avec Alcatel est un partenariat de long terme, qui fonctionne avec un cahier des charges précis.

La priorité dans ce domaine était la communication Stand-Voiture. On constate des améliorations sensibles de tout le système, Grand Prix après Grand Prix et tout cela fonctionne actuellement très bien. Bien sûr, il faut aussi préparer l'avenir et nous avons déjà des choses nouvelles prévues pour 1998. Avec un partenariat comme celui d'Alcatel, il faut trouver un moyen de faire la différence avec les autres écuries.

Dans ce partenariat, il y a déjà plusieurs aspects novateurs qui portent leurs fruits. Il est très difficile de bien communiquer entre une Formule 1 en course et les stands, mais aujourd'hui ce souci n'en est plus un. Nous avons aussi la possibilité de communiquer par visioconférence entre nos camions sur le circuit et l'usine en France, toutes ces communications doivent être encore améliorées et optimisées, et notre partenariat avec Alcatel va devenir de plus en plus important et s'intégrer à notre quotidien.

Par exemple, la nouvelle usine qui est en cours de construction, va être aussi réalisée avec le savoir-faire en ce domaine d'Alcatel, pour moi, ce partenariat est indispensable pour le futur de la Formule 1 et du rôle de notre équipe dans cette discipline. C'est un moyen très important d'atteindre nos objectifs.

A court terme, compte tenu du cahier des charges que nous avons élaboré, Alcatel va représenter pour nous un plus qui nous permettra de faire la différence avec la concurrence.»

Une usine ultra-moderne

Enfin, Alcatel apportera tout son savoir faire dans la construction de la nouvelle usine Prost Grand Prix qui a débuté récemment en région parisienne. L'usine de Prost Grand Prix sera équipée de tous les matériels de communication nécessaires à une entreprise moderne. Depuis les réseaux téléphoniques et informatiques jusqu'aux systèmes de sécurité, de contrôle d'accès et de télésurveillance, Alcatel est chez Prost Grand Prix.

◁ L'ensemble de l'équipe course dispose de 50 casques/terminaux Alcatel pour communiquer dans les conditions les plus extrêmes.

Alcatel équipe l'usine Prost en systèmes de télécommunication d'entreprise moderne.
▽

Parmi les nombreux souvenirs qu'emportent avec eux les invités d'Alcatel, la visite des stands et des pilotes avant la course pour livrer leurs impressions restent toujours comme des moments forts.
▽ ▽

Ferrari et la Formule 1: un demi-siècle de légende

par Jacques Vassal
«Auto Passion»

Avec près de 600 Grands Prix disputés, 113 victoires et 22 titres mondiaux (pilotes + constructeurs), la Scuderia Ferrari a bâti grâce à cette discipline une part décisive de sa légende. Mais qu'on ne s'y trompe pas: ce palmarès exceptionnel ne fut pas toujours conquis haut la main. Il y eut même quelques occasions manquées...

Le 14 juillet 1951, la 375 F1 conduite par l'Argentin Froilan Gonzalez remportait à Silverstone une victoire historique: la première d'une Ferrari dans un Grand Prix du Championnat du Monde, qui plus est en battant à la régulière les formidables Alfetta 159. «*Ce jour-là*, écrira Enzo Ferrari dans ses mémoires, *c'est comme si j'avais tué ma mère.*» Mot d'auteur resté célèbre à juste titre puisque Ferrari, de 1923 à 1939, avait servi les couleurs d'Alfa Romeo, apprenant là l'essentiel des secrets de son métier. Fabriquant à Maranello des machines-outils pendant la guerre, il dut attendre 1947 pour lancer la toute première voiture portant son nom: la barquette sport 125 S à moteur V 12 1500 cm3. Conçu par l'ingénieur Giacchino Colombo, ce V 12 servit de base aux premières Ferrari de Formule 1, les 125 F1, mais on s'aperçut bientôt qu'il ne serait pas de taille pour vaincre les puissantes Alfetta dans les épreuves du nouveau Championnat du Monde, créé en 1950, et dont la Scuderia manqua d'ailleurs la première course, à Silverstone, qui revint à... Alfa Romeo. Pendant ce temps, à Maranello, Aurelio Lampredi, le jeune ingénieur en chef qui succédait à Colombo, peaufinait l'arme du futur. La 125 F1 était abandonnée au profit d'une nouvelle génération de V 12 atmosphériques aux cylindrées croissantes: 3,3 l. (Tipo 275), 4,1 l. (Tipo 340), enfin le maximum réglementaire de 4,5 l. (Tipo 375). La puissance de ce dernier rendait quelque 40 ch aux 425 ch des dernières Alfetta 159 mais les Ferrari, à l'image des Talbot françaises, consommaient moins que les Alfetta à compresseur, gagnant ainsi un temps précieux en arrêts pour ravitailler. Sur le Nürburgring puis à Monza, la 375 F1 gagna deux autres Grands Prix, grâce aussi à un pilote d'exception, Alberto Ascari. Les pilotes Ferrari pouvaient encore espérer battre les Alfetta mais à Barcelone-Pedralbes, lors du Grand Prix d'Espagne, qui clôturait la saison, ils perdirent toutes leurs chances à cause d'un mauvais choix de pneumatiques. Après Farina en 1950, un autre pilote d'Alfa Romeo, l'Argentin Juan Manuel Fangio, devenait Champion du Monde.

1952-1953: Doublé pour Ascari et la 500 F2

Pour 1952, Alfa Romeo tout auréolé de victoires décidait de quitter les Grands Prix, de même que Talbot, en difficultés financières. Chez Maserati, les 4 CLT n'étaient plus compétitives et l'on cherchait un nouveau souffle. Du côté anglais, la BRM V 16 n'était pas au point et HWM et Cooper-Bristol, comme en France Gordini ou en Allemagne Veritas, ne pouvaient espérer bien figurer qu'en Formule 2. La Commission Sportive Internationale (qui avant la FIA régissait le sport automobile), craignant de voir des plateaux squelettiques de Formule 1 aux départs des Grands Prix, eut la bonne inspiration de réserver ceux-ci, et donc le Championnat du Monde des Conducteurs, aux monoplaces de Formule 2, à cylindrée limitée à 2 litres, sans compresseur. A ce jeu, qui tenta une bonne demi-douzaine de construc-

teurs plus quelques sérieux concurrents privés, Ferrari s'avéra - et de très loin ! - le meilleur. Il y fut aidé par une monoplace très réussie, simple, fiable, endurante et homogène, la 500 F2, et par une équipe de très grands pilotes. Dès l'hiver 1950-51, le prolifique Lampredi, avec l'accord de son patron, mettait en chantier un moteur à 4 cylindres de 2 litres destiné à la Formule 2. Moins puissant, à l'origine, que le V 12 de 2 litres Tipo 166, il compensait par un meilleur couple, un poids et un encombrement moins élevés et une plus grande facilité d'entretien et d'intervention. On le disait influencé par la technique motocycliste du 500 cm3 monocylindre Norton Manx avec ses ressorts de soupapes en épingle, déjà vus sur les V 12 Lampredi. En puissance pure, avec 185 ch, il était tout juste au niveau du 6 cylindres Maserati A6GCM, mais il s'avéra plus fiable et plus constant.

En Alberto Ascari, ancien coureur motocycliste et fils du pilote Alfa Romeo des années 20, Antonio Ascari, Ferrari disposait d'un pilote de pointe réunissant toutes les qualités: détermination, endurance, vélocité pure, esprit d'équipe. Certains (dont Stirling Moss) le disaient l'égal de Fangio et quand, après un grave accident à Monza en juin, l'Argentin fut écarté des circuits pour le reste de la saison 1952, Ascari ne connut pas de rival sérieux pour la course au titre mondial. Pas même ses équipiers Villoresi, Taruffi et Farina, pourtant coriaces et expérimentés, auxquels il ne laissa que des miettes du festin. Sur 1952 et 1953, les 500 F2 remportèrent 14 Grands Prix, dont 11 pour le seul Ascari, qui en empochait 9 consécutifs ! Curieusement, l'une des rares défaites infligées à la Scuderia, et à la régulière, le fut par Gordini avec Jean Behra, à Reims en 1952. Mais cette année-là, le Grand Prix de Reims se courait hors-Championnat et celui de l'ACF, disputé à Rouen-les-Essarts, revint à Ascari et à Ferrari.

En 1953, Ascari obtint un second titre de Champion du Monde. Il connut à Reims et à Monza deux de ses rares échecs : il ne se classait que 4e au Grand Prix de l'ACF, resté légendaire à cause du fantastique duel entre le jeune et audacieux Mike Hawthorn (Ferrari) et le déjà vétéran Fangio (Maserati). En l'occurrence, l'Anglais battit de justesse l'Argentin, tandis qu'au Grand Prix d'Italie, Fangio gagnait lui-même dans l'ultime tour, Ascari étant percuté par un concurrent en perdition.

▷

Monza 1956: entre Juan Manuel Fangio et Enzo Ferrari, l'entente ne fut pas toujours aussi cordiale que le laisse supposer cette photo, prise lors des essais du Grand Prix d'Italie où l'Argentin, grâce à la générosité de Peter Collins, qui lui cédait sa voiture, allait se classer deuxième de la course mais, pour la quatrième fois, premier du Championnat du Monde des Conducteurs!
(photo Bernard Cahier)

22 juin 1952 : Ascari sur la 500 F 2 sur le circuit de Spa-Francorchamps, victorieux dans le Grand Prix de Belgique devant son équipier Nino Farina.
(archives D. Pascal)
▷▽

JACQUES VASSAL, *Journaliste, écrivain et traducteur, Jacques Vassal est aussi un ferrariste convaincu. Depuis 1989, il a rejoint l'équipe du magazine Auto Passion, pour lequel il réalise des essais, portraits et interviews de pilotes de course, parmi lesquels d'anciens pilotes de la Scuderia tels Luigi Villoresi, John Surtees et Maurice Trintignant.*

1956: Fangio champion sans bonheur

Hélas pour Ferrari, en 1954 les données changeaient radicalement: la CSI instaurait une nouvelle Formule 1 à cylindrée maximale de 2,5 l. (ou 750 cm3 à compresseur). La Scuderia, déstabilisée, engageait tour à tour, voire en même temps, les modèles 553 et 555 «Squalo» et «Supersqualo», à la tenue de route et à la fiabilité problématiques, et 625 F1, plus homogène. Ascari et Villoresi partis chez Lancia, où l'ingénieur Vittorio Jano préparait son originale D 50 à moteur V 8 et réservoirs latéraux, Hawthorn, Gonzalez, Trintignant, Farina et parfois Manzon ou Maglioli défendaient les couleurs de la Scuderia. Même si Gonzalez gagnait en Grande-Bretagne et Hawthorn en Espagne, la partie était trop difficile face aux nouvelles Mercedes W 196 qui s'imposaient dès le Grand Prix de l'ACF à Reims, leur première sortie. Sans oublier les progrès de la nouvelle Maserati 250 F. En 1955 Mercedes et Fangio, aidés par Moss, répétèrent les victoires et remportèrent un nouveau titre, Trintignant parvenant à sauver l'honneur de la Scuderia avec une unique victoire à Monaco. Mais à l'été 1955 tombait une nouvelle spectaculaire et prometteuse: Lancia, ébranlé par la mort d'Ascari et en proie à de graves soucis financiers, abandonnait la compétition et cédait tout son matériel (soit sept monoplaces et des tonnes de moteurs et de pièces de rechange) à... Ferrari! D'autre part, celui-ci recevait de Fiat une aide financière de 50 millions de lires.

Cette manne allait être judicieusement exploitée par le maître de Maranello, d'autant plus que Mercedes, abandonnant aussi la compétition, libérait du même coup Fangio sur le marché des transferts. L'Argentin, déjà triple Champion du Monde, devenait leader d'une Scuderia renforcée par de jeunes espoirs : les Italiens Luigi Musso et Eugenio Castellotti, l'Espagnol Alfonso De Portago et l'Anglais Peter Collins. Ils disposeraient pour des ex-Lancia D50 remaniées et rebaptisées Ferrari 801, les réservoirs étant désormais intégrés dans des pontons et le V8 développant quelque 240 ch.

Contre toute attente, et même si elle se solda par un quatrième titre mondial, l'unique saison de Fangio chez Ferrari ne fut guère heureuse. Le 22 janvier, il inaugura en fanfare son contrat tout neuf en remportant à Buenos Aires son Grand Prix national, après avoir repris la voiture de Musso. A Monaco, énervé et contrarié, Fangio perdit pour une fois son sang-froid légendaire, fit un tête-à-queue au 3e tour, laissant filer Moss et la Maserati 250 F vers la victoire. Il ne dut sa 2e place qu'aux consignes d'Eraldo Sculati, le successeur de Nello Ugolini à la tête de la Scuderia, qui arrêta Collins pour qu'il cède sa voiture. A Spa, ce fut pire : parti en pole-position, Fangio en tête dut abandonner (transmission), laissant Collins et le pilote-journaliste belge Paul Frère assurer un doublé Ferrari. A l'ACF, nouveau doublé Ferrari (1-Collins, 2-Castellotti), Fangio n'étant que 4e. Malgré les tensions avec Sculati (et avec Enzo Ferrari !), Fangio se ressaisit de belle manière en remportant coup sur coup les Grands Prix de Grande-Bretagne et d'Allemagne. Au départ de celui d'Italie, dernier de la saison, Fangio et Collins se retrouvaient à égalité de chances dans la course au titre. Abandonnant au 20e tour sa voiture (direction brisée), Fangio regardait la course qui se jouait entre Moss, Musso et Collins. Au 34e tour, à la faveur d'un arrêt pour changer ses pneus, l'Anglais cédait spontanément sa monoplace à Fangio, qui repartait en troisième position et terminait dans les roues de Moss. Grâce aux points partagés avec Collins, Fangio était sacré Champion du Monde pour la quatrième fois, avec 29 points, devant Moss (27) et Collins (25).

1958: Mike Hawthorn et la Dino

Avec des 801 modifiées, Peter Collins et son «ami mate» Mike Hawthorn devenaient les fers de lance de la Scuderia pour 1957. Mais ils ne purent rien contre Fangio, imbattable sur la Maserati 250 F et Champion du Monde pour la cinquième fois. D'autant que Ferrari avait perdu deux de ses pilotes: Castellotti à Modène, en essais privés, et De Portago lors des Mille Miglia, dans un accident dramatique qui coûta la vie à son coéquipier Nelson et à plusieurs spectateurs, sonnant le glas de cette course routière. Il fallut attendre 1958 pour voir la Scuderia relever la tête: cette année-là,

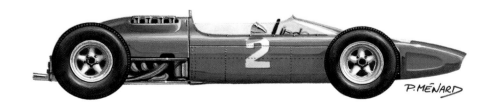

1er juillet 1956: Fangio au volant de la Ferrari 801 (ex-Lancia D 50) lors du Grand Prix de l'ACF, à Reims. Il ne s'y classa que 4e, mais Collins et Castellotti, sur des voitures semblables, y réalisèrent le doublé victorieux.
(archives D. Pascal)

Le profil des onze Ferrari qui ont remporté le championnat du monde. Ici, la 500 F2 de 1952

La D50 de 1956

La 246 de 1958

La 156 de 1961

La 158 de 1964

6 juillet 1958: Mike Hawthorn au volant de la Dino 246 va remporter le Grand Prix de l'ACF à Reims, le même jour, hélas, où son coéquipier Luigi Musso trouve la mort. Moins d'un mois plus tard, au Nürburgring, ce sera au tour de son «ami mate», Peter Collins. Fils d'un garagiste du sud de l'Angleterre, Mike Hawthorn s'était fait remarquer d'Enzo Ferrari lorsqu'il courait en Formule 2 sur Cooper-Bristol. Brillant et très, parfois trop audacieux, il justifia cette confiance dès le Grand Prix de l'ACF 1953, en battant Fangio sur Maserati. Il devint Champion du Monde en 1958, sur Ferrari. (archives D. Pascal)

L'Américain Phil Hill avait débuté dans des courses du championnat Sport américain sur MG. Il courait ensuite dans son pays sur des Ferrari Sport et rejoignait la Scuderia dès 1957. Il signa à Monza, au Grand Prix d'Italie 1960, sur une Dino 246, l'ultime victoire d'une monoplace à moteur avant dans une épreuve de Championnat du Monde. (archives D. Pascal)

Hawthorn, Collins et Musso étrennaient les nouvelles Dino 246, monoplaces compactes et légères équipées d'un nouveau moteur V 6. L'idée venait de Dino Ferrari, le fils emporté par la maladie à l'été 1956, mais c'était l'ingénieur Carlo Chiti qui l'avait réalisée. La version 1958 développait 290 ch à 8500 tours/minute. Les Maserati marquaient le pas mais les Vanwall anglaises, déjà victorieuses en 1957 en Grande-Bretagne et en Italie, s'annonçaient redou-

tables. De fait, le Championnat du Monde 1958 (qui pour la première fois s'enrichissait d'une Coupe des Constructeurs) se résuma à un duel Ferrari-Vanwall, avec en outsiders les agiles Cooper-Climax, premières Formule 1 à moteur central. Sur l'une d'entre elles, de l'écurie Rob Walker, l'ancien ferrariste Maurice Trintignant parvint à s'imposer à Monaco. Mais Ferrari et Vanwall trustèrent les autres Grands Prix: Hollande, Belgique, Allemagne, Italie, Portugal et Maroc pour Vanwall, ACF et Grande-Bretagne pour Ferrari. Eprouvé par les accidents mortels de Musso à Reims et Collins au Nürburgring, Hawthorn (qui allait disparaître en janvier 1959 dans un accident de la route) rassembla son courage pour terminer la saison sur la Dino 246, avec une seule victoire. La Coupe des Constructeurs revenait à Vanwall. 1959 et 1960 virent les retraits de Maserati et de Vanwall, les progrès de BRM, les efforts d'Aston Martin, l'entrée en lice de Lotus mais surtout les triomphes de Cooper et de Jack Brabham. L'Australien, qui maîtrisait parfaitement l'utilisation du moteur central, fut sacré deux fois Champion du Monde. La Scuderia, dont les Dino avaient quelque peu évolué, remporta de rares victoires, grâce aux excellents Tony Brooks et Phil Hill. Jean Behra n'avait effectué qu'une demi-saison avant de se disputer avec Romolo Tavoni, nouveau directeur de la Scuderia.

1961-1964: Hill puis Surtees champions

1961 allait relancer Ferrari: la nouvelle Formule 1 1500 cm³ laissait les constructeurs anglais désemparés, faute de moteurs compétitifs. A Maranello, on était prêt: la nouvelle monoplace 156, cette fois enfin à moteur central, disposait de 180 à 200 ch selon les versions (V6 à 65° puis à 120°), contre 140 à 150 pour les meilleurs Climax. Seul Stirling Moss, sur une Lotus 18 de Rob Walker, parvint, grâce à un pilotage très inspiré, à battre par deux fois les Ferrari, à Monaco et au Nürburgring. Von Trips et Phil Hill (et, à Reims, le débutant Baghetti sur une 156 semi-privée) se partagèrent les victoires. Le Grand Prix d'Italie fut une conclusion tragique de la saison: Von Trips se tua en début de course, sa voiture fauchant

quelques spectateurs et Hill fut sacré Champion du Monde dans la douleur. Ferrari fit l'impasse sur le Grand Prix des Etats-Unis.

1962 vit Ferrari, toujours très (trop ?) occupé par les courses d'endurance, en particulier Le Mans, accumuler les contre-performances en Formule 1. Plusieurs ingénieurs de pointe, dont Chiti et Bizzarrini, avaient quitté Maranello, où un de leurs jeunes collègues, Mauro Forghieri, se retrouvait à 26 ans directeur technique du service course, la direction sportive étant confiée à Eugenio Dragoni. BRM et Graham Hill remportaient les titres et, pour 1963, la partie s'annonçait difficile contre Jim Clark et la Lotus 25. C'est alors que Ferrari engagea l'ancien Champion du Monde motocycliste John Surtees. Cet Anglais méthodique, méticuleux et passionné de technique, bien secondé par Lorenzo Bandini, sut remettre Ferrari sur la voie du succès. La nouvelle 156, monocoque, était plus performante et homogène que sa devancière et déjà Ferrari préparait la 158 à moteur V 8. Surtees s'imposa brillamment au Nürburgring mais Clark et Lotus furent les champions.

1964 allait voir Ferrari renouer avec la victoire, mais avec un coup de pouce de la chance. La 158 «Aéro» était plus performante que sa devancière et remporta trois victoires: en Allemagne et en Italie avec Surtees, en Autriche avec Bandini. La 1512, à 12 cylindres à plat, développant 220 ch, apparut en fin de saison. Bandini la conduisait en Italie et au Mexique. Le dénouement du Championnat fut incertain jusqu'au dernier tour du Grand Prix du Mexique, où Clark (Lotus), Hill (BRM) et Surtees pouvaient espérer devenir Champions du Monde. Ce fut Surtees, après que Bandini eut percuté Hill à l'arrière au 31e tour, endommageant les échappements de la BRM. Au dernier tour, Clark en tête abandonna à cause d'une fuite d'huile, laissant la victoire à Dan Gurney (Brabham) et Bandini, laissant à Surtees la 2e place de la course, permit à celui-ci, pour un point, de ceindre la couronne. Ferrari s'adjugeait la Coupe des Constructeurs. En 1965, ultime saison de la Formule 1500 cm³, dominée par Clark et Lotus, les pilotes Ferrari ne recueillirent que des places d'honneur.

1966-1979: Du V12 au Boxer, l'apogée du 3 litres

Avec la nouvelle Formule 1 de 3 litres initiée en 1966, Ferrari espérait renouer avec la victoire. Sur le papier, il disposait avec la 312, V12, d'une arme redoutable. Surtees l'emporta, hors-Championnat, à Syracuse. Mais la 312 était trop lourde. A Monaco, Surtees fut en tête mais abandonna et Lorenzo Bandini, sur une Dino 246, termina 2e. Surtees remportait une belle victoire à Spa, sous la pluie, devant Rindt (Cooper-Maserati) mais, à la veille des 24 Heures du Mans, en désaccord avec Dragoni, l'Anglais claquait la porte de la Scuderia. Il était remplacé tour à tour par Mike Parkes et Lodovico Scarfiotti, qui remportait le Grand Prix d'Italie. Recruté en 1967, le Néo-Zélandais Chris Amon accumulait les casses mécaniques et autres malchances sur la nouvelle 312 à échappements centraux. La Scuderia avait eu la douleur de perdre le valeureux Lorenzo Bandini, à Monaco. En 1968, elle recrutait le Belge Jacky Ickx, qui signait sa première victoire au Grand Prix de France à Rouen-les-Essarts sous la pluie.

Ickx, parti chez Brabham en 1969, revenait chez Ferrari en 1970. Cette année-là, la Scuderia recrutait un jeune Italien prometteur, Ignazio Giunti, et lançait un nouveau modèle: la 312 B («boxer»). Ce moteur 12 cylindres à plat de 465 ch: la 312 B («boxer»). Ce moteur évolua de saison en saison et, avec Ickx, Andretti puis Lauda, remporta plusieurs Grands Prix. En 1974 et 1975, la gestion sportive de la Scuderia était confiée à un jeune avocat choisi par Fiat, Luca Cordero Di Montezemolo. Recruté grâce aux bons offices de Clay Regazzoni, qui l'avait amené à Fiorano dès l'été 1973 pour des essais secrets, l'Autrichien Niki Lauda, surnommé «l'ordinateur», remportait son premier Grand Prix à Jarama en 1974 sur la dernière 312 B3.

Au printemps 1975 apparut le nouveau «bébé» de Forghieri, la 312 T à boîte transversale. A son volant, l'Autrichien fut irrésistible, gagnant à Monaco, en Belgique, en Suède, en France et aux Etats-Unis et devenant Champion du Monde. Regazzoni ayant gagné à Dijon et à Monza, Ferrari empochait aussi le titre «Constructeurs». Pour 1976, la 312 T évoluait en T2, à l'aérodynamique retravaillée. Victorieux au Brésil, en Afrique du Sud, en Belgique et à Monaco (et même en Grande-Bretagne après appel!), Lauda semblait bien parti pour un second titre consécutif quand il fut victime d'un très grave accident au Nürburgring. Atteint de profondes brûlures, il réapparut courageusement dès le Grand Prix d'Italie, où il se classa 4e, mais abandonna volontairement au Grand Prix du Japon, sous une pluie torrentielle, laissant James Hunt devenir Champion du Monde.

Lauda eut sa revanche en 1977 et, avec trois nouvelles victoires (Afrique du Sud, Allemagne et Hollande), redevint Champion du Monde, ainsi que Ferrari chez les constructeurs. Mais, depuis son abandon au Japon en 1976, le torchon brûlait entre Lauda et les successeurs de Montezemolo à la tête de la Scuderia: Daniele Audetto en 1976 et Roberto Nosetto en 1977. Lauda parti, en vue de la saison 1978 la Scuderia recrutait pour seconder l'Argentin Carlos Reutemann, le bouillant Québécois Gilles Villeneuve.

Celui-ci fut traité par Enzo Ferrari comme une sorte de fils adoptif. En 1979, les 312 T3 puis T4, à la curieuse jupe aérodynamique ceinturant la coque, étaient confiées à Villeneuve et au Sud-Africain Jody Scheckter. Celui-ci, avec des victoires à Zolder, Monaco et Monza, devenait Champion du Monde. Le dernier sur Ferrari jusqu'à 1997? Villeneuve ayant gagné à Kyalami, Long Beach et Watkins Glen, Ferrari redevenait Champion du Monde des Constructeurs.

1981-1988: L'ère du turbocompresseur

Après une très mauvaise saison 1980 avec les dernières 312 atmosphériques, les T5, Ferrari suivant l'exemple de Renault enclenchait le turbo en lançant en 1981 la 126 CK sur les circuits. Villeneuve avait étrenné ce modèle aux essais du Grand Prix d'Italie 1980. Scheckter parti, le Français Didier Pironi venait seconder Villeneuve, qui gagnait à Monaco et en Espagne. A l'été 1981, Ferrari engageait l'ingénieur anglais Harvey Postlethwaite pour mettre au point le châssis de la 126 C. C'était une petite révolution puisque, à Maranello, on avait toujours fait confiance avant tout aux moteurs, négligeant quelque peu les châssis. D'autre part, Postlethwaite était le premier ingénieur étranger à officier pour un constructeur, italien jusqu'au bout des ailerons. 1982 semblait devoir être la saison de tous les triomphes pour la Scuderia et ses deux jeunes et brillants pilotes,

menacés toutefois par une rivalité grandissante. A Saint-Marin, Pironi s'imposa par surprise sur Villeneuve, au mépris des consignes d'équipe. Le Québécois, épris de revanche, fut victime d'un accident mortel lors des essais du Grand Prix de Belgique, à Zolder. Pironi gagna en Hollande mais vit sa saison et même sa carrière stoppée par un violent accident, jambes brisées lors des essais du Grand Prix d'Allemagne. Son compatriote Patrick Tambay remporta ce Grand Prix et, grâce à sa 2e place à Monza (et à celle de 3e du revenant Mario Andretti), permit à Ferrari d'être quand même Champion du Monde des Constructeurs, bien que celui des conducteurs fût le Finlandais Rosberg sur Williams. Beaucoup d'observateurs, à commencer par Enzo Ferrari lui-même, considéraient d'ailleurs Pironi comme le vainqueur moral de ce championnat. 1983 voyait au volant des nouvelles 126 C2 deux Français:

9 septembre 1979: les 312 T4 de Jody Scheckter et Gilles Villeneuve vont signer, à Monza, dans le Grand Prix d'Italie, un de ces doublés nets et sans bavures dont raffolent les tifosi. (photo DPPI)

Tambay et René Arnoux. Avec une victoire pour Tambay (Imola) et trois pour Arnoux (Montréal, Hockenheim, Zandvoort), plus quelques places d'honneur glanées çà et là, Ferrari répétait le titre «Constructeurs» (le dernier), même si celui des pilotes lui échappait à nouveau.

En 1984, Postlethwaite développait la 126 C4. Michele Alboreto était le premier Italien depuis Arturo Merzario en 1973 à piloter pour Ferrari

en Formule 1, aux côtés de René Arnoux. Alboreto remportait le Grand Prix de Belgique puis, en 1985, ceux du Canada et d'Allemagne. Il terminait vice-Champion du Monde derrière Prost et, grâce aussi aux points glanés par Stefan Johansson, Ferrari était vice-Champion du Monde des Constructeurs. En août 1986, Ferrari limogeait Mauro Forghieri et, en décembre, l'ingénieur John Barnard était engagé avec les pleins pouvoirs, y compris la créa-

tion d'une antenne de production des châssis à Guildford, en Angleterre. Après Niki Lauda, Gerhard Berger devenait le second Autrichien pilote officiel de la Scuderia, aux côtés d'Alboreto, pour 1987 et 1988. Ils remportèrent quelques places d'honneur et, en 1988, un mois à peine après le décès d'Enzo Ferrari, ils signèrent un émouvant doublé à Monza dans le Grand Prix d'Italie.

1990: Prost et Ferrari... presque champions

A nouveau, en 1989, une année de changements: Cesare Fiorio, transfuge de Lancia, succédait à Marco Piccinini à la Gestione Sportiva tandis que la FISA instaurait une nouvelle Formule 1, 3,5 litres atmosphérique, les turbocompresseurs étant désormais bannis.

Pour répondre à ce nouveau défi technique, John Barnard créait le châssis type 640. A Maranello, on construisait un nouveau V12 à 5 soupapes par cylindre développant 665 ch. L'Anglais Nigel Mansell rejoignait Berger. Mais en 1990, le Français Alain Prost prenait la place de Berger et, avec la 641/2, le Français remportait cette année-là cinq victoires, dont la centième de Ferrari en Championnat du Monde, au Grand Prix de France. Il était vice-Champion du Monde à l'issue d'un Grand Prix du Japon tronqué par une sortie de route des deux favoris, Senna (McLaren) et Prost lui-même, dès le début du premier tour. Sans cet incident, que Senna avoua un an plus tard avoir provoqué, Prost aurait sans doute été Champion, et Ferrari peut-être à la place de McLaren. Par son travail rigoureux et méthodique, le Français avait tout de même montré la voie du redressement pour le constructeur de Maranello, en attendant l'arrivée de Jean Todt en juillet 1994, le retour de la F 1 à 3 litres en 1995 puis la création du premier V 10 Ferrari et le recrutement, en 1996, d'un certain Michael Schumacher...

Même si ce dernier n'est pas parvenu à décrocher le titre mondial en cette saison 1997, on sent souffler sur la Scuderia le vent d'un renouveau qui devrait lui permettre de renouer avec le succès. Et pourquoi pas en 1998?

La 312T4 de 1979

La 126C2 de 1982

La 126C3 de 1983

L'écurie Tyrrell a fêté cette année ses 400 Grands Prix. L'occasion d'un petit coup d'œil dans le rétroviseur

Les 400 coups de l'Oncle Ken

A 73 ans, le patron de l'écurie la moins riche de la Formule 1 garde la foi. Pour lui, le bon vieux temps, c'est... la semaine prochaine! Avec sa taille de géant et sa démarche de bûcheron (son premier emploi), Ken Tyrrell a tout vu et tout connu de la Formule 1. Il a aligné une monoplace en Grand Prix pour la première fois en... 1969. Près de 30 ans plus tard, son écurie compte 402 Grands Prix au compteur – il n'en a pas manqué un seul –, et a donc fêté, discrètement, sa 400e participation au Grand Prix du Luxembourg. Au total, Ken Tyrrell vit passer deux titres de champion du monde, 23 victoires et 14 pole-positions. Aujourd'hui, le temps des succès semble bien loin, puisque sa dernière victoire remonte à 1983, lorsque Michele Alboreto remporta le Grand Prix des Etats-Unis. Ken Tyrrell ne semble pas trop affecté des revers subis depuis. Il promène toujours le même sourire dans les paddocks, attendant des jours meilleurs qui ne viendront probablement jamais...

Vous n'avez pas eu beaucoup de chance ces dernières années. Et vous avez changé souvent de moteurs: Ford, Renault, Honda, Ilmor, Yamaha, Ford à nouveau. Cela n'a pas dû être facile...

Ken Tyrrell: Au début des années 70, il y avait le moteur Ford Cosworth DFV. Un excellent moteur, pas trop sophistiqué. Il était facile de construire une voiture autour, de prendre un bon pilote et de gagner le Grand Prix suivant. Aujourd'hui, la F1 est avant tout une question de moteurs. Il faut être soutenu par un grand constructeur qui les donne. Nous n'en avons pas, ce qui rend notre boulot très dur. On essaie de s'associer avec une grande marque, mais on n'a sans doute pas fait assez d'efforts pour convaincre... C'est un problème de résultats. Pourtant, nous avons contacté tous les fournisseurs de moteurs imaginables. C'est d'ailleurs la tâche la plus ardue de mon travail.

Vous n'avez qu'un maigre sponsor sur vos voitures, et vous êtes sans doute l'écurie la plus pauvre du plateau. Comment joignez-vous les deux bouts?

Ken Tyrrell: On décide de nos actions en fonction de notre budget. Mon principe est de ne dépenser que ce que nous avons en caisse. Sans cela, on aurait pas tenu aussi longtemps, nous aurions fait faillite comme d'autres petites écuries ces derniers temps. Il y eut des années où nous étions en négatif, mais c'était compensé par les bonnes années. Quand tout marche bien, je ne dépense pas tout. Je constitue des réserves pour les mauvaises saisons! Cette année, nous devrions tout juste arriver à équi-

librer les comptes. Notre principal problème, c'est que nous ne parvenons pas à fidéliser nos sponsors. Seules les quatre ou cinq plus grandes écuries y parviennent, d'ailleurs.

Beaucoup affirment que votre écurie est extrêmement bien gérée. Que si vous disposiez de la moitié du budget de Williams, vous seriez champions du monde.

Ken Tyrrell: Si on avait la moitié du budget de Williams, hem, on aurait beaucoup plus qu'au-

jourd'hui *(rire)*! Mais je ne sais pas si nous pourrions devenir champions pour autant. Quand j'ai commencé en F1, en 1968, j'alignais des châssis fournis par Matra. A moi de trouver et financer le moteur, la transmission, les pilotes et d'aligner les deux voitures en course. Mon budget était alors de 80 000 livres sterling pour la saison, dont le quart servait à payer Jackie [Stewart]. On était 6 ou 7 à l'atelier, et on se débrouillait. Vous voyez, j'ai de l'expérience en matière de gestion des budgets...

La Formule 1 change beaucoup ces derniers temps, avec l'importance de plus en plus grande de la télévision. Comment jugez-vous cette évolution?

Ken Tyrrell: Très positive, sans aucun doute. La télévision a permis d'amener la F1 au monde entier, alors qu'auparavant seuls les fondus venaient assister aux courses. La télévision a amené les sponsors, la richesse. Regardez les

paddocks d'aujourd'hui, impeccables, spacieux, propres. Il y a trente ans, on préparait les voitures dans des stands minables, sous des tentes, trempés par la pluie... Quand la FOCA a été fondée, au milieu des années 70, chaque directeur d'écurie s'est vu attribuer une tâche précise pour améliorer la situation. Moi, j'étais chargé d'améliorer Silverstone. C'était tellement crasseux que j'ai dit aux organisateurs que la F1 n'y viendrait plus si les stands n'étaient pas refaits. Vous savez de quoi Frank Williams a été nommé responsable? Des WC du paddock. Il devait s'assurer qu'ils étaient suffisamment nombreux et propres sur chaque circuit!

La F1 n'est-elle pas moins sympathique qu'il y a vingt ans, notamment pour le public qui ne peut plus accéder aux pilotes?

Ken Tyrrell: Et comment voulez-vous que le public accède aux pilotes, aujourd'hui? Il y a 100 000 personnes là-dehors, dans les gradins. Comment pourraient-ils tous toucher Michael Schumacher? C'est impossible, tout simplement impossible. C'est le succès de la F1 qui veut ça.

Ne regrettez-vous pas le bon vieux temps ?

Ken Tyrrell: Quel bon vieux temps? Le bon vieux temps, c'est maintenant. C'est peut-être même la semaine prochaine, mais certainement pas hier! Je suis toujours aussi motivé qu'il y a 30 ans. Le sport automobile, pour moi, est une sorte de maladie incurable, dont je souffrirai jusqu'à ma mort. Certaines années ont été très dures, mais ma passion n'a pas bougé d'un pouce. Il aurait parfois été plus facile de tout laisser tomber, mais ce n'est pas dans mon caractère.

«Et vous savez de quoi Frank Williams a été nommé responsable? Des WC du paddock...» Du haut de ses 30 ans d'expérience, l'Oncle Ken compte belles histoires dans sa besace.

Les accords Concorde: une question morale

Ken Tyrrell appartient aux trois patrons d'écurie dissidents qui ont refusé de signer les «Accords de la Concorde», régissant le fonctionnement commercial de la Formule 1.

Pourquoi n'avoir pas signé les Accords Concorde?

Ken Tyrrell: Quand je suis arrivé en F1, en 1968, il était très facile d'y entrer. Il suffisait de prendre le moteur Ford, de construire une voiture autour, de dénicher un peu d'argent, et c'était parti. Depuis, et jusqu'à l'an dernier, cette facilité était maintenue. J'y ai veillé. Mais ce n'est plus le cas aujourd'hui avec les Accords 1997 que Bernie [Ecclestone] veut nous faire signer. Aujourd'hui, il faut d'abord verser 24 millions de dollars de caution à la FIA pour entrer en F1. C'est de la folie. Alors, je n'ai pas signé. Parce que j'estime qu'il est de mon devoir de laisser la F1 dans l'état où je l'ai trouvé. Pour moi, c'est une question de responsabilité morale. Mais nous sommes tous des grands garçons. Nous trouverons un terrain d'entente.

Quels sont vos rapports avec Bernie Ecclestone?

Ken Tyrrell: Oh, ils sont excellents. Depuis le temps que je le connais, je le considère comme un véritable ami. Il m'écoute, peut-être même davantage que d'autres en raison de mon âge et du nombre d'année que nous nous fréquentons. Mais souvent, j'ai l'impression que ce que je lui dis entre par une oreille et ressort par l'autre...

La longue descente aux enfers

Les débuts de l'écurie Tyrrell furent plutôt flamboyants, puisqu'elle remporta le premier championnat auquel elle participa. *«J'y suis parvenu avec la recette utilisée aujourd'hui encore pour gagner le championnat: en embauchant le meilleur pilote. Point final»*, commente Ken Tyrrell.
Gagner son premier championnat reste d'ailleurs le meilleur souvenir du Britannique. Deux ans plus tard, Jackie Stewart renouvellait l'exploit, mais en fin de saison, l'écurie était frappée par la mort de François Cevert aux essais du Grand Prix des Etats-Unis, à Watkins Glen.

Depuis, l'écurie Tyrrell ne cessa de glisser vers les abysses de l'anonymat, malgré des tentatives mémorables, comme la monoplace à six roues de 1975.
«Je pense que les origines de tous nos problèmes datent de 1973, se souvient Ken Tyrrell. Jackie [Stewart] est devenu champion du monde pour la seconde fois. Il avait décidé de se retirer à la fin de la saison, et François Cevert devait le remplacer. Il était aussi rapide que Jackie. Et quand François est mort, nous nous sommes retrouvés à zéro, à repartir avec deux pilotes qui n'avaient pas assez d'expérience. Nous n'avons plus jamais remonté la pente.»

Cette année, une nouvelle fois, les deux Tyrrell de Salo et Verstappen s'affichaient pratiquement vierges de tout sponsor. A partir de là, boucler les comptes de la saison sans les retombées des droits télévisés tient presque du miracle comptable...

Les 17 Grands Prix

Un championnat du monde ne saurait se résumer à la lutte entre deux pilotes-vedettes.
Dix-sept Grands Prix, ce sont autant d'ambiances différentes, mais ce sont aussi des centaines d'anecdotes, de joies et de déceptions. Place à l'action…

Le retour des flèches d'argent

Surprise à Melbourne. Déjouant tous les pronostics, c'est David Coulthard et sa McLaren-Mercedes qui sont sortis vainqueurs de ce premier Grand Prix de la saison. Une victoire que l'écurie anglaise attendait depuis 1993.

Les Williams auraient en fait dû l'emporter ce jour-là si Jacques Villeneuve n'avait pas été poussé à la faute par Eddie Irvine. Ou si les disques de freins de Heinz-Harald Frentzen avaient été correctement dimensionnés. Pour l'écurie de Grove, ce n'était que le premier d'une longue série de faux-pas...

QANTAS AUSTRALIAN GRAND PRIX
MELBOURNE

Michael Schumacher, troisième sur la grille de départ, était relégué à... 2.1 secondes de Jacques Villeneuve. Une véritable punition. «Bien sûr, les pneus peuvent être un facteur. Tout ce que je sais des pneus des Williams, c'est qu'ils sont noirs! Mais je suis surpris. Je m'attendais à une seconde d'écart, pas deux.»

«C'est décidé: si j'échoue en F1, je passe à la chanson.» Jan Magnussen explique son plan de carrière à Paul Stewart et l'ex-Beatles George Harrison (à gauche).

Traditionnellement, au cours de l'hiver, plusieurs séances d'essais privés, à Estoril ou ailleurs, permettent de se forger une idée assez exacte de la hiérarchie entre les écuries. Mais cette année, suite à l'introduction d'une réglementation plus stricte en matière d'essais, les écuries se sont divisées sur plusieurs circuits pour mettre au point leur matériel 1997. Si bien qu'aucune hiérarchie n'existait avant ce Grand Prix d'Australie. L'inconnue était totale, c'est dire combien la première journée d'essais, à Melbourne, était attendue avec impatience. Les Williams-Renault allaient-elles confirmer leur statut de favorites? Frentzen allait-il se montrer à la hauteur de sa réputation? Qu'allaient faire les Ferrari et les Benetton? Vendredi midi, au terme de la première heure d'essais, la hiérarchie donnait Jean Alesi en tête, devant Michael Schumacher, Jacques Villeneuve et Ralf Schumacher. Quatre voitures différentes aux quatre premières places, voilà qui s'annonçait prometteur pour la suite de la saison.

Michael se passe la langue au savon

L'après-midi, après la deuxième heure d'essais libres, c'était Michael Schumacher qui était crédité du meilleur temps. L'Allemand allait devoir se laver la langue au savon pour avoir proféré de vilains mensonges. Ces dernières semaines, il avait en effet clamé partout que sa Ferrari s'avérait si peu compétitive qu'il ne pourrait pas viser une place sur le podium au début de la saison. Au vu du résultat de cette première journée, il avait manifestement tenté de désinformer ses adversaires sur ses réelles

possibilités. «La voiture a beaucoup mieux fonctionné que je ne l'espérais, avouait le double champion du monde. Le défaut d'équilibre dont on souffrait l'an dernier a totalement disparu. C'est une bonne chose d'être devant, c'est sûr. Mais cette journée n'est pas très indicative. Il vaut mieux n'en tirer aucune conclusion.»
Les quelque quarante journalistes allemands qui avaient fait le déplacement de Melbourne ne furent pas déçus par cette journée de vendredi. Car Michael Schumacher terminait talonné par son compatriote Heinz-Harald Frentzen. Tout allait changer le lendemain.

Premier suspense

Heinz devant Jacques

S'il était un duel attendu avec impatience, cette saison, c'était bien celui opposant les deux pilotes de l'écurie Williams-Renault, Heinz-Harald Frentzen et Jacques Villeneuve.
Vendredi, au terme de leur premier affrontement, l'Allemand prit le dessus en signant le deuxième chrono de la journée, juste derrière Michael Schumacher. «Je n'ai aucune raison de me montrer heureux d'avoir battu Jacques, relevait pourtant «HH». D'autant que je ne sais pas comment il avait réglé sa voiture.»
Souriant, Heinz-Harald Frentzen était à l'évidence heureux de voir cette journée s'achever. *«Je commence une nouvelle vie chez Williams, et ça me rendait plutôt nerveux ce matin. En tout cas, je suis impressionné de me retrouver si haut placé au classement pour un effort exactement identique à celui que je fournissais l'an dernier et qui me valait des places en milieu de grille...»*

Les McLaren en vue

Leur vendredi avait été épouvantable. Le samedi par contre, à l'issue de l'heure qualificative, les deux McLaren-Mercedes se sont retrouvées aux avant-postes, puisque David Coulthard et Mika Hakkinen se sont qualifiés respectivement en deuxième et troisième ligne. *«J'ai réalisé assez tôt que j'allais être en mesure de battre le chrono de Michael (Schumacher), expliquait l'Ecossais. Mais malheureusement, je n'ai pas réussi à assembler un bon tour, et je suis légèrement sorti dans ce qui aurait pu être mon meilleur chrono. C'est ce qui lui a permis de me devancer.»*
Pour Mika Hakkinen, c'est le trafic qui l'a empêché de faire mieux: *«Les partiels avaient l'air excellent au cours de mon tout dernier tour, mais j'ai été ralenti par une autre voiture dans la dernière partie du circuit. Bon, le travail qu'on a effectué depuis hier sur l'équilibre commence à payer, quoiqu'il reste encore pas mal de chemin à faire.»* Pour Ron Dennis, c'était un bonne journée. *«Sans le trafic, nous aurions été troisième et quatrième.»* Et sans adversaire, premier et deuxième.

«Salut Thierry!» Visiblement d'humeur joyeuse, Damon Hill salue notre photographe. Pour son premier Grand Prix chez Arrows, le Britannique faisait face aux pires difficultés. Quand sa voiture n'était pas en panne, elle se traînait, et le champion du monde parvint de justesse à la qualifier en 20e place dans les toutes dernières minutes des qualifications. Sous les applaudissements d'une foule appréciant l'effort.

Jacques Villeneuve tétanise ses adversaires

Fidèle au rendez-vous, Jacques Villeneuve. Alors que tout le monde attendait le Canadien comme grand favori de ce premier Grand Prix de la saison, il a effectivement signé une pole étonnante, près de deux secondes devant tous ses adversaires.

En fait, tout le monde était persuadé que Jacques Villeneuve, samedi, avait signé un tour extraordinaire. Sauf l'intéressé : «*Bien sûr, j'ai donné le meilleur de moi-même. Mais bon, le tour aurait pu être plus rapide si je n'avais pas commis d'erreur. Je suppose qu'il est impossible de ne pas en commettre quand on est vraiment à fond.*»

La question, bien sûr, était de savoir lequel des deux mélanges de pneus le Québécois avait utilisé pour sa séance de qualif – sachant que les mêmes gommes allaient devoir être utilisées en course le lendemain. «*Ça, je ne le dirai pas,* poursuivait le Québécois. *Mais de toute façon, même si j'avais les plus tendres, les autres pourraient les avoir aussi. D'ailleurs, je trouve que les essais sont difficiles cette année en raison de ces problèmes de pneus. On passe beaucoup de temps à tester les différences entre les mélanges plutôt que de songer au châssis lui-même et ses réglages.*»

Pour la course du lendemain, le Québécois ne nourrissait aucune angoisse particulière: «*Je n'ai pas de gros problème. La voiture semble bien se comporter, même si je ne sais pas à quoi elle ressemblera demain. Il va falloir que je travaille sur les freins, parce qu'après deux tours d'essais, la pédale était comme une éponge.*»

Heureux et malheureux à la fois

C'était Heinz-Harald Frentzen qui avait signé le deuxième temps des essais. Mais il avait eu chaud : trois minutes avant la fin de la séance, il n'était encore que huitième. «*J'ai vraiment joué de malchance cet après-midi,* expliqua-t-il. *Et honnêtement, je ne suis pas très heureux avec ma deuxième place. Avec mon premier train de pneus, j'ai rencontré beaucoup de trafic. Avec le deuxième, mes pneus étaient déjà morts, je ne sais pas pourquoi. Quand je suis ressorti pour la troisième fois, il y a eu le drapeau rouge. J'ai pensé que ce n'était pas mon jour de chance. Bon, j'ai eu un quatrième tour qui fut tout juste passable.*»

De toute façon, l'Allemand avouait qu'il aurait eu du mal à battre Jacques Villeneuve. «*Gagner 1.7 seconde me paraît impossible. Jacques a réussi là un très bon chrono, et je serais très intéressé de consulter ses relevés télémétriques. Toutefois, deuxième, c'est mon meilleur résultat en qualification, et j'en suis très heureux.*»

Non-qualification des Lola

A cinq secondes du bonheur

Dans l'histoire contemporaine de la Formule 1, on a déjà eu l'occasion de voir évoluer plusieurs écuries qui tenaient davantage de la farce grecque que du sport automobile – il suffit de se remémorer les épisodes Monteverdi, Andrea Moda ou Life, écuries qui ont toutes aujourd'hui disparues.

On croyait que la F1 était devenue suffisamment sérieuse en 1997 pour échapper à ce genre de plaisanterie, mais l'écurie Lola en a offert un nouvel exemple. Malgré un déballage de moyens impressionnant et deux monoplaces apparemment soignées, l'écurie Lola s'est vite rendue compte du niveau très élevé de la Formule 1 d'aujourd'hui. Le samedi, il manqua plus de cinq secondes à Vincenzo Sospiri et Riccardo Rosset pour franchir la barre des 107%.

Venir jusqu'en Australie pour ne pas se qualifier, c'était moche. Mais surtout, le sponsor de l'écurie, Mastercard, décida de jeter l'éponge avec effet immédiat. Une décision curieuse compte tenu des ambitions affichées par l'écurie lors de sa présentation: décrocher le championnat du monde en quatre ans, soit la durée du contrat liant Lola à Mastercard – on se souvient que l'écurie Pacific, en 1994, affichait un plan similaire.

C'était la fin de l'écurie avant même d'avoir réellement commencé.

GRILLE DE DÉPART

Heinz-H. FRENTZEN 1'31"123	-1-	Jacques VILLENEUVE 1'29"369
David COULTHARD 1'31"531	-2-	M. SCHUMACHER 1'31"472
Mika HAKKINEN 1'31"971	-3-	Eddie IRVINE 1'31"881
Jean ALESI 1'32"593	-4-	Johnny HERBERT 1'32"287
Gerhard BERGER 1'32"870	-5-	Olivier PANIS 1'32"842
R. SCHUMACHER 1'33"130	-6-	R. BARRICHELLO 1'33"075
G. FISICHELLA 1'33"552	-7-	Nicola LARINI 1'33"327
Shinji NAKANO 1'33"989	-8-	Ukyo KATAYAMA 1'33"798
Mika SALO 1'34"229	-9-	Jarno TRULLI 1'34"120
Damon HILL 1'34"806	-10-	Jan MAGNUSSEN 1'34"623
Pedro DINIZ 1'35"972	-11-	Jos VERSTAPPEN 1'34"943

Coulthard met un terme aux douleurs de Ron Dennis

Victoire-surprise de David Coulthard lors de ce premier Grand Prix de la saison. L'Ecossais a su profiter des circonstances et d'une bonne stratégie.

«*La couleur argent ne doit pas être galvaudée. Si nos voitures en sont désormais parées, elles doivent gagner!*» Norbert Haug, le directeur de la compétition de Mercedes, ne croyait pas si bien dire en présentant la nouvelle livrée des McLaren en février.

Les fameuses flèches d'argent se sont retirées de la Formule 1 en 1955, sur une victoire au Grand Prix d'Italie. 42 ans plus tard, la couleur fétiche de la marque allemande réapparaît sur les circuits, et la victoire avec! Un hasard que Norbert Haug, sous le coup de l'émotion, interprétait comme un présage des cieux. «*C'est incroyable, c'est sensationnel*», bafouillait-il, assailli par une meute de journalistes. «*Tout a fonctionné à la perfection aujourd'hui. Personne n'a commis la moindre erreur.*»

«Et maintenant, prenez ça!» David Coulthard, sur le podium de Melbourne, s'est gavé de champagne jusqu'à plus soif.

La course de David Coulthard, le héros du jour, se montra en effet exemplaire. Jacques Villeneuve éliminé (lire en page ci-contre), l'Ecossais partit en fanfare et il bouclait le premier tour à la deuxième place, derrière Heinz-Harald Frentzen. «*C'est vrai, j'ai pris un bon départ*, confirmait-il. *Ensuite, la confiance est venue petit à petit. Avec l'équipe, par radio, on a fini par se dire qu'on allait peut-être réussir quelque chose aujourd'hui...*»

En optant pour un ravitaillement unique, les McLaren ont effectué le bon choix. Car c'est au moment où Heinz-Harald Frentzen s'est arrêté pour la deuxième reprise que David Coulthard eut course gagnée. «*Nous avons eu de la chance que les Williams n'aient pas adopté la même tactique que nous*, poursuivait l'Ecossais. *Sinon, pour être franc, Heinz-Harald aurait terminé premier.*»

Ambiance bon enfant dans les rues de Melbourne. La capitale de l'Etat du Victoria semblait moins enflammée pour le Grand Prix qu'en 1996.

Une fois en tête, le pilote McLaren n'eut plus qu'à gérer son avance sur Michael Schumacher, deuxième. «*Je ne pensais pas que cela puisse m'arriver, mais en vue de l'arrivée, je me suis mis à pleurer d'émotion*, ajoutait David Coulthard. *On a souffert d'une telle pression dans l'écurie que ce résultat est fantastique.*»

Hakkinen en veut plus

Sur la troisième marche du podium, Mika Hakkinen complétait le succès de l'écurie anglo-allemande. «*Bien sûr, j'aurais préféré être à la place de David*, rigolait le Finlandais. *Mais je suis tout de même très heureux. Ce résultat est extraordinaire pour l'équipe. Vous allez voir, on va se battre toute l'année de cette manière. McLaren et Mercedes vont vous surprendre...*»

McLaren attendait cette victoire depuis le Grand Prix d'Australie 1993, remporté par Ayrton Senna. Mais pour Mercedes, c'était le premier succès de l'ère moderne. «*Je crois que la fête va être exceptionnelle ce soir*», remarquait Mario Ilien, l'ingénieur suisse qui a conçu le moteur Mercedes. Un verre de champagne à la main, le sourire jusqu'aux oreilles, Ilien célébrait lui aussi sa première victoire en F1.

Mais le plus heureux était sans doute Ron Dennis. Le Britannique affirme souvent qu'il ressent de véritables douleurs à l'estomac lorsque son écurie ne gagne pas. A Melbourne, David Coulthard les a enfin calmées...

Accident de parcours?

Quel somptueuse épreuve que ce premier Grand Prix de la saison. Au regard des duels entre McLaren, Ferrari et Williams qui s'y sont joués, on était en droit d'anticiper une saison 1997 exceptionnelle.

Ces dernières années, la Formule 1 avait trop souvent souffert de la domination d'une seule écurie. A Melbourne, il a semblé que les cartes étaient enfin mieux distribuées. Jacques Villeneuve s'y posait bien en favori, mais il n'est pas certain qu'il se serait imposé, même s'il avait survécu au premier virage. Son coéquipier Heinz-Harald Frentzen a en effet démontré les limites de la stratégie à deux ravitaillements de Williams, et les problèmes de freins de l'écurie. Problèmes qu'avait déjà rencontré Villeneuve au cours des essais.

A la seule lumière de ce Grand Prix d'Australie, on pouvait croire que la saison s'annonçait disputée. Un jugement que certains experts préféraient pourtant tempérer: «*Il vaut mieux ne pas tirer de conclusions trop hâtives de cette première manche*, analysait Bernard Dudot, l'ingénieur en chef de Renault. *Il faut garder à l'esprit que le circuit de Melbourne est très particulier, et ne représente pas forcément les forces en présence sur des pistes plus classiques.*»

Pour le Français, la course de Melbourne ne fut qu'un miroir aux alouettes masquant la supériorité des Williams-Renault. Un simple accident dans le parcours de l'équipe. La suite de la saison montra qu'il avait tort. La FW19 était bien la meilleure voiture, mais les erreurs de l'écurie compensèrent ses qualités.

Le sort s'acharne contre les Williams

Au cours des essais, tout s'était déroulé comme à la parade. Jacques Villeneuve s'était emparé de la pole-position, et Heinz-Harald Frentzen s'était qualifié à ses côtés. La course s'annonçait sous les meilleurs auspices pour l'écurie Williams-Renault.

Au moment du départ, pourtant, Jacques Villeneuve fit patiner ses roues et manqua son envol. Doublé par Frentzen, il se retrouva coincé au premier virage entre la Ferrari d'Eddie Irvine et la Sauber de Johnny Herbert. C'était l'accrochage et l'abandon.

De retour à son stand, le Canadien laissa éclater sa colère: «*Irvine est arrivé sur moi comme un fou*, expliqua-t-il. *Il a bloqué ses roues et on s'est touché. Il n'avait aucune chance de réussir sa manœuvre. Je ne comprends pas qu'on essaie un truc comme ça.*» Jacques Villeneuve est alors allé s'expliquer avec Eddie Irvine, qui s'est contenté de hausser les épaules. «*J'étais à l'intérieur et Villeneuve à l'extérieur*, expliqua-t-il plus tard. *J'étais nettement devant, et c'était donc «mon» virage. Jacques devrait savoir qu'il est impossible de doubler par l'extérieur.*»

Une panne extrêmement rare

Heinz-Harald Frentzen aurait pu sauver l'honneur de l'écurie Williams. En début de course, il occupa une solide première place. «*C'était la première fois que j'étais en tête d'un Grand Prix*, raconta-t-il. *Je me disais que mes parents devaient me regarder à la télévision, et que je ne devais pas commettre d'erreur! L'équilibre était bon, mais j'avais un gros problème de freins. Je savais qu'on était limite à leur sujet. J'ai essayé de les épargner au maximum, en ralentissant le rythme par intervalle. Mais j'étais parti pour deux ravitaillements, et quand j'ai réalisé que Coulthard et Schumacher ne s'arrêteraient qu'une fois, j'ai dû accélérer.*»

Lors de son second ravitaillement, la roue arrière droite de sa Williams se montra récalcitrante. Et les huit secondes perdues suffirent à reléguer «HH» à la troisième place: «*A partir de là, pour gagner, je devais me donner à fond*, poursuivait-il. *J'ai essayé, mais le disque de frein avant gauche s'est cassé d'un coup. Je n'ai rien pu faire.*»

La rupture d'un disque de frein reste un problème extrêmement rare – il ne s'est produit qu'une fois la saison dernière. D'après Carbone Industrie, la responsabilité de l'incident incombe à l'équipe Williams: «*Aujourd'hui, les ingénieurs ne réfléchissent plus aux freins*, remarque Jean-Luc Etcheverry, l'un des techniciens de la marque française. *Melbourne est le circuit le plus dur sur les freins avec Montréal. Les écuries devaient absolument monter nos disques les plus gros, de 30 millimètres de diamètre. Mais chez Williams, leurs étriers ne pouvaient recevoir que des 28 mm! Pas étonnant que l'un des deux ait cassé.*»

Heinz-Harald Frentzen abandonnait à moins de trois tours du drapeau à damier. La belle mécanique de l'écurie Williams s'était enrayée.

△ «*Go, David, go*». La foule massée au pied du podium se moquait totalement du nom du vainqueur. Pour elle, le Grand Prix était une fête, et elle entendait bien en profiter.

«*Mon cher Jacques, j'ai bien peur qu'Eddie Irvine ne facilite pas ta tâche au championnat*». Johnny Herbert et Jacques Villeneuve, les deux victimes de l'Irlandais, rentrent aux stands à pied. Une belle occasion de podium ratée pour tous deux.
▽

Michael Schumacher déjà là

Jean Todt, le directeur sportif de Ferrari, pouvait afficher son sourire des grands jours: avec la deuxième place de Melbourne, Michael Schumacher a prouvé qu'il faudrait compter avec la Scuderia cette année. «*Je n'aurais pas pu espérer mieux*, avouait le pilote allemand. *Ces six points sont parfaits pour entamer la saison.*»

Michael Schumacher s'est retrouvé derrière la McLaren de David Coulthard dès le premier tour. Sans jamais parvenir à la passer. «*Je pense que j'étais plus rapide que David*, relevait-il. *Parce qu'à chaque fois que je perdais quelques* mètres, *je les reprenais très facilement. Mais sur ce circuit, il est vraiment impossible de doubler.*»

Le pilote Ferrari roulait en deuxième place lorsqu'il fut rappelé à son stand pour un second ravitaillement, non programmé: un problème technique avait empêché de faire le plein la première fois. «*Quand le stand m'a demandé de rentrer par la radio de bord, je n'y croyais pas. Je leur ai demandé à qui ils parlaient! Sur le moment, je me suis dit que j'allais perdre ma deuxième place, mais finalement cet arrêt supplémentaire n'a rien changé.*»

▽ *C'est parti pour une saison. Mais certains n'iront pas loin: la course de Jacques Villeneuve se termine dans la Sauber de Johnny Herbert. Devant, Heinz-Harald Frentzen prend le large devant le futur vainqueur.*

DANS LES POINTS

1.	David COULTHARD	West McLaren Mercedes	1 h 30'28''718
2.	M. SCHUMACHER	Scuderia Ferrari Marlboro	à 20''046
3.	Mika HAKKINEN	West McLaren Mercedes	à 22''177
4.	Gerhard BERGER	Mild Seven Benetton Renault	à 22''841
5.	Olivier PANIS	Prost Gauloises Blondes	à 1'00''308
6.	Nicola LARINI	Red Bull Sauber Petronas	à 1'36''040

Meilleur tour : H.-H. FRENTZEN, tour 36, 1'30''585, moy. 210,710 km/h

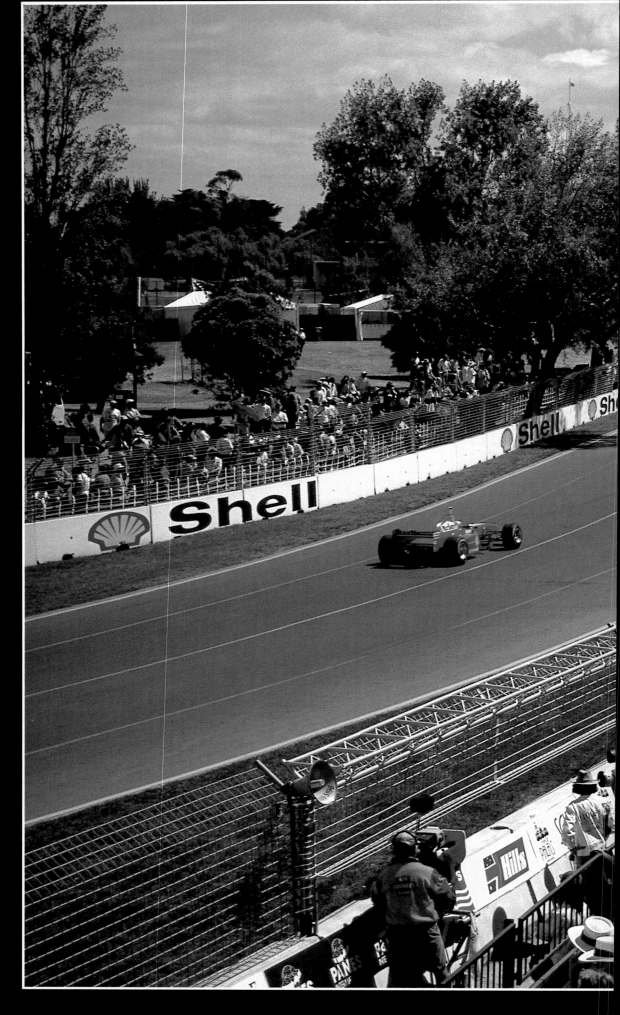

«Bon appétit, Mesdames et Messieurs. Nous sommes désolés
du bruit désagréable qu'émettent ces véhicules.»
Tout ce que Melbourne comptait de haute société s'était
déplacé sur le circuit de l'Albert Park pour assister au Grand
Prix. Mais dans des conditions confortables s'il vous plaît.
Une petite ambiance coloniale que l'on ne retrouvait nulle
part ailleurs…

QANTAS AUSTRALIAN GRAND PRIX — LES 17 GRANDS PRIX

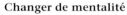

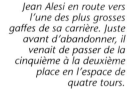

Les douze travaux d'Alain Prost ont commencé

Pas facile de diriger une écurie de Formule 1. A Melbourne, Alain Prost, quadruple champion du monde et tout frais propriétaire d'écurie (depuis le 14 février précédent) commençait à se rendre compte de l'ampleur de sa tâche. Il n'affichait pas vraiment le sourire des grands jours, Alain Prost. Ses premières journées de course en tant que propriétaire d'écurie, le Français les a passées à courir du garage au mur des stands, et de la salle de réunion aux ordinateurs de l'écurie. Le tout en répondant aux mille sollicitations provenant de ses mécaniciens, de ses partenaires ou de ceux qui souhaitaient le devenir. «*Diriger une équipe représente un travail terriblement fatiguant*, admettait-il. *On ne s'en doute pas de l'extérieur, mais il implique une pression incroyable. J'ai eu un pincement au cœur, vendredi, en voyant la voiture prendre la piste pour la première fois. Et j'en ai surtout eu un autre en la voyant sortir de route quelques instants plus tard!*»

Changer de mentalité

Le Français affirmait que son but, pour le moment, se limitait à changer la mentalité de l'écurie: «*J'ai encore énormément à apprendre*, avouait-il, *mais avant tout je veux faire de Prost Grand Prix une équipe qui gagne. La victoire, c'est une attitude qui s'apprend. Transformer la mentalité de l'écurie est un processus long et difficile, qui ne progresse que par étapes. Une mentalité qui gagne, c'est se demander chaque jour comment améliorer sa situation. Ce ne sont peut-être là que des mots, mais ils sont très importants.*»
Sollicité de partout, son téléphone portable ne cessant de sonner, Alain Prost n'a pas encore eu le temps d'organiser son avenir. «*Je suis épuisé, mais pour l'instant, je ne tiens pas trop à déléguer. Je veux rester au centre de toutes les décisions. Le plus difficile, c'est de penser à la fois au court et au long terme. Je dois faire tourner l'écurie au jour le jour, mais aussi planifier son futur.*» C'est à dire, entre autres, engager un directeur technique. Comment ne pas songer à John Barnard, l'ancien ingénieur de Ferrari? «*C'est vrai, je parle avec lui*, confirmait Alain Prost. *Mais avec d'autres également. Je serai sûrement en mesure d'en dire plus d'ici quelques semaines.*»

Deux points qui soulagent

Samedi, la Prost-Mugen Honda d'Olivier Panis s'est qualifiée sur la neuvième place de la grille de départ. Pas mal pour un début. Mais le dimanche, ce fut l'apothéose. Le matin, Olivier signait le quatrième temps du warm-up – disputé par temps frais, donc plus favorable aux pneus Bridgestone –, avant de finir cinquième l'après-midi.

Derrière quatre monoplaces chaussées de Goodyear, c'était lui qui terminait premier des pilotes Bridgestone. Ce qui n'aurait pas pu faire davantage plaisir à son nouveau patron: «*Sincèrement, quelques points pour Olivier, avec Shinji* (Nakano) *pas trop loin, c'est exactement ce que j'espérais*, s'exclamait Alain Prost après la course. *Compte tenu des circonstances, c'était mon scénario idéal. La pression sur l'équipe a été terrible ce week-end, les mécaniciens voulaient à tout prix me prouver leur valeur. Ils voulaient montrer que les essais d'hiver n'avaient pas été du bluff, et ces deux points vont nous donner un peu d'oxygène. Ils vont aussi souder nos rapports avec Honda et Bridgestone. On n'aurait pas pu espérer mieux.*»
Un résultat obtenu grâce à la tactique prudente adoptée pour cette course: «*Je ne voulais prendre aucun risque*, ajoutait Alain Prost. *On était un peu juste sur les pneus, et j'ai préféré assurer en optant pour deux ravitaillements. Mais suivre la course depuis le stand a été franchement éprouvant. Je n'ai jamais été aussi tendu au cours de ma carrière de pilote.*» Mais un résultat qui ne signifiait pas que le quadruple champion du monde allait réduire son rythme de travail: «*Au contraire, je vais l'accélérer. Je dois mettre les bouchées double, parce que nous sommes en mars, et que la nouvelle voiture doit être bientôt mise en chantier. Mais surtout, il ne faut pas que ces deux points modifient ma stratégie. On ne doit pas se laisser emporter par un résultat ponctuel, il faut toujours garder la vision d'ensemble.*»
Alain Prost, décidément, restait «le Professeur», qu'il soit assis derrière le volant ou derrière le bureau du patron.

Alesi en panne sèche

La course vient de se terminer. Au-dehors, on devine les flonflons célébrant la victoire de David Coulthard. Mais à l'intérieur du stand Benetton, on entendrait les mouches voler. Jean Alesi et Flavio Briatore, l'un face à l'autre, fixent la moquette sans piper mot.
Pour l'un comme pour l'autre, la pilule est amère à avaler. Au 35e tour, alors qu'il roulait en deuxième place, l'Avignonnais est tombé en panne sèche. Il n'avait tout simplement pas vu les panneaux que lui présentait son équipe et qui lui demandaient de s'arrêter.
Lors de son dernier passage, Nick Wirth, l'ingénieur en chef de Benetton, s'est même levé sur le mur des stands pour alerter son pilote. Sans résultat. «*Je vais encore passer pour un imbécile*, se lamentait Jean Alesi après la course. *Je ne suis pourtant pas un «bleu». J'étais en pleine bagarre, hyper-concentré, et je n'ai rien vu. Normalement, on m'avertit des ravitaillements par radio, mais la mienne était en panne depuis le début de la course!*» Le Français n'expliquait pas comment il avait pu ignorer les indications de son tableau de bord, ni comment il avait pu oublier le plein d'essence en se voyant gagner les places de ses adversaires qui s'arrêtaient les uns après les autres.
Flavio Briatore préférait ne pas s'étendre sur l'incident: «*De toute façon, on a perdu deux jours à trouver nos réglages. C'est un week-end à oublier*», lâchait-il en serrant les dents. La quatrième place de Gerhard Berger ne suffisait visiblement pas à le consoler.

Alain Prost avec Hirotoshi Honda et Bruno Michel, le directeur d'exploitation de l'écurie. Une association qui n'allait pas tarder à signer quelques belles étincelles, dont la cinquième place de ce Grand Prix d'Australie.

Jean Alesi en route vers l'une des plus grosses gaffes de sa carrière. Juste avant d'abandonner, il venait de passer de la cinquième à la deuxième place en l'espace de quatre tours.

«A pied, je ne risque au moins pas la collision avec Irvine.» Jacques Villeneuve, le mercredi précédant la course, effectue une petite reconnaissance du circuit.

TOUS LES ESSAIS

No	Pilote	Châssis/Moteur/Modèle	Libres vendredi	Libres samedi	Qualifs	Warm-up
1.	Damon Hill	Arrows/Yamaha/A18/3 (B)	1'35''073	1'34''640	1'34''806	1'33''394
2.	Pedro Diniz	Arrows/Yamaha/A18/2 (B)	1'38''092	1'33''693	1'35''972	1'33''735
3.	Jacques Villeneuve	Williams/Renault/FW18/1 (G)	1'33''371	1'28''594	1'29''369	1'31''235
4.	Heinz-Harald Frentzen	Williams/Renault/FW18/2 (G)	1'32''910	1'30''026	1'31''123	1'31''353
5.	Michael Schumacher	Ferrari/Ferrari/F310B/174 (G)	1'32''496	1'30''682	1'31''472	1'32''586
6.	Eddie Irvine	Ferrari/Ferrari/F310B/173 (G)	1'34''157	1'30''651	1'31''881	1'32''908
7.	Jean Alesi	Benetton/Renault/B197/5 (G)	1'33''255	1'31''635	1'32''593	1'34''113
8.	Gerhard Berger	Benetton/Renault/B197/4 (G)	1'33''271	1'31''389	1'32''870	1'32''939
9.	Mika Hakkinen	McLaren/Mercedes/MP4/12/2 (G)	1'34''742	1'30''674	1'31''971	1'32''537
10.	David Coulthard	McLaren/Mercedes/MP4/12/3 (G)	1'34''432	1'30''305	1'31''531	1'32''091
11.	Ralf Schumacher	Jordan/Peugeot/197/3 (G)	1'33''437	1'31''071	1'33''130	1'32''704
12.	Giancarlo Fisichella	Jordan/Peugeot/197/2 (G)	1'34''777	1'32''027	1'33''552	1'32''394
14.	Olivier Panis	Prost/Mugen Honda/JS45/3 (B)	1'34''927	1'31''303	1'32''842	1'31''674
15.	Shinji Nakano	Prost/Mugen Honda/JS45/2 (B)	1'39''652	1'31''415	1'33''989	1'33''897
16.	Johnny Herbert	Sauber/Petronas/C16/3 (G)	1'34''593	1'31''797	1'32''287	1'31''512
17.	Nicola Larini	Sauber/Petronas/C16/2 (G)	1'36''223	1'31''281	1'33''327	1'33''109
18.	Jos Verstappen	Tyrrell/Ford/025/2 (G)	1'36''716	1'33''679	1'34''943	1'33''832
19.	Mika Salo	Tyrrell/Ford/025/3 (G)	1'36''142	1'33''194	1'34''229	1'33''339
20.	Ukyo Katayama	Minardi/Hart/M197/3 (B)	1'40''947	1'32''264	1'33''798	1'34''902
21.	Jarno Trulli	Minardi/Hart/M197/2 (B)	1'36''392	1'33''588	1'34''120	1'40''623
22.	Rubens Barrichello	Stewart/Ford/SF1/2 (B)	1'40''002	1'32''826	1'33''075	1'32''989
23.	Jan Magnussen	Stewart/Ford/SF1/3 (B)	1'37''023	1'33''767	1'34''623	1'34''162
24.	Vincenzo Sospiri	Lola/Ford/T95/30/3 (B)	1'42''590	1'44''286	1'40''972	non qualifié
25.	Ricardo Rosset	Lola/Ford/T95/30/2 (B)	1'41''166	1'41''416	1'42''086	non qualifié

CLASSEMENT & ABANDONS

Pos	Pilote	Equipe	Temps
1.	Coulthard	McLaren Mercedes	en 1h30'28''718
2.	Schumacher	Ferrari	à 20''046
3.	Hakkinen	McLaren Mercedes	à 22''177
4.	Berger	Benetton Renault	à 22''841
5.	Panis	Prost Mugen Honda	à 1'00''308
6.	Larini	Sauber Petronas	à 1'36''040
7.	Nakano	Prost Mugen Honda	à 2 tours
8.	Frentzen	Williams Renault	rupture frein
9.	Trulli	Minardi Hart	à 3 tours
10.	Diniz	Arrows Yamaha	à 4 tours

Tour	Pilote	Equipe	Motif d'abandon
1	Hill	Arrows Yamaha	accélérateur
1	Herbert	Sauber Petronas	accrochage
1	Villeneuve	Williams Renault	accrochage
1	Irvine	Ferrari	crevaison
2	Schumacher	Jordan Peugeot	boîte de vitesses
3	Vestappen	Tyrrell Ford	sortie de route
13	Fisichella	Jordan Peugeot	sortie de route
31	Katayama	Minardi Hart	alim. essence
33	Alesi	Benetton Renault	panne d'essence
35	Magnussen	Stewart Ford	voit. instable
41	Salo	Tyrrell Ford	moteur
48	Barrichello	Stewart Ford	pression d'huile

MEILLEURS TOURS

Pilote	Temps	Tour
1. Frentzen	1'30''585	36
2. M. Schum.	1'31''067	54
3. Coulthard	1'31''412	29
4. Hakkinen	1'31''509	33
5. Berger	1'31''624	54
6. Panis	1'31''762	40
7. Alesi	1'31''976	33
8. Larini	1'32''784	27
9. Barrichello	1'33''386	24
10. Fisichella	1'34''147	14
11. Nakano	1'34''171	52
12. Salo	1'34''194	22
13. Diniz	1'34''465	23
14. Katayama	1'34''918	14
15. Magnussen	1'35''257	26
16. Trulli	1'35''959	21
17. Verstappen	1'37''038	2
18. R. Schum.	1'48''323	1

TOUR PAR TOUR

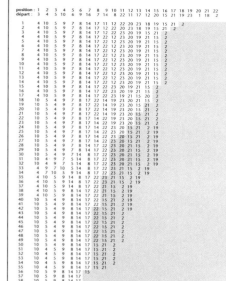

BRIDGESTONE

Meilleur classement obtenu par un pilote équipé de pneus Bridgestone:

Olivier Panis, Prost Mugen Honda, 5e

CHAMPIONNATS

(après une manche)

Conducteurs :
1. David COULTHARD 10
2. M. SCHUMACHER 6
3. Mika HAKKINEN 4
4. Gerhard BERGER 3
5. Olivier PANIS 2
6. Nicola LARINI 1

Constructeurs :
1. McLaren / Mercedes 14
2. Ferrari 6
3. Benetton / Renault 3
4. Prost / Mugen Honda 2
5. Sauber / Petronas 1

PREMIÈRE MANCHE

QANTAS AUSTRALIAN GRAND PRIX, MELBOURNE

Date : 9 mars 1997
Longueur : 5302 mètres
Distance : 58 tours, soit 307.516 km
Météo : beau, 24 degrés

Tous les résultats
© 1997 Fédération Internationale de l'Automobile, 8, Place de la Concorde, Paris 75008, France

LE FILM DE LA COURSE

- Damon Hill abandonne pendant le tour de formation.
- Au départ, Heinz-Harald Frentzen prend la tête tandis qu'Eddie Irvine pousse Jacques Villeneuve et Johnny Herbert dans l'herbe.
- En début de course, Frentzen s'échappe devant Coulthard, Michael Schumacher, Hakkinen et les deux Benetton.
- Frentzen ravitaille au 18e tour déjà, laissant Coulthard prendre la tête jusqu'au 33e tour, au ravitaillement de la McLaren.
- Au 35e tour, Alesi, alors deuxième derrière Frentzen, tombe en panne d'essence.
- Au 40e tour, Coulthard s'empare de la première place lorsque Frentzen ravitaille pour la seconde fois.
- Frentzen abandonne à trois tours de l'arrivée. Coulthard l'emporte devant Michael Schumacher et Hakkinen.

LES ECHOS DU WEEK-END

• Dix millions de perdus

Le syndicat des transports publics de Melbourne a voté une grève totale pour le week-end du Grand Prix, du vendredi soir minuit au dimanche soir minuit. Pour les organisateurs, cela signifiait que les spectateurs ne pourraient pas utiliser le système de tramways gratuits qu'ils avaient mis en place, et qui avait transporté une foule record de 490 000 personnes en 1996. Le jeudi, ils comptèrent déjà un tiers de spectateurs en moins que l'année précédente. Chaque jour, ils perdirent 20 000 personnes, tandis que le dimanche s'avéra une catastrophe – des tribunes entières n'étant occupées que par cinq ou six personnes. Il paraissait évident que les organisateurs boucleraient leurs comptes avec un déficit, estimé à dix millions de dollars australiens – environ 50 millions de francs. Une perte qui dut être épongée par le gouvernement de l'Etat du Victoria.

• Le désaccord de la Concorde continue

Les accords de la Concorde faisaient toujours parler d'eux. Le samedi, Ron Dennis, le patron de McLaren, a expliqué que son écurie, associée à Frank Williams et Ken Tyrrell – les deux autres dissidents –, portait l'affaire devant les tribunaux civils. En ajoutant que «l'ensemble de la Formule 1 allait y perdre des plumes.» Il a précisé qu'il était prêt à dévoiler publiquement les tenants de la discorde, qui tourne autour des 13 millions de dollars annuels que les écuries reçoivent en retour des droits télévisés. Il semble qu'au moment où la FIA a demandé aux écuries de signer les accords en question, les termes financiers du contrat n'étaient pas clairs. Huit jours après, alors que le délai ultime était déjà passé, les équipes signataires se sont vues proposer des conditions très avantageuses. Pour Williams, Tyrrell et McLaren, il était trop tard. «En général, vousne signez pas une hypothèque sans en connaître le taux. C'est ce qu'on nous demandait de faire. Et maintenant que tout est clair, nous ne pouvons pas réintégrer les accords. C'est ridicule», se plaignait Frank Williams. Deux semaines avant le Grand Prix d'Australie, les écuries signataires refusaient à l'unanimité de réintégrer les dissidents. Ils n'acceptaient évidemment pas de diviser en dix parts ce qu'ils divisaient alors en sept.

• Williams fait le plein d'énergie

L'écurie Williams a annoncé un nouveau partenariat avec la boisson énergétique Hype. Elle aurait eu du mal à le cacher d'ailleurs, les logos fluo orange et jaune de Hype, disposés sur les flancs des FW19 se voyant de l'autre bout du circuit.

«Ouh, ça chatouille...» Bernie Ecclestone ne se laisse pas embrasser sur le front par n'importe qui, mais quand il s'agit de «The Body» en personne, pourquoi pas... L'Australienne Elle McPherson était l'une des nombreuses personnalités à se promener dans le paddock de Melbourne, également visité par le Prince Albert de Monaco.

A qui gagne perd

Pour les McLaren, les Grands Prix se suivent et ne se ressemblent pas. Après la victoire de Melbourne, l'écurie s'est montrée pratiquement inexistante au Brésil, David Coulthard ne se qualifiant que 10e et Mika Hakkinen 17e (photo).

Jacques Villeneuve, lui, n'a pas raté son second rendez-vous de la saison. Avec la pole-position, la victoire, et le meilleur tour en course, le Québécois n'a jamais été inquiété malgré une monoplace loin de la perfection. Cette épreuve brésilienne fut également une fête pour Olivier Panis, qui la termine troisième. Son premier podium depuis Monaco 1996.

Mises à part les McLaren, Interlagos démontra que de nombreuses copies étaient à revoir. Heinz-Harald Frentzen, à la dérive, termina neuvième. Chez Ferrari, Michael Schumacher ne fut jamais dans le coup, et ne marqua que les deux points de la cinquième place.

GRANDE PRÊMIO DO BRASIL
INTERLAGOS

Panis pour 8.5 centimètres

Cette séance qualificative fut l'une des plus serrées de l'histoire de la F1, puisque huit pilotes ont terminé dans la même seconde – les cinq premiers au volant de cinq monoplaces différentes. En tout, trois secondes à peine séparaient la Williams de Jacques Villeneuve de la Tyrrell de Mika Salo, dernier qualifié.

Les chronos se sont même avérés très serrés dans certains cas. Ainsi, à la cinquième place de la grille, Olivier Panis ne comptait qu'un millième de seconde d'avance sur Jean Alesi. A la vitesse où les monoplaces franchissent la ligne d'arrivée, environ 305 km/h, un tel écart représentait une longueur de... 8.5 centimètres! Premier des pilotes chaussés de pneus Bridgestone, la performance d'Olivier Panis n'en restait pas moins exceptionnelle. «Je n'ai jamais vu ça», s'exclamait Gerhard Berger à la fin des essais, en commentant le resserrement de la grille. «C'est excellent pour le spectacle, même si je préférerais que les Benetton roulent une seconde devant tout le monde!» Pour l'instant, c'était encore loin d'être le cas, puisque l'Autrichien s'est qualifié à la troisième place.

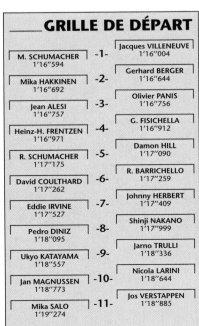

Schumacher et Berger surpris d'être là

Villeneuve – Schumacher – Berger : le tiercé des qualifications, à São Paulo, était inattendu comparé à celui de Melbourne.

Jacques Villeneuve avait d'ailleurs été le seul à creuser un véritable écart sur son suivant immédiat dans cette grille extraordinairement serrée. «Il faut dire qu'il est assez difficile de faire la différence sur ce genre de circuit, soulignait-il. Il est difficile d'y trouver de bons réglages et de faire un bon tour comme c'est le cas en Australie. Je n'affectionne pas particulièrement cette piste, et ma voiture n'est pas parfaite. Je suis donc heureux de me retrouver en pole.»

Une fuite d'eau sur sa voiture avait obligé le Canadien à terminer la séance sur le mulet, réglé pour Frentzen. A son volant, Villeneuve signa un chrono plus rapide que l'Allemand, ce qui lui valait d'afficher un grand sourire.

Michael Schumacher, deuxième, ne s'attendait pas à se voir si bien placé. «L'écart me surprend, parce que je pensais qu'on serait plus loin. On a fait quelques progrès depuis l'Australie, et ça se voit.

Bon, on a encore de gros problèmes sur les bosses.»
Sur son coéquipier, qui se voyait relégué en 14e place, Michael Schumacher n'avait rien à dire: «Je ne sais pas ce qui lui est arrivé, mais je connais au moins quelqu'un qui sera content», ajoutait-il en jettant un regard appuyé à Jacques Villeneuve, assis à ses côtés. Une allusion à l'accrochage du départ de Melbourne.

Gerhard Berger était troisième sur sa Benetton. «Au moins nous sommes de retour à une situation plus normale qu'en Australie, se réjouissait l'Autrichien. C'est la position que nous pensions pouvoir occuper au vu des essais de l'intersaison. A Melbourne, nous étions incapable de faire monter les pneus en température. Le problème, c'est que nous avons beaucoup d'ingénieurs, et que chacun a une solution différente en tête.»

Gerhard Berger avouait tout de même que la situation n'était pas parfaitement limpide. «Les écarts sont si serrés dans les dix premiers qu'on peut très facilement se retrouver deuxième ou dixième avec un chrono pratiquement identique.»

GRILLE DE DÉPART

M. SCHUMACHER 1'16"594	-1-	Jacques VILLENEUVE 1'16"004
Mika HAKKINEN 1'16"692	-2-	Gerhard BERGER 1'16"644
Jean ALESI 1'16"757	-3-	Olivier PANIS 1'16"756
Heinz-H. FRENTZEN 1'16"971	-4-	G. FISICHELLA 1'16"912
R. SCHUMACHER 1'17"175	-5-	Damon HILL 1'17"090
David COULTHARD 1'17"262	-6-	R. BARRICHELLO 1'17"259
Eddie IRVINE 1'17"527	-7-	Johnny HERBERT 1'17"409
Pedro DINIZ 1'18"095	-8-	Shinji NAKANO 1'17"999
Ukyo KATAYAMA 1'18"557	-9-	Jarno TRULLI 1'18"336
Jan MAGNUSSEN 1'18"773	-10-	Nicola LARINI 1'18"644
Mika SALO 1'19"274	-11-	Jos VERSTAPPEN 1'18"885

Malgré ses problèmes, Jacques Villeneuve fait carton plein à Interlagos

Les dimanches se suivent mais ne se ressemblent pas pour Jacques Villeneuve. Après avoir dû abandonner au premier virage du Grand Prix d'Australie, trois semaines plus tôt, le Canadien a largement dominé l'épreuve brésilienne. Sa Williams-Renault ne fut jamais vraiment inquiétée, même si Gerhard Berger s'en rapprochait nettement sur la fin de course. «Vous savez que j'étais inquiet avant le départ? Je n'avais jamais gagné de Grand Prix en partant de la pole-position», plaisantait-il en descendant du podium. Jacques Villeneuve, évidemment, était heureux. Il venait de réussir la pole-position, la victoire et le meilleur tour.

Un carton plein qui ne devait toutefois pas masquer les soucis rencontrés en course par le Canadien.

Au premier départ, il s'était – une nouvelle fois– quelque peu raté, et Michael Schumacher en avait profité pour le pousser dans l'herbe du premier virage. Le scénario de Melbourne se reproduisait. «Ce que Michael a fait n'est pas très joli, commentait-il. Mais je me suis laissé avoir par sa ruse, et j'ai failli tout gâcher. Quand je me suis retrouvé dans l'herbe, je me suis traité de maudit têteux (en québécois dans le texte) dans mon casque. J'ai vraiment commis là une erreur de débutant.»

Heureusement pour lui, la course fut interrompue pour dégager la Stewart de Magnussen, qui avait calé. «Oui, ça a été de la chance. Parce que non seulement je m'étais retrouvé neuvième, mais en plus il y avait des cailloux qui s'étaient glissés sous mon siège. Ça aurait rendu la course très inconfortable si on avait continué...»

Au deuxième départ, Jacques Villeneuve laissait sagement Michael Schumacher franchir en tête la première courbe, avant de le repasser sans coup férir sur la ligne droite des stands. Dès lors, le Québécois prit le large, quoique avec une aisance plus faible qu'anticipée. «J'avais beaucoup de problèmes au début de la course. On avait choisi de partir avec des ailerons peu forcés, pour privilégier la vitesse de pointe, et ce n'était pas facile de tenir la voiture dans les virages. Ça s'est un peu arrangé par la suite.»

En fin de course, pourtant, le Québécois se voyait rattrapé par la Benetton de Gerhard Berger. «Oui, c'est à cause de mon troisième train de pneus. Il était mauvais, et la voiture glissait partout. Si Gerhard m'avait rattrapé, j'aurais eu des problèmes.»

△
Michael Schumacher surprend Jacques Villeneuve au feu vert. Grâce à sa vitesse de pointe, le Canadien passera l'Allemand avant la fin du premier tour.

Premier départ, premier virage: après la sortie dans l'herbe de Jacques Villeneuve, c'est le carnage à l'arrière.
◁

«Et voilà le travail!» Villeneuve a remporté son premier Grand Prix de la saison à São Paulo.
▽

DANS LES POINTS

1. Jacques VILLENEUVE	Rothmans Williams Renault	1 h 36'06''990	
2. Gehard BERGER	Mild Seven Benetton Renault	à 4''190	
3. Olivier PANIS	Prost Gauloises Blondes	à 15''870	
4. Mika HAKKINEN	West McLaren Mercedes	à 33''033	
5. M. SCHUMACHER	Scuderia Ferrari Marlboro	à 33''731	
6. Jean ALESI	Mild Seven Benetton Renault	à 34''020	

Meilleur tour : J. VILLENEUVE, tour 28, 1'18''397, moy. 197.089 km/h

«HH» sans excuse

La plus grosse déception du week-end d'Interlagos est à verser au passif d'Heinz-Harald Frentzen.

Aux essais, l'Allemand s'avéra incapable de tenir le rythme de son coéquipier Jacques Villeneuve. Mais en course, ses performances furent pire encore puisqu'il naviga toute l'épreuve durant aux alentours de la dixième place. Sur la fin, il fut même doublé par la Jordan de Giancarlo Fisichella!

Après la course, c'est la mine plutôt sombre qu'il expliquait ses problèmes: *J'ai totalement raté mon départ, lâcha-t-il. Et je me suis retrouvé coincé derrière les Jordan. Je ne pouvais rien faire, et en plus, à partir de la mi-course, ma boîte de vitesses ne fonctionnait plus très bien. Les rapports s'enfilaient mal, et je ne pouvais plus maintenir ma cadence.»* Typiquement le genre d'excuses qui restent généralement sur l'estomac des dirigeants de l'écurie Williams...

Les mauvaises langues, dans le paddock, commençaient déjà à affirmer que l'Allemand n'était pas à la hauteur de sa réputation. C'était aller un peu vite en besogne: nous n'en étions alors qu'au deuxième Grand Prix d'une saison qui allait en comporter dix-sept...

GRANDE PRÊMIO DO BRASIL — LES 17 GRANDS PRIX

Ralf Schumacher fend le ciel brésilien. Le jeune Allemand n'en était qu'à son deuxième Grand Prix, mais il avait déjà identifié son objectif de la saison: faire mieux que son coéquipier Giancarlo Fisichella, à tout prix. Et les mauvaises langues racontaient que Ralf ne dormait plus dès que «Fisico» était un millième plus rapide que lui.
En course, il avait profité des premiers ravitaillements pour passer le Romain, ce qui suffisait à son bonheur. Il allait pourtant abandonner au 53e tour, en panne électrique.

LES 17 GRANDS PRIX — **GRANDE PRÊMIO DO BRASIL**

Gerhard Berger pensif. Ce Grand Prix du Brésil lui fut pourtant assez favorable, puisqu'il termina deuxième, à un peu plus de 4 secondes de Villeneuve.

«Ouuuups!» Michael Schumacher corrige une superbe glissade de sa Ferrari F310B. A Interlagos, l'Allemand mena une course discrète. Parti en tête, il rétrograda petit à petit pour terminer modeste cinquième.

Le premier podium d'une association, ça se fête. Pour Alain Prost, ce résultat survient déjà lors de son deuxième Grand Prix en tant que directeur d'écurie. Une fois de plus, le Français n'a pas perdu de temps, tout comme ce fut toujours le cas dans une carrière menée à 300 km/h.

Un week-end à la Prost

Olivier Panis était sûrement le plus heureux des trois pilotes sur le podium. Frais comme une rose à sa descente du podium, il fut immédiatement questionné sur la comparaison entre ce podium et sa victoire de Monaco. Un début de conférence de presse qui le surprit plutôt: *«Je crois que Monaco, ça n'avait rien à voir avec ici,* relevait-il. *Bon, beaucoup de choses sont nouvelles dans l'équipe, et je suis très heureux de cette troisième place. Notre stratégie d'un seul arrêt était la bonne, les Bridgestone ont bien fonctionné, le moteur Mugen était encore mieux, la voiture était facile à conduire... Je suis très heureux...»*
Le 14 février, au moment d'annoncer la création de son écurie, Alain Prost n'aurait jamais cru qu'une de ses voitures terminerait sur le podium pour son deuxième Grand Prix. A Interlagos, le Français se retrouvait en tout cas sur un petit nuage au moment où son pilote sablait le champagne en compagnie de Jacques Villeneuve et de Gerhard Berger.
Par pudeur, il avait préféré rester dans l'ombre de son stand plutôt que de participer à la bousculade du podium. *«Evidemment, c'est un résultat fantastique,* lâchait-il. *A Melbourne, les deux points que nous avions marqués étaient en grande partie dus à la chance. Mais ici, nous n'avons profité d'aucune circonstance favorable. Ce podium, nous l'avons totalement mérité.»*
Fidèle à lui-même, Alain Prost parvenait même à se plaindre de la situation: *«C'est dommage qu'il y ait eu un deuxième départ, parce que comme c'était parti la première fois, nous pouvions terminer deuxième.»* Et d'ajouter sans rire que son équipe avait un peu *«loupé le coche!»*
Le podium réussi à Interlagos augurait en tout cas plutôt bien de la suite de la saison: *«Oui, je crois que nous pouvons légitimement escompter d'autres bons résultats cette saison,* concluait Alain Prost. *Nous n'allons pas gagner le prochain Grand Prix, mais je suis assez optimiste. La base est saine, il faut que nous en profitions vite.»*

Ça va mieux pour Berger, merci

Sur la seconde marche du podium, Gerhard Berger avouait avoir tout tenté pour rattraper la Williams de Jacques Villeneuve. Mais sans succès: *«Sur la fin, je faisais de mon mieux, mais il devenait difficile de passer les attardés. C'était le genre de situation bâtarde où vous voulez assurer votre deuxième place, le team en a besoin, mais aussi où vous savez que pour gagner, il faut maintenir la pression. Ma seule chance était de pousser Jacques à la faute. Bon, j'espère que la course a été au moins intéressante à suivre pour les spectateurs.»*

L'Autrichien n'avait aucun problème à relever à l'encontre de sa Benetton B197: *«Elle marchait pas mal, même si elle reste pour le moment un cran en-dessous des Williams, c'est indiscutable. Bon, on sait qu'on avait eu de bons essais d'hiver, et je pense que cette deuxième place reflète un peu plus justement ce dont nous sommes capables que le désastre que nous avons enduré à Melbourne. En course, tout allait bien, les mécanos ont fait un travail impeccable. Il n'y a qu'avec le deuxième train de pneus que j'avais quelques problèmes d'adhérence.»*

Les Ferrari et les McLaren à la dérive

Beaucoup de valeurs avaient radicalement changé sur ce circuit comparé à l'échelle établie à Melbourne: au revoir les McLaren, au revoir Frentzen, mais bonjour Panis, Hill et Villeneuve.
Vainqueur à Melbourne, David Coulthard fut totalement inexistant au Brésil. Si son coéquipier Mika Hakkinen terminait quatrième du Grand Prix, l'Ecossais devait se contenter du dixième rang, après avoir passé le plus clair de sa course derrière l'Arrows de Damon Hill. Effondré, il n'avait pas grand commentaire à apporter sur sa course: *«La voiture tournait bien, mais j'ai perdu du temps derrière Hill. Le problème, c'est le faible nombre d'abandons. Normalement, il suffit de finir pour marquer des points...»*
La contre-performance d'Interlagos n'avait en

tout cas pas l'air d'affecter Norbert Haug, le directeur de la compétition de Mercedes: *«Après deux courses, nous menons le classement des pilotes et des constructeurs. C'est encourageant»,* relevait-il. C'est ce qu'on appelle la politique de l'autruche...
Michael Schumacher, lui, avait fait illusion pendant les essais avec sa qualification en première ligne. Mais en course, il ne put tenir le rythme. L'Allemand rendait 10 km/h aux Williams au bout de la ligne droite. *«Franchement, j'espérais mieux qu'une cinquième place. Il faut voir que les deux points d'aujourd'hui pourront être utiles à l'heure du décompte final. Mais nous avons un problème de traction. En plus, comme je m'y attendais, nos pneus n'ont pas tenu la distance, même en stoppant deux fois.»*

TOUS LES ESSAIS

No	Pilote	Châssis/Moteur/Modèle	Libres vendredi	Libres samedi	Qualifs	Warm-up
1.	Damon Hill	Arrows/Yamaha/A18/3 (B)	1'18"978	1'17"490	1'17"090	1'17"973
2.	Pedro Diniz	Arrows/Yamaha/A18/2 (B)	1'19"573	1'17"795	1'18"095	1'19"664
3.	Jacques Villeneuve	Williams/Renault/FW19/4 (G)	1'17"829	1'16"030	1'16"004	1'17"421
4.	Heinz-Harald Frentzen	Williams/Renault/FW19/2 (G)	1'17"506	1'16"611	1'16"971	1'17"866
5.	Michael Schumacher	Ferrari/Ferrari/F310B/173 (G)	1'18"488	1'16"720	1'16"594	1'18"316
6.	Eddie Irvine	Ferrari/Ferrari/F310B/173 (G)	1'20"787	1'17"635	1'17"527	1'18"879
7.	Jean Alesi	Benetton/Renault/B197/5 (G)	1'18"000	1'16"588	1'16"757	1'18"034
8.	Gerhard Berger	Benetton/Renault/B197/4 (G)	1'18"437	1'16"517	1'16"644	1'18"358
9.	Mika Hakkinen	McLaren/Mercedes/MP4/12/2 (G)	1'19"271	1'16"205	1'16"692	1'17"642
10.	David Coulthard	McLaren/Mercedes/MP4/12/3 (G)	1'18"818	1'16"820	1'17"262	1'18"313
11.	Ralf Schumacher	Jordan/Peugeot/197/3 (G)	1'18"479	1'16"833	1'17"175	1'18"630
12.	Giancarlo Fisichella	Jordan/Peugeot/197/2 (G)	1'19"326	1'17"192	1'16"912	1'18"563
14.	Olivier Panis	Prost/Mugen Honda/JS45/3 (B)	1'19"408	1'18"069	1'16"756	1'17"800
15.	Shinji Nakano	Prost/Mugen Honda/JS45/2 (B)	1'20"520	1'18"283	1'17"999	1'19"406
16.	Johnny Herbert	Sauber/Petronas/C16/3 (G)	1'18"261	1'17"587	1'17"409	1'17"843
17.	Nicola Larini	Sauber/Petronas/C16/2 (G)	1'21"120	1'17"934	1'18"644	1'19"401
18.	Jos Verstappen	Tyrrell/Ford/025/2 (G)	1'20"076	1'18"473	1'18"885	1'19"690
19.	Mika Salo	Tyrrell/Ford/025/3 (G)	1'19"546	1'18"161	1'19"274	1'19"088
20.	Ukyo Katayama	Minardi/Hart/M197/3 (B)	1'19"963	1'18"316	1'18"557	1'19"218
21.	Jarno Trulli	Minardi/Hart/M197/2 (B)	1'20"521	1'18"043	1'18"336	1'19"102
22.	Rubens Barrichello	Stewart/Ford/SF1/2 (B)	1'19"613	1'17"148	1'17"259	1'18"743
23.	Jan Magnussen	Stewart/Ford/SF1/3 (B)	1'21"864	1'18"630	1'18"773	1'19"282

CLASSEMENT & ABANDONS

Pos	Pilote	Equipe	Temps
1.	Villeneuve	Williams Renault	en 1h36'06"990
2.	Berger	Benetton Renault	à 4"190
3.	Panis	Prost Mugen Honda	à 15"870
4.	Hakkinen	McLaren Mercedes	à 33"033
5.	Schumacher	Ferrari	à 33"731
6.	Alesi	Benetton Renault	à 34"020
7.	Herbert	Sauber Petronas	à 50"912
8.	Fisichella	Jordan Peugeot	à 1'00"639
9.	Frentzen	Williams Renault	à 1'15"402
10.	Coulthard	McLaren Mercedes	à 1 tour
11.	Larini	Sauber Petronas	à 1 tour
12.	Trulli	Minardi Hart	à 1 tour
13.	Salo	Tyrrell Ford	à 1 tour
14.	Nakano	Prost Mugen Honda	à 1 tour
15.	Verstappen	Tyrrell Ford	à 2 tours
16.	Irvine	Ferrari	à 2 tours
17.	Hill	Arrows Yamaha	boîte de vitesses
18.	Katayama	Minardi Hart	à 5 tours

Tour	Pilote	Equipe	Motif d'abandon
	Magnussen	Stewart Ford	n'a pas pris le 2e départ
16	Diniz	Arrows Yamaha	tête-à-queue
17	Barrichello	Stewart Ford	suspensions
53	Schumacher	Jordan Peugeot	faisceau électrique

MEILLEURS TOURS

Pilote	Temps	Tour
1. Villeneuve	1'18"397	28
2. R. Schum.	1'18"441	29
3. Berger	1'18"509	25
4. Fisichella	1'18"611	39
5. Hakkinen	1'18"649	34
6. Frentzen	1'18"707	30
7. Larini	1'18"733	45
8. Alesi	1'18"754	25
9. M. Schum.	1'18"773	44
10. Coulthard	1'18"925	35
11. Herbert	1'19"008	19
12. Panis	1'19"094	57
13. Irvine	1'19"275	41
14. Nakano	1'19"657	39
15. Hill	1'19"910	41
16. Katayama	1'19"960	42
17. Trulli	1'20"105	55
18. Verstappen	1'20"274	43
19. Salo	1'20"376	61
20. Diniz	1'20"406	10
21. Barrichello	1'20"788	14

TOUR PAR TOUR

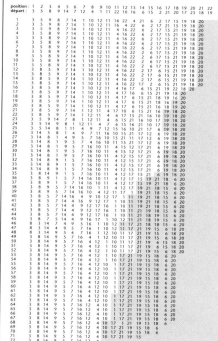

LES ECHOS DU WEEK-END

• Pénalités à la pelle

Les commissaires sportifs brésiliens se sont montrés intraitables sur bien des points. Cette année, la ligne blanche marquant l'entrée de la voie des stands avait été repeinte. De longueur généreuse, celle-ci se prolongeait jusque dans la trajectoire idéale, et le vendredi, tous les pilotes la coupèrent une fois ou l'autre. Le samedi matin, les commissaires émirent donc un communiqué pour signaler que tout pilote franchissant cette ligne, même d'un bout de pneu, se verrait pénalisé. Une équipe d'observateurs fut alors posté à l'endroit en question, et... les amendes furent distribuées. En fin de journée, samedi, les chronos concernés d'Heinz-Harald Frentzen, David Coulthard, Jan Magnussen et Pedro Diniz furent annulés. Seul Olivier Panis parvint à fournir une explication suffisante pour que les commissaires ne le pénalisent pas. Le comble, c'est que le dimanche, à 6 heures 30 du matin – histoire que personne ne s'en rende compte –, les commissaires émirent un nouveau communiqué autorisant les pilotes à empiéter sur la ligne «en raison des bosses de la piste situées juste en-deçà de la ligne blanche.» C'étaient ceux qui avaient été pénalisés qui étaient contents.

• Une écurie Villeneuve?

Il semblerait qu'un gros coup se préparait du côté de Jacques Villeneuve. Le pilote canadien semblait en effet se trouver au centre d'un projet de nouvelle écurie, qui ferait ses débuts en Formule 1 en 1999.
Ce projet s'articulait autour d'Adrian Reynard, le constructeur britannique de châssis de compétition. C'était lui qui avait construit le châssis avec lequel Jacques Villeneuve s'était imposé au championnat Indycar ainsi qu'aux 500 Milles d'Indianapolis 1995.
Ce projet de nouvelle écurie recréerait pratiquement l'équipe de l'époque Indy puisque le sponsor principal devait en être Players, la marque canadienne de cigarettes qui soutenait déjà Jacques Villeneuve pendant ses années américaines.

• Bonne affaire

L'écurie Prost continuait de remplir ses caisses: à Interlagos, elle a annoncé la signature d'un partenariat de quatre ans avec la marque de stylos et de briquets Bic, dont les autocollants jaunes ont été immédiatement disposés sur les voitures.

• TAG Heuer avec Fisichella

La marque de montres suisses TAG Heuer a annoncé à Interlagos qu'elle venait de signer un accord de partenariat portant sur cinq ans avec le jeune espoir italien Giancarlo Fisichella. TAG Heuer jouissait déjà de tels accords avec les deux pilotes McLaren, ainsi qu'avec Berger et Katayama.

CHAMPIONNATS

(après deux manches)

Conducteurs :
1. David COULTHARD 10
   Jacques VILLENEUVE 10
3. Gerhard BERGER.........................9
4. M. SCHUMACHER.......................8
5. Mika HAKKINEN.........................7
6. Olivier PANIS 6
7. Nicola LARINI 1
   Jean ALESI.................................1

Constructeurs :
1. McLaren / Mercedes 17
2. Williams / Renault....................10
   Benetton / Renault...................10
4. Ferrari......................................8
5. Prost / Mugen Honda 6
6. Sauber / Petronas 1

DEUXIÈME MANCHE
GRANDE PRÊMIO DO BRASIL, INTERLAGOS

Date : 30 mars 1997
Longueur : 4325 mètres
Distance : 72 tours, soit 309.024 km
Météo : couvert, 23 degrés

LE FILM DE LA COURSE

• Au départ, Schumacher tasse Villeneuve dans l'herbe. Derrière, Fisichella part en travers dans la première chicane et cause un carambolage général.

• La course est interrompue en raison de la Stewart de Magnussen restée en travers de la piste.

• Au deuxième départ, Schumacher prend l'avantage sur Villeneuve. Ce dernier double l'Allemand à la fin du premier tour.

• Villeneuve creuse rapidement le trou. Derrière, Schumacher résiste à Berger, mais finit par le laisser passer au 12e tour.

• Profitant des ravitaillements en tête de course, Panis monte à la deuxième place au 26e tour.

• Tous les ténors ravitaillent deux fois, tandis que Panis ne s'arrête qu'une fois. Il arrive ainsi en troisième place.

• Au 69e tour, Hill abandonne sa voiture en feu dans les stands.

• Devant, Berger remonte sur Villeneuve, mais ne parvient pas à le rattraper. L'Autrichien termine second.

Les spectateurs devaient montrer patte blanche avant d'être autorisés à entrer dans l'enceinte d'Interlagos. En raison de ce contrôle, la file d'attente atteignait ainsi plusieurs heures aux portes du circuit, le dimanche matin. Mais les Paulistes semblaient pourtant se prêter à ces mesures de bonne grâce...

Une *turista* porte-bonheur

Il était plutôt mal, Jacques Villeneuve, lors de cette fin de semaine argentine. Souffrant d'une touriste corsée, le Québécois passa davantage de temps sur les toilettes que sur le bitume de Buenos Aires.

Ce qui ne l'empêcha pas de décrocher sa seconde victoire de la saison, au volant d'une voiture elle-même agonisante, et poursuivi par Eddie Irvine. A Buenos Aires, Jacques Villeneuve a peut-être signé sa plus belle victoire de la saison.

Derrière, c'était Ralf Schumacher qui faisait le spectacle. Pour terminer sur la troisième marche du podium, le jeune Allemand avait d'abord dû se «débarrasser» de son coéquipier Giancarlo Fisichella. Ç'en était fini de l'entente cordiale entre les deux pilotes Jordan...

GRAN PREMIO MARLBORO DE ARGENTINA
BUENOS AIRES

La 100ᵉ pole des Williams

Il n'était pas très en forme, Jacques Villeneuve. Un morceau de viande de boeuf brésilienne ne lui ayant pas convenu – il avait passé quelques vacances à Salvador de Bahia entre les Grands Prix du Brésil et d'Argentine –, le Canadien est arrivé au circuit avec une «Turista» carabinée qui lui fit passer une bonne partie de la journée sur les toilettes. De menus ennuis qui ne l'ont toutefois pas empêché de se montrer le plus rapide au terme des essais du vendredi, grâce à des pneus neufs chaussés en toute fin de séance. «Pour les qualifications, ça devrait aller, observait-il. Mais pour la course, nous avons encore bien du travail à effectuer au niveau des réglages.»

Le samedi, Jacques Villeneuve signait la pole-position, mais souffrait toujours de sa grippe intestinale. «La voiture est parfaite, mais pas

moi, admettait le Québécois. Je pensais que ça irait mieux aujourd'hui, mais ça ne s'arrange pas. En qualifications, on n'effectue que quelques tours, mais je ne sais pas si je pourrai tenir la durée de la course...»

Heinz-Harald Frentzen, de son côté, se plaignait d'une forte fièvre, résultat d'un refroidissement attrapé la semaine précédante. «C'est de ma faute, confessait-il. Ça m'apprendra à dormir sans la couverture.» Une grippe qui n'a pas empêché l'Allemand de signer le deuxième chrono, rattrapant ainsi quelque peu sa contre-performance du Grand Prix du Brésil. «J'ai complètement changé ma manière de régler la voiture, et ça commence à payer», expliquait-il.

C'était la 100e pole de l'écurie Williams. Un chiffre dont Jacques Villeneuve avoua se moquer éperdument.

Troisième sur la grille

«Et alors là, bingo, je le double par l'intérieur...» Jacques Villeneuve explique sa stratégie à son ingénieur Jock Cleare.

Le circuit de Buenos Aires vu d'avion. Un tourniquet «sauce Monaco», mais sans les bâtiments.

Olivier Panis en grande forme

Il se ronge les ongles encore davantage que d'habitude, Alain Prost. Du mur des stands où il reste confiné pendant les essais, le Français suit les évolutions de ses voitures avec plus de passion que s'il les pilotait lui-même. Le samedi, il a vu sa tension monter encore d'un cran au moment où Olivier Panis a signé le troisième temps des essais du Grand Prix d'Argentine. «Oui, je crois qu'Alain est bien plus excité que

moi, rigolait le pilote grenoblois au terme des qualifications. En tant que propriétaire de l'équipe, il a beaucoup plus de pression. Il s'implique énormément, et c'est même un peu mon ingénieur: on travaille ensemble sur les réglages, et ensuite c'est à moi de concrétiser sur la piste.»

Le manufacturier de pneus Bridgestone est arrivé en Argentine avec un nouveau mélange de gommes qui semble particulièrement efficace

sur le circuit de Buenos Aires. Ce qui a permis à Olivier Panis de signer la meilleure qualification de sa carrière. «Il est vrai que Bridgestone a beaucoup travaillé ici, admettait le Français. Mais je dois dire aussi que la voiture est parfaitement équilibrée. Ce qui me donne une totale confiance et qui me permet d'attaquer sans arrière-pensée. C'est de loin la meilleure voiture que j'aie jamais pilotée.»

GRILLE DE DÉPART

Heinz-H. FRENTZEN 1'25''271	-1-	Jacques VILLENEUVE 1'24''473
M. SCHUMACHER 1'25''773	-2-	Olivier PANIS 1'25''491
R. SCHUMACHER 1'26''218	-3-	R. BARRICHELLO 1'25''942
Johnny HERBERT 1'26''564	-4-	Eddie IRVINE 1'26''327
David COULTHARD 1'26''799	-5-	G. FISICHELLA 1'26''619
Gerhard BERGER 1'27''259	-6-	Jean ALESI 1'27''076
Nicola LARINI 1'27''690	-7-	Damon HILL 1'27''281
Jos VERSTAPPEN 1'28''094	-8-	Jan MAGNUSSEN 1'28''035
Jarno TRULLI 1'28''160	-9-	Mika HAKKINEN 1'28''135
Shinji NAKANO 1'28''366	-10-	Mika SALO 1'28''224
Pedro DINIZ 1'28''969	-11-	Ukyo KATAYAMA 1'28''413

DRIVER	SECT 1		SECT 2		FINISH		LAPTIME
NAKANO	39.964	226	28.756	232	24.305	238	IN PIT
PANIS	48.790	211	32.856				IN PIT
R.SCHUMACH	52.945	215	32.795				IN PIT
FISICHELLA	55.802	214	34.189				IN PIT
TRULLI	62.224	195	38.114				IN PIT
VERSTAPPEN	67.994	218	32.699				IN PIT
SALO	104.592	192	50.923				IN PIT
DINIZ	105.617	215	32.629				IN PIT
HILL		189	35.061				IN PIT
FRENTZEN		164	37.817				IN PIT
BARRICHELLO		217	31.839				IN PIT
MAGNUSSEN		210	35.102				IN PIT
LARINI	OUT	228					
KATAYAMA		205	32.506	200			IN PIT
HERBERT		206	35.514	174			IN PIT
HAKKINEN		213	31.583	195			IN PIT

Une victoire dans la douleur

«Pas de doute, ce fut la course la plus difficile de toute ma carrière.» Malgré ses joues creuses et ses yeux cernés, Jacques Villeneuve affichait le sourire de la délivrance après la course. Victime de sa grippe intestinale, au volant d'une monoplace à l'agonie, il venait de remporter la course dans des conditions extrêmes.

La journée avait plutôt mal commencé. Jacques Villeneuve espérait guérir de sa grippe avant la course, mais son état s'est au contraire aggravé pendant la nuit de samedi à dimanche. Au plus mal, il dut passer une partie de la matinée de la course à l'hôpital du circuit, et c'était un Jacques Villeneuve en piteux état qui s'installait dans son cockpit sur la grille de départ.

Un départ qu'il réussit pourtant magnifiquement. Après un bon début de course, il commença à rencontrer des difficultés après son premier ravitaillement. *«Nous avons choisi le mélange de pneus le plus tendre, et c'était une erreur»*, remarquait-il. *«Au début de la course, ça n'était pas si mal. Mais après le premier arrêt, l'écurie a réalisé que les Ferrari et les Jordan n'allaient pas stopper trois fois comme nous. Et c'est à ce moment que ma boîte de vitesses a commencé à débloquer. Les rapports montaient ou descendaient tout seuls, et je devais faire attention.»*

Un malheur ne survenant jamais seul, la tenue de route de la Williams s'est alors dégradée, permettant à Eddie Irvine de fondre sur lui.

«Je ne pouvais pas vraiment résister, parce que mon pneu avant droit était mort. Avec la chaleur, plus la course avançait, et plus mes pneus ramassaient la gomme accumulée sur la piste.»

Après l'arrivée, Jock Cleare, l'ingénieur de Villeneuve, ne revenait pas de l'état de sa monoplace: *«Ce n'est plus une voiture, c'est une épave,* remarquait-il. *C'est incroyable que Jacques ait pu gagner à son volant.»*

Des difficultés qui ne donnaient que davantage de saveur à la victoire. *«Les conditions ici ont été vraiment très dures,* lâchait le Québécois. *J'ai dû rouler comme en qualification pendant un bon tiers de la course. C'est la victoire la plus satisfaisante de toute ma carrière.»*

Grosse gaffe de Michael Schumacher à Buenos Aires: «J'avais tellement d'huile sur ma visière au premier virage que je ne voyais rien. J'ai touché Barrichello en pleine accélération, et c'était fini.» C'était fini aussi pour Rubinho, qui s'était qualifié cinquième et comptait faire un truc...

◁▽

Quatrième place pour Johnny Herbert et sa superbe Sauber-Petronas.
▽

DANS LES POINTS

1.	Jacques VILLENEUVE	Rothmans Williams Renault	1 h 52'01"715
2.	Eddie IRVINE	Scuderia Ferrari Marlboro	à 0"979
3.	Ralf SCHUMACHER	B&H Total Jordan Peugeot	à 12"089
4.	Johnny HERBERT	Red Bull Sauber Petronas	à 29"919
5.	Mika HAKKINEN	West McLaren Mercedes	à 30"351
6.	Gerhard BERGER	Mild Seven Benetton Renault	à 31"393

Meilleur tour : Gerhard BERGER, tour 63, 1'27"981, moy. 174.269 km/h

Eddie Irvine se rachète une conduite

Eddie Irvine se pose décidément comme l'un des plus étranges personnages du paddock, capable tantôt d'erreurs monumentales, de propos effrontés ou d'exploits authentiques. Après son attaque-suicide contre Jacques Villeneuve en Australie, c'est l'un de ces derniers dont l'Irlandais fut l'auteur à Buenos Aires, en terminant deuxième. *«J'ai pris un excellent départ»*, commentait-il. Olivier Panis ne partageait pas vraiment cet avis, lui qui s'est vu poussé dans l'herbe par le pilote Ferrari. *«Mais au premier virage, j'ai perdu un peu de terrain et je me suis retrouvé quatrième,* poursuivait Irvine. *A partir de là, j'ai continué mon chemin, tout simplement. Nous savions que la voiture nous permettrait de réussir quelque chose de bien ici.»*

En fin de course, Irvine a profité des problèmes de Jacques Villeneuve pour le menacer sérieusement. Et terminer à moins d'une seconde de la Williams. *«J'étais plus rapide que lui, mais malheureusement, il n'y avait pas assez de différence entre nous pour me permettre de passer»*, regrettait un Irvine qui s'est montré d'une grande correction et ne tenta aucune manœuvre désespérée. *«La deuxième place me suffisait. Je crois qu'elle prouve que nous commençons à résoudre nos problèmes...»*

Ballet en noir pour ravitailler Mika Hakkinen. A Buenos Aires, le Finlandais parvenait à marquer les deux points de la cinquième place après s'être élancé 17e seulement sur la grille (il avait commis un tête-à-queue pendant les qualifications).

Olivier Panis était parti pour gagner. «Au départ, j'ai été heurté par Michael Schumacher, ce qui m'a faussé une biellette de direction. Ça ne m'a pas empêché de suivre Villeneuve sans problème.» Prévoyant de ravitailler une fois de moins, il aurait pu s'imposer si son moteur n'avait coupé net.

A Buenos Aires, même les commissaires ont le sens du tango... Panique sur la piste après l'accrochage du premier virage.

Ralf pousse Giancarlo et finit troisième

Evidemment, Ralf Schumacher affichait un grand sourire à l'arrivée de la course. Pour le troisième Grand Prix de sa carrière, le petit frère terminait déjà sur le podium. Une jolie performance pour un pilote à peine âgé de 22 ans. Pourtant, il était bien le seul à se réjouir au sein de l'écurie Jordan. Au moment où il franchissait le drapeau à damier, pas un de ses mécaniciens n'était présent sur le mur des stands pour lui accorder la traditionnelle ovation qu'un tel résultat aurait mérité. Chez Jordan, on avait plutôt mal digéré la manière dont Ralf s'était débarrassé de son coéquipier Giancarlo Fisichella au 24e tour de l'épreuve. L'Allemand avait proprement poussé l'Italien hors de la piste, mais refusait pourtant de reconnaître sa faute: *«Je ne sais pas exactement ce qui s'est passé avec Giancarlo*, se bornait-il à commenter après la course. *Je le suivais, il s'est rapproché de moi, et nous nous sommes touchés.*

Je reconnais que ce genre d'erreur ne devrait pas survenir entre deux équipiers. C'est très dommage...» Un incident de course qui ne redorait pas le blason d'un Ralf Schumacher déjà très imbu de son talent dans les paddocks de Formule 1. Giancarlo Fisichella, de son côté, ne décolérait pas après la course. On peut le comprendre: il venait de manquer le premier podium de sa carrière. *«Tout le monde a vu ce qui s'est passé. Bon, Ralf s'est excusé, ce qui signifie qu'il a admis son erreur. Je suis très très fâché, et nous en reparlerons.»* Sur ce dernier point, Fisichella se trompait: depuis ce jour, il n'a plus adressé la parole à Ralf pour plusieurs mois.
Pour être complet, il faut ajouter que les mécaniciens Jordan ne protestaient pas seulement contre la conduite de Ralf, mais aussi contre le fait qu'Eddie Jordan, cette année, avait supprimé le bonus qu'il leur versait en cas de points marqués par l'équipe.

Heinz-Harald annule ses vacances

Les piètres performances signées par Heinz-Harald Frentzen au Brésil valurent à l'Allemand de très sérieuses critiques dans la presse.
Des critiques qui ajoutaient encore à la pression subie par Frentzen depuis son arrivée chez Williams, où les ingénieurs l'ont toujours soupçonné de se montrer inconstant. *«Je savais qu'Heinz-Harald aurait besoin d'un peu de temps avant de s'habituer aux méthodes de travail de notre écurie, mais je reconnais que c'est un peu plus long que prévu»*, remarquait Patrick Head, l'ingénieur en chef de Williams à Buenos Aires. *«Son problème est peut-être de croire un peu trop en son talent...»*
Entre les deux Grands Prix sudaméricains, Frentzen avait initialement planifié quelques vacances au Brésil. Qu'il annula finalement au vu de son désastreux week-end d'Interlagos. *«Je suis rentré en Angleterre pour passer plusieurs jours à l'usine Williams. Je me posais une grave question: pourquoi mon style était-il aussi inadapté à la voiture? On a eu plusieurs réunions avec mon ingénieur de piste, Tim Preston, et avec Patrick Head. On a travaillé sur ordinateur puisqu'il n'était pas prévu que je tourne en essais, mais on a simulé plusieurs réglages différents qui pouvaient mieux convenir à mon style.»* Résultat: le samedi, «HH» se qualifiait en première ligne. Le dimanche, il aurait pu s'imposer sans un problème d'embrayage qui l'élimina en début de course. Et qui le contraint à regarder la course du bord de la piste. *«Si je traversais la piste, j'avais encore 10 000 dollars d'amende*, expliqua-t-il de retour aux stands. *Ça va déjà assez mal comme ça!»*

Ça chauffe pour les gommes

«Goodyear: 347 victoires en Grand Prix. Bridgestone: 0 victoire en Grand Prix. Il est rassurant de savoir la compétition derrière nous.» De toute évidence, la filiale argentine de Goodyear n'a pas pour habitude de prendre des gants dans ses publicités! Le slogan publié au lendemain du Grand Prix dans les quotidiens argentins illustrait en tout cas l'état d'esprit de la marque d'Akron: marteler que Goodyear a fait la pluie et le beau temps en F1 depuis des décennies. Une situation qui risquait pourtant de changer. A Buenos Aires, les pneus Bridgestone étaient ainsi incontestablement plus performants que leurs homologues américains. Ils ont permis à la Prost de Panis et à la Stewart de Barrichello de se qualifier respectivement en deuxième et troisième ligne, et les deux pilotes en question reconnaissaient que cela leur aurait été impossible avec les pneus américains.

Chez Goodyear, cette situation était en passe de bouter le feu à la maison. A Buenos Aires, le samedi soir, des techniciens de la marque d'Akron ont été vus sur la piste en train de ramasser des échantillons de gomme déposés pendant les qualifications. Avec pour intention d'analyser ces prélèvements pour déterminer la composition des mélanges Bridgestone. *«Nous avons déjà fait face à une situation de concurrence dans le passé, mais il est évident que l'arrivée d'un rival change bien des choses pour nous*, admettait Stuart Grant, le directeur de la compétition de Goodyear. *Nous allons aussi devoir réagir dans des délais très courts.»*
De nombreux experts prédisaient déjà une victoire des pneus Bridgestone avant la fin de la saison 1997. La filiale argentine de Goodyear allait peut-être devoir réviser le ton de ses publicités dans l'avenir...

TOUS LES ESSAIS

No	Pilote	Châssis/Moteur/Modèle	Libres vendredi	Libres samedi	Qualifs	Warm-up
1.	Damon HIll	Arrows/Yamaha/A18/3 (B)	1'28"932	1'28"654	1'27"281	1'28"737
2.	Pedro Diniz	Arrows/Yamaha/A18/2 (B)	1'30"727	1'28"853	1'28"969	1'29"341
3.	Jacques Villeneuve	Williams/Renault/FW19/4 (G)	1'25"755	1'25"704	1'24"473	1'27"425
4.	Heinz-Harald Frentzen	Williams/Renault/FW19/2 (G)	1'27"169	1'24"874	1'25"271	1'27"438
5.	Michael Schumacher	Ferrari/Ferrari/F310B/174 (G)	1'27"052	1'26"359	1'25"773	1'27"957
6.	Eddie Irvine	Ferrari/Ferrari/F310B/173 (G)	1'28"137	1'27"468	1'26"327	1'28"601
7.	Jean Alesi	Benetton/Renault/B197/5 (G)	1'27"979	1'26"835	1'27"076	1'27"941
8.	Gerhard Berger	Benetton/Renault/B197/4 (G)	1'27"017	1'26"703	1'27"259	1'29"083
9.	Mika Hakkinen	McLaren/Mercedes/MP4/12/2 (G)	1'29"426	1'28"086	1'28"135	1'28"464
10.	David Coulthard	McLaren/Mercedes/MP4/12/3 (G)	1'28"163	1'27"496	1'26"799	1'28"451
11.	Ralf Schumacher	Jordan/Peugeot/197/3 (G)	1'27"823	1'26"455	1'26"218	1'28"252
12.	Giancarlo Fisichella	Jordan/Peugeot/197/2 (G)	1'27"129	1'26"789	1'26"619	1'27"748
14.	Olivier Panis	Prost/Mugen Honda/JS45/3 (B)	1'26"983	1'26"772	1'25"491	1'27"824
15.	Shinji Nakano	Prost/Mugen Honda/JS45/2 (B)	1'30"069	1'27"885	1'28"366	1'29"490
16.	Johnny Herbert	Sauber/Petronas/C16/3 (G)	1'27"702	1'26"494	1'26"564	1'28"459
17.	Nicola Larini	Sauber/Petronas/C16/2 (G)	1'29"153	1'29"118	1'27"690	1'28"052
18.	Jos Verstappen	Tyrrell/Ford/025/2 (G)	1'29"302	1'27"423	1'28"094	1'29"269
19.	Mika Salo	Tyrrell/Ford/025/3 (G)	1'29"893	1'27"768	1'28"224	1'30"045
20.	Ukyo Katayama	Minardi/Hart/M197/3 (B)	1'30"546	1'28"600	1'28"413	1'29"920
21.	Jarno Trulli	Minardi/Hart/M197/2 (B)	1'31"269	1'29"140	1'28"160	1'28"842
22.	Rubens Barrichello	Stewart/Ford/SF1/2 (B)	1'26"693	1'27"229	1'25"942	1'27"605
23.	Jan Magnussen	Stewart/Ford/SF1/3 (B)	1'30"376	1'28"710	1'28"035	1'29"508

TOUR PAR TOUR

position :	1	2	3	4	5	6	7	8	9	10	11	12	13	14	15	16	17	18	19	20	21	22
départ :	3	4	14	5	22	11	6	16	12	10	7	8	1	17	23	18	9	21	19	15	20	2
1	3	4	14	6	12	1	16	11	7	2	18	20	9	21	19	8	17	15	23	22		
2	3	4	14	6	12	1	23	16	11	7	2	18	9	20	21	19	8	17	15	22		
3	3	4	14	6	12	1	16	11	7	2	18	9	20	21	19	8	17	15	22	23		
4	3	4	14	6	12	1	16	11	7	2	18	9	20	21	19	8	17	15	22	23		
5	3	4	14	6	12	1	16	11	7	2	18	9	20	21	8	19	22	17	15	23		
6	3	14	6	12	1	16	11	7	2	18	9	20	21	8	19	22	17	15	23			
7	3	14	6	12	1	11	16	7	2	18	9	20	21	8	22	19	17	15	23			
8	3	14	6	12	11	16	1	7	2	18	9	20	21	8	22	19	17	15	23			
9	3	14	6	12	11	16	1	7	2	18	9	20	21	22	8	19	23	17	15			
10	3	14	6	12	11	16	1	7	2	18	9	20	22	21	8	19	23	17	15			
11	3	14	6	12	16	11	1	7	2	18	9	22	20	8	19	21	23	17	15			
12	3	14	6	12	16	11	1	7	2	18	9	22	8	20	19	23	21	17	15			
13	3	14	6	12	16	11	1	7	2	18	9	22	8	23	20	19	17	21	15			
14	3	14	6	12	16	11	1	7	2	18	9	22	8	23	20	19	17	21	15			
15	3	14	6	12	16	11	1	7	2	18	9	22	8	23	19	20	17	21	15			
16	3	14	6	12	16	11	1	7	2	18	9	22	8	23	19	17	20	21	15			
17	3	14	6	12	16	11	1	7	2	18	9	22	8	23	19	17	21	15	20			
18	3	14	6	12	16	11	2	18	9	22	1	7	8	23	19	17	21	15	20			
19	3	6	12	16	11	2	18	9	22	1	7	8	23	19	17	21	15	20				
20	3	6	12	16	11	2	18	9	22	1	7	8	23	19	17	21	15	20				
21	3	6	16	12	11	2	18	22	9	7	1	8	23	19	17	21	15	20				
22	3	6	12	11	16	2	18	9	7	1	8	23	19	17	22	21	15	20				
23	3	6	12	11	16	18	2	9	7	1	8	23	19	17	22	21	15	20				
24	3	12	11	6	16	2	9	7	1	8	23	17	19	18	22	21	15	20				
25	3	11	6	16	9	2	7	1	8	17	19	18	23	21	15	20						
26	3	11	6	16	9	2	7	1	8	19	18	23	21	15	20	17						
27	3	11	6	16	9	7	2	8	1	19	18	23	21	20	15	17						
28	3	11	6	16	9	7	2	8	1	18	23	21	19	20	15	17						
29	3	11	6	16	9	7	8	2	1	18	23	21	19	20	15	17						
30	3	11	6	16	9	7	8	2	1	18	23	21	19	20	15	17						
31	3	11	6	16	9	7	8	1	2	18	23	21	19	20	15	17						
32	3	11	6	16	9	7	8	1	2	18	23	21	19	20	15	17						
33	3	11	6	16	9	7	8	1	2	18	23	21	19	20	15	17						
34	3	11	6	16	9	7	8	18	23	21	19	20	17	15	2							
35	3	6	16	9	7	11	8	18	23	21	19	17	20	15	2							
36	3	6	16	9	11	8	7	18	23	21	19	17	20	15	2							
37	3	6	16	9	11	7	18	8	23	21	19	17	20	15	2							
38	3	6	16	9	11	7	18	8	23	21	19	17	15	2								
39	6	16	3	9	11	7	18	8	23	19	17	21	15	2								
40	6	3	9	11	16	7	18	8	23	19	17	21	15	2								
41	6	3	11	16	9	7	18	8	23	19	17	21	15	2								
42	6	3	11	16	9	7	18	8	23	17	19	21	15	2								
43	6	3	11	16	9	7	18	8	23	17	19	21	15	2								
44	6	3	11	16	9	7	8	23	17	19	21	15	2									
45	3	6	11	16	9	7	8	23	17	21	19	15	2									
46	3	6	11	16	9	7	8	23	17	21	19	15	2									
47	3	6	11	16	9	7	8	17	23	21	19	15	2									
48	3	6	11	16	9	7	8	23	21	19	15	2	17									
49	3	6	11	16	9	7	8	23	21	19	15	2	17									
50	3	6	11	16	9	7	8	23	21	19	2	17										
51	3	6	11	16	9	7	8	23	21	19	17											
52	3	6	11	16	9	7	8	23	21	19	17											
53	3	6	11	16	9	7	8	23	21	19	17											
54	3	6	11	16	9	7	8	23	21	19	17											
55	3	6	11	16	9	7	8	23	21	19	17											
56	3	6	11	16	9	8	7	23	21	19	17											
57	3	6	11	16	9	8	7	23	21	19	17											
58	3	6	11	16	9	8	7	23	19	21	17											
59	3	6	11	16	9	8	7	23	19	21	17											
60	3	6	11	16	9	8	7	23	19	21	17											
61	3	6	11	16	9	8	7	23	19	21	17											
62	3	6	11	16	9	8	7	23	19	21	17											
63	3	6	11	16	9	8	7	23	19	21	17											
64	3	6	11	16	9	8	7	23	19	21												
65	3	6	11	16	9	8	7	23	19	21												
66	3	6	11	16	9	8	7	23	19	21												
67	3	6	11	16	9	8	7	19	21													
68	3	6	11	16	9	8	7	19	21													
69	3	6	11	16	9	8	7	19	21													
70	3	6	11	16	9	8	7	19	21													
71	3	6	11	16	9	8	7	19	21													
72	3	6	11	16	9	8	7															

BRIDGESTONE

Meilleur classement obtenu par un pilote équipé de pneus Bridgestone:

Jarno Trulli, Minardi Hart, 9e

CLASSEMENT & ABANDONS

Pos	Pilote	Equipe	Temps
1.	Villeneuve	Williams Renault	en 1h52'01"715
2.	Irvine	Ferrari	à 0"979
3.	Schumacher	Jordan Peugeot	à 12"089
4.	Herbert	Sauber Petronas	à 29"919
5.	Hakkinen	McLaren Mercedes	à 30"351
6.	Berger	Benetton Renault	à 31"393
7.	Alesi	Benetton Renault	à 46"359
8.	Salo	Tyrrell Ford	à 1 tour
9.	Trulli	Minardi Hart	à 1 tour
10.	Magnussen	Stewart Ford	pression d'huile

Tour	Pilote	Equipe	Motif d'abandon
1	Schumacher	Ferrari	accrochage
1	Coulthard	McLaren Mercedes	accrochage
6	Frentzen	Williams Renault	embrayage
19	Panis	Prost Mugen Honda	moteur
25	Barrichello	Stewart Ford	syst. hydraulique
25	Fisichella	Jordan Peugeot	accrochage
34	Hill	Arrows Yamaha	moteur
38	Katayama	Minardi Hart	tête-à-queue
44	Verstappen	Tyrrell Ford	moteur
50	Nakano	Prost Mugen Honda	moteur
51	Diniz	Arrows Yamaha	moteur
64	Larini	Sauber Petronas	tête-à-queue

MEILLEURS TOURS

	Pilote	Temps	Tour
1.	Berger	1'27"981	63
2.	Villeneuve	1'28"028	54
3.	R. Schum.	1'28"382	56
4.	Larini	1'28"410	46
5.	Irvine	1'28"473	63
6.	Alesi	1'28"827	33
7.	Hakkinen	1'29"076	58
8.	Panis	1'29"090	8
9.	Herbert	1'29"296	62
10.	Verstappen	1'29"541	43
11.	Magnussen	1'29"834	48
12.	Nakano	1'29"865	40
13.	Barrichello	1'29"913	23
14.	Salo	1'29"931	62
15.	Fisichella	1'30"278	19
16.	Trulli	1'30"593	53
17.	Hill	1'30"649	23
18.	Diniz	1'31"111	42
19.	Frentzen	1'31"832	5
20.	Katayama	1'31"869	29

CHAMPIONNATS

(après trois manches)

Conducteurs :

1. Jacques VILLENEUVE 20
2. David COULTHARD 10
   Gerhard BERGER 10
4. Mika HAKKINEN 9
5. M. SCHUMACHER 8
6. Eddie IRVINE 6
   Olivier PANIS 6
8. R. SCHUMACHER 4
9. Johnny HERBERT 3
   Nicola LARINI 1
   Jean ALESI 1

Constructeurs :

1. Williams / Renault 20
2. McLaren / Mercedes 19
3. Ferrari 14
4. Benetton / Renault 11
5. Prost / Mugen Honda 6
6. Jordan / Peugeot 4
7. Sauber / Petronas 4

TROISIÈME MANCHE

GRAN PREMIO MARLBORO DE ARGENTINA, BUENOS AIRES

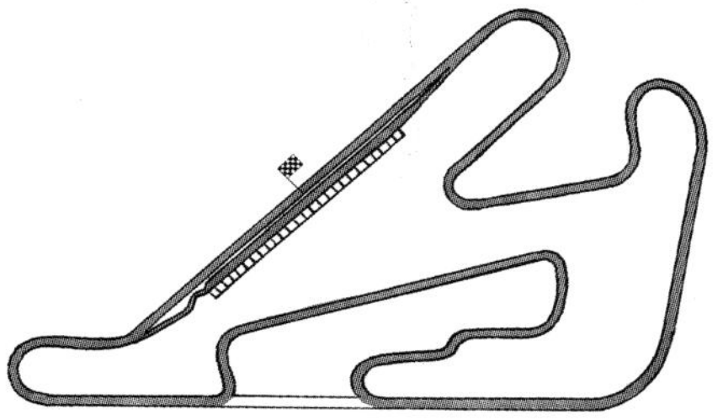

Date : 13 avril 1997
Longueur : 4257 mètres
Distance : 72 tours, soit 306.502 km
Météo : beau, 21 degrés

LE FILM DE LA COURSE

- Au premier virage, Villeneuve prend la tête devant Frentzen. Derrière, Michael Schumacher accroche la Stewart de Barrichello. Coulthard également éliminé.
- Le safety car est sorti pour neutraliser la course pendant que les monoplaces de ces trois pilotes sont évacuées.
- La course reprend au cinquième tour, Villeneuve devant Frentzen et Panis.
- Frentzen abandonne au sixième tour sur panne de boîte.
- Panis, deuxième à moins de sept secondes de Villeneuve, abandonne sur panne hydraulique au 19e tour.
- Villeneuve ravitaille au 22e tour et repart en tête devant Irvine.
- Irvine ayant ravitaillé, Fisichella se retrouve deuxième. Au 25e tour, Son coéquipier Ralf Schumacher le pousse hors de la piste et s'empare de la deuxième place.
- Villeneuve ravitaille pour la seconde fois au 38e tour. Il ne reprend la tête qu'au second ravitaillement d'Irvine.
- Villeneuve stoppe pour la troisième fois au 56e tour, mais repart en tête devant Irvine et Ralf Schumacher. Irvine lui donne la chasse mais ne parvient pas à le passer.

LES ECHOS DU WEEK-END

- **Alain Prost... à la dernière minute**

L'accord signé avant le Grand Prix du Brésil entre Prost Grand Prix et BIC a beaucoup fait suer la filiale argentine de la marque. Le vendredi, des peintres étaient en plein effort pour dessiner deux gigantesques panneaux publicitaires au long de l'autopista 35, menant du centre-ville au circuit. *«Alain Prost Grand Prix corre con BIC»*. Des panneaux terminés de justesse le samedi.

- **Fous de télévision**

Les Argentins ont deux passe-temps favoris: le sport automobile et la télévision. A Buenos Aires, on compte ainsi 65 programmes télévisés différents. On y trouve plusieurs chaînes diffusants des films américains en version originale, une chaîne spécialisée 24 heures sur 24 sur le tango, et plusieurs chaînes sportives. Qui, bien entendu, se préoccupent beaucoup de sport automobile. Le dimanche précédant le Grand Prix, on pouvait ainsi regarder non moins de cinq programmes différents montrant des courses, allant de la première épreuve Indycar de Surfers Paradise à une myriade d'épreuves locales de stock-car ou de Formule 3.

- **Les super-rétro de l'Oncle Ken**

Chez Tyrrell, on ne recule devant rien pour faire preuve d'originalité. A témoin, les nouveaux – et grotesques – ailerons médians inaugurés sur les deux voitures de l'Oncle Ken à Buenos Aires. Cette configuration, dite «circuits lents» et supposée générer davantage d'appui pour les tracés l'exigeant, comme ceux de Buenos Aires, de Monaco ou de Budapest.

- **Des biscuits pour Damon**

A Buenos Aires, la voiture de Damon Hill était ornée d'autocollants aux couleurs de «Rex», une marque de biscuits d'apéritif salés argentins. Un sponsor qui devait à peine financer les petits fours de l'écurie, puisqu'il n'était prévu que pour ce Grand Prix. Il n'y a pas de petit profit.

- **BAT précise ses projets**

La rumeur s'était déjà répandue au Brésil, mais elle s'est largement confirmée à Buenos Aires: d'après le très sérieux «Times» de Londres, les dirigeants du groupe BAT – qui gère plusieurs marques de cigarettes – auraient décidé de financer la création d'une nouvelle écurie de F1, à la hauteur d'un budget de quelque 2.5 milliards de francs français sur cinq ans. Une masse d'argent suffisante pour permettre la création d'une écurie de pointe que le groupe souhaite voir gagner des Grands Prix dès sa première saison. Les monoplaces – surnommées «BATmobiles» – seraient étudiées et fabriquées par Reynard. Adrian Newey, qui avait quitté Williams en novembre, était aussi inclu dans le projet.

Rien de tel qu'un petit tango pour compléter ses quatre heures de fitness quotidiennes. Michael Schumacher, le jeudi précédant la course, s'est prêté de bonne grâce aux exercices que lui avait préparé le sponsor de Ferrari.

Heinz met toute la sauce

On le disait déjà fini. Tant en Angleterre qu'en Allemagne, les journaux spécialisés ne cachaient pas leur déception face aux performances d'Heinz-Harald Frentzen en ce début de saison. A Imola, l'Allemand a gommé ces critiques par un sans-faute absolu, qui se conclut sur la première victoire de sa carrière. Jacques Villeneuve, aux prises avec des problèmes de boîte de vitesses, dut abandonner, ce qui permit à Michael Schumacher de le remonter au championnat grâce à sa deuxième place.

GRAN PREMIO DI SAN MARINO
IMOLA

Duel entre les deux Williams pour la pole-position

Troisième place sur la grille pour Michael Schumacher. A Imola, la Scuderia inaugurait son moteur «step 2».

Et encore une séance d'essais réussie pour Olivier Panis, qualifié quatrième. Avec les félicitations d'Alain Prost.

Ici débute la saison de Heinz-Harald Frentzen

Heinz-Harald Frentzen a retrouvé ses marques. Au cours des trois premiers Grands Prix de la saison, l'Allemand s'est cantonné dans l'ombre de son coéquipier Jacques Villeneuve, et peinait à suivre le rythme du Canadien.

A en croire les propos du pilote Williams, ces errements sont terminés. A Imola, le samedi, «HH» a effectivement montré qu'il était désormais dans le coup. Le matin, au cours des essais libres, l'Allemand signait ainsi le meilleur chrono de la séance. Et l'après-midi, il menait la vie dure à Jacques Villeneuve pour échouer finalement deuxième, à un peu plus de trois dixièmes de son coéquipier. «Je crois que cette fois, mes problèmes touchent à leur fin, se félicitait Heinz-Harald Frentzen au terme des essais. La semaine dernière, aux essais privés, j'ai défini une nouvelle façon de régler la voiture qui me convient mieux. Ce matin, j'ai été encore plus loin dans cette voie et tout était presque parfait. Je pensais que la pole était à ma portée, mais une Prost a soulevé du sable alors que j'étais dans mon tour le plus rapide, et j'ai dû lever le pied.»

Au terme de ce duel au sommet, c'était donc Jacques Villeneuve qui s'emparait de la pole-position. La quatrième en quatre Grands Prix! «Je dois dire que ça n'a pas été facile aujourd'hui», reconnaissait le Québé-

cois. La bataille avec Heinz-Harald n'a jamais été aussi intense. J'aime assez ça.»

Pour les deux Williams, le danger, en course, proviendra davantage des freins que des autres concurrents. «Nous avons résolu le problème de Melbourne, expliquait Jacques Villeneuve, mais les freins sont tout de même très sollicités ici. Cette année, la voiture est dure, et on doit parfois exercer des pressions de 150 kilos sur la pédale de freins. Sur dix tours, pas de problème. Mais sur la durée d'une course, je me demande si je tiendrai...»

Heinz-Harald Frentzen au niveau du Canadien, la suite de la saison s'annonçait disputée entre les deux pilotes. «Je savais que les trois premiers Grands Prix seraient difficiles, concluait «HH». Et j'ai toujours pensé que ma saison débuterait à Imola.»

Un championnat que l'Allemand démarrait toutefois avec un retard de 20 points sur le Québécois.

GRILLE DE DÉPART

Heinz-H. FRENTZEN 1'23"646	-1-	Jacques VILLENEUVE 1'23"303	
Olivier PANIS 1'24"075	-2-	M. SCHUMACHER 1'23"955	
G. FISICHELLA 1'24"596	-3-	R. SCHUMACHER 1'24"081	
Mika HAKKINEN 1'24"812	-4-	Johnny HERBERT 1'24"723	
David COULTHARD 1'25"077	-5-	Eddie IRVINE 1'24"861	
Nicola LARINI 1'25"544	-6-	Gerhard BERGER 1'25"371	
Jean ALESI 1'25"729	-7-	R. BARRICHELLO 1'25"579	
Jan MAGNUSSEN 1'26"192	-8-	Damon HILL 1'25"743	
Shinji NAKANO 1'26"712	-9-	Pedro DINIZ 1'26"253	
Jarno TRULLI 1'26"960	-10-	Mika SALO 1'26"852	
Ukyo KATAYAMA 1'28"727	-11-	Jos VERSTAPPEN 1'27"428	

Le sans-faute de «HH»

On le disait inconstant sur la piste, voir mentalement fragile. Il pilotait la meilleure voiture du plateau, la Williams-Renault, et n'avait pas encore marqué un seul point de la saison. Pour certains, Heinz-Harald Frentzen faisait déjà partie des espoirs déçus. Il était temps d'inverser la vapeur.

Mission accomplie. A Imola, Heinz-Harald Frentzen n'a pas commis la moindre erreur. Troisième au premier tour, «HH» franchissait le drapeau à damier avec à peine plus d'une seconde d'avance sur la Ferrari. Et remportait la première victoire de sa carrière, après 51 Grands Prix. Une belle émotion. *«Je suis sans voix. Impossible de décrire ce que je ressens en ce moment,* lâchait-il une fois descendu du podium. *C'est une sensation extraordinaire, comme de l'huile coulant sur mon coeur...»*

Une victoire pour laquelle Heinz-Harald Frentzen dut se battre jusqu'au bout. *«A la fin de la course, j'essayais surtout de conserver ma concentration. Je pensais à mille choses à la fois: à la pluie, qui commençait à tomber sur mon viseur. A mes freins, dont on ne savait pas s'ils tiendraient jusqu'au bout. Et à Michael, que je devais tenir à distance.»*

En fait, c'est au moment des ravitaillements que l'Allemand a construit sa victoire. *«Au moment où Jacques et Michael se sont arrêtés, mon ingénieur m'a dit par radio que c'était à moi de jouer. J'ai fait deux tours comme en qualification, où je gagnais une bonne seconde par rapport à mon rythme normal.»* Résultat: en sortant des stands, l'Allemand se retrouvait en tête, devant Michael Schumacher et Jacques Villeneuve. *«J'ai un peu zigzagué pour tenir Michael derrière,* admettait «HH». *Mais il avait fait pareil en début de course. Aujourd'hui, c'était ma journée.»*

> Feu vert sur le quatrième Grand Prix de la saison. Frentzen laisse Michael Schumacher s'infiltrer et bouclera le premier tour troisième. 62 tours plus tard, ce sera le champagne du podium (photo de gauche).

DANS LES POINTS

1.	Heinz-H. FRENTZEN	Rothmans Williams Renault	1 h 31'00"673
2.	Michael SCHUMACHER	Scuderia Ferrari Marlboro	à 1"237
3.	Eddie IRVINE	Scuderia Ferrari Marlboro	à 1'18"343
4.	Giancarlo FISICHELLA	B&H Total Jordan Peugeot	à 1'23"388
5.	Jean ALESI	Mild Seven Benetton Renault	à 1 tour
6.	Mika HAKKINEN	West McLaren Mercedes	à 1 tour

Meilleur tour : H.-H. FRENTZEN, tour 42, 1'25"531, moy. 207.503 km/h

Les Ferrari affichent leurs ambitions

Pour les tifosi massés autour du circuit d'Imola, la course de dimanche fut à ranger dans le tiroir des ratés. Bien sûr, «leurs» voitures finissaient toutes deux sur le podium, c'était déjà ça. Mais elles n'avaient pu briguer la victoire. La seule qui compte à leurs yeux.

Pour Michael Schumacher, au contraire, le résultat du Grand Prix de Saint-Marin ne pouvait que pousser à l'optimisme. Car pour la première fois de la saison, les Ferrari avaient tenu la cadence infernale des Williams. L'Allemand n'avait pas gagné, mais il avait terminé à quelques longueurs. La victoire n'est plus très loin: *«Jamais je n'aurais pensé terminer deuxième,* admettait-il après la course. *Vu nos performances aux essais, j'aspirais à la troisième place, au mieux. Mais je dois dire que la voiture était absolument fantastique aujourd'hui. On avait pourtant adopté des réglages mixtes, au cas où la pluie se mettrait à tomber pendant la course.»*

Dès le départ, l'Allemand s'est glissé dans les roues de Jacques Villeneuve. Sans rencontrer le moindre problème pour suivre le rythme. *«Ma vitesse était très proche de la sienne dans les parties critiques du circuit,* poursuivait l'Allemand. *Ce qui est réjouissant quand je pense aux améliorations dont nous devrions bénéficier bientôt.»*

Jean Todt, le directeur sportif de la Scuderia, partageait l'enthousiasme de son pilote: *«Il est évident que nous comptons encore un peu de retard sur les Williams, mais nous en sommes désormais très proches,* analysait-il. *Nous avons quelques modifications en préparation, qui devraient nous permettre d'être devant à partir du Grand Prix de France. Le tout est de ne pas se laisser distancer au championnat d'ici là.»*

Eddie Irvine, troisième, confirmait la bonne forme de la Scuderia. *«J'ai pris un assez bon départ,* expliquait l'Irlandais, *mais le problème, c'est que je n'avais pas de place où passer, et j'ai dû lever le pied* (ce qui prouvait qu'il était capable de le faire, ndla). *Ensuite, j'ai vu les quatre autres devant s'échapper, Panis aussi, et j'ai décidé d'y aller tranquillement.»*

L'Irlandais décrivit même sa fin de course comme «ennuyeuse».

> Douceur campagnarde de l'Emilie Romagne. Coincée entre les étapes urbaines de Buenos Aires et de Monaco, la halte du Grand Prix de Saint-Marin est toujours appréciée de la caravane de la Formule 1.

> A Imola, de nombreux pilotes n'ont vu Eddie Irvine que de dos. Profitant des progrès des Ferrari, l'Irlandais termina troisième.

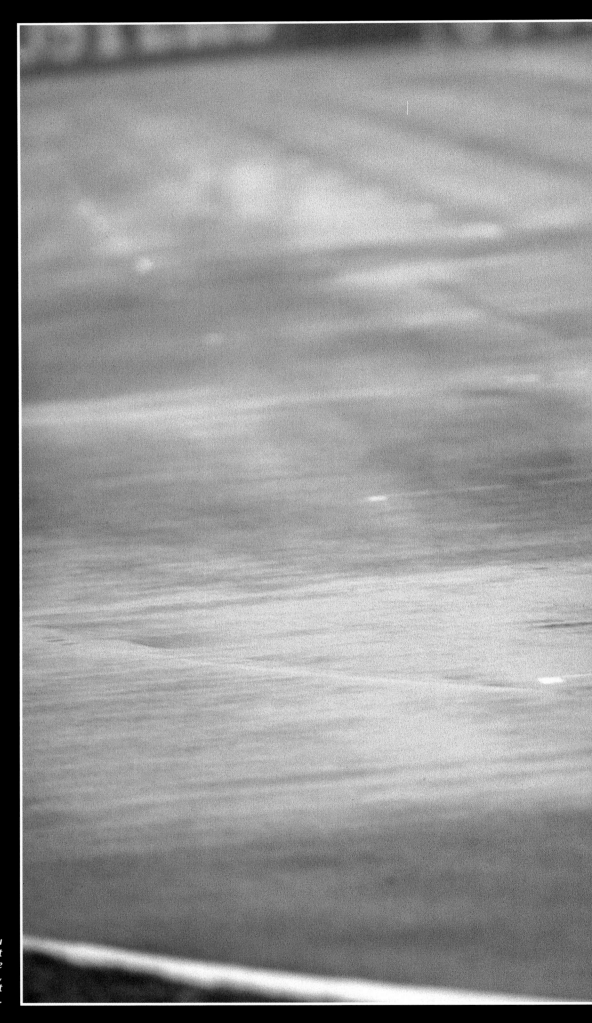

Jacques Villeneuve danse avec la pluie. Après deux jours de beau temps, le ciel déversa ses larmes sur l'Émilie le dimanche matin, et le warm-up fut témoin de quelques jolies figures de style. Le Québécois se classa huitième de cette dernière demi-heure d'essais, tandis qu'Heinz-Harald Frentzen affichait déjà la grande forme et signait le meilleur temps.

GRAN PREMIO DI SAN MARINO — LES 17 GRANDS PRIX

Jacques Villeneuve place 1998 sur la sellette

En Formule 1, tout le monde s'accordait pour regretter qu'il n'y ait pas davantage de dépassements pendant les Grands Prix. En 1996, la FIA s'est donc penchée sur ce problème. Pour finir par pondre, avec l'expertise de nombreux ingénieurs, un nouveau règlement devant entrer en vigueur en 1998.
Celui-ci prévoit de ramener la largeur des voitures à 180 centimètres (contre deux mètres actuellement), et d'imposer des pneus sculptés pour remplacer les actuelles gommes slicks (lire en pages 218-219). Le tout dans le but de ralentir la vitesse de passage en courbe, d'accroître les distances de freinage, et donc de rendre les courses plus disputées.
La semaine précédant Imola, sur le circuit de Barcelone, l'écurie Williams fut la première à

tester une voiture-laboratoire répondant à ces changements.
Tandis que Jean-Christophe Boullion, le pilote-essayeur de l'écurie, roulait avec la monoplace étroite, Jacques Villeneuve était chargé des pneus sculptés.
Et en est revenu passablement désenchanté: «*C'était une farce*, racontait-il à peine arrivé sur le circuit d'Imola, le jeudi. *C'est comme piloter une Formule Ford, sauf qu'il y a plus de puissance. Avec ces pneus, on peut freiner aussi fort qu'avant, mais on perd toute sensation. La F1 se veut le sommet du sport automobile. Mais si c'est ça, je préfère la quitter. C'est ridicule.*»
Selon le Canadien, le but initial – accroître les possibilités de dépassement – est de surcroît loin d'être atteint. «*Je ne comprends pas pourquoi*

on est supposé doubler plus facilement si le freinage est plus long*», enchaînait-il. *De toute façon, tout le monde freine à la limite, et il est difficile de faire mieux que la distance soit longue ou pas.*»
Interpellé après les déclarations du Canadien, Max Mosley, le Président de la FIA, a rétorqué le jeudi que les seuls essais menés par l'écurie Williams ne pouvaient suffire à invalider le règlement 1998. «*Je crois qu'il est urgent d'attendre*», remarquait-il.
De plus, Ferrari a annoncé à Imola qu'elle refuserait de revenir en arrière et d'annuler les changements prévus, tout au moins sur la réduction de la largeur des monoplaces. La Scuderia avouait avoir déjà trop investi sur sa monoplace 1998 pour jeter tous ses plans à la corbeille.

Les premiers points de «Fisico»

Décidément, les Jordan-Peugeot affichaient la grande forme. Après que Ralf Schumacher ait terminé sur le podium en Argentine, c'était au tour de Giancarlo Fisichella de briller puisque l'Italien terminait quatrième à Imola.
Une heure après la fin de la course, «Fisico» était encore dans son stand, baignant dans sa combinaison trempée de sueur, à signer des autographes. Manifestement, il vivait à fond la joie d'avoir marqué les premiers points de sa car-

rière. «*Oui, ce résultat me rend tout excité*, s'exclamait-il. *J'aurais peut-être pu terminer sur le podium, parce que ma voiture était extraordinaire aujourd'hui. Mais ma plus grosse erreur a été de rater mon départ, ce qui m'a bloqué derrière Panis et Irvine.*»
Ralf Schumacher, sur l'autre Jordan, était parti très fort – suivant le rythme de Frentzen – avant d'abandonner au 18e tour sur rupture d'un arbre de roue.

TOUS LES ESSAIS

No	Pilote	Châssis/Moteur/Modèle	Libres vendredi	Libres samedi	Qualifs	Warm-up
1.	Damon Hill	Arrows/Yamaha/A18/3 (B)	1'27''334	1'26''034	1'25''743	1'50''824
2.	Pedro Diniz	Arrows/Yamaha/A18/2 (B)	1'29''117	1'27''042	1'26''253	1'52''171
3.	Jacques Villeneuve	Williams/Renault/FW19/4 (G)	1'26''499	1'23''739	1'23''303	1'50''727
4.	Heinz-Harald Frentzen	Williams/Renault/FW19/5 (G)	1'26''600	1'23''477	1'23''646	1'48''505
5.	Michael Schumacher	Ferrari/Ferrari/F310B/174 (G)	1'25''997	1'24''982	1'23''955	1'49''160
6.	Eddie Irvine	Ferrari/Ferrari/F310B/173 (G)	1'25''981	1'24''719	1'24''861	1'48''528
7.	Jean Alesi	Benetton/Renault/B197/5 (G)	1'26''382	1'25''586	1'25''729	1'51''315
8.	Gerhard Berger	Benetton/Renault/B197/4 (G)	1'26''259	1'25''027	1'25''371	1'52''927
9.	Mika Hakkinen	McLaren/Mercedes/MP4/12/2 (G)	1'27''184	1'24''980	1'24''812	1'51''772
10.	David Coulthard	McLaren/Mercedes/MP4/12/4 (G)	1'26''549	1'26''226	1'25''077	1'48''605
11.	Ralf Schumacher	Jordan/Peugeot/197/3 (G)	1'28''091	1'24''626	1'24''081	1'50''483
12.	Giancarlo Fisichella	Jordan/Peugeot/197/4 (G)	1'27''612	1'24''325	1'24''596	1'50''807
14.	Olivier Panis	Prost/Mugen Honda/JS45/3 (B)	1'26''779	1'24''586	1'24''075	1'48''547
15.	Shinji Nakano	Prost/Mugen Honda/JS45/2 (B)	1'29''021	1'27''709	1'26''712	1'52''581
16.	Johnny Herbert	Sauber/Petronas/C16/1 (G)	1'26''842	1'24''766	1'24''723	1'51''904
17.	Nicola Larini	Sauber/Petronas/C16/2 (G)	1'26''831	1'25''650	1'25''544	1'51''953
18.	Jos Verstappen	Tyrrell/Ford/025/2 (G)	1'29''736	1'27''383	1'27''428	1'51''094
19.	Mika Salo	Tyrrell/Ford/025/3 (G)	1'29''087	1'27''004	1'26''852	1'53''344
20.	Ukyo Katayama	Minardi/Hart/M197/3 (B)	1'29''974		1'28''727	1'50''994
21.	Jarno Trulli	Minardi/Hart/M197/2 (B)	1'30''820	1'27''970	1'26''960	1'53''771
22.	Rubens Barrichello	Stewart/Ford/SF1/2 (B)	1'26''679	1'25''586	1'25''579	1'50''754
23.	Jan Magnussen	Stewart/Ford/SF1/3 (B)	1'28''177	1'25''791	1'26''192	1'50''556

CLASSEMENT & ABANDONS

Pos	Pilote	Equipe	Temps
1.	Frentzen	Williams Renault	en 1h31'00''673
2.	Schumacher	Ferrari	à 1''237
3.	Irvine	Ferrari	à 1'18''343
4.	Fisichella	Jordan Peugeot	à 1'23''388
5.	Alesi	Benetton Renault	à 1 tour
6.	Hakkinen	McLaren Mercedes	à 1 tour
7.	Larini	Sauber Petronas	à 1 tour
8.	Panis	Prost Mugen Honda	à 1 tour
9.	Salo	Tyrrell Ford	à 2 tours
10.	Verstappen	Tyrrell Ford	à 2 tours
11.	Katayama	Minardi Hart	à 3 tours

Tour	Pilote	Equipe	Motif d'abandon
1	Trulli	Minardi Hart	pompe hydraul.
3	Magnussen	Stewart Ford	sortie de route
5	Berger	Benetton Renault	tête-à-queue
12	Hill	Arrows Yamaha	sortie de route
12	Nakano	Prost Mugen Honda	accrochage
18	Schumacher	Jordan Peugeot	arbre de roue
19	Herbert	Sauber Petronas	coupure électrique
33	Barrichello	Stewart Ford	pression d'huile
39	Coulthard	McLaren Mercedes	moteur
41	Villeneuve	Williams Renault	boîte de vitesses
54	Diniz	Arrows Yamaha	boîte de vitesses

MEILLEURS TOURS

	Pilote	Temps	Tour
1.	Frentzen	1'25''531	42
2.	M. Schum.	1'25''537	61
3.	Villeneuve	1'25''997	21
4.	Coulthard	1'26''067	33
5.	Fisichella	1'26''620	23
6.	Larini	1'26''753	43
7.	Hakkinen	1'26''791	29
8.	Irvine	1'26''811	45
9.	Alesi	1'27''091	30
10.	R. Schum.	1'27''217	17
11.	Herbert	1'27''594	17
12.	Barrichello	1'27''741	28
13.	Diniz	1'27''793	45
14.	Panis	1'28''064	27
15.	Salo	1'28''189	32
16.	Verstappen	1'28''886	54
17.	Hill	1'29''237	8
18.	Katayama	1'29''554	59
19.	Nakano	1'30''554	11
20.	Berger	1'33''513	4
21.	Magnussen	1'36''710	2

TOUR PAR TOUR

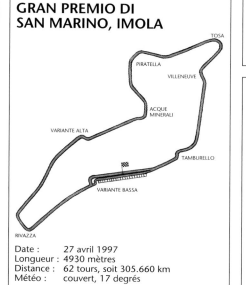

BRIDGESTONE

Meilleur classement obtenu par un pilote équipé de pneus Bridgestone:

Olivier Panis, Prost Mugen Honda, 8e

CHAMPIONNATS

(après quatre manches)

Conducteurs :

1. Jacques VILLENEUVE 20
2. M. SCHUMACHER 14
3. David COULTHARD 10
   Heinz-H. FRENTZEN.....................10
   Eddie IRVINE...............................10
   Gerhard BERGER...........................10
   Mika HAKKINEN............................10
8. Olivier PANIS 6
9. R. SCHUMACHER..........................4
10. Johnny HERBERT...........................3
    Giancarlo FISICHELLA 3
    Jean ALESI 3
12. Nicola LARINI 1

Constructeurs :

1. Williams / Renault 30
2. Ferrari 24
3. McLaren / Mercedes 20
4. Benetton / Renault 13
5. Jordan / Peugeot 7
6. Prost / Mugen Honda 6
7. Sauber / Petronas 4

QUATRIÈME MANCHE

GRAN PREMIO DI SAN MARINO, IMOLA

Date : 27 avril 1997
Longueur : 4930 mètres
Distance : 62 tours, soit 305.660 km
Météo : couvert, 17 degrés

Tous les résultats
© 1997 Fédération Internationale de l'Automobile,
8, Place de la Concorde, Paris 75008, France

LE FILM DE LA COURSE

- Au départ, Villeneuve prend la tête devant Michael Schumacher et Frentzen. Panis est passé par Ralf Schumacher et Herbert.

- En début de course, le peloton Villeneuve-M. Schumacher-Frentzen-R. Schumacher s'échappe. Derrière, Panis retient Irvine, Fisichella et les deux McLaren.

- Au 12e tour, Hill s'accroche avec Nakano. Tous deux abandonnent.

- Au 18e tour, Irvine et Fisichella passent Panis. Ralf Schumacher abandonne.

- Au 24e tour, Michael Schumacher ravitaille. Quand Villeneuve fait de même, il repart derrière la Ferrari.

- Frentzen ravitaille et reprend la piste en tête, devant Schumacher et Villeneuve.

- Au 39e tour, Coulthard abandonne, moteur cassé. Fisichella profite de la confusion pour passer Irvine.

- Au cours de la deuxième série de ravitaillements, Irvine repasse Fisichella et termine troisième.

LES ECHOS DU WEEK-END

• Irvine menacé de mort

Qui a dit que la Formule 1 se moque des frontières et des nationalités? Les parents d'Eddie Irvine, après le podium signé par leur petit en Argentine, ont reçu des menaces de mort. Il faut dire que le drapeau ayant été présenté derrière Irvine était Irlandais. Or, en fait, Irvine vient d'Irlande du Nord, et est donc Britannique pure souche. *«J'avais demandé que l'on présente un drapeau neutre pour ne froisser personne,* expliquait Irvine à Imola. *Mais on m'a répondu que c'était impossible.»*

• Newey chez McLaren

Adrian Newey, l'aérodynamicien considéré comme le plus doué de la F1 a trouvé refuge chez McLaren. Il allait y travailler à partir du 1er août seulement – contrat avec Williams et clause de non-concurrence oblige –, et donc ne pouvait guère influencer la voiture 1998 de l'écurie grise. Son salaire présumé se montait à 2 millions de livres sterling (20 millions de francs français). Lui qui était mécontent de son salaire chez Williams...

• Bye bye Lola

Après sa brève apparition en F1 au Grand Prix d'Australie, l'écurie Lola s'était retirée «pour chercher de nouveaux sponsors». Mais tout espoir de la revoir était désormais envolé. L'écurie fut mise en faillite le 28 avril, et son matériel vendu aux enchères. Pour évi-

ter une pareille pantalonnade dans le futur, Bernie Ecclestone a prévu de modifier le règlement. Jusqu'ici, une écurie nouvelle s'inscrivant au championnat devait déposer une caution de 500 000 dollars auprès de la FIA, somme rendue si l'écurie couvrait tous les Grands Prix de sa première saison. Ce montant se révélait toutefois bien faible en regard des budgets de toute nouvelle écurie. «Mr. E» a donc prévu de demander une caution de 24 millions de livres sterling (environ 240 millions de francs français!), rendue aux écuries à raison de 2 millions de livres par mois, sur deux ans, et avec les intérêts. De quoi effectivement décourager bien des ambitions.

• Hill sanctionné

Il est loin, le temps des victoires. Depuis le début de la saison, Damon Hill devait se battre pour grapiller quelques places d'honneur. Indigne de son talent et de son titre de champion.
C'est lors d'un de ces obscurs combats, à Imola, que le Britannique est entré en collision avec la Prost de Shinji Nakano. Au cours d'un duel pour... l'avant-dernière place. *«Il y avait plus d'un tour que j'étais dans ses roues,* expliquait Damon Hill de retour à son stand. *Il me fermait toutes les portes, et j'ai fini par perdre patience.»* Le Britannique avait dû partir des stands, au volant du mulet de l'équipe, après qu'une fuite d'huile ait été détectée sur sa voiture de course.

Le funambule est de retour

Seul sur sa planète, Michael Schumacher a été l'auteur d'une nouvelle prestation d'anthologie dans le cadre somptueux de Monaco. Sous la pluie, il a devancé tous ses adversaires pour s'imposer et prendre du coup la tête au championnat du monde.

Chez Williams, on s'est complètement loupé en choisissant de prendre le départ en pneus lisses malgré la pluie battante. Une erreur qui aurait pu se payer cher au championnat...

GRAND PRIX DE MONACO
MONTE-CARLO

△ Sur la lancée de sa victoire d'Imola

Johnny Herbert dans le cadre somptueux de Monaco. Le jeudi, le régional de l'étape – il habite en Principauté, tout comme 13 autres pilotes de F1 – signait le meilleur temps du jour.

«HH» en action. La pole sera au bout de l'effort.
▽

La première pole de Heinz-Harald

C'est ce qu'on appelle l'état de grâce. Celui où tout réussit, et dans lequel baignait Heinz-Harald Frentzen. Après sa victoire à Imola, deux semaines plus tôt, l'Allemand a réussi l'exploit de décrocher la pole-position du Grand Prix de Monaco.

A Monaco, tout est plus cher qu'ailleurs. Y compris les places sur la grille de départ. Tout dépassement en course y relevant de la pure inconscience, une bonne place sur la grille s'avère vitale pour viser la victoire. Heinz-Harald Frentzen, samedi, était donc très satisfait d'avoir décroché la première pole de sa carrière sur ce circuit, pendant les toutes dernières minutes de la séance d'essais. «*Je ne pensais pas que je pourrais aller chercher le chrono de Michael*, commentait le pilote Williams. *D'autant que je n'étais pas trop satisfait de ma voiture. Je manquais d'adhérence sur le train avant. Avec Tim, mon ingénieur, nous avons décidé de changer complè-* tement les réglages pour ma dernière sortie en piste. C'était un pari, mais il a réussi. La voiture était parfaite! Bon, quand on m'a averti de mon chrono, on m'a dit par radio que Michael avait encore une sortie à faire. J'ai dû attendre de voir avant de me réjouir.*»

Une pole qui laissait espérer à «HH» une nouvelle victoire. «*Bien sûr, je suis idéalement placé,* poursuivait-il. *Je vais m'y préparer au mieux: bon sommeil, et surtout... pas d'alcool ce soir!*»

A la dérive, Benetton tire dans le noir

Les essais de Monaco avaient fait bien des déçus cette année. C'était le cas chez Prost, puisqu'Olivier Panis n'a obtenu que le 12e temps, avouant n'avoir jamais trouvé les réglages idéaux.

Mais c'était pire chez Benetton. A l'origine du problème, un châssis mal équilibré, qui ne permet pas aux pneus d'atteindre leur température optimale en conditions de qualifications. «*Dès qu'on tourne réservoir vide et qu'on pousse la voiture dans ses limites, le différentiel nous joue des tours,* expliquait Gerhard Berger. *Dans la même courbe, on passe du sous-virage au survirage de manière totalement aléatoire...*»

Une situation qui se posait comme un vrai mystère pour les techniciens de l'écurie. «*On ne sait pas trop comment nous y prendre,* confessait Nick Wirth, l'ingénieur en chef de Benetton. *Pour l'instant, on tire dans le noir: on essaie des solutions, un peu au hasard, et on espère tomber sur la bonne!*»

Benetton alignait ici un nouvel ensemble aérodynamique et un nouveau différentiel commandé électroniquement. Samedi pourtant, l'heure des qualifications venues, tous ces efforts et ces promesses n'ont rien donné puisque les Benetton ne se qualifièrent qu'en 9e (Alesi) et... 17e place (Berger).

A Monaco, le nombre de personnes disposant d'une accréditation est inversement proportionnel à la place disponible dans la pit-lane. D'où des encombrements tenant d'un parking de supermarché le samedi matin...
▽

Meilleur temps pour Herbert le jeudi. Les Sauber en super-forme

«*Go Johnny, go*» (vas-y Johnny). Le jeudi, agglutinés dans la pente menant au palais des Grimaldi, un groupe de fans de Johnny Herbert agitait frénétiquement ses banderoles à chaque passage de la Sauber numéro 16.

Johnny Herbert n'en a probablement rien vu. Ce jour-là, il n'avait d'ailleurs pas besoin d'encouragement. Tenant la «frite» des grands jours, le Britannique signa le meilleur chrono de la journée, à la barbe des Ferrari et des Williams. «*J'adore Monaco*, lâchait-il quelques minutes après avoir signé son temps. *Et pas seulement parce que j'habite ici. C'est sans doute le circuit le plus exigeant de toute la saison.*» Affichant un sourire de collégien, Herbert ajoutait qu'il n'était pas surpris de sa performance, tant sa voiture

se révélait saine depuis le début de la saison. Ici, l'écurie Sauber alignait de plus un nouvel ensemble aérodynamique, testé la semaine précédente à Barcelone et qui semblait faire fureur. «*Avec ces modifications, on a réussi à conserver l'équilibre du châssis tout en obtenant davantage d'appui*, ajoutait Johnny Herbert. *Ce qui est particulièrement important ici. En tout cas, la voiture se comporte bien dans les trois virages les plus lents du circuit. Si on arrive à réduire sa tendance au sous-virage, elle sera parfaite.*»

Meilleur chrono ou pas, Peter Sauber conservait son flegme. «*Nous ne sommes que jeudi*, lançait-il en mâchouillant son cigare. *Je suis très content, mais je le serais déjà avec une qualification dans les trois premières lignes, samedi.*»

Le patron avait raison de prendre du recul: le samedi, Johnny Herbert ne put faire mieux que septième, et manquait donc l'objectif des trois premières lignes.

Peu s'en fallut, puisqu'il échoua à 16 centièmes seulement de la sixième place décrochée par Ralf Schumacher. «*Malheureusement, les conditions de piste ont changé cet après-midi*, regrettait le pilote britannique. *Ce matin, on avait soulagé l'appui de l'aileron avant, et cet après-midi, on a dû revenir à la situation de jeudi. Par moment, j'avais l'impression que la voiture était en deux parties, et que je devais tenir le tout ensemble... Dommage! Sur la fin, le problème était moindre, mais il me restait un sous-virage trop important pour espérer faire mieux.*»

△
«Avec ce plan scotché sur mon volant, je suis sûr de ne pas me perdre...» Michael Schumacher intercala sa Ferrari entre les deux Williams sur la grille de départ.
A sa grande surprise, l'Allemand occupa le sommet du classement pendant l'essentiel de la séance qualificative avant de s'en voir délogé dans les toutes dernières minutes par Heinz-Harald Frentzen.

GRILLE DE DÉPART

		Heinz-H. FRENTZEN 1'18"216
M. SCHUMACHER 1'18"235	-1-	
		Jacques VILLENEUVE 1'18"583
G. FISICHELLA 1'18"665	-2-	
		David COULTHARD 1'18"779
R. SCHUMACHER 1'18"943	-3-	
		Johnny HERBERT 1'19"105
Mika HAKKINEN 1'19"119	-4-	
		Jean ALESI 1'19"263
R. BARRICHELLO 1'19"295	-5-	
		Nicola LARINI 1'19"468
Olivier PANIS 1'19"626	-6-	
		Damon HILL 1'19"674
Mika SALO 1'19"694	-7-	
		Eddie IRVINE 1'19"723
Pedro DINIZ 1'19"860	-8-	
		Gerhard BERGER 1'20"199
Jarno TRULLI 1'20"349	-9-	
		Jan MAGNUSSEN 1'20"516
Ukyo KATAYAMA 1'20"606	-10-	
		Shinji NAKANO 1'20"961
Jos VERSTAPPEN 1'21"290	-11-	

△ *Fantastique victoire de Michael Schumacher*

△
Seul sur sa planète, Michael Schumacher a été l'auteur d'une formidable démonstration de brio sous le déluge du Grand Prix de Monaco. Ici, en train de négocier la chicane du port.

La photo qui prouve le délit: à la fin du deuxième tour, Heinz-Harald Frentzen, qualifié en pole, résiste en slicks à Jean Alesi, neuvième sur la grille. C'est ce qui s'appelle gâcher une occasion.
▷

La course vient de se terminer. Michael Schumacher arrête sa monoplace au pied de la loge princière, dégrafe son harnais et descend de sa Ferrari. Le vainqueur du Grand Prix de Monaco semble frais comme au sortir d'une petite sieste. «C'est vrai, je suis en pleine forme, confirme-t-il quelques minutes plus tard. *Il faut dire que conduire sous la pluie n'est pas très exigeant pour le physique. Le volant tourne tout seul, et on est si lent dans les virages qu'on ne souffre pas des accélérations latérales habituelles. C'est très facile, en fait.*»

Pourtant, rarement conditions auront été aussi piégeuses que ce jour-là. Après trois jours de soleil, la pluie s'est abattue sur la Principauté une demi-heure seulement avant le départ. Trop tard pour que soit organisé le quart d'heure d'essais supplémentaire permettant, dans un tel cas, de régler les voitures pour la pluie.

Sagesse et anticipation chez Ferrari

Chez Ferrari, on avait anticipé le problème. A trois minutes de la fermeture des stands, juste avant le départ, Michael Schumacher changea de monoplace pour s'élancer au volant du mulet. «*On avait préparé une voiture pour le sec et une autre pour la pluie. Après un tour de reconnaissance, j'ai décidé d'opter pour cette dernière.*»
Un choix judicieux, puisque la pluie n'a cessé de tomber tout au long de la course. Et à peine le départ donné, plus personne ne revit la Ferrari. Qui comptait déjà plus de six secondes d'avance au terme du premier tour. «*Tout allait bien*, racontait Michael Schumacher. *En fait, mon seul problème se situait du virage Mirabeau à celui du Portier. Je devais embrayer dans tout cet enchaînement parce que le moteur poussait trop fort pour les conditions de piste.... Sinon, je maintenais un bon rythme pour ne pas perdre ma concentration. C'était ça le plus dur.*»

Un mauvais souvenir

La course de Michael Schumacher fut exemplaire en tout point. Et contrastait avec le Grand Prix de Monaco 1996, lorsque l'Allemand était parti à la faute au virage du Portier, dans le premier tour d'une course elle aussi commencée sur le mouillé. «*Je pense qu'aujourd'hui je rattrape ma gaffe de l'an dernier*, remarquait-il. *Ce souvenir m'a angoissé tout au long de la course. A chaque fois que je passais devant cet endroit, je me disais que je devais faire attention et je ralentissais.*»
A Monaco, l'Allemand n'aura finalement commis qu'une faute, un tout-droit à la chicane Sainte-Dévote. «*J'avais pas mal de problème au freinage. Cette fois-là, ma roue avant s'est bloquée. J'aurais peut-être pu tourner tout de même, je pense que ça aurait passé. Mais j'ai préféré assurer le coup et prendre l'échappatoire. J'avais suffisamment d'avance pour me le permettre.*»

Le funambule est de retour

Cette première victoire de la saison propulsait l'Allemand en tête du championnat. Et le poussait à l'optimisme. «*Jusqu'ici, j'ai eu de la chance que les Williams aient rencontré des problèmes. Il reste une course difficile pour nous, à Barcelone. Après, on a de bonnes chances. On verra.*»
Jean Todt, dimanche, promettait que la Scuderia allait mettre les bouchées doubles pour sortir la nouvelle version de la F310B le plus tôt possible. En ajoutant que la victoire de Monaco, pour le moral, valait bien davantage que ses dix points au championnat.
Cette année, Michael Schumacher se retrouvait au volant d'une Ferrari beaucoup plus compétitive qu'en 1996. Pourtant, il déclarait depuis le début de la saison espérer ne pas perdre pied au championnat avant l'apparition de la nouvelle version de sa voiture.
A Monaco, il n'a de loin pas perdu pied. Il a même marché sur l'eau du tracé monégasque. Côté talent, Michael Schumacher a prouvé qu'il méritait un troisième titre mondial...

DANS LES POINTS

1. Michael SCHUMACHER	Scuderia Ferrari Marlboro		2 h 00'05''654
2. Rubens BARRICHELLO	Stewart Ford		à 53''306
3. Eddie IRVINE	Scuderia Ferrari Marlboro		à 1'22''108
4. Olivier PANIS	Prost Gauloises Blondes		à 1'44''402
5. Mika SALO	Tyrrell Ford		à 1 tour
6. Giancarlo FISICHELLA	B&H Total Jordan Peugeot		à 1 tour

Meilleur tour : M. SCHUMACHER, t. 26, 1'53''315, moy. 106.937 km/h

▷
*Tour de chauffe sur Monaco. Ou quand le
photographe tire parti du mauvais temps pour
produire une superbe image...*

Les Williams boivent la tasse

Au départ, au vu de la pluie qui inondait le circuit, toutes les voitures se sont élancées chaussées de pneus pluie. Toutes, sauf les deux Williams et la McLaren de Mika Hakkinen, qui ont choisi des gommes lisses. *«Nous avions des informations météo indiquant que la pluie allait cesser après 30 minutes. Nous sommes donc partis avec des pneus slicks et des réglages pour le sec. Mais évidemment, ce fut une grosse erreur»*, commentait Jacques Villeneuve après la course. *«La voiture est restée très difficile à piloter même après que j'aie monté des gommes sculptées, et j'ai fini par taper le rail et plier ma suspension.»* Pour Heinz-Harald Frentzen, qui partait en pole-position, la punition était identique. L'écurie Williams avait gâché sa course en risquant un pari exactement identique à celui qui l'avait vu remporter l'épreuve en 1983, avec un certain Keke Rosberg au volant. Mais à l'époque, la pluie avait vite cessé. Pas cette fois-ci.

«Nos pilotes ne sont pas responsables du choix des pneus secs. Il incombe à l'équipe et à elle seule, regrettait Frank Williams après la course. *Nous avons simplement pris un pari en fonction des informations dont nous disposions. Si cela avait fonctionné, nous aurions passé pour des héros.»* En attendant, ils passaient plutôt pour des ânes, une bonne partie du paddock se moquant de l'écurie championne du monde. *«Nous aussi avions reçu un bulletin météo annonçant la fin de l'averse après 10 minutes*, se moquait Cesare Fiorio, le directeur sportif de l'écurie Prost. *Mais il suffisait de regarder le ciel pour voir qu'aucune accalmie n'était en vue. Williams a fait une erreur grossière, c'est tout.»*

Si la pluie, sur la grille de départ, n'était pas très violente, il aurait suffit à l'écurie Williams d'avoir un informateur à Mirabeau pour savoir que là-bas, l'averse était terrible et rendait la course injouable en slicks. Son erreur risquait de coûter cher à l'écurie championne du monde au moment du décompte final.

Monaco s'agrandit

S'il s'avère très prisé du public, le circuit de Monaco ne fait de loin pas partie des tracés préférés des pilotes. Anachronique, étriquée, dangereuse, la piste monégasque ne doit son maintien au calendrier qu'à la légende qui l'entoure.

Toutefois, les organisateurs tentent l'impossible pour améliorer leur circuit. Cette année, ils ont resurfacé la piste sur un bon tiers du parcours, de la sortie du tunnel à la ligne d'arrivée. Ce qui en réduisit les terribles bosses.

Mais surtout, ils ont redessiné l'entrée du «S» de la piscine. Avant, celle-ci était «à l'aveugle», des murs de béton masquant sa sortie à la vue des pilotes. Désormais, à l'entière satisfaction de ces derniers, ces murs ont été remplacés par des vibreurs plats. D'où une meilleure visibilité. *«C'est nettement mieux*, confirmait Heinz-Harald Frentzen. *Avant, si une voiture était en travers à cet endroit, on lui fonçait dedans. Là, on aura davantage confiance. Mais c'est aussi plus rapide. Avec le nouveau revêtement, je pense qu'on va gagner trois bonnes secondes au tour.»*

Une modification de chicane qui s'est effectuée au prix d'un remblai sur les eaux du port. Ce qui n'a pas déplu au Prince Rainier, puisque la surface de la minuscule Principauté a ainsi progressé de quelque 450 mètres carrés!

Olivier Panis n'a pas pu répéter son exploit de 1996 lorsqu'il avait remporté le Grand Prix de Monaco. Cette année, il n'a pas réussi à trouver les bons réglages aux essais, et ne s'est qualifié que 12e. En course, il parvint tout de même à remonter les places une à une pour terminer brillant quatrième.

La Formule 1 aux enchères

Le vendredi après-midi, à Monaco, est traditionnellement jour de repos. Cette année, pourtant, pas question de sieste. A 15 heures 30, une vente aux enchères d'objets de Formule 1 fut organisée par la société Brooks dans le Yacht Club, le bâtiment de luxe situé au bout du port. Le Prince Albert 1er de Monaco, qui se pose comme un authentique fan de Formule 1, n'a pas manqué cette vente, organisée au profit de l'orphelinat Princesse Grace du Sri Lanka, et qui proposait plus d'une cinquantaine de lots offerts par les écuries et les pilotes de F1. On y trouvait des casques, des gants, ou des morceaux de carrosserie qui se sont arraché tant par les quelque 200 personnes présentes que par des acheteurs se trouvant au téléphone de Londres et de Tokyo.

Une vente qui permettait de juger de la réputation des pilotes. La combinaison du Japonais Ukyo Katayama est ainsi partie à 8500 francs français, tandis que celle que Jacques Villeneuve portait l'an dernier lors de sa première victoire s'est vendue 46 000 francs.

La combinaison utilisée le jeudi des essais par Michael Schumacher est partie à 42 000 FF, tandis que le nez avant de la Ferrari de 1996, avec son aileron, est parti à 52 000 FF.

C'est pourtant un lot invisible – non prévu dans le catalogue, mais improvisé par Bernie Ecclestone – qui a crevé tous les plafonds: le casque du pilote allant signer la pole-position du Grand Prix de Monaco, au cours des essais se tenant le lendemain. Un lot qui s'est adjugé à 78 000 francs. Au total, la vente a rapporté plus de 810 000 francs.

La famille Stewart en larmes

«Jamais je n'ai été aussi heureux de toute ma carrière. Jamais!» Jackie Stewart, à Monaco, ne se lassait pas de répéter sa joie après la course, à l'heure où une petite fête était organisée sous l'auvent de son motorhome pour célébrer la deuxième place de Rubens Barrichello. *«D'habitude, je n'ai jamais été du genre émotionnel dans ma carrière. Mais là, on était côte à côte avec Paul pendant toute la course. Et quand Rubens a franchi la ligne d'arrivée, on a tous deux fondu en larmes. C'était... fantastique.»*

Il faut dire que ce résultat s'avérait totalement inattendu. Jusqu'ici, aucune Stewart n'avait réussi à rallier l'arrivée depuis le début de la saison. Même si la voiture parvenait occasionnellement à briller au cours des essais, le châssis se révélait perclu de défauts pendant les courses.

A Monaco, pourtant, aucun souci ne vint perturber le dimanche des Stewart-Ford. Et tandis que Rubens Barrichello montait sur la deuxième marche du podium, Jan Magnussen terminait septième. Le meilleur résultat jamais obtenu par une écurie débutante. *«C'est vraiment un grand moment pour moi,* lâchait Rubinho. *J'avais des réglages pour le sec, mais la voiture était extraordinaire grâce aux pneus Bridgestone. Surtout en début de course, où j'ai pu passer Herbert et les deux Jordan.»*

Arrivé en deuxième place au sixième tour déjà, le Brésilien essaya même de remonter sur Michael Schumacher! *«J'ai forcé la cadence, mais il n'y avait rien à faire. Ensuite, je me suis loupé à la chicane. J'ai escaladé le vibreur, et ma voiture a commencé à talonner. Depuis là, j'ai préféré assurer ma deuxième place.»*

Pour l'écurie Stewart, ce résultat permettait d'envisager la suite de la saison sous un jour nouveau. *«Et comment,* ajoutait Rubinho. *Il faut dire que nous n'avons encore jamais effectué d'essais privés depuis le début de la saison. Ce n'est pas que nous manquons d'argent, mais la voiture ne faisait pas dix tours avant de lâcher, il était inutile d'aller jusqu'à Estoril pour ça. Maintenant, on sait qu'elle peut tenir la distance, et on va enfin pouvoir la développer.»*

L'écurie prévoyait ainsi quatre jours d'essais à Barcelone, dès le lendemain de Monaco. Jackie Stewart espérait bien ressortir son mouchoir lors des prochains Grand Prix...

Grâce à Bridgestone

Il n'y avait pas qu'au sein de l'écurie Stewart qu'on se réjouissait de la deuxième place de Rubens Barrichello. A l'autre extrémité du paddock, sous l'auvent du motorhome Bridgestone, on avait aussi organisé une petite fête. A la japonaise, c'est-à-dire très discrète. *«Je ne sais comment exprimer ma joie,* commentait Hirohide Hamashima, directeur technique de la marque nippone. *Pour nous, c'était la première expérience en course sur le mouillé. Ce qui nous permet de constater que nous pouvons désormais aller plus loin, afin de créer des pneus pluie plus compétitifs.»* Pourtant, les Bridgestone n'étaient déjà pas mauvais. Sans leur supériorité, il semble peu probable que Rubens Barrichello ait terminé deuxième. *«Il est incontestable que ces gommes nous ont donné un avantage,* remarquait Olivier Panis, quatrième sur sa Prost. *J'aurais pu réussir quelque chose de bien ici, mais mes réglages ne convenaient pas et j'ai dû me battre avec la voiture tout au long de la course.»*

TOUS LES ESSAIS

No	Pilote	Châssis/Moteur/Modèle	Libres vendredi	Libres samedi	Qualifs	Warm-up
1.	Damon Hill	Arrows/Yamaha/A18/3 (B)	1'21"962	1'20"287	1'19"674	1'23"561
2.	Pedro Diniz	Arrows/Yamaha/A18/2 (B)	1'22"622	1'19"947	1'19"860	1'23"776
3.	Jacques Villeneuve	Williams/Renault/FW19/4 (G)	1'21"445	1'18"612	1'18"583	1'21"657
4.	Heinz-Harald Frentzen	Williams/Renault/FW19/5 (G)	1'21"885	1'18"370	1'18"216	1'21"794
5.	Michael Schumacher	Ferrari/Ferrari/F310B/174 (G)	1'21"330	1'19"265	1'18"235	1'21"843
6.	Eddie Irvine	Ferrari/Ferrari/F310B/173 (G)	1'22"072	1'19"563	1'19"723	1'23"322
7.	Jean Alesi	Benetton/Renault/B197/5 (G)	1'22"010	1'18"950	1'19"263	1'23"349
8.	Gerhard Berger	Benetton/Renault/B197/4 (G)	1'21"573	1'19"788	1'19"199	1'22"974
9.	Mika Hakkinen	McLaren/Mercedes/MP4/12/2 (G)	1'21"675	1'19"748	1'19"119	1'21"480
10.	David Coulthard	McLaren/Mercedes/MP4/12/3 (G)	1'22"020	1'19"192	1'18"779	1'22"141
11.	Ralf Schumacher	Jordan/Peugeot/197/3 (G)	1'21"939	1'19"380	1'18"943	1'23"442
12.	Giancarlo Fisichella	Jordan/Peugeot/197/4 (G)	1'21"463	1'18"560	1'18"665	1'22"555
14.	Olivier Panis	Prost/Mugen Honda/JS45/3 (B)	1'23"096	1'22"008	1'19"626	1'21"683
15.	Shinji Nakano	Prost/Mugen Honda/JS45/2 (B)	1'25"530	1'21"923	1'20"961	1'24"656
16.	Johnny Herbert	Sauber/Petronas/C16/1 (G)	1'21"188	1'20"976	1'19"105	1'22"233
17.	Nicola Larini	Sauber/Petronas/C16/2 (G)	1'22"383	1'20"459	1'19"468	1'23"958
18.	Jos Verstappen	Tyrrell/Ford/025/3 (G)	1'23"056	1'21"124	1'21"290	1'23"334
19.	Mika Salo	Tyrrell/Ford/025/3 (G)	1'23"483	1'20"516	1'19"694	1'23"380
20.	Ukyo Katayama	Minardi/Hart/M197/3 (B)	1'39"353	1'22"076	1'20"606	1'22"982
21.	Jarno Trulli	Minardi/Hart/M197/2 (B)	1'25"178	1'21"849	1'20"349	1'23"875
22.	Rubens Barrichello	Stewart/Ford/SF1/2 (B)	1'22"370	1'20"338	1'19"295	1'23"453
23.	Jan Magnussen	Stewart/Ford/SF1/3 (B)	1'23"810	1'20"764	1'20"516	1'24"035

CLASSEMENT & ABANDONS

Pos	Pilote	Equipe	Temps
1.	Schumacher	Ferrari	en 2h00'05"654
2.	Barrichello	Stewart Ford	à 53"306
3.	Irvine	Ferrari	à 1'22"108
4.	Panis	Prost Mugen Honda	à 1'44"402
5.	Salo	Tyrrell Ford	à 1 tour
6.	Fisichella	Jordan Peugeot	à 1 tour
7.	Magnussen	Stewart Ford	à 1 tour
8.	Verstappen	Tyrrell Ford	à 2 tours
9.	Berger	Benetton Renault	à 2 tours
10.	Katayama	Minardi Hart	à 2 tours

Tour	Pilote	Equipe	Motif d'abandon
1	Diniz	Arrows Yamaha	tête-à-queue
2	Hill	Arrows Yamaha	accrochage
2	Hakkinen	McLaren Mercedes	accrochage
2	Coulthard	McLaren Mercedes	accrochage
8	Trulli	Minardi Hart	sortie de route
10	Herbert	Sauber Petronas	sortie de route
11	Schumacher	Jordan Peugeot	tête-à-queue
17	Villeneuve	Williams Renault	touchette
17	Alesi	Benetton Renault	tête-à-queue
25	Larini	Sauber Petronas	crevaison
37	Nakano	Prost Mugen Honda	tête-à-queue
40	Frentzen	Williams Renault	sortie de route

MEILLEURS TOURS

	Pilote	Temps	Tour
1.	M. Schum.	1'53"315	26
2.	R. Schum.	1'53"430	10
3.	Barrichello	1'53"495	10
4.	Frentzen	1'53"504	22
5.	Irvine	1'54"202	48
6.	Fisichella	1'54"806	9
7.	Salo	1'54"968	22
8.	Verstappen	1'55"045	23
9.	Villeneuve	1'55"218	14
10.	Magnussen	1'55"303	27
11.	Panis	1'55"309	18
12.	Alesi	1'55"451	9
13.	Herbert	1'55"840	8
14.	Berger	1'55"841	8
15.	Katayama	1'56"101	24
16.	Nakano	1'56"906	19
17.	Larini	1'56"940	19
18.	Trulli	2'00"038	7
19.	Coulthard	2'11"201	1
20.	Hakkinen	2'15"786	1
21.	Hill	2'17"648	1

TOUR PAR TOUR

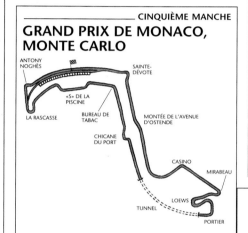

CHAMPIONNATS

(après cinq manches)

Conducteurs :

1.	M. SCHUMACHER	24
2.	Jacques VILLENEUVE	20
3.	Eddie IRVINE	14
4.	David COULTHARD	10
	Heinz-H. FRENTZEN	10
	Gerhard BERGER	10
	Mika HAKKINEN	10
8.	Olivier PANIS	9
9.	Rubens BARRICHELLO	6
10.	Ralf SCHUMACHER	4
	Giancarlo FISICHELLA	4
12.	Johnny HERBERT	3
	Jean ALESI	3
14.	Mika SALO	2
15.	Nicola LARINI	1

Constructeurs :

1.	Ferrari	38
2.	Williams / Renault	30
3.	McLaren / Mercedes	20
4.	Benetton / Renault	13
5.	Prost / Mugen Honda	9
6.	Jordan / Peugeot	8
7.	Stewart / Ford	6
8.	Sauber / Petronas	4
9.	Tyrrell / Ford	2

CINQUIÈME MANCHE

GRAND PRIX DE MONACO, MONTE CARLO

Date : 11 mai 1997
Longueur : 3366 mètres
Distance : 62 tours, soit 208.692 km
Météo : pluie, 16 degrés

LES ECHOS DU WEEK-END

• Que de vedettes!

Le Grand Prix de Monaco est toujours le plus mondain de la saison. Cette année, on a ainsi croisé un nombre considérable de vedettes de toute nature. Dont des mannequins célèbres, d'Eva Herzigova à Claudia Schiffer, ou des sportifs divers, tels Luc Alphand ou Max Biaggi.

• Max Mosley contre-attaque

Depuis quelques semaines, plusieurs pilotes, dont Jacques Villeneuve, critiquaient les nouveaux règlements, appelés à régir la Formule 1 depuis la saison 1998.

Le samedi, Max Mosley, le Président de la FIA est intervenu à Monaco pour justifier le bien-fondé de ces décisions. Et s'étonner de la réticence affichée par certaines écuries. «Ces modifications ont été conçues par un collège d'ingénieurs provenant de toutes les équipes, tonnait Max Mosley. L'unanimité a alors été obtenue, alors que certains, aujourd'hui, semblent avoir changé d'avis sans qu'aucun élément nouveau ne soit intervenu depuis. Je ne veux pas en entendre parler. Ces décisions seront appliquées quoi qu'il arrive.» Voilà ce qu'on appelle affirmer son autorité.

Le Président de la FIA semblait avoir été froissé par les propos de Jacques Villeneuve, qui affirmait que le nouveau règlement rendait les voitures plus difficiles à conduire, qu'il nivellait le niveau des pilotes et qu'il rendait la Formule 1 plus dangereuse. «Il a tort, et on peut le prouver, poursuivait Max Mosley. Des pneus lisses permettent d'aller plus vite, et les impacts, en cas d'accident, dépendent uniquement de la vitesse. Et nous avons vu, ces dernières années, que l'accroissement des performances dépend davantage des pneus que de n'importe quel autre facteur. Nous avons réduit leur largeur à 20 pouces, il y a quelques années, puis à 15 pouces il y a quatre ans. On aurait dû aller plus loin, on aurait permis de conserver quelques-uns des plus beaux virages. Si on ne fait rien sur les pneus, on va se retrouver avec une saison de circuits de go-kart, les seuls qui permettent une vitesse dans des proportions raisonnables. Je rappelle que tous les grands pilotes, de Fangio à Moss, se sont distingués à une époque où l'adhérence était infiniment moins grande qu'aujourd'hui. Je ne pense pas que les conditions d'alors nivellaient les valeurs.» Jacques Villeneuve, selon Max Mosley, avait donc tort sur toute la ligne. «Un pilote demande toujours d'avoir plus d'appui, plus de puissance, et n'est pas concerné par la sécurité. C'est mon problème de m'assurer que Jacques atteindra un jour 50 ans, et viendra me voir en me disant que j'avais probablement raison. Jacques a tort quand il déclare que les pneus sculptés rendront le pilotage plus facile. On ne peut pas effacer comme cela toute l'histoire du sport automobile. En fait, Jacques suggère que tous les pilotes de course étaient médiocres jusqu'à ce qu'il arrive...»

LE FILM DE LA COURSE

• Au départ, Michael Schumacher prend le large devant Fisichella, Frentzen et Ralf Schumacher. Toutes les voitures sont en pneus pluie, sauf les deux Williams et la McLaren de Hakkinen.

• Au deuxième tour, Coulthard part en tête-à-queue à la chicane. Alesi freine pour l'éviter et Hakkinen heurte la Benetton. Hill tape l'arrière de Irvine et abandonne, ainsi que les deux McLaren.

• Après deux tours, Michael Schumacher a 11 secondes d'avance sur Fisichella. Derrière, Barrichello a passé Frentzen.

• Au 4e tour, Villeneuve s'arrête et monte des pneus pluie.

• Au 5e tour, Barrichello passe R. Schumacher. Au 6e, il double Fisichella et se retrouve 2e, 25 secondes derrière Michael Schumacher.

• Frentzen est en perdition avec ses pneus lisses. Il change au 6e tour et se retrouve 16e, juste devant Villeneuve.

• Herbert sort tout droit à Sainte-Dévote au 9e tour. Il était 5e.

• Au 10e tour, Berger part en tête-à-queue et casse son aileron avant. Il en change et repart avant-dernier.

• Au 17e tour, Alesi part en tête-à-queue au Portier. Il cale et abandonne. Villeneuve abandonne lui aussi après avoir tapé le rail.

• Panis et Irvine finissent par passer Fisichella, qui termine sixième.

• Après son seul arrêt aux stands, Irvine se retrouve devant Panis et termine sur le podium.

• Salo, qui n'a pas ravitaillé du tout, est 5e.

«Repasse-moi un peu de pâté.» Les mécaniciens Benetton profitent de la pause de midi pour admirer les yachts ancrés dans le port de Monaco. On peut toujours rêver...

Jacques à fond la forme

Après deux Grands Prix «sans», Jacques Villeneuve retrouvait le chemin du succès à Barcelone. Mais tandis que le Québécois remportait sa troisième victoire de la saison, son coéquipier Heinz-Harald Frentzen terminait à nouveau complètement largué, à la huitième place.

Olivier Panis continuait son incroyable progression, puisqu'il montait sur la deuxième marche du podium. La victoire était en ligne de mire...

GRAN PREMIO MARLBORO DE ESPAÑA
BARCELONA

Les Williams-Renault à la lutte

Pas de pitié entre les deux pilotes de l'écurie Williams: le samedi, Heinz-Harald Frentzen et Jacques Villeneuve se sont disputés la pole-position à deux, loin devant tous leurs rivaux. Un duel qui a finalement tourné à l'avantage du Canadien. *«Je suis vraiment satisfait de ma journée,* commentait Jacques Villeneuve à la fin des essais. *Après deux Grands Prix difficiles, je savais que tout devait aller mieux ici. On a beaucoup tourné en essais privés sur ce circuit, mais ça n'a pas été facile. Il y a eu de la pression, et beaucoup de stress, parce qu'il n'a pas été aisé de faire fonctionner la voiture comme je le souhaitais. On a changé un grand nombre de petites choses tout au long de la séance. Des petits détails, mais qui ont radicalement affecté la voiture au bout du compte. On n'est pas loin d'avoir LA voiture parfaite. On tourne autour.»* Frentzen, dans les toutes dernières minutes de la séance, a effectué une ultime tentative pour battre son coéquipier. Sans succès: *«Je n'étais pas entièrement satisfait de l'équilibre de ma voiture, et surtout le vent avait tourné. Sur ce circuit, avec la longue ligne droite, cela a suffi à rendre toute amélioration impossible.»* A la troisième place de la grille, on trouvait l'étonnant David Coulthard. *«Oui, c'est une surprise, même pour moi. Il semble qu'on a réduit l'écart face aux Williams. En partie grâce au nouveau moteur Mercedes «spécification F», mais aussi grâce aux conditions du circuit, qui conviennent particulièrement à la voiture. L'équilibre est assez bon.»* Pour la course, l'Ecossais se déclarait relativement optimiste.

GRILLE DE DÉPART

Heinz-H. FRENTZEN 1'16"791	-1-	Jacques VILLENEUVE 1'16"525
Jean ALESI 1'17"717	-2-	David COULTHARD 1'17"521
Gerhard BERGER 1'18"041	-3-	Mika HAKKINEN 1'17"737
G. FISICHELLA 1'18"385	-4-	M. SCHUMACHER 1'18"313
Johnny HERBERT 1'18"494	-5-	R. SCHUMACHER 1'18"423
Olivier PANIS 1'19"157	-6-	Eddie IRVINE 1'18"873
Mika SALO 1'20"079	-7-	Gianni MORBIDELLI 1'19"323
Shinji NAKANO 1'20"103	-8-	Damon HILL 1'20"089
Jarno TRULLI 1'20"452	-9-	R. BARRICHELLO 1'20"255
Ukyo KATAYAMA 1'20"672	-10-	Jos VERSTAPPEN 1'20"582
Jan MAGNUSSEN 1'21"060	-11-	Pedro DINIZ 1'21"029

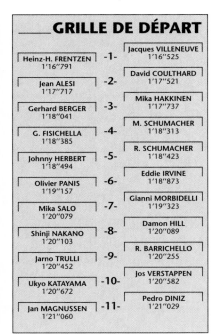

Troisième victoire de la saison pour Jacques Villeneuve

Jacques s'éclate, Heinz se rate

A Barcelone, Jacques Villeneuve a effacé d'une rasade de champagne ses deux échecs consécutifs d'Imola et de Monaco. De quoi rendre le Québécois heureux. «*Et comment!* lâchait-il à sa descente du podium. *Gagner ici rattrape un peu les idioties de Monaco.*» Jacques Villeneuve a conservé la tête de la course de bout en bout, à l'exception de deux tours à l'occasion de ses ravitaillements. Contrairement à Michael Schumacher, qui s'est arrêté trois fois, le pilote Williams avait opté pour deux stops. «*Trois arrêts, c'est toujours un pari risqué*, expliquait-il. *Il faut absolument partir devant, et foncer d'un bout à l'autre. En ne stoppant que deux fois, j'ai pu adopter une cadence plus raisonnable et surveiller mes pneus.*»

Une victoire d'autant plus bienvenue qu'elle survenait à trois semaines du Grand Prix du Canada. «*Oui, je suis particulièrement satisfait d'arriver à Montréal en tête du championnat*, poursuivait-il. *Ça me donne un peu d'air, parce que j'aurai beaucoup de pression là-bas. Pour moi, ce sera la course la plus importante de la saison...*»

L'écurie Williams en colère contre «HH»

La joie qui rayonnait de Villeneuve contrastait avec la mine affichée par Heinz-Harald Frentzen. Ayant troqué sa combinaison pour son éternelle chemise jeans, l'Allemand n'avait pas l'humeur joyeuse à l'heure d'affronter les journalistes qui s'inquiétaient de sa course. Et des raisons qui l'ont empêché de faire mieux que... neuvième. «*Honnêtement, c'est un mystère pour moi*, se lamentait-il. *Tout s'était bien passé pendant les essais, je n'ai jamais connu une seule alerte du côté des pneus. Ce matin encore, pendant le warm-up, tout était impeccable. Et voilà qu'en course, après deux tours, mes pneus ont commencé à cloquer. C'est à n'y rien comprendre.*»
L'écurie Williams ne partageait guère le point de vue d'Heinz-Harald. Adjoint de Patrick Head, James Robinson laissa exploser sa colère. «*Heinz connaît parfaitement son erreur*, tonnait-il. *Après le warm-up, il a décidé de partir sur son mulet, alors qu'il n'avait roulé que trois tours à son volant. Evidemment, il n'a découvert qu'en course que ce châssis détruisait les pneus très rapidement. Nous lui avions déconseillé ce choix, mais il s'est entêté. Voilà où sa décision nous conduit.*»

Olivier deuxième, Alain stressé

Toujours plus fort, telle semble être la devise de l'écurie Prost. Après sa troisième place du Brésil, Olivier Panis a réussi à Barcelone à terminer sur la deuxième marche du podium, à moins de six secondes de la Williams de Jacques Villeneuve. Pas si mal pour quelqu'un qui bouclait le premier tour en... treizième position!
Frais comme s'il sortait d'une balade en forêt, le pilote Grenoblois évoquait son exploit avec son flegme habituel. «*J'ai raté mon départ, mais ensuite, tout s'est bien passé. La voiture était parfaitement équilibrée, et les pneus étaient indestructibles. On avait déjà constaté ça ce matin, au terme du warm-up, et on espérait bien marquer des points. Mais je n'aurais jamais osé imaginer finir à la deuxième place.*»
Sous l'auvent de son motorhome, Alain Prost était au septième ciel. Souriant aux caméras, répondant à des questions fusant de partout, il répétait ses félicitations à l'adresse de son pilote et de son écurie. Plus tard, remis de ses émotions, il avoua même avoir cru à la victoire: «*On savait que les pneus tiendraient le coup, et on avait confiance*, analysa-t-il. *En fait, la course s'est déroulée à 100% selon le plan que nous avions établi. Après 20 tours, en voyant comment Olivier se débarrassait de ses rivaux, je me suis tourné vers Cesare Fiorio (le directeur sportif de l'équipe) et je lui ai dit: "Cette fois, c'est pour nous. Aujourd'hui, on doit gagner." Bon, il nous aurait fallu un peu de chance pour y parvenir, mais ce n'était pas impossible.*»
Pour le Français, même observée du mur des stands, la course ne fut de loin pas de tout repos: «*C'était même terrible*, ajoutait-il. *J'ai vécu cette course comme l'une des plus exaltantes de ma carrière. Quand on est pilote, on est concentré sur soi, on ne sait rien de l'extérieur. Mais là, je peux tout surveiller, c'est un stress épouvantable. J'avais une boule à l'estomac comme jamais je n'ai eu quand je pilotais. D'ailleurs, je n'aurais pas pu devenir champion du monde dans un état pareil!*»

△
Départ: Jacques Villeneuve prend le meilleur sur David Coulthard et Michael Schumacher. Derrière, Olivier Panis est englué dans le peloton. C'est la deuxième procédure de départ, la première ayant été interrompue par Ralf Schumacher, qui avait calé sur la grille.

36e tour: Mika Salo voit son pneu arrière gauche déchapper au moment précis où le Finlandais s'apprêtait à rentrer à son stand pour en changer.
▽

DANS LES POINTS

1. Jacques VILLENEUVE	Rothmans Williams Renault	1 h 30'35"896
2. Olivier PANIS	Prost Gauloises Blondes	à 5"804
3. Jean ALESI	Mild Seven Benetton Renault	à 12"534
4. Michael SCHUMACHER	Scuderia Ferrari Marlboro	à 17"979
5. Johnny HERBERT	Red Bull Sauber Petronas	à 27"986
6. David COULTHARD	West McLaren Mercedes	à 29"744

Meilleur tour : G. FISICHELLA, tour 20, 1'22'242, moy. 206.960 km/h

Ravitaillement chez Ferrari. La 4e place seulement sera au bout de la route.

Morbidelli remplace Larini

Chez Sauber, un Italien en remplace un autre

Dans les paddocks de Formule 1, Peter Sauber a toujours passé pour un tendre. Avec son sourire éternel, le Zürichois paraît presque décalé par rapport à l'univers impitoyable de la Formule 1.

Pourtant, il a prouvé à Barcelone qu'il savait aussi prendre de dures décisions quand les circonstances l'exigent. Le mercredi, il a ainsi annoncé le limogeage immédiat de son second

pilote, Nicola Larini, au profit de l'Italien Gianni Morbidelli, le pilote-essayeur de Ferrari. Larini n'a disputé que cinq Grands Prix pour l'écurie zürichoise, mais il a empilé les bévues sur les sorties de route avec un tel systématisme que Peter Sauber ne pouvait plus lui conserver sa confiance. La décision fut vite prise. Avec l'accord de Ferrari – encore un coup de pouce à Sauber –, Gianni Morbidelli devait

donc piloter la deuxième Sauber jusqu'à la fin de la saison. «Jusqu'ici, je n'ai roulé qu'un jour sur la C16, expliquait ce dernier. Mais j'ai déjà pu constater à quel point l'écurie était professionnelle. J'ai tout de suite eu un bon contact. J'ai pu me faire une idée de la voiture, mais je garde mes constatations pour moi! Je pense toutefois que ma connaissance de la Ferrari pourra suggérer des solutions utiles aux ingénieurs de Sauber.»

Gianni Morbidelli retrouvait la Formule 1 après une saison d'absence.

«Vous voyez, là-bas, le petit Monsieur avec des lunettes et une chemise blanche. Le roi, ici, c'est lui!» Jackie Stewart a accueilli le Roi Juan Carlos pendant le Grand Prix d'Espagne.

Irvine montré du doigt

La conduite d'Eddie Irvine s'est une fois de plus révélée choquante à Barcelone. Sur la fin de la course, l'Irlandais a copieusement bloqué Olivier Panis au moment où se dernier s'apprêtait à lui prendre un tour. Une conduite antisportive qui n'a pas échappé aux commissaires, qui ont infligé, mais un peu tard, 10 secondes de pénalité à l'Irlandais.

Pour certains, toutefois, la conduite du pilote Ferrari était tout simplement dictée par l'écurie, afin de permettre à Michael Schumacher de rattraper les pilotes qui le précédaient. «Ce qu'a fait là Ferrari est intolérable», s'offusquait Alain Prost. «Ce n'est pas ainsi que je conçois le sport.»

Jean Alesi parti pour terminer sur le podium. A Barcelone, la communauté francophone des Grands Prix pouvait se féliciter de fêter un podium parlant 100% français, avec Jacques Villeneuve, Olivier Panis et Jean Alesi. Ce qui n'a bien entendu pas empêché la conférence de presse d'après-cours de se tenir en anglais.

Tous les résultats © 1997 Fédération Internationale de l'Automobile, 8, Place de la Concorde, Paris 75008, France

TOUS LES ESSAIS

No	Pilote	Châssis/Moteur/Modèle	Libres vendredi	Libres samedi	Qualifs	Warm-up
1.	Damon Hill	Arrows/Yamaha/A18/3 (B)	1'23"592	1'20"768	1'20"089	1'22"499
2.	Pedro Diniz	Arrows/Yamaha/A18/2 (B)	1'25"049	1'21"365	1'21"029	1'23"057
3.	Jacques Villeneuve	Williams/Renault/FW19/4 (G)	1'19"766	1'17"664	1'16"525	1'19"961
4.	Heinz-Harald Frentzen	Williams/Renault/FW19/5 (G)	1'21"887	1'17"457	1'16"791	1'20"335
5.	Michael Schumacher	Ferrari/Ferrari/F310B/177 (G)	1'21"319	1'18"734	1'18"313	1'21"302
6.	Eddie Irvine	Ferrari/Ferrari/F310B/176 (G)	1'21"423	1'20"907	1'18"873	1'22"327
7.	Jean Alesi	Benetton/Renault/B197/5 (G)	1'19"566	1'18"476	1'17"717	1'20"697
8.	Gerhard Berger	Benetton/Renault/B197/2 (G)	1'20"933	1'19"213	1'18"041	1'21"150
9.	Mika Hakkinen	McLaren/Mercedes/MP4/12/6 (G)	1'21"421	1'18"757	1'17"737	1'20"296
10.	David Coulthard	McLaren/Mercedes/MP4/12/3 (G)	1'21"312	1'18"056	1'17"521	1'20"823
11.	Ralf Schumacher	Jordan/Peugeot/197/3 (G)	1'20"198	1'19"419	1'18"423	1'20"276
12.	Giancarlo Fisichella	Jordan/Peugeot/197/4 (G)	1'20"537	1'18"901	1'18"385	1'20"814
14.	Olivier Panis	Prost/Mugen Honda/JS45/4 (B)	1'21"636	1'20"412	1'19"157	1'20"852
15.	Shinji Nakano	Prost/Mugen Honda/JS45/2 (B)	1'23"191	1'20"561	1'20"103	1'21"937
16.	Johnny Herbert	Sauber/Petronas/C16/5 (G)	1'21"379	1'18"692	1'18"494	1'22"697
17.	Gianni Morbidelli	Sauber/Petronas/C16/2 (G)	1'23"451	1'20"151	1'19"323	1'21"484
18.	Jos Verstappen	Tyrrell/Ford/025/4 (G)	1'23"209	1'21"599	1'20"582	1'23"686
19.	Mika Salo	Tyrrell/Ford/025/3 (G)	1'22"849	1'20"849	1'20"079	1'23"549
20.	Ukyo Katayama	Minardi/Hart/M197/3 (B)	1'22"892	1'20"829	1'20"672	1'23"259
21.	Jarno Trulli	Minardi/Hart/M197/2 (B)	1'25"064	1'21"582	1'20"452	1'23"748
22.	Rubens Barrichello	Stewart/Ford/SF1/4 (B)	1'23"246	1'20"336	1'20"255	1'23"613
23.	Jan Magnussen	Stewart/Ford/SF1/2 (B)	1'22"839	1'20"602	1'21"060	1'23"439

CLASSEMENT & ABANDONS

Pos	Pilote	Equipe	Temps
1.	Villeneuve	Williams Renault	en 1h30'35"896
2.	Panis	Prost Mugen Honda	à 5"804
3.	Alesi	Benetton Renault	à 12"534
4.	Schumacher	Ferrari	à 17"979
5.	Herbert	Sauber Petronas	à 27"986
6.	Coulthard	McLaren Mercedes	à 29"744
7.	Hakkinen	McLaren Mercedes	à 48"785
8.	Frentzen	Williams Renault	à 1'04"139
9.	Fisichella	Jordan Peugeot	1'04"767
10.	Berger	Benetton Renault	à 1'05"670
11.	Verstappen	Tyrrell Ford	à 1 tour
12.	Irvine	Ferrari	à 1 tour
13.	Magnussen	Stewart Ford	à 1 tour
14.	Morbidelli	Sauber Petronas	à 2 tours
15.	Trulli	Minardi Hart	à 2 tours

Tour	Pilote	Equipe	Motif d'abandon
12	Katayama	Minardi Hart	syst. hydraulique
19	Hill	Arrows Yamaha	moteur
35	Nakano	Prost Mugen Honda	boîte de vitesses
36	Salo	Tyrrell Ford	pneu
39	Barrichello	Stewart Ford	moteur
51	Schumacher	Jordan Peugeot	moteur
54	Diniz	Arrows Yamaha	moteur

MEILLEURS TOURS

	Pilote	Temps	Tour
1.	Fisichella	1'22"242	20
2.	M. Schum.	1'22"295	44
3.	Coulthard	1'22"430	22
4.	Panis	1'22"422	29
5.	Villeneuve	1'22"534	9
6.	R. Schum.	1'22"784	14
7.	Irvine	1'22"839	30
8.	Frentzen	1'22"841	54
9.	Alesi	1'23"096	20
10.	Berger	1'23"106	42
11.	Herbert	1'23"178	54
12.	Hakkinen	1'23"241	30
13.	Nakano	1'23"516	21
14.	Barrichello	1'23"564	23
15.	Diniz	1'23"716	24
16.	Hill	1'23"761	12
17.	Trulli	1'24"213	45
18.	Verstappen	1'24"517	43
19.	Morbidelli	1'24"647	24
20.	Salo	1'24"775	4
21.	Magnussen	1'25"300	40
22.	Katayama	1'26"273	4

TOUR PAR TOUR

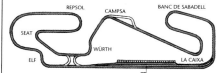

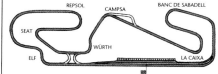

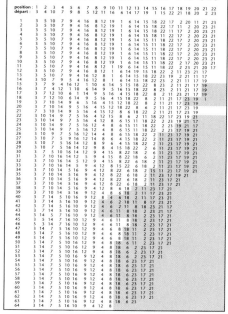

SIXIÈME MANCHE
GRAN PREMIO MARLBORO DE ESPAÑA, BARCELONA

Date : 25 mai 1997
Longueur : 4726 mètres
Distance : 64 tours, soit 302.469 km
Météo : beau, 22 degrés

BRIDGESTONE

Meilleur classement obtenu par un pilote équipé de pneus Bridgestone:

Olivier Panis, Prost Mugen Honda, 2e

CHAMPIONNATS

(après six manches)

Conducteurs :

1.	Jacques VILLENEUVE	30
2.	Michael SCHUMACHER	27
3.	Olivier PANIS	15
4.	Eddie IRVINE	14
5.	David COULTHARD	11
6.	Heinz-H. FRENTZEN	10
	Gerhard BERGER	10
	Mika HAKKINEN	10
9.	Jean ALESI	7
10.	Rubens BARRICHELLO	6
11.	Johnny HERBERT	6
12.	Ralf SCHUMACHER	4
	Giancarlo FISICHELLA	4
14.	Mika SALO	1
15.	Nicola LARINI	1

Constructeurs :

1.	Ferrari	41
2.	Williams / Renault	40
3.	McLaren / Mercedes	21
4.	Benetton / Renault	17
5.	Prost / Mugen Honda	15
6.	Jordan / Peugeot	8
7.	Stewart / Ford	6
8.	Sauber / Petronas	6
9.	Tyrrell / Ford	2

LE FILM DE LA COURSE

- Ralf Schumacher cale sur la grille et retarde le départ de huit minutes.
- Au départ, Frentzen se rate et se retrouve 6e. Devant, Villeneuve vire en tête devant Coulthard et Michael Schumacher.
- Michael Schumacher passe Coulthard au premier tour et attaque Villeneuve, avant de perdre rapidement du terrain.
- Michael Schumacher ralentit Coulthard, Alesi et Hakkinen. Frentzen suit ces quatre pilotes avec peine.
- Hill abandonne devant les stands au 19e tour, voiture fumante. Diniz fera de même au même endroit au 54e tour.
- Après la première série d'arrêts aux stands, Villeneuve précède Coulthard et Hakkinen. L'Ecossais se rapproche du Canadien.
- Coulthard ayant choisi une stratégie à trois arrêts, il s'arrête rapidement une seconde fois. Alesi se retrouve deuxième devant Panis.
- Panis profite de son second ravitaillement pour s'emparer de la deuxième place.
- Après le deuxième arrêt de Villeneuve, ce dernier ralentit la cadence et laisse Panis le remonter. Alesi termine troisième devant Michael Schumacher.

LES ECHOS DU WEEK-END

• Schumi ne jouera plus

Le dimanche précédant le Grand Prix d'Espagne, Michael Schumacher a disputé un match de football avec l'équipe d'Aubonne, qui évolue en troisième ligue suisse. Aubonne est un village situé à quelques kilomètres de Vufflens-le-Château, où réside le pilote Ferrari. Les dirigeants du club, à la recherche de financement, avaient écrit à toutes les personnalités de la région pour leur demander une aide afin d'acheter de nouveaux maillots. Michael a répondu qu'il voulait bien payer les maillots, mais qu'il voulait aussi jouer. Il a donc participé à plusieurs entraînements de l'équipe – sans qu'aucun joueur ne dévoile sa présence –, a demandé sa licence officielle, et l'a obtenue le vendredi 16 mai. Le dimanche, il disputait ainsi son premier match de troisième ligue! Un match qui n'est pas passé inaperçu. Les photos en ont été reprises par les journaux du monde entier, et constituaient l'un des principaux sujets de conversation du paddock de Barcelone, le jeudi.

«Schumi» confirmait qu'il avait disputé ce match par pur plaisir: «Je me suis bien amusé, confiait-il. Ce match m'a au moins prouvé que je fais mieux d'être pilote que footballeur! Malheureusement, je n'étais pas à la vraie place que je devrais occuper sur un terrain. J'étais libero, et je n'ai presque pas touché le ballon de la partie... Je préférerais être attaquant. Bon, j'ai tout de même eu une belle occasion de

but, mais je l'ai manquée.» Pour la petite histoire, le match s'est terminé sur un score humiliant de 1-6 en faveur de l'équipe de Genolier (le but marqué était un penalty!). Aubonne était dernier du classement, luttait contre la relégation en quatrième ligue, et de ce fait Michael Schumacher ne ressentait pas son implication comme trop grave s'il ne se montrait pas à la hauteur. Jouer au football n'est pas sans danger, et l'on se demande quelle tête auraient affiché les dirigeants de Ferrari si leur pilote-vedette s'était cassé une cheville à Aubonne... «Mon contrat ne m'empêche rien, je dois simplement être raisonnable, poursuivait le double champion du monde. Mais c'est pourquoi je ne pense pas que je disputerai un nouveau match. A Aubonne, ce sont de bons joueurs, qui attaquent, et j'ai peur de prendre un mauvais coup. Aux entraînements, il n'y a pas de problème, ils savent qui je suis et ils font attention. Mais pendant les matches, les gars se moquent que je me nomme Michael Schumacher, et je dois faire attention, je n'ai pas l'esprit totalement libre pour jouer au foot comme je le souhaiterais. Bon, j'aime le jeu, et si l'occasion se représente, pourquoi pas. Mais il faudra le faire discrètement.» Sinon, en effet, Aubonne pouvait s'attendre à voir 500 photographes allemands assister au match, survolés par un hélicoptère de RTL (la TV germanique) et surveillé par un sous-marin de DF1, la chaîne numérique.

Barcelone et sa monumentale cathédrale Gaudi. Chaque année, on ne cesse d'admirer les splendeurs de la capitale catalane.

Grande peur au 52ᵉ tour

Il était parti pour remporter le Grand Prix du Canada. Les monoplaces équipées de pneus Goodyear étaient à la peine, et Olivier Panis, avec ses Bridgestone, avait toutes les chances d'atteindre l'arrivée sans devoir changer ses gommes tous les 5 tours.

Le destin en voulut autrement: au 52ᵉ tour, la Prost du Français décrochait brutalement et frappait un mur de pneus avec une rare violence. La course était arrêtée, et Michael Schumacher en était désigné vainqueur. Dans l'attente de nouvelles de l'état de santé d'Olivier, l'Allemand n'avait toutefois pas le cœur à festoyer.

GRAND PRIX PLAYER'S DU CANADA
MONTREAL

Schumi, 13 millièmes sous le nez de Jacques

▷ *Michael Schumacher en plein effort sur le circuit Gilles Villeneuve de Montréal. A la grande déception du public, l'Allemand allait réussir sa première pole-position de la saison au Canada.*

Flou artistique sur Jacques Villeneuve. Sous la pression de ses fans, guetté par la FIA qui l'avait convoqué à Paris l'avant-veille des premiers essais, le Québécois s'apprêtait à vivre un week-end difficile à Montréal.
▽

La foule massée dans les tribunes retient son souffle. Le drapeau à damier marquant la fin des essais est déjà tombé, mais Jacques Villeneuve et Michael Schumacher sont encore en piste. Le Québécois franchit la ligne le premier, sans améliorer. Il reste premier.

Déboule alors Michael Schumacher, sa Ferrari lancée dans une magistrale glissade, qui consterne les spectateurs en signant le meilleur chrono. L'idole locale est battue pour 13 millièmes de seconde! A la vitesse où les monoplaces franchissent la ligne d'arrivée, un tel écart représente 103 centimètres; une poussière sur un circuit de plus de quatre kilomètres. Jacques Villeneuve essuyait ainsi un second échec consécutif à Montréal, après avoir été battu l'an dernier aux essais par Damon Hill. «C'est frustrant, surtout devant mes fans, concédait le Canadien. *Mais comme il reste deux Grands Prix en Allemagne cette saison, j'ai encore deux occasions de rendre la monnaie de sa pièce à Michael!»*

Jacques Villeneuve estimait toutefois que rien n'était perdu pour la course. «On savait que notre voiture ne serait pas la meilleure sur ce circuit. Elle est surtout à l'aise dans les courbes rapides, et il n'y en a pas ici. Je ne suis donc pas surpris que Michael soit devant. Mais je reste confiant pour la course. Nous y sommes toujours plus performants.»

Michael Schumacher, sans surprise, tenait le même langage: «J'ai toutes les raisons d'être optimiste, analysait-il, *parce que le début de saison a montré que la voiture est toujours plus à l'aise avec le plein.»* L'Allemand attribuait cette première pole-position de la saison aux modifications – invisibles – qui ont été apportées à sa Ferrari depuis le Grand Prix d'Espagne. «On est

en train de revoir le châssis de fond en comble. *Mes chances au championnat, cette année, dépendront uniquement de l'efficacité de ces modifications. Nous verrons.»*

La colère de Rubinho bonne conseillère

La grosse suprise de cette grille de départ provint de la troisième place de la Stewart-Ford de Rubens Barrichello. A part son podium du Grand Prix de Monaco, décroché dans des conditions météo particulières, le Brésilien n'a jamais été à pareille fête cette saison. «Pour être

franc, j'espérais me qualifier dans les dix premiers, mais jamais aussi haut», s'exclamait-il. «Mais notre voiture bénéficie d'une excellente aérodynamique. Ici, on a pratiquement enlevé les ailerons, et elle freine pourtant parfaitement.»

«Rubinho» admettait aussi que Damon Hill lui avait donné un petit coup de pouce: «Damon m'a littéralement bloqué pendant mes deux premières sorties en piste. Je suis entré dans une colère noire, et ça m'a sans doute fait gagner un bon dixième de seconde pour mon troisième essai. L'équivalent de deux places...»

GRILLE DE DÉPART

Jacques VILLENEUVE 1'18''108	-1-	**M. SCHUMACHER** 1'18''095
Heinz-H. FRENTZEN 1'18''464	-2-	**R. BARRICHELLO** 1'18''388
G. FISICHELLA 1'18''750	-3-	**David COULTHARD** 1'18''466
Jean ALESI 1'18''899	-4-	**R. SCHUMACHER** 1'18''869
Olivier PANIS 1'19''034	-5-	**Mika HAKKINEN** 1'18''916
Eddie IRVINE 1'19''503	-6-	**Alexander WURZ** 1'19''286
Jos VERSTAPPEN 1'20''102	-7-	**Johnny HERBERT** 1'19''622
Pedro DINIZ 1'20''175	-8-	**Damon HILL** 1'20''129
Gianni MORBIDELLI 1'20''357	-9-	**Mika SALO** 1'20''336
Jarno TRULLI 1'20''370	-10-	**Shinji NAKANO** 1'20''370
Ukyo KATAYAMA 1'21''034	-11-	**Jan MAGNUSSEN** 1'20''491

la course

Olivier était parti pour gagner

Ses essais avaient été totalement ratés, mais sa course risquait d'être grandissime. Olivier Panis, le dimanche matin, réussit en effet un chrono canon qui le plaça en tête du classement du warm-up. Un effet combiné des pneus Bridgestone, du châssis Prost, et d'un optimisme revenu.

52e tour. Olivier Panis joue son va-tout au volant de sa Prost Mugen-Honda. Mal parti, après avoir perdu du temps en début de course pour changer son aileron, le Grenoblois cravache pour marquer quelques points. Chaussé de pneus Bridgestone, il a de bonnes chances d'y parvenir au vu des problèmes dont souffrent ses adversaires équipés de Goodyear.

De sa septième place, il fond sur la Williams d'Heinz-Harald Frentzen et reprend au passage son tour de retard en doublant Michael Schumacher. Deux rondes plus tard, le choc. Sa Prost se dérobe brutalement de l'arrière, rebondit sur un mur de béton, traverse la piste en perdition et vient frapper un mur de pneus qui

stoppe sa course avec une rare violence. La monocoque en carbone de la Prost est déchiquetée, et son pilote ne parvient à s'en extraire qu'après de longues minutes. La course est neutralisée et Olivier Panis emmené à l'hôpital en hélicoptère.

Message de sympathie présidentielle

Banlieue nord de Montréal, lundi après-midi. Au numéro 5400 du Boulevard Gouin, l'hôpital du Sacré-Coeur, tout de briques rouges, ressemble à une cathédrale posée au milieu de la verdure. C'est là, au cinquième étage, chambre 599A de l'unité de soins intensifs, qu'Olivier Panis se remet de l'opération subie la veille et visant à réduire les fractures dont il souffrait à la suite de l'accident du Grand Prix du Canada. «Monsieur Panis est complètement assommé par l'opération, il va dormir toute la journée», explique l'infirmière de garde de l'étage. En montrant la pile de fax d'encouragements reçue par le pilote depuis son admission dans son service. «Il en

arrive de partout, poursuit-elle. Presque toutes les écuries ont écrit. Même Jacques Chirac a envoyé un message de sympathie.»

Olivier Panis semble en bonnes mains. L'opération, en tout cas, se solde par un succès. «L'intervention a duré 3 heures et demi, raconte Pierre Ranger, l'orthopédiste qui a opéré le Grenoblois. Monsieur Panis souffrait d'une fracture du tibia et du péroné à la jambe droite, avec déplacement, et d'une petite fracture du tibia seul, sans déplacement à la jambe gauche. Comme il voulait se rétablir au plus vite, nous n'avons pas posé de plâtre, mais nous l'avons opéré pour pratiquer un enclavage verrouillé.»

«Il m'a dit de ne pas m'inquiéter»

Dans le couloir, un mécanicien de l'écurie Prost est en ligne avec l'usine de Magny-Cours, qu'il tient au courant de l'évolution de l'état du pilote. «La perte d'Olivier est un vrai coup dur, regrettait Alain Prost dimanche soir. Il était devenu une pièce maîtresse de l'édifice. Je pense à lui avant de penser au futur. Je lui ai parlé une dizaine de minutes à l'infirmerie du circuit, avant qu'il soit emmené en hélicoptère, et il semblait avoir le moral. Il m'a dit de ne pas m'inquiéter.»

Alain Prost admettait que ce revers créait une passe difficile dans la carrière d'Olivier Panis. «Mais vu le choc qu'il a subi, et vu l'état de la coque, sa double fracture n'est qu'un moindre mal, concluait le propriétaire de Prost Grand Prix. L'accident aurait pu se révéler bien pire.»

D'après les médecins québécois, le Français devait pouvoir rentrer à Paris d'ici la fin de la semaine. Pour reprendre le volant de sa Prost, il allait falloir compter environ quatre mois. «Peut-être moins s'il est robuste», selon le docteur Ranger.

Rupture de suspension

Pour Alain Prost, l'origine de l'accident ne laisse aucun doute: «Quand j'ai vu Olivier à l'infirmerie du circuit, il m'a dit qu'il s'était passé quelque chose sur la voiture juste avant le choc. Et les images télévisées laissent deviner qu'une pièce s'est cassée au niveau de la suspension arrière. Il est très rare qu'une telle rupture mécanique se produise sans choc préalable, et Olivier en a effectivement subi deux pendant la course. Un premier dans la collision du départ, et un second au moment de son deuxième ravitaillement, lorsqu'il a tapé le rail de sécurité avec sa roue arrière droite. C'est peut-être la cause du problème survenu neuf tours plus tard.»

Pour le quadruple champion du monde, Olivier Panis ne pouvait rien dans ce genre de situation: «Une erreur de pilotage peut éventuellement se rattraper, et ne se produit jamais dans une ligne droite. Une casse mécanique, par contre, survient toujours dans des endroits rapides, sans prévenir. La voiture devient folle, et les chocs sont souvent très graves. Olivier ne pouvait rien faire.»

55e tour. La course est arrêtée au drapeau rouge, et la confusion est totale sur la grille de départ. Les pilotes viennent s'informer de ce qu'il est arrivé à Olivier Panis, et l'espace de quelques minutes, personne ne sait si la course repartira ou pas...

Premier virage. Olivier Panis est impliqué dans un accrochage qui a raison de son aileron avant, et qui obligera le Français à le changer dans son stand et à repartir dernier. La victoire aurait pu être tout de même au bout de la route grâce à ses pneus Bridgestone si l'accident n'avait coupé les ailes du Grenoblois au 52e tour.

Podium sans champagne

L'ambiance n'était pas à la fête sur le podium. Sur le moment sans nouvelle d'Olivier Panis, la traditionnelle cérémonie du champagne semblait quelque peu déplacée aux trois pilotes qui s'y livraient. D'ailleurs, le breuvage sacré ne fut pas sablé. «Dès que je suis descendu du podium, on m'a dit qu'Olivier allait mieux, mais je n'y croirai que lorsque je pourrai lui parler de vive voix», remarquait Jean Alesi.

Après l'accident d'Olivier, la voiture de sécurité fut sortie. Après 4 tours au ralenti, le classement fut arrêté après 54 des 69 tours prévus.

Pour Michael Schumacher, cette victoire permettait de reprendre la tête au championnat du monde. «Evidemment, cette victoire fait du bien, commentait-il. Mais ça n'a pas été facile, nous avons rencontré de gros problèmes avec nos pneus.» Alors que la Ferrari avait planifié une course à deux ravitaillements, l'Allemand dut finalement s'arrêter à trois reprises. «Avec le premier train de pneus, la voiture n'allait pas trop mal. Mais avec le second, j'ai dû forcer pour ne pas me faire distancer par Coulthard, et mes pneus ont cloqué après cinq tours. C'était incroyable.»

«On les a eu!» Michael Schumacher après la fin de la conférence de presse officielle, est revenu à son stand pour féliciter ses ingénieurs. Ross Brawn, dans le fond, observe la scène de son air placide.

DANS LES POINTS

1. Michael SCHUMACHER	Scuderia Ferrari Marlboro	1 h 17'40''646
2. Jean ALESI	Mild Seven Benetton Renault	à 2''565
3. Giancarlo FISICHELLA	B&H Total Jordan Peugeot	à 3''219
4. Heinz-H. FRENTZEN	Rothmans Williams Renault	à 3''768
5. Johnny HERBERT	Red Bull Sauber Petronas	à 4''716
6. Shinji NAKANO	Prost Gauloises Blondes	à 36''701

Meilleur tour : D. COULTHARD, tour 37, 1'19''635, moy. 199.856 km/h

Jean Alesi ne compte plus ses fans au Québéc. Un pays qu'il apprécie d'autant plus que c'est là qu'il avait remporté la seule victoire de sa carrière, en 1995. Cette année, il termina deuxième après être parti huitième sur la grille. «La voiture a plutôt bien fonctionné en course, commentait-il. Mais j'attends surtout Magny-Cours: la voiture a l'air parfaite là-bas...»

Nouvelle débâcle des Williams

Pour Giancarlo Fisichella, sa troisième place de Montréal représentait une petite consécration. «Un podium, c'est le but que je m'étais fixé pour toute la saison. C'est dire si je suis heureux.» Il aurait sans doute pu terminer deuxième si ses mécaniciens n'avaient perdu du temps lors de son ravitaillement.

Pour la première fois dans l'histoire du Grand Prix du Canada, la course se jouait à guichets fermés. Non moins de 105000 personnes s'étaient déplacées sur l'Ile Notre-Dame dans l'espoir d'assister au triomphe de Jacques Villeneuve.

Une dure déception les attendait. Le deuxième tour s'achevait lorsque le Canadien partit à la faute dans la chicane ramenant sur la ligne d'arrivée. Déboulant trop vite, sa Williams glis-

sa de l'arrière, chevaucha le cône surmontant le vibreur avant d'aller échouer contre le mur de béton bordant l'extérieur de la piste. Se frappant le casque en signe de dépit, c'est un Jacques Villeneuve effondré qui regagna son stand. *«C'est la pire erreur de toute ma carrière, admit-il avec franchise après la course. C'est même une erreur de débutant. J'arrivais trop vite, c'est tout. La piste était poussiéreuse, et j'ai glissé. Mais les conditions étaient pareilles pour tout*

le monde. Je n'ai aucune excuse, d'autant que je n'attaquais même pas. J'étais en attente.»

La déception était tout aussi marquée du côté des spectateurs québécois, qui commencèrent déjà à quitter leurs tribunes une demi-heure après le début du Grand Prix. Leur héros absent, celui-ci ne revêtait plus d'intérêt.

Heinz-Harald Frentzen, sur l'autre Williams, termina quatrième au terme d'une course terne et marquée par trois ravitaillements.

Le Berger nouveau est arrivé

Berger mal en point, Benetton aligna son pilote-essayeur, Alexander Wurz. Sans le regretter, l'Autrichien ayant pu soutenir le rythme des meilleurs en course, avant de voir sa transmission le trahir au 35e tour.

C'était la surprise du jeudi: Gerhard Berger était venu à Montréal, mais son médecin décida qu'il ne pouvait pas participer au Grand Prix du Canada en raison d'une sinusite aiguë. Alexander Wurz fut donc prié de conduire à sa place, et a fait forte impression à Montréal. Décontracté, joyeux plaisantin, Alexander Wurz a réussi ce week-end des chronos qui montrent que le jeune Autrichien compte du talent à revendre. Vainqueur l'an dernier des 24 Heures du Mans, cet ancien champion du monde de vélo tout-terrain (c'était en 1986) a été engagé cette année comme pilote-essayeur de l'écurie Benetton. Ce qui lui a déjà permis d'effectuer plusieurs centaines de kilomètres au volant de la B197. *«Je me sens très décontracté, affirmait-il le jeudi précédant les essais. L'écurie ne s'attend pas à ce que je remporte la course, je n'ai aucune pression, et je vais simplement essayer de faire de mon mieux. On verra.»*

On a vu. Le samedi, il se qualifiait onzième, à trois dixièmes de son coéquipier. Malgré quelques erreurs de pilotage au long du week-end, Alexander Wurz, intelligent et rapide, s'est affiché comme un réel espoir de la F1.

Paisible Ile Notre-Dame. Combinant verdure et circuit de bitume, le cadre accueillant le Grand Prix du Canada fait partie des plus agréables de la saison.

Tous les résultats
© 1997 Fédération Internationale de l'Automobile, 8, Place de la Concorde, Paris 75008, France

TOUS LES ESSAIS

No	Pilote	Châssis/Moteur/Modèle	Libres vendredi	Libres samedi	Qualifs	Warm-up
1.	Damon Hill	Arrows/Yamaha/A18/3 (B)	1'22''460	1'19''957	1'20''129	1'22''721
2.	Pedro Diniz	Arrows/Yamaha/A18/2 (B)	1'21''777	1'20''366	1'20''175	1'22''110
3.	Jacques Villeneuve	Williams/Renault/FW19/4 (G)	1'20''552	1'18''953	1'18''108	1'19''940
4.	Heinz-Harald Frentzen	Williams/Renault/FW19/5 (G)	1'20''289	1'18''871	1'18''464	1'20''507
5.	Michael Schumacher	Ferrari/Ferrari/F310B/177 (G)	1'21''201	1'18''034	1'18''095	1'20''489
6.	Eddie Irvine	Ferrari/Ferrari/F310B/176 (G)	1'20''987	1'18''829	1'19''503	1'21''469
7.	Jean Alesi	Benetton/Renault/B197/5 (G)	1'20''624	1'18''563	1'18''899	1'19''727
8.	Alexander Wurz	Benetton/Renault/B197/4 (G)	1'21''315	1'19''189	1'19''286	1'20''989
9.	Mika Hakkinen	McLaren/Mercedes/MP4/12/6 (G)	1'21''372	1'19''053	1'18''916	1'19''829
10.	David Coulthard	McLaren/Mercedes/MP4/12/3 (G)	1'21''468	1'19''087	1'18''466	1'19''594
11.	Ralf Schumacher	Jordan/Peugeot/197/3 (G)	1'20''930	1'19''540	1'18''869	1'19''854
12.	Giancarlo Fisichella	Jordan/Peugeot/197/4 (G)	1'20''416	1'18''651	1'18''750	1'19''645
13.	Olivier Panis	Prost/Mugen Honda/JS45/4 (B)	1'20''727	1'18''514	1'19''034	1'19''477
14.	Shinji Nakano	Prost/Mugen Honda/JS45/2 (B)	1'22''930	1'20''089	1'20''370	1'21''850
15.	Johnny Herbert	Sauber/Petronas/C16/3 (G)	1'20''876	1'18''883	1'19''622	1'20''457
16.	Gianni Morbidelli	Sauber/Petronas/C16/4 (G)	1'21''415	1'19''366	1'20''357	1'21''802
17.	Jos Verstappen	Tyrrell/Ford/025/4 (G)	1'22''550	1'19''812	1'20''102	1'21''005
18.	Mika Salo	Tyrrell/Ford/025/3 (G)	1'21''848	1'19''744	1'20''336	1'20''863
19.	Ukyo Katayama	Minardi/Hart/M197/3 (B)	1'22''708	1'21''134	1'21''034	1'22''359
20.	Jarno Trulli	Minardi/Hart/M197/2 (B)	1'24''131	1'19''929	1'20''370	1'21''516
21.	Rubens Barrichello	Stewart/Ford/SF1/2 (B)	1'21''269	1'18''833	1'18''388	1'20''929
22.	Jan Magnussen	Stewart/Ford/SF1/3 (B)	1'23''826	1'20''084	1'20''491	1'20''903

TOUR PAR TOUR

position	1	2	3	4	5	6	7	8	9	10	11	12	13	14	15	16	17	18	19	20	21	22
départ	5	3	22	4	10	6	9	14	2	1	21	15	13	11	19	20

(grille tour par tour)

CHAMPIONNATS

(après sept manches)

Conducteurs :

1. Michael SCHUMACHER 37
2. Jacques VILLENEUVE 30
3. Olivier PANIS 15
4. Eddie IRVINE 14
5. Heinz-H. FRENTZEN 13
   Jean ALESI 13
7. David COULTHARD 11
8. Gerhard BERGER 10
   Mika HAKKINEN 10
10. Giancarlo FISICHELLA 8
11. Johnny HERBERT 7
12. Rubens BARRICHELLO 6
13. Ralf SCHUMACHER 4
14. Mika SALO 2
15. Nicola LARINI 1
    Shinji NAKANO 1

Constructeurs :

1. Ferrari 51
2. Williams / Renault 43
3. Benetton / Renault 23
4. McLaren / Mercedes 21
5. Prost / Mugen Honda 16
6. Jordan / Peugeot 12
7. Sauber / Petronas 8
8. Stewart / Ford 6
9. Tyrrell / Ford 2

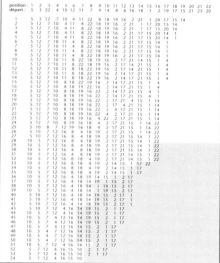

BRIDGESTONE

Meilleur classement obtenu par un pilote équipé de pneus Bridgestone:

Shinji Nakano, Prost Mugen Honda, *6e*

CLASSEMENT & ABANDONS

Pos	Pilote	Equipe	Temps
1.	Schumacher	Ferrari	en 1h17'40''646
2.	Alesi	Benetton Renault	à 2''565
3.	Fisichella	Jordan Peugeot	à 3''219
4.	Frentzen	Williams Renault	à 3''768
5.	Herbert	Sauber Petronas	à 4''716
6.	Nakano	Prost Mugen Honda	à 36''701
7.	Coulthard	McLaren Mercedes	à 37''753
8.	Diniz	Arrows Yamaha	à 1 tour
9.	Hill	Arrows Yamaha	à 1 tour
10.	Morbidelli	Sauber Petronas	à 1 tour
11.	Panis	Prost Mugen Honda	sortie de route

Tour	Pilote	Equipe	Motif d'abandon
1	Magnussen	Stewart Ford	accrochage
1	Hakkinen	McLaren Mercedes	accrochage
1	Irvine	Ferrari	accrochage
2	Villeneuve	Williams Renault	sortie de route
6	Katayama	Minardi Hart	sortie de route
15	Schumacher	Jordan Peugeot	sortie de route
33	Trulli	Minardi Hart	moteur
34	Barrichello	Stewart Ford	boîte de vitesses
36	Wurz	Benetton Renault	transmission
43	Verstappen	Tyrrell Ford	boîte de vitesses
47	Salo	Tyrrell Ford	moteur

MEILLEURS TOURS

	Pilote	Temps	Tour
1.	Coulthard	1'19''635	37
2.	Frentzen	1'19''997	49
3.	M. Schum.	1'20''171	27
4.	Alesi	1'20''679	50
5.	Herbert	1'20''709	33
6.	Panis	1'20''945	47
7.	Fisichella	1'21''013	27
8.	Wurz	1'21''048	25
9.	Salo	1'21''622	24
10.	Verstappen	1'21''902	21
11.	Nakano	1'22''077	48
12.	Barrichello	1'22''366	26
13.	R. Schum.	1'22''372	14
14.	Diniz	1'22''434	34
15.	Hill	1'22''435	6
16.	Morbidelli	1'22''659	32
17.	Trulli	1'22''712	29
18.	Katayama	1'24''294	5
19.	Villeneuve	1'28''356	1

SEPTIÈME MANCHE

GRAND PRIX PLAYER'S DU CANADA, MONTRÉAL

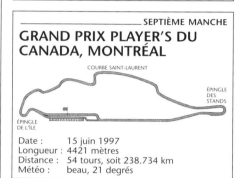

COURBE SAINT-LAURENT

ÉPINGLE DES STANDS

ÉPINGLE DE L'ÎLE

Date : 15 juin 1997
Longueur : 4421 mètres
Distance : 54 tours, soit 238.734 km
Météo : beau, 21 degrés

LE FILM DE LA COURSE

- Michael Schumacher prend le meilleur départ et vire devant Alesi et Villeneuve.
- Au premier virage, Irvine s'accroche avec Panis et Magnussen. Seul le pilote Prost peut continuer.
- A la fin du deuxième tour, Villeneuve part tout droit dans le mur et abandonne.
- Au 7e tour, une sortie de Katayama oblige à stopper la course derrière la voiture de sécurité.
- Ralf Schumacher sort violemment au 4e tour. Sans gravité
- Coulthard et Michael Schumacher s'échangent la première place deux fois à l'occasion des ravitaillements de chacun.
- Coulthard cale lors de son deuxième arrêt et perd toute chance de gagner.
- Au 52e tour, Panis sort violemment. La course est arrêtée définitivement. Plus des deux tiers de la course ayant été couverts, l'intégralité des points est attribuée.

LES ECHOS DU WEEK-END

• Villeneuve blâmé

Jacques Villeneuve n'a pas pour habitude de garder sa langue dans sa poche. Issu de la filière américaine, libre-penseur, voir rebelle, il se moque de l'ordre établi d'une Formule 1 qu'il ne fréquente que depuis 1996. Le jeudi 24 avril, à Imola, le Canadien avait vertement critiqué les futurs règlements 1998 de Formule 1 (voir page 112).
Des propos qui ne furent guère appréciés de l'écurie Williams. La nouvelle ne fut confirmée que dans la matinée du mercredi précédant le Grand Prix du Canada, mais Jacques Villeneuve fut convoqué ce matin-là devant le Conseil Mondial de la FIA, afin de s'expliquer de ces propos. La compagnie canadienne Bombardier, qui fabrique des Learjet – des avions d'affaire à réaction – mit à la disposition du pilote l'un de ses jets, avec deux équipages, qui ont amené Villeneuve à Paris, qui l'ont attendu, et qui l'ont ramené à Montréal en un temps record. Le tout pour une réunion qui ne dura finalement qu'une dizaine de minutes, et au terme de laquelle le pilote s'est vu infliger un simple blâme, sans conséquence sur la suite de sa saison.
Ces dernières années, deux illustres pilotes furent eux aussi victimes des foudres de la FIA pour avoir tenu des propos jugés indélicats : en 1991, Ayrton Senna critiquait ouvertement le Président de la FIA de l'époque, Jean-Marie Balestre. En réponse, celui-ci

obligea le Brésilien à lui présenter des excuses écrites avant d'être autorisé à s'aligner au départ de la saison 1992. En 1993, c'était Alain Prost qui se retrouvait sur le banc des accusés, avant même que la saison ne débute pour avoir accusé la Fédération d'incompétence.
Pour être autorisés à s'aligner au départ des Grands Prix, les pilotes doivent être en possession d'une super-licence, accordée au vu de leur expérience de pilote. Mais son obtention passe également par la signature d'un document contraignant, entre autres, les pilotes à renoncer à critiquer publiquement le championnat ou la FIA elle-même.
Cette clause, introduite il y a trois ans, avait causé un petit scandale au sein du concert des pilotes de Formule 1, mais tous l'avaient finalement paraphée.
A sa sortie de l'hôtel Crillon, où se tenait le Conseil, Villeneuve est apparu aussi décontracté que d'habitude. *«Il ne s'agissait que d'une simple discussion*, expliqua-t-il brièvement. *C'est sur la forme et le vocabulaire utilisé que j'ai été convoqué. On ne me demande pas de modifier mon opinion, et je n'ai pas l'intention de le faire. Seulement, je suis conscient que je dois mieux choisir mes termes avant de m'adresser à la presse.»* Jacques Villeneuve a ajouté qu'il trouvait *«dommage»* de devoir se déplacer jusqu'à Paris deux jours avant les essais du Grand Prix du Canada.

▽ A Montréal, même les camions des pompiers peuvent être photogéniques...

La tornade rouge

Michael Schumacher n'a pas fait le détail à Magny-Cours. Qualifié en pole-position, il bombardait sa Ferrari en tête du peloton dès le départ (photo) et ne fut plus inquiété jusqu'au drapeau à damier. Même la pluie qui vint humecter la fin de course ne suffit pas à perturber l'Allemand.

Du grand art qui lui conférait désormais une avance de 14 points au championnat sur Jacques Villeneuve. A Magny-Cours, ce dernier fut inexistant et termina quatrième après un ultime tête-à-queue au dernier virage.

**GRAND PRIX DE FRANCE
MAGNY-COURS**

Frentzen, Schumacher 1 et Schumacher 2: le samedi, à Magny-Cours, c'était «Deutschland über alles.»

«HH» avait le temps

Ce week-end, Heinz-Harald Frentzen a dominé son coéquipier Jacques Villeneuve aux essais, où il fut le seul à pouvoir vaguement donner la réplique au récital de Michael Schumacher. «HH» avouait qu'il «commençait à apprendre les trucs pour s'intégrer dans son équipe», huit mois après être monté dans une Williams-Renault pour la première fois. Un délai qui semble plutôt long: «Pas du tout, je pense que c'est normal», rétorque Patrick Head. Il fallait laisser le temps au temps. J'avais d'ailleurs prévenu avant le début de l'année qu'il faudrait attendre la mi-saison avant que Heinz ne soit à l'aise. On y est tout juste. C'est lui qui voulait brûler les étapes, pas nous. Heinz est maintenant troisième du championnat, ce n'est pas si mal...»

Damon Hill passe dans une flaque d'eau. Le vendredi, il avait beaucoup plu sur la Nièvre. Pour le Britannique, ces essais ne furent guère positifs. Il se qualifia en 17e place seulement, et fut devancé par son coéquipier Pedro Diniz pour la première fois de la saison.

GRILLE DE DÉPART

Heinz-H. FRENTZEN 1'14"749	-1-	M. SCHUMACHER 1'14"548
Jacques VILLENEUVE 1'14"800	-2-	R. SCHUMACHER 1'14"755
Jarno TRULLI 1'14"957	-3-	Eddie IRVINE 1'14"860
Jean ALESI 1'15"228	-4-	Alexander WURZ 1'14"986
Mika HAKKINEN 1'15"339	-5-	David COULTHARD 1'15"270
Shinji NAKANO 1'15"857	-6-	G. FISICHELLA 1'15"453
Johnny HERBERT 1'16"018	-7-	R. BARRICHELLO 1'15"876
Pedro DINIZ 1'16"536	-8-	Jan MAGNUSSEN 1'16"149
Jos VERSTAPPEN 1'16"941	-9-	Damon HILL 1'16"729
Norberto FONTANA 1'17"538	-10-	Mika SALO 1'17"256
Tarso MARQUES 1'18"280	-11-	Ukyo KATAYAMA 1'17"563

Un tiercé 100% germanique

«Je vous assure, je suis le premier surpris de me retrouver en pole-position!» Après avoir claironné partout, la veille, qu'il ne pourrait rien faire contre les Williams s'il ne pleuvait pas, Michael Schumacher était bien emprunté pour expliquer comment il a pu damer le pion à tout le monde et hisser sa Ferrari en pole-position sous le soleil revenu du samedi après-midi. «Il faut que nous analysions les données de télémétrie pour savoir ce qui s'est passé», poursuivait-il au cours de la conférence de presse concluant les essais. Mais vraiment, je ne m'explique pas pourquoi la voiture fonctionnait si bien. La semaine dernière, ici même, nous devions nous battre pour signer un chrono d'1:15'6. Aujourd'hui, je réussis 1:14'5. Une différence incroyable et inexplicable. On a un nouvel aileron avant depuis ce matin, mais je ne pense pas que cela puisse faire une telle différence. D'autant que nous continuons de souffrir dans les deux premières courbes.»

Pour le Grand Prix lui-même, l'Allemand refusait ainsi d'avancer le moindre pronostic. «Je pense qu'en course nous n'aurons pas la vie facile. Je m'attends même à de sérieux problèmes», ajoutait-il.

Assis à ses côtés, Heinz-Harald Frentzen ne tint plus: «Michael n'arrête pas de répéter qu'il doit lutter avec sa voiture, mais il parvient tout de même à se qualifier devant tout le monde!» tranchait le pilote Williams. «Pour la course, c'est pareil: quand Michael dit qu'il aura du mal, c'est surtout un moyen pour relâcher la pression sur ses épaules et la mettre sur les nôtres.»

Ralf Schumacher, troisième, enchaînait alors dans le même registre: «Je ne devrais pas dire cela, parce que Michael est mon frère, mais Heinz a raison. Michael essaie toujours de se sous-estimer...»

Jacques Villeneuve terminait quatrième de la séance, et admettait qu'il s'agissait d'une grosse déception pour lui. Le matin, il avait connu une violente sortie de piste qui l'avait contraint à prendre le mulet, qui ne lui convenait pas.

Ralf visait la pole

La séance qualificative s'achevait sur un tiercé allemand, Michael Schumacher précédant donc Heinz-Harald Frentzen et son frère Ralf. Pour le pilote Jordan, à deux dixièmes seulement de la Ferrari, le meilleur chrono semblait à portée. «L'équilibre de la voiture était bon, mais elle a perdu de la pression d'essence dans mon dernier tour. Je ne saurai donc jamais si j'aurais pu signer la pole.» Heureusement qu'il ne l'a pas fait, car il avait déjà la tête suffisamment grosse comme ça. Un brin de plus et il n'aurait plus pu retirer son casque. Ce qui est toujours gênant pour manger et dormir.

A Magny-Cours, la dernière blague circulant concernait justement Ralf: quelle est la différence entre Dieu et Ralf Schumacher ? Réponse: Dieu, lui, sait qu'il n'est pas Ralf...

Après de multiples essais et de longues hésitations, Jarno Trulli avait été choisi par Alain Prost pour remplacer Olivier Panis. A Magny-Cours, l'Italien fit honneur à sa tâche en se qualifiant en troisième ligne. Il était pratiquement certain que si Olivier avait été là, la pole-position était à portée des Prost...

La tornade rouge a tout dévasté

Michael Schumacher l'avait encore répété samedi: si la pluie ne venait pas inonder la piste de Magny-Cours, il aurait du mal à résister aux deux Williams-Renault.

Dimanche, les soixante premiers tours du Grand Prix de France se jouèrent sur un circuit parfaitement sec. Cela n'empêcha pourtant pas le pilote Ferrari de dominer la course sans être jamais inquiété, prenant le large dès le départ sur Heinz-Harald Frentzen, deuxième.

Dans un premier temps, le Grand Prix de France se résuma à une pénible procession. Les écarts entre les pilotes ne faisaient que croître, et Michael Schumacher s'échappait avec une facilité qui le surprit lui-même. «Je ne m'attendais absolument pas à cela, s'étonnait l'Allemand après l'arrivée. J'avais adopté des réglages mixtes, en prévision de la pluie, qui se sont avérés fantastiques sur le sec. Le nouvel aileron avant que nous avons introduit ici fait vraiment merveille.»

Vers le 60e tour, Michael Schumacher comptait une trentaine de secondes d'avance sur Heinz-Harald Frentzen au moment où la pluie se mit à arroser la région de Nevers. Hésitant sur le comportement à adopter, l'Allemand décida finalement de rester en piste avec ses pneus lisses. Il faillit le regretter, partant dans une longue excursion dans le gravier au 63e tour. «J'ai vu la voiture partir, et j'ai juste essayé de la ramener doucement sur la piste. Une belle chaleur», se souvenait-il. «Mais nous avons fait le bon choix en gardant les pneus slicks. Il ne restait qu'une dizaine de tours à couvrir et les nuages

semblaient s'éloigner. Bon, c'était tout de même très glissant pendant un moment. En fait, l'équipe surveillait surtout ce qu'allait décider Heinz-Harald (Frentzen). S'il s'était arrêté, j'aurais fait de même»

Défaite des Williams

Sur le papier, les Williams-Renault se posaient comme les machines à battre dans ce Grand Prix de France, elles qui avaient largement dominé les essais privés tenus à Magny-Cours la semaine précédente. Pourtant, au soir de la course, à l'heure de dresser le bilan, l'écurie championne du monde ne s'est enrichie que de neuf points, partagés entre la deuxième place d'Heinz-Harald Frentzen et la quatrième de Jacques Villeneuve. On était loin du doublé espéré. «Deuxième, ça me convient très bien, affir-

mait pourtant Frentzen après la course. Jusqu'ici, je n'avais terminé qu'à deux reprises dans les points, et je tenais avant tout à marquer.»

Heinz-Harald Frentzen n'avait pas de grief à formuler à l'encontre de sa Williams. Pourtant, elle n'avait à l'évidence pas pu soutenir le rythme de la Ferrari de Michael Schumacher. «Je dois dire que je suis très surpris de la cadence de Michael, admettait «HH». En début de course, il allait si vite que j'étais persuadé qu'il ravitaillerait trois fois. Je l'ai donc laissé filer, puisque je n'allais stopper que deux fois.»

Lorsque la pluie a commencé à tomber, l'Allemand a hésité avant de rester en pneus lisses. «Avec le stand, on oscillait entre les slicks et deux types de gommes rainurées. A un certain moment, on changeait d'avis à chaque tour... Finalement, je suis resté en slicks et ce fut une erreur. Avec des pneus sculptés, j'aurais pu gagner quatre secondes au tour et menacer Michael sur la fin de la course...»

△ «P1, +19 Frent, +31 Irvine, L39» Il reste 39 tours avant la victoire, et Michael Schumacher compte 19 secondes d'avance sur Frentzen. Grâce à cette victoire, l'Allemand comptait, à mi-saison, quatorze points d'avance sur Jacques Villeneuve, tandis que Ferrari, grâce à la troisième place d'Eddie Irvine, en comptait treize sur Williams-Renault au championnat des constructeurs.

Villeneuve convoqué

Dernier tour, dernier virage: au prix d'une tentative désespérée, Jacques Villeneuve tente de passer Eddie Irvine, aux prises avec des pneus cloqués. Raté. Le Canadien bloque ses roues et part en tête-à-queue, ramassant les bornes de plastique protégeant l'entrée des stands. Sans caler, il reprend la piste à l'envers du sens de marche juste avant que Jean Alesi ne survienne, coupe la route à ce dernier et court-circuite l'ultime virage en passant dans le gravier. Des manœuvres de folie qui ont valu au pilote Williams une convocation devant les commissaires. Ceux-ci décidèrent finalement de ne pas pénaliser le Québécois.

△ Jacques Calvet, à quelques semaines de sa retraite, est venu passer ses troupes en revue à Magny-Cours.

Jarno Trulli passé chez Prost, le Brésilien Tarso Marquès s'est retrouvé promu au volant de la seconde Minardi. Pour six tours de course, avant la casse de son moteur Hart. ◁

DANS LES POINTS

1.	Michael SCHUMACHER	Scuderia Ferrari Marlboro	1 h 38'50''492
2.	Heinz-H. FRENTZEN	Rothmans Williams Renault	à 23''537
3.	Eddie IRVINE	Scuderia Ferrari Marlboro	à 1'14''801
4.	Jacques VILLENEUVE	Rothmans Williams Renault	à 1'21''784
5.	Jean ALESI	Mild Seven Benetton Renault	à 1'22''735
6.	Ralf SCHUMACHER	B&H Total Jordan Peugeot	à 1'29''871

Meilleur tour : M. SCHUM., tour 37, 1'17''910, moy. 196.380 km/h

Olivier Panis accidenté et indisponible pour plusieurs semaines, Alain Prost devait lui trouver un remplaçant à la hauteur de ses ambitions. Après de longues hésitations, son choix s'est porté sur Jarno Trulli, qui pilotait jusque-là chez Minardi, mais qui n'en était qu'à sa première saison de F1. Aux essais, l'Italien faisait honneur à ses responsabilités en se qualifiant sixième.

Le torchon brûle entre Villeneuve et Williams

Surprise à Magny-Cours: Jacques Villeneuve avait décidé de se décolorer les cheveux. Pour quelqu'un qui affirmait ne pas chercher de publicité, c'était réussi...

Il y a du rififi dans l'air du motorhome Williams. A Magny-Cours, Jacques Villeneuve a déballé tout ce qu'il avait sur le cœur, et cette franchise n'a guère séduit les dirigeants de l'écurie anglaise.

Tout avait commencé le jeudi. Jacques Villeneuve s'était-il mis à fumer la moquette de son motorhome? Ce jour-là, en tout cas, il a débarqué dans le paddock de Magny-Cours les cheveux blonds platine. «*Mercredi, je me suis réveillé avec l'envie de changer ma chevelure, et je l'ai fait. C'est aussi simple que cela*», d'expliquer le pilote Williams. Avant de donner son avis au sujet de l'accident d'Olivier Panis: «*La F1 est devenue politiquement correcte. Résultat: quand un pilote a un accident, les gens se comportent comme s'ils étaient tristes. Alors qu'au fond, il s'en foutent complètement! Quand on pilote, on connaît les risques du métier. Moi, si je crève pendant un Grand Prix, je ne veux pas que la course soit arrêtée...*»

Le samedi, le Canadien poursuivait dans ce registre en ajoutant que ses conditions de travail n'étaient pas idéales. «*Avec mon ingénieur Jock Cleare, nous subissons des pressions pour régler la voiture dans des directions qui ne nous intéressent pas*, lâchait-il. *Nous avons moins de liberté dans notre travail, et nous perdons du temps.*» En 1996, Jacques Villeneuve avait déjà entonné le même couplet, avant de voir la situation s'améliorer en fin de saison.

Des propos qui ont valu au Québécois une convocation en règle auprès de Frank Williams et de Patrick Head, le directeur technique de l'écurie, pour s'expliquer de son attitude. Une victoire, le dimanche, aurait-elle pu apaiser les esprits de la direction de l'écurie? «*Une victoi-*

re? Vous rigolez? répondait Villeneuve. *Pour qu'ils soient contents, il leur faudrait dix doublés d'affilée avec 50 secondes sur tous les autres...*»

Dimanche soir, plusieurs heures après la course, Patrick Head était encore énervé par le conflit. «*Je ne comprends pas pourquoi Jacques prétend qu'on l'empêche de régler la voiture comme il le souhaite. Il a tort sur toute la ligne*», tonnait l'ingénieur Britannique. «*Jock Cleare et lui*

sont très proches, et je ne les ai jamais empêchés de faire ce qu'ils voulaient, même si je pense qu'il ne règle pas sa voiture comme il le devrait.*»

Le déroulement du Grand Prix de France ne fit rien pour apaiser la colère des dirigeants de Williams. «*Jacques s'est montré un peu optimiste dans sa manœuvre de fin de course*, analyse Patrick Head. *Mais des erreurs, nous en avons aussi commis cette année, notamment à Monaco.*»

Olivier Panis veut revenir en septembre

Jeudi après-midi, 17 heures. A l'entendre plaisanter sans cesse, Olivier Panis semble d'excellente humeur. C'est du moins l'impression qui ressort de la vidéo-conférence organisée entre l'un des bureaux de l'usine de l'écurie Prost, à côté du circuit de Magny-Cours, et le centre de rééducation sportive de Douarnenez, dans le Finistère, où le pilote grenoblois se remettait de son accident du Canada.

De son accident, le Grenoblois affirmait se souvenir parfaitement. «*J'ai entendu un bruit brutal à l'arrière gauche*, décrivait-il, *et la voiture s'est retrouvée d'un coup en roues libres. Elle est partie en travers, et j'ai compris que ça allait taper fort. Dès que tout s'est arrêté, j'ai senti une violente douleur dans les jambes, et j'ai tout de suite réalisé qu'elles étaient cassées. Mais quand j'ai constaté que ma colonne et mes bras étaient intacts, j'ai été rassuré. Ma première pensée a été pour ma fem-*

me et mes parents, qui regardaient la course à la télévision, et qui devaient être inquiets...»

Le Grenoblois n'a pas voulu voir les images télévisées de son accident. «*Ça ne m'intéresse pas*», affirmait-il. «*Je veux oublier ça et me concentrer sur mon avenir. Je sais qu'une période difficile m'attend. Il me faudra de la patience, ce qui n'est guère ma qualité première.*»

Assis à ses côtés, le docteur Gilles Sauleau, le directeur du centre de Douarnenez, confirmait que la rééducation du pilote prendrait du temps. «*Olivier commencera à marcher en piscine la semaine prochaine. Mais je sens déjà qu'il faudra le freiner, pour qu'il ne brûle pas les étapes.*» Alors que le médecin refusait d'articuler une date, Olivier Panis, fixait son retour en piste début septembre. «*J'aimerais remonter dans une voiture demain, mais je vais attendre d'être à 150% de ma forme pour revenir.*»

Chez Sauber, le jeune argentin Norberto Fontana, le pilote-essayeur de l'écurie, avait remplacé Gianni Morbidelli, accidenté lors d'essais privés. Fontana fut loin d'impressionner son patron en course, puisqu'il abandonna sur sortie de piste au 41e tour.

Onze points d'un coup

Même au moment de remporter un Grand Prix, Michael Schumacher prend encore le temps de penser à son petit frère. A Magny-Cours, l'Allemand peut ainsi revendiquer la paternité d'un onzième point en plus des dix points de sa victoire.

C'est grâce à lui, en effet, que son petit frère Ralf est parvenu à terminer sixième. «*J'avais vu sur les écrans géants que Ralf était sorti de route, et qu'il était en lutte pour une place*, expliquait Michael Schumacher. *J'ai pensé que si je le laissais me doubler, cela lui permettrait de boucler un tour de plus et de gagner une place. Je lui ai ouvert la porte dans le dernier virage, et il a effectivement marqué un point. Si je ne l'avais pas fait, il aurait reçu le drapeau à damier juste derrière moi et aurait vu sa course se terminer là.*» Quel bel esprit de famille.

La Benetton de Jean Alesi sagement parquée dans un recoin du circuit. En course, le seul Français présent à Magny-Cours termina cinquième. Et dut ramer pour y parvenir, sa B197 manquant totalement de traction, usant son fond plat. Sans oublier qu'il entra en collision avec David Coulthard.

TOUS LES ESSAIS

No	Pilote	Châssis/Moteur/Modèle	Libres vendredi	Libres samedi	Qualifs	Warm-up
1.	Damon Hill	Arrows/Yamaha/A18/3 (B)	1'24"494	1'17"280	1'16"729	1'34"061
2.	Pedro Diniz	Arrows/Yamaha/A18/4 (B)	1'26"108	1'17"174	1'16"536	1'36"257
3.	Jacques Villeneuve	Williams/Renault/FW19/4 (G)	1'20"225	1'14"596	1'14"800	1'32"959
4.	Heinz-Harald Frentzen	Williams/Renault/FW19/5 (G)	1'20"469	1'14"987	1'14"749	1'33"314
5.	Michael Schumacher	Ferrari/Ferrari/F310B/177 (G)	1'18"339	1'15"313	1'14"548	1'31"613
6.	Eddie Irvine	Ferrari/Ferrari/F310B/173 (G)	1'31"193	1'15"184	1'14"860	1'30"456
7.	Jean Alesi	Benetton/Renault/B197/5 (G)	1'21"742	1'16"320	1'15"228	1'34"697
8.	Alexander Wurz	Benetton/Renault/B197/2 (G)	1'31"943	1'15"885	1'14"986	1'33"789
9.	Mika Hakkinen	McLaren/Mercedes/MP4/12/6 (G)	1'20"014	1'16"243	1'15"339	1'32"307
10.	David Coulthard	McLaren/Mercedes/MP4/12/4 (G)	1'27"460	1'15"443	1'15"270	1'32"369
11.	Ralf Schumacher	Jordan/Peugeot/197/5 (G)	1'20"020	1'16"232	1'14"755	1'32"573
12.	Giancarlo Fisichella	Jordan/Peugeot/197/4 (G)	1'19"838	1'15"452	1'15"453	1'34"284
14.	Jarno Trulli	Prost/Mugen Honda/JS45/3 (B)	1'29"600	1'16"162	1'14"957	1'34"514
15.	Shinji Nakano	Prost/Mugen Honda/JS45/2 (B)	1'23"839	1'15"858	1'15"857	1'35"929
16.	Johnny Herbert	Sauber/Petronas/C16/5 (G)	1'22"206	1'16"523	1'16"018	1'34"425
17.	Norberto Fontana	Sauber/Petronas/C16/6 (G)	1'27"905	1'17"263	1'17"538	1'33"910
18.	Jos Verstappen	Tyrrell/Ford/025/2 (G)	1'21"512	1'16"941	1'16"941	1'37"212
19.	Mika Salo	Tyrrell/Ford/025/3 (G)	1'25"449	1'17"085	1'17"256	1'35"174
20.	Ukyo Katayama	Minardi/Hart/M197/3 (B)	1'23"469	1'19"469	1'17"563	1'35"569
21.	Tarso Marquès	Minardi/Hart/M197/2 (B)	1'24"535	1'18"109	1'18"280	1'34"786
22.	Rubens Barrichello	Stewart/Ford/SF1/2 (B)	1'23"232	1'16"609	1'15"876	1'31"986
23.	Jan Magnussen	Stewart/Ford/SF1/1 (B)	1'34"357	1'17"008	1'16"149	1'33"972

CLASSEMENT & ABANDONS

Pos	Pilote	Equipe	Temps
1.	Schumacher	Ferrari	en 1h38'50"492
2.	Frentzen	Williams Renault	à 23"537
3.	Irvine	Ferrari	à 1'14"801
4.	Villeneuve	Williams Renault	à 1'21"784
5.	Alesi	Benetton Renault	à 1'22"735
6.	Schumacher	Jordan Peugeot	à 1'29"871
7.	Coulthard	McLaren Mercedes	sortie de route
8.	Herbert	Sauber Petronas	à 1 tour
9.	Fisichella	Jordan Peugeot	à 1 tour
10.	Trulli	Prost Mugen Honda	à 2 tours
11.	Katayama	Minardi Hart	à 2 tours
12.	Hill	Arrows Yamaha	à 3 tours

Tour	Pilote	Equipe	Motif d'abandon
6	Marquès	Minardi Hart	moteur
8	Nakano	Prost Mugen Honda	tête-à-queue
16	Verstappen	Tyrrell Ford	freins
19	Hakkinen	McLaren Mercedes	moteur
34	Magnussen	Stewart Ford	freins
37	Barrichello	Stewart Ford	moteur
41	Fontana	Sauber Petronas	sortie de route
59	Diniz	Arrows Yamaha	tête-à-queue
61	Wurz	Benetton Renault	sortie de route
62	Salo	Tyrrell Yamaha	gestion électron.

MEILLEURS TOURS

Pilote	Temps	Tour
1. M. Schum.	1'17"910	37
2. Frentzen	1'18"136	46
3. Villeneuve	1'18"649	27
4. Wurz	1'18"684	35
5. Barrichello	1'18"781	27
6. Irvine	1'19"029	20
7. Alesi	1'19"055	20
8. R. Schum.	1'19"225	27
9. Fisichella	1'19"225	34
10. Coulthard	1'19"317	37
11. Trulli	1'19"417	32
12. Fontana	1'19"849	35
13. Magnussen	1'19"912	32
14. Hakkinen	1'20"153	14
15. Salo	1'20"385	31
16. Hill	1'20"434	42
17. Katayama	1'20"534	26
18. Diniz	1'20"557	55
19. Nakano	1'20"662	7
20. Herbert	1'20"845	40
21. Verstappen	1'22"034	15
22. Marquès	1'22"325	4

TOUR PAR TOUR

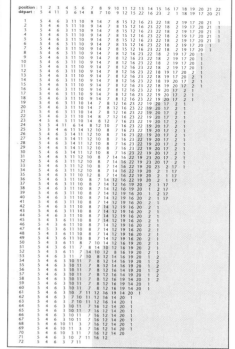

CHAMPIONNATS

(après huit manches)

Conducteurs :

1.	Michael SCHUMACHER	47
2.	Jacques VILLENEUVE	33
3.	Heinz-Harald FRENTZEN	19
4.	Eddie IRVINE	18
5.	Olivier PANIS	15
	Jean ALESI	15
7.	David COULTHARD	11
8.	Gerhard BERGER	10
	Mika HAKKINEN	10
10.	Giancarlo FISICHELLA	8
11.	Johnny HERBERT	7
12.	Rubens BARRICHELLO	6
13.	Ralf SCHUMACHER	5
14.	Mika SALO	2
15.	Nicola LARINI	1
	Shinji NAKANO	1

Constructeurs :

1.	Ferrari	65
2.	Williams / Renault	52
3.	Benetton / Renault	25
4.	McLaren / Mercedes	21
5.	Prost / Mugen Honda	16
6.	Jordan / Peugeot	13
7.	Sauber / Petronas	8
8.	Stewart / Ford	6
9.	Tyrrell / Ford	2

HUITIÈME MANCHE

GRAND PRIX DE FRANCE, MAGNY-COURS

Date : 29 juin 1997
Longueur : 4247 mètres
Distance : 72 tours, soit 305.814 km
Météo : couvert, puis pluvieux, 23 degrés

Tous les résultats
© 1997 Fédération Internationale de l'Automobile, 8, Place de la Concorde, Paris 75008, France

Les tribunes de Magny-Cours avaient fait le plein pour la course, malgré un ciel menaçant et des gouttes qui humectèrent la fin de ▽ *course.*

LE FILM DE LA COURSE

- Au départ, Michael Schumacher prend le meilleur sur Frentzen, Irvine et Villeneuve.
- Ralf Schumacher, troisième des essais, rate son départ et n'est que cinquième à la fin du premier tour.
- En début de course, les écarts se creusent au fil des tours. Michael Schumacher est le premier à ravitailler avec Alesi, alors 8e.
- Au 43e tour, les premières gouttes. Une forte averse se déclenche au 60e tour.
- Derrière le quatuor de tête, Coulthard, 5e, résiste à Ralf Schumacher et Alesi.
- Michael Schumacher reste en pneus lisses, tout comme Frentzen.
- Irvine et Villeneuve changent de pneus pour des gommes sculptées. Villeneuve perd deux places et se retrouve 6e.
- Dans les deux derniers tours, Villeneuve reprend sa 4e place et tente de passer Irvine dans le dernier virage. Il part en tête-à-queue et conserve de justesse la 4e place devant Alesi.

LES ECHOS DU WEEK-END

• Adieu la France?

Dimanche soir, dans les bureaux de la direction de course, les mines étaient longues. Car les événements du week-end n'avaient fait que confirmer ce que tous craignaient: 1997 restera sans doute comme le dernier millésime du Grand Prix de France. La veille, Jean-Marie Balestre – l'ex-président de la FIA – avait confié, indigné, que cette épreuve n'était même pas inscrite au calendrier provisoire de 1998.

A l'origine du problème, l'application de la «Loi Bredin», qui assure le droit à l'information de tous les médias. Ce qui a permis à France 2 et France 3 d'amener des caméras sur le circuit, ce week-end, alors que la FOA (la Formula One Administration, l'ancienne FOCA) dispose d'un contrat avec TF1. Du coup, Bernie Ecclestone a constaté que la Loi Bredin empêche les organisateurs français de respecter leur contrat d'exclusivité télévisée, et a donc décidé de supprimer l'épreuve à l'avenir. Jusqu'ici, le ministre de la jeunesse et des sports, Guy Drut, avait accepté de fermer les yeux sur l'application de la loi. Mais au soir des élections législatives de juin, il fut remplacé par Madame Buffet, ministre communiste, qui a insisté pour que la Loi Bredin soit appliquée à Magny-Cour. Elle ne se déplaça d'ailleurs pas au Grand Prix, dont elle se moquait comme de sa première faucille. La politique se mêlerait-elle au sport?

• Renault: retour en 2001 ?

Il y avait tout juste un an que Renault avait annoncé son retrait de la F1 pour la fin de la saison 1997. A l'époque, le constructeur souhaitait terminer en beauté, sur deux titres mondiaux – pilote et constructeur –, et atteindre le nombre symbolique de 100 victoires en Grand Prix.

Le vendredi des essais, Patrick Faure, le Président de Renault Sport, a dû reconnaître que ces objectifs n'allaient pas s'avérer faciles à concrétiser. La marque comptant 90 victoires alors que 10 Grands Prix restaient à disputer. «Par contre, nous mettrons en œuvre tous les moyens nécessaires pour remporter le championnat, insistait-il. En ce qui concerne les 100 victoires, nous verrons plus tard. Renault ne sera plus impliqué en compétition de haut niveau ces trois prochaines années. Mais il nous reste le XXIe siècle...»

• Bruno Michel s'en va

Le jeudi des essais, un communiqué annonçait que Bruno Michel, le directeur général de l'écurie Prost, quittait l'écurie. «Il était prévu que Bruno Michel reste avec nous quelques mois pour assurer la transition. C'est maintenant chose faite. Son excellent travail m'a permis de reprendre une société aux bases saines», expliqua Alain Prost. Il semblait que Bruno Michel et lui ne parvenaient pas à se mettre d'accord sur l'étendue des responsabilités du premier.

C'était Jacques-le-Veinard

Jacques Villeneuve n'aurait jamais dû s'imposer à Silverstone. Mais devant lui, la Ferrari de Michael Schumacher connut sa première casse mécanique de la saison, et le moteur de la McLaren-Mercedes de Mika Hakkinen lâcha ce dernier à six tours de la première victoire de la carrière du Finlandais.

Du coup, le Québécois héritait d'une première place bienvenue pour relancer le championnat.

Derrière lui, c'était Alexander Wurz qui faisait le spectacle en classant sa Benetton à la troisième place. Gerhard Berger était déjà presque oublié.

THE 1997 RAC BRITISH GRAND PRIX
SILVERSTONE

Critiques en coulisses, réponse sur la piste

«Moi, je préfère "Vanina"!» Jacques Villeneuve et son ingénieur Jock Cleare en grande discussion sous l'auvent du motorhome Renault.

La semaine avait plutôt mal commencé pour Jacques Villeneuve. Le lundi, Frank Williams affirmait que le Canadien devait impérativement gagner à Silverstone pour espérer encore remporter le championnat.
Jacques Villeneuve, le lundi, lors d'une conférence de presse tenue à Berne, avait alors accusé son écurie d'avoir cessé le développement du châssis actuel, permettant ainsi à Ferrari de prendre la tête du championnat. *«Il y a de bonnes raisons pour que Ferrari soit devant nous, mais pas celles que Jacques invoque,* a rétorqué Frank Williams le vendredi des essais. *De toute façon, Jacques ne vient pas assez souvent à l'usine pour savoir sur quoi nous travaillons. Il a tort de dire que nous ne développons pas la voiture.»*

Climat tendu

Il avait passablement plu pendant les essais, de même qu'avant le warm-up du dimanche matin. L'occasion de quelques superbes images...

Bernard Dudot, l'ingénieur en chef de Renault, ajoutait au malaise en affirmant que si Damon Hill pilotait toujours chez Williams, le Britannique serait en tête du championnat! Un nouveau camouflet adressé à l'encontre de Jacques Villeneuve.
Dans ce climat tendu, le Canadien se devait de signer un petit exploit pour faire taire les critiques. Mission accomplie: samedi, le Québécois réussit une somptueuse pole-position dans les tous derniers instants de la séance qualificative, à la faveur de conditions météo légèrement plus favorables. *«C'est une piste très difficile pour doubler, je suis donc ravi de me retrouver devant»,* lâchait-il après les essais.

«Vous me reconnaissez? My name is Bond. James Bond.» Pierce Brosnan franchit le contrôle magnétique d'accès au paddock.

Pour Jacques Villeneuve, pole-position n'était toutefois pas synonyme de victoire: *«Les écarts sont tellement proches entre les voitures qu'on peut très bien mener une bonne course et terminer hors des points,* poursuivait-il. *Je pense que ça sera l'un des Grands Prix les plus difficiles de la saison. D'autant qu'en terme de moteur, nous n'avons plus d'avance sur nos rivaux.»* Une réponse à la critique formulée vendredi par Bernard Dudot!
Heinz-Harald Frentzen, deuxième sur la grille, avait préféré assurer une place plutôt que de chercher la pole à tout prix: *«Pendant mes deux premières sorties, j'ai été gêné. C'est pourquoi j'ai décidé de tourner huit minutes avant la fin de la séance, avant le grand rush des dernières secondes, même si je voyais bien qu'un nuage allait masquer le soleil sur la fin et rendre la piste plus rapide.»*

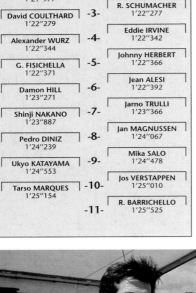

GRILLE DE DÉPART

Heinz-H. FRENTZEN 1'21"732	-1-	Jacques VILLENEUVE 1'21"598
M. SCHUMACHER 1'21"977	-2-	Mika HAKKINEN 1'21"797
David COULTHARD 1'22"279	-3-	R. SCHUMACHER 1'22"277
Alexander WURZ 1'22"344	-4-	Eddie IRVINE 1'22"342
G. FISICHELLA 1'22"371	-5-	Johnny HERBERT 1'22"366
Damon HILL 1'23"271	-6-	Jean ALESI 1'22"392
Shinji NAKANO 1'23"887	-7-	Jarno TRULLI 1'23"366
Pedro DINIZ 1'24"239	-8-	Jan MAGNUSSEN 1'24"067
Ukyo KATAYAMA 1'24"553	-9-	Mika SALO 1'24"478
Tarso MARQUES 1'25"154	-10-	Jos VERSTAPPEN 1'25"010
	-11-	R. BARRICHELLO 1'25"525

Les frères Schumacher derrière

Après ses deux pole-positions successives de Montréal et de Magny-Cours, Michael Schumacher se retrouvait quatrième des qualifications de Silverstone. *«Je ne suis pas trop déçu,* analysait pourtant l'Allemand. *La voiture est déjà bien meilleure que vendredi. En course, je me contenterai de prendre le plus de points possible.»* Avec neuf Grands Prix restant à jouer, il semblait pourtant prématuré de jouer les épiciers... la course, le lendemain, allait le démontrer.
Eddie Irvine, sur l'autre Ferrari, pointait en 7e place. Il aurait pu faire mieux s'il n'avait heurté... un lièvre pendant son premier tour lancé. *«Ça m'a obligé à rentrer aux stands pour faire vérifier l'aileron avant et faire changer les pneus. Ensuite, ma voiture avait tendance à flotter dans les courbes rapides, et on a dû rajouter de l'appui.*

J'ai l'impression qu'en course, il sera difficile de maintenir un rythme élevé...»
Ralf Schumacher était cinquième. Et heureux, puisqu'il devançait son coéquipier Giancarlo Fisichella, ce qui suffisait généralement à son bonheur. *«J'espérais mieux après tous les essais privés que nous avons fait sur ce circuit»* (l'usine Jordan jouxte l'entrée du circuit britannique, ndlr), se plaignait pourtant Schumi junior. *«Mais les autres écuries se sont bien rapprochées, parce qu'en fait la voiture est presque parfaite. On a réussi à venir à bout de notre problème de sous-virage.»* Fisico n'était que 10e, et très déçu. *«C'est d'autant plus frustrant que les chronos sont très serrés, et qu'il aurait été très facile d'être plus haut dans la grille. Mais j'ai eu du trafic, et j'ai commis quelques fautes.»*

Villeneuve relance le championnat

Les tifosi de tous pays commençaient à croire que Michael Schumacher allait dominer le championnat avec l'aisance d'un Attila du bitume. Le Grand Prix d'Angleterre est tombé à point nommé pour leur rappeler qu'il ne fallait pas sous-estimer Jacques Villeneuve et les Williams-Renault.

Ce Grand Prix d'Angleterre n'avait pourtant pas trop bien commencé pour le Québécois. Bien parti, il fut immédiatement pris en chasse par un Michael Schumacher qu'il ne parvenait pas à semer. «J'ai eu un sérieux problème avec ma roue avant gauche, qui a commencé à se desserrer après une dizaine de tours avant de ravitailler, expliquait Jacques Villeneuve. Je devais donner des coups de volant pour que les roues réagissent, et la direction est devenue très lourde.»

Boulon récalcitrant

Au moment de son premier ravitaillement, la roue en question se montra difficile à retirer en raison de son boulon faussé. Le Canadien resta immobilisé plus de 33 secondes, pour repartir en septième place. «A ce moment, mes sentiments étaient assez mélangés, se souvenait-il après la course. J'étais très en colère, c'est sûr, mais en même temps je savais que ce problème de roue aurait pu me coûter beaucoup plus cher. J'aurais pu ne jamais repartir des stands...»

Lançant la chasse à ses rivaux, Villeneuve resta longtemps bloqué derrière les deux Benetton, qui avaient opté pour une stratégie à un seul ravitaillement. Tandis que devant, Michael

Schumacher taillait la route sans être inquiété. La Ferrari se serait d'ailleurs sans doute imposée si elle n'avait elle aussi rencontré un problème de roue.

Les Benetton passées, Jacques Villeneuve se retrouvait deuxième derrière la McLaren de Mika Hakkinen. «J'avais repéré que Mika avait un pneu arrière cloqué, et je pense que j'aurais pu le passer», commentait le Canadien – Hakkinen ne partageait guère cette opinion, lui qui affirmait qu'il aurait pu contenir la Williams sans problème. Villeneuve remportait finalement une victoire chanceuse, en partie due aux abandons de ses rivaux. «C'est vrai, la chance a beaucoup tourné pendant cette course, reconnaissait Jacques Villeneuve. Mais on a déjà connu notre part d'ennuis mécaniques cette année. Il est bien normal que ce soit au tour de Ferrari.»

Frentzen: nouvel échec

Les actions d'Heinz-Harald Frentzen ne sortaient guère orientées à la hausse de ce Grand Prix d'Angleterre, puisque l'Allemand n'y bouclait même pas le premier tour.

Tout a commencé sur la grille, lorsqu'il cala le moteur de sa Williams-Renault. «Heinz-Harald n'a pas respecté la procédure qui permette de revenir au point mort», expliquait Patrick Head, l'ingénieur en chef de l'écurie Williams. «Il semble qu'il a pressé à la fois le bouton qui descend les rapports et celui qui amène au point mort, ce qui fait caler le moteur.» Son ingénieur de piste expliqua plus tard que «HH» ne pouvait pas savoir l'effet de la pression des deux boutons simultanément.

Le départ fut alors retardé de cinq minutes et «HH» repoussé au fond de la grille, comme prévu par le règlement. La course lancée, il avait déjà remonté cinq places lorsqu'il fut éjecté de la piste par la Tyrrell de Jos Verstappen au troisième virage.

△

Jacques Villeneuve entouré des deux pilotes Benetton sur le podium. Avec cette quatrième victoire de la saison, le Québécois remontait à quatre points seulement de Michael Schumacher au championnat.

Premier podium pour Alexander Wurz

Jean Alesi était tout sourire après l'arrivée. Sa deuxième place le comblait. «C'est vrai, je suis heureux. Je pousse beaucoup l'écurie en avant, et cette deuxième place est une belle récompense.» Qualifié 11e sur la grille, Jean d'Avignon ne dut son résultat qu'à sa stratégie à un seul ravitaillement. «C'était notre seule chance de passer les autres. La voiture emportait tellement d'essence que je me trouvais très lent. Mais petit à petit, les panneaux du stand montraient que je gagnais des places, et notre tactique a fini par payer.»

Jean Alesi passa l'essentiel de sa course poursuivi par son coéquipier, Alexander Wurz. Qui terminait troisième, sur le podium pour son troisième Grand Prix. «Oui, je... suis très content, bien sûr, bafouillait le jeune Autrichien. J'avais préparé quelques mots pour l'occasion, mais j'ai tout oublié! J'aimerais surtout remercier l'équipe pour m'avoir donné la chance de piloter en Grand Prix.» De sa course, il n'avait pas grand chose à raconter. «Tout s'est bien passé. Au début, avec le plein d'essence, la voiture glissait beaucoup, ce qui a permis à Fisichella de me passer. Mais après mon

ravitaillement, tout allait mieux. Je pense que j'aurais pu doubler Jean (Alesi) en sortant des stands, mais ç'aurait été un peu dangereux. Je ne voulais prendre aucun risque.»

Il semblait certain que Gerhard Berger allait revenir à Hockenheim – ses assurances versaient 500 000 livres sterling par course à Benetton, et ne souhaitaient pas prolonger la plaisanterie. «Bien sûr, j'ai envie de piloter, avouait Wurz à Silverstone. Mais c'est la place de Gerhard, et je la lui rendrai sans problème. Je pense toutefois avoir montré mes capacités, et je cherche déjà une place pour 1998.»

◁

«Non, non, je ne me suis pas trompé de chaussure ce matin.» Comme de nombreux pilotes, Wurz nourrissait une petite superstition. Ce mélange de couleurs remontait au temps de la Formule Ford, lorsqu'il remporta une course avec de pareilles chaussures – une farce de ses copains.

DANS LES POINTS

1.	Jacques VILLENEUVE	Rothmans Williams Renault	1 h 28'01''665
2.	Jean ALESI	Mild Seven Benetton Renault	à 10''205
3.	Alexander WURZ	Mild Seven Benetton Renault	à 11''296
4.	David COULTHARD	West McLaren Mercedes	à 31''229
5.	Ralf SCHUMACHER	B&H Total Jordan Peugeot	à 31''880
6.	Damon HILL	Danka Arrows Yamaha	à 1'13''552

Meilleur tour : M. SCHUM., tour 34, 1'24''475, moy. 219.047 km/h

THE 1997 RAC BRITISH GRAND PRIX — LES 17 GRANDS PRIX

Mika Hakkinen s'était qualifié en deuxième ligne et menait le Grand Prix d'Angleterre à 7 tours de l'arrivée. Malheureusement pour le Finlandais, son moteur décida de le priver de la première victoire de sa carrière. Une histoire qui allait se répéter à l'identique au Nürburgring...

Ambiance orageuse chez Arrows

Tout a commencé le jeudi des essais, lorsque Damon Hill a candidement déclaré à la presse qu'il lui était difficile de se concentrer cette saison. «*Quand les résultats ne viennent pas, c'est toujours pénible de donner le meilleur de soi-même. Je dois lutter pour ne pas m'endormir et travailler...*»
En passant de Williams à Arrows, cet hiver, Damon Hill savait qu'il ne pourrait pas vraiment défendre son titre de champion du monde. Mais il espérait tout de même remporter l'un ou l'autre Grand Prix à la faveur de ses pneus Bridgestone.
A mi-saison, pourtant, le Britannique restait loin du compte. Aux abandons liés aux problèmes de la voiture se sont ajoutées de nombreuses erreurs de pilotage de la part du pilote. Pour couronner le tout, Damon Hill s'est même parfois vu devancer par Pedro Diniz, son jeune et inexpérimenté coéquipier. Le champion du monde se laisserait-il aller?

Walkinshaw explose

Tom Walkinshaw, le propriétaire de l'écurie Arrows, n'était en tout cas pas satisfait des performances de son pilote. Jusque-là toutefois, il gardait ses remarques pour lui. Jusqu'aux aveux de Hill quant à sa motivation.
Des aveux qui ont littéralement fait exploser Tom Walkinshaw: «*Quand Damon affirme qu'il manque de motivation, je suis scandalisé*, tonne le Britannique. *Je ne crois pas qu'un vrai professionnel rencontre la moindre difficulté de motivation. Damon fait partie des meilleurs pilotes du monde. C'est lui qui doit pousser l'écurie en avant, et non l'inverse. Il ne fait pas assez d'efforts cette année. Résultat: la voiture paraît pire qu'elle n'est en réalité. Au début de la saison, on a rencontré des problèmes de fiabilité, c'est vrai, mais aujourd'hui, les responsabilités sont partagées moitié-moitié entre lui et nous.*»

Manifestement très en colère, le patron d'Arrows a laissé entendre qu'il pourrait même se débarrasser de son pilote-vedette: «*La rumeur veut que Damon nous quitte prochainement pour une meilleure écurie. Mais la vérité pourrait bien être l'inverse. S'il continue à ne pas faire son travail, c'est lui qui pour-* rait nous perdre. Jusqu'ici, je suis resté très aimable avec lui. Il est temps que je me montre plus direct.*»
Walkinshaw versait en 1997 quelque 4.8 millions de livres sterlings à son pilote. Et il semblait juger qu'il n'en avait pas pour son argent: «*Si le montant que je paie à Damon ne suffit pas à le motiver, la peur de l'échec devrait au moins y parvenir*», conclut-il.

Damon Hill a reçu les propos de son patron comme une gifle. Un peu déconcerté, il tenait toutefois à calmer le jeu: «*Je suis très déçu par les déclarations de Tom*», lâchait-il vendredi après une longue conversation avec Walkinshaw. «*Je peux comprendre sa frustration, mais je ne partage pas son avis. Je fais de mon mieux, et je pense me montrer aussi professionnel que possible.*»

Mika et Michael déçus et heureux à la fois

Aucune Ferrari à l'arrivée: pour la Scuderia, le Grand Prix d'Angleterre a tourné à la catastrophe au 39e tour. Alors qu'il occupait confortablement la tête de la course, Michael Schumacher devait abandonner, roulement de roue arrière gauche grippé. Six tours plus loin, c'était Eddie Irvine qui immobilisait sa voiture, demi-arbre droit cassé.
Descendu de sa monoplace, Michael Schumacher n'affichait pourtant aucune déception. «*Ce genre de problème peut arriver, c'est la course*, philosophait-il. *C'est même mon premier ennui mécanique de la saison. Je préfère regarder les choses du bon côté: aujourd'hui, j'étais confortablement en tête quand mon problème est survenu, ce qui montre que nous avons désormais rattrapé les Williams. A mon avis, cette journée n'est pas* vraiment à oublier mais bien plutôt à célébrer...*»
Mika Hakkinen lui aussi a bien failli remporter ce qui aurait été le premier Grand Prix de sa carrière. Dimanche, à six tours de l'arrivée, le Finlandais occupait la tête de la course avant d'abandonner, moteur cassé.
Une déception, bien sûr. Toutefois, l'écurie McLaren a prouvé que ses MP4-12 étaient désormais quasiment au niveau des Williams et des Ferrari. «*Mes sentiments sont vraiment mélangés*», commentait Hakkinen dimanche soir. «*D'un côté, j'aurais bien voulu remporter cette course. Mon pneu arrière gauche était cloqué, mais je suis certain que j'aurais pu rester devant Jacques jusqu'au drapeau à damier. Ce qui, d'un autre côté, me semble assez réjouissant. J'attends impatiemment Hockenheim...*»

TOUS LES ESSAIS

No	Pilote	Châssis/Moteur/Modèle	Libres vendredi	Libres samedi	Qualifs	Warm-up
1.	Damon Hill	Arrows/Yamaha/A18/5 (B)	1'26''810	1'23''871	1'23''271	1'38''031
2.	Pedro Diniz	Arrows/Yamaha/A18/3 (B)	1'26''797	1'24''961	1'24''239	1'41''751
3.	Jacques Villeneuve	Williams/Renault/FW19/4 (G)	1'23''266	1'22''063	1'21''598	1'38''507
4.	Heinz-Harald Frentzen	Williams/Renault/FW19/5 (G)	1'23''327	1'23''022	1'21''732	1'39''756
5.	Michael Schumacher	Ferrari/Ferrari/F310B/177 (G)	1'24''132	1'22''586	1'21''977	1'38''670
6.	Eddie Irvine	Ferrari/Ferrari/F310B/173 (G)	1'24''424	1'23''614	1'22''342	1'38''061
7.	Jean Alesi	Benetton/Renault/B197/5 (G)	1'23''785	1'23''607	1'22''392	1'38''876
8.	Alexander Wurz	Benetton/Renault/B197/4 (G)	1'24''203	1'23''161	1'22''344	1'41''489
9.	Mika Hakkinen	McLaren/Mercedes/MP4/12/6 (G)	1'22''995	1'22''000	1'21''797	1'39''074
10.	David Coulthard	McLaren/Mercedes/MP4/12/7 (G)	1'25''360	1'22''712	1'22''279	1'39''846
11.	Ralf Schumacher	Jordan/Peugeot/197/6 (G)	1'24''948	1'23''647	1'22''277	1'42''261
12.	Giancarlo Fisichella	Jordan/Peugeot/197/4 (G)	1'23''883	1'22''962	1'22''371	1'38''993
14.	Jarno Trulli	Prost/Mugen Honda/JS45/4 (B)	1'24''946	1'24''172	1'23''366	1'43''612
15.	Shinji Nakano	Prost/Mugen Honda/JS45/2 (B)	1'26''270	1'23''823	1'23''887	1'41''920
16.	Johnny Herbert	Sauber/Petronas/C16/5 (G)	1'23''581	1'23''131	1'22''368	1'38''707
17.	Norberto Fontana	Sauber/Petronas/C16/6 (G)	1'26''640	1'24''181	1'23''790	1'39''993
18.	Jos Verstappen	Tyrrell/Ford/025/4 (G)	1'27''923	1'25''195	1'25''010	1'41''039
19.	Mika Salo	Tyrrell/Ford/025/3 (G)	1'26''193	1'25''015	1'24''478	1'40''652
20.	Ukyo Katayama	Minardi/Hart/M197/4 (B)	1'26''446	1'24''716	1'24''553	1'41''781
21.	Tarso Marquès	Minardi/Hart/M197/2 (B)	1'27''066	1'25''725	1'25''154	1'43''088
22.	Rubens Barrichello	Stewart/Ford/SF1/2 (B)	1'26''785	1'23''577	1'25''525	1'39''868
23.	Jan Magnussen	Stewart/Ford/SF1/3 (B)	1'25''136	1'24''181	1'24''067	1'39''498

CLASSEMENT & ABANDONS

Pos	Pilote	Equipe	Temps
1.	Villeneuve	Williams Renault	en 1h28'01''665
2.	Alesi	Benetton Renault	à 10''205
3.	Wurz	Benetton Renault	à 11''296
4.	Coulthard	McLaren Mercedes	à 31''229
5.	Schumacher	Jordan Peugeot	à 31''880
6.	Hill	Arrows Yamaha	à 1'13''552
7.	Fisichella	Jordan Peugeot	à 1 tour
8.	Trulli	Prost Mugen Honda	à 1 tour
9.	Fontana	Sauber Petronas	à 1 tour
10.	Marquès	Minardi Hart	à 1 tour
11.	Nakano	Prost Mugen Honda	moteur

Tour	Pilote	Equipe	Motif d'abandon
1	Katayama	Minardi Hart	sortie de route
1	Frentzen	Williams Renault	accrochage
30	Diniz	Arrows Yamaha	moteur
38	Barrichello	Stewart Ford	moteur
39	Schumacher	Ferrari	roulement de roue
43	Herbert	Sauber Petronas	gestion électron.
45	Salo	Tyrrell Ford	moteur
45	Irvine	Ferrari	transmission
46	Verstappen	Tyrrell Ford	moteur
51	Magnussen	Stewart Ford	moteur
53	Hakkinen	McLaren Mercedes	moteur

MEILLEURS TOURS

	Pilote	Temps	Tour
1.	M. Schum.	1'24''475	34
2.	Villeneuve	1'24''082	42
3.	Irvine	1'25''236	43
4.	R. Schum.	1'25''872	35
5.	Hakkinen	1'25''988	38
6.	Fisichella	1'26''119	57
7.	Herbert	1'26''232	34
8.	Alesi	1'26''260	50
9.	Wurz	1'26''429	51
10.	Hill	1'26''471	57
11.	Coulthard	1'26''475	57
12.	Trulli	1'26''610	57
13.	Nakano	1'26''778	24
14.	Diniz	1'27''111	25
15.	Magnussen	1'27''586	32
16.	Fontana	1'27''783	17
17.	Barrichello	1'27''877	35
18.	Salo	1'28''053	35
19.	Marquès	1'29''100	32
20.	Verstappen	1'29''137	25

TOUR PAR TOUR

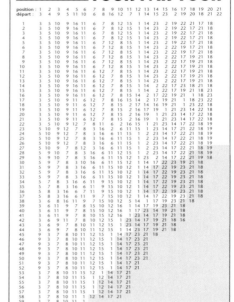

(Tableau tour par tour, positions au départ et à chaque tour, 59 tours.)

NEUVIÈME MANCHE

RAC BRITISH GRAND PRIX, SILVERSTONE

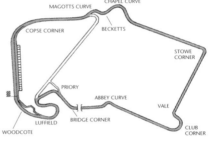

Date : 13 juillet 1997
Longueur : 5140 mètres
Distance : 59 tours, soit 303.260 km
Météo : beau, 18 degrés

CHAMPIONNATS

(après neuf manches)

Conducteurs :

1.	Michael SCHUMACHER	47
2.	Jacques VILLENEUVE	43
3.	Jean ALESI	21
4.	Heinz-H. FRENTZEN	19
5.	Eddie IRVINE	18
6.	Olivier PANIS	15
7.	David COULTHARD	14
8.	Gerhard BERGER	10
	Mika HAKKINEN	10
10.	Giancarlo FISICHELLA	8
11.	Ralf SCHUMACHER	7
	Johnny HERBERT	7
13.	Rubens BARRICHELLO	6
14.	Alexander WURZ	4
15.	Mika SALO	2
16.	Nicola LARINI	1
	Shinji NAKANO	1
	Damon HILL	1

Constructeurs :

1.	Ferrari	65
2.	Williams / Renault	62
3.	Benetton / Renault	35
4.	McLaren / Mercedes	24
5.	Prost / Mugen Honda	16
6.	Jordan / Peugeot	15
7.	Sauber / Petronas	8
8.	Stewart / Ford	6
9.	Tyrrell / Ford	2
10.	Arrows / Yamaha	1

LES ECHOS DU WEEK-END

• Jordan avec Mugen

La semaine de l'écurie Jordan était fructueuse: après avoir dévoilé le lundi la signature d'un accord avec Mugen-Honda pour la fourniture des moteurs japonais en 1998 et 1999, Eddie Jordan a annoncé le jeudi que le contrat le liant à son sponsor principal, Benson & Hedges, renouvelé pour trois saisons supplémentaires.
Le lendemain, Jordan émettait un nouveau communiqué pour signaler son accord avec «Mastercard Latin America and Caribbean.» Jordan avait donc réussi à récupérer une partie de l'accord qui liait Mastercard à l'écurie Lola.

• Vite expédié

Encore des sous pour l'écurie Benetton: la voiture la plus bariolée du plateau se décorait d'un autocollant supplémentaire à partir de ce Grand Prix d'Angleterre. L'écurie venait de signer un contrat avec Federal Express, qui devenait l'un de ses sponsors principaux. Et qui se chargea dès lors de transporter les Benetton de par le monde en un temps record.

• Nostalgie

Souvenir, souvenir. Renault avait amené à Silverstone la Formule 1 de ses débuts, celle qui avait couru ici même il y a 20 ans pour la première fois. Une belle émotion que de (re)voir la voiture qui avait réussi à amener le moteur turbo en F1.

• Irvine out

Il semblait que Ferrari ait décidé de se débarrasser d'un Eddie Irvine un peu trop bavard et donc un peu trop encombrant. A Silverstone, la Scuderia a demandé à David Coulthard s'il souhaitait remplacer l'Irlandais, mais l'Ecossais a refusé.

• Revoilà Lotus

L'écurie Lotus, qui avait déposé son bilan fin 1994, devrait renaître de ses cendres en 1999. C'est du moins ce qu'affirmait un communiqué publié à Silverstone par David Hunt – frère du champion du monde James Hunt –, le nouveau propriétaire de la célèbre marque. Aucun détail ne venait préciser quel serait le moteur utilisé, ni comment la nouvelle écurie Lotus de Formule 1 serait financée.

• Un Français assuré

Frédéric Saint-Geours mérite bien son statut d'énarque. C'est dans un discours très halambiqué que le président de Peugeot Sport a expliqué à Silverstone pourquoi la marque au lion avait abandonné Jordan pour se concentrer sur l'écurie Prost. «Nous voulions travailler avec une seule équipe, a-t-il plaidé en résumé. Avec Prost, nous sommes davantage qu'un fournisseur de moteurs. Nous sommes à l'origine de l'écurie.» Frédéric Saint-Geours ajoutait que Peugeot exigeait qu'au moins l'un des deux pilotes soit Français.

LE FILM DE LA COURSE

- Frentzen cale sur la grille, entraîne le report du départ et se retrouve dernier.
- Au départ, Villeneuve prend le meilleur sur Schumacher, qui précède les deux McLaren et Herbert.
- Frentzen est éliminé au premier tour suite à une collision avec Verstappen. Katayama écrase sa Minardi contre le mur et contraint la sortie du safety car.
- La course est relancée au 4e tour, et le tandem Villeneuve-Schumacher prend rapidement le large sur les McLaren et Herbert.
- Lors des premiers ravitaillements, la roue avant gauche de Villeneuve se grippe. Le Québécois perd plus de 30 secondes dans les stands.
- Michael Schumacher, confortablement en tête, abandonne peu après son second ravitaillement, roulement de roue bloqué.
- Au 45e tour, même punition pour Irvine: l'Irlandais était deuxième lorsqu'il dut abandonner, demi-arbre cassé.
- Les McLaren et les Benetton ont choisi une stratégie à un seul arrêt qui permet à Hakkinen de prendre la tête peu avant l'arrivée.
- Chassé de près par Villeneuve, deuxième, Hakkinen abandonne sur casse moteur. Villeneuve gagne devant les Benetton.

Ancien aérodrome militaire, Silverstone est bel et bien le temple du sport automobile britannique...

Le doyen vous salue bien

Retour gagnant. Après avoir été éloigné de la Formule 1 depuis le Grand Prix d'Espagne en raison d'une mauvaise sinusite, Gerhard Berger est revenu et s'est imposé avec une aisance déconcertante à Hockenheim.

Un Grand Prix surprenant à plusieurs points de vue, puisqu'il consacra aussi le talent de Giancarlo Fisichella, qui faillit terminer deuxième. Les ténors du championnat, Ferrari comme Williams, eux, étaient complètement à la dérive...

GROSSER MOBIL 1 PREIS VON DEUTSCHLAND HOCKENHEIM

Retour en fanfare

△ *Gerhard Berger en pole-position*

△ *Le rouge était mis sur Hockenheim. Depuis que Michael Schumacher est passé chez Ferrari, les Allemands se sentaient des âmes de tifosi.*

▷ *Songeur, Jean Alesi. Il n'était que sixième sur la grille et admettait qu'il allait devoir travailler ses réglages en les comparant avec ceux de Berger...*

Giancarlo Fisichella à la recherche des derniers centièmes. L'Italien, assuré d'une place chez Benetton en 1998 et libéré de toute pression s'est déchaîné à Hockenheim.

▷▽

Le duel attendu entre les Williams et les Ferrari n'a pas eu lieu. Le samedi, contre toute attente, la séance de qualification a sacré l'Autrichien Gerhard Berger et sa Benetton-Renault.
Encore plus étonnante, la deuxième place de Giancarlo Fisichella entraînait une grille de départ totalement inattendue et qui promettait du grand spectacle pour la course.
Pour Gerhard Berger, cette pole ne pouvait tomber plus à pic à l'heure où l'Autrichien revenait à la compétition (lire en page 160). *«Je dois dire que me retrouver en pole me fait du bien au moral*, admettait-il après les essais. *Mais je suis également très heureux pour toute l'écurie Benetton. L'an dernier, on a souffert d'une mauvaise voiture. Mais cette saison, la B197 est excellente, et c'est moi qui n'ai pas pu en tirer parti à cause de mon absence. Aujourd'hui, j'ai enfin pu donner à l'équipe le résultat mérité.»*
Pour l'Autrichien, le seul souci concernait le physique. *«Je suis en forme, bien sûr*, assurait-il.

Mais je dois dire que je me sens mieux après un hiver de ski. Je me rends compte que je vais devoir travailler davantage ma musculation avant le prochain Grand Prix.»

«Fisico» à plus de 350 km/h

On le savait talentueux, mais Giancarlo Fisichella n'en finit pas d'étonner. Samedi, le petit Italien a signé le deuxième temps de la séance qualificative, à 23 millièmes seulement de la pole-position. *«Je ne sais quoi dire. C'est incroyable, c'est fantastique»*, de s'exclamer «Fisico» après les essais.
Au début de la séance d'essais, la Jordan-Peugeot de l'Italien volait littéralement, puisqu'elle fut créditée de la vitesse de pointe la plus rapide – 349.5 km/h avant la première chicane.
Pour la course, Giancarlo déclarait une stratégie des plus simples: *«On fait le plein du réservoir, on ne change rien aux réglages, et on fonce dans le tas!»*

GRILLE DE DÉPART

G. FISICHELLA 1'41''896	-1-	Gerhard BERGER 1'41''873
M. SCHUMACHER 1'42''181	-2-	Mika HAKKINEN 1'42''034
Jean ALESI 1'42''493	-3-	Heinz-H. FRENTZEN 1'42''421
David COULTHARD 1'42''687	-4-	R. SCHUMACHER 1'42''498
Eddie IRVINE 1'43''209	-5-	Jacques VILLENEUVE 1'42''967
R. BARRICHELLO 1'43''272	-6-	Jarno TRULLI 1'43''226
Johnny HERBERT 1'43''660	-7-	Damon HILL 1'43''361
Pedro DINIZ 1'44''069	-8-	Jan MAGNUSSEN 1'43''927
Norberto FONTANA 1'44''552	-9-	Shinji NAKANO 1'44''112
Jos VERSTAPPEN 1'45''811	-10-	Mika SALO 1'45''372
Ukyo KATAYAMA 1'46''499	-11-	Tarso MARQUES 1'45''942

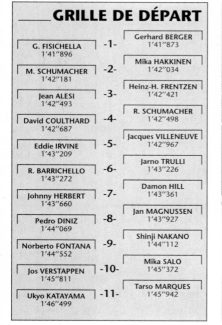

Gerhard a suivi l'étoile du Berger

Jamais on a vu convalescent aussi incisif. A Hockenheim, Gerhard Berger affichait la superforme malgré son opération des sinus et la convalescence qui l'avait tenu éloigné des circuits l'espace de trois Grands Prix. Trois épreuves pendant lesquelles son écurie l'avait remplacé par Alexander Wurz. Qui fut si brillant que Berger, à Hockenheim, se retrouvait contraint de signer quelque exploit pour justifier sa position chez Benetton.

Une mission parfaitement accomplie. Après avoir signé la pole-position, samedi, Gerhard

Berger s'est imposé à Hockenheim avec un rare panache. Seul en tête de course à adopter une stratégie à deux ravitaillements, l'Autrichien a dominé le Grand Prix d'Allemagne avec une aisance déconcertante, ne cédant son fauteuil de premier que l'espace de quelques tours à Giancarlo Fisichella.

Gerhard Berger ne semblait même pas marqué par la course en descendant du podium. «C'est vrai, je suis en pleine forme, confirmait le doyen des pilotes. C'est comme si j'étais branché à une source d'énergie extérieure!»

Une victoire d'autant mieux venue que l'Autrichien l'attendait depuis trois ans. «J'ai du mal à décrire mes émotions, poursuivait-il. C'est vraiment une journée très spéciale pour moi. Mais je suis également très heureux pour les membres de l'équipe Benetton. Depuis que Michael [Schumacher] les a quittés, fin 1995, ils ont vécu une période difficile. Nous avons tous subi d'énormes pressions. Mais cette année, la voiture a un excellent potentiel, et il est temps que je le prouve.»

Sa course, Gerhard Berger l'a vécue comme dans un rêve. «Tout a fonctionné selon les plans, sauf qu'après mon deuxième ravitaillement, je me suis retrouvé derrière Fisichella. J'ai pensé que j'allais avoir du mal pour le doubler, mais il a commis une petite faute et j'ai pu passer. A partir de là, il s'est agi de ramener la voiture à l'arrivée.» Rigolard, c'est un Gerhard Berger au sommet de son art qui s'est imposé à Hockenheim. «Nous avons montré que nous sommes devant les autres, même si notre avance n'est pas grande.»

△
«Et voilà le travail!» Une heure vingt minutes après le départ, Gerhard Berger salue la foule. L'Autrichien avait réussi d'une seule victoire à effacer ses trois Grands Prix d'absence.

1, 2, 3, départ. Ou comment prendre le premier virage en tête lorsqu'on part en pole.

◁
«Va doucement Jarno, tu es déjà quatrième!» Superbe course de Jarno Trulli, qui a passé la quasi-totalité de ses 45 tours dans le sillage de Jacques Villeneuve.
▽

DANS LES POINTS

1. Gerhard BERGER	M. Seven Benetton Renault	1 h 20'59''046
2. M. SCHUMACHER	Scuderia Ferrari Marlboro	à 17''527
3. Mika HAKKINEN	West McLaren Mercedes	à 24''770
4. Jarno TRULLI	Prost Gauloises Blondes	à 27''165
5. Ralf SCHUMACHER	B&H Total Jordan Peugeot	à 29''995
6. Jean ALESI	Mild Seven Benetton Renault	à 34''717

Meilleur tour : Gerhard BERGER, tour 9, 1'45''747, moy. 232.278 km/h

Encore raté. La saison de «Heinzi» tournait au vrai cauchemar, puisqu'après son abandon au premier tour de Silverstone, suite à un accrochage, Heinz-Harald Frentzen faisait rebelote à Hockenheim en entrant en collision avec Eddie Irvine à la première chicane. Mais sa plus belle gaffe fut d'avouer qu'il l'avait fait exprès! «On est arrivé de front avec Eddie. Comme je ne voulais pas passer dans l'herbe et le laisser filer, j'ai préféré le toucher.» Ce fut carrément le «touché-coulé», puisque les deux pilotes abandonnèrent…

LES 17 GRANDS PRIX — **GROSSER MOBIL 1 PREIS VON DEUTSCHLAND**

Mika Hakkinen en pleine action, dans le stadium d'Hockenheim. Troisième aux essais, le Finlandais terminait également troisième en course après un Grand Prix passé à repousser les attaques de Jean Alesi et Jacques Villeneuve.

Ralf «Rex» Schumacher avec Willy Weber, son manager – ainsi que celui de Michael. A Hockenheim, l'écurie Jordan annonça qu'elle allait le garder en 1998. Son coéquipier Fisichella était plus demandé puisque tant Jordan que Benetton voulaient le Romain.

Après son abandon dans la forêt, Giancarlo Fisichella est ramené par Michael Schumacher après l'arrivée. «Fisico» avait été le héros du Grand Prix, qu'il avait mené l'espace de sept tours et où il s'apprêtait à finir brillant second avant sa crevaison.

Gerhard Berger raconte son hospitalisation

Trois Grands Prix en enfer, à s'interroger sur son avenir

Il a bonne mine, Gerhard Berger. Après trois Grands Prix manqués, passés dans un hôpital autrichien à subir plusieurs opérations, personne ne s'attendait à le voir dans une forme aussi étincelante, jeudi dans le paddock d'Hockenheim. «Oui, je me sens physiquement très bien. Je me suis beaucoup entraîné et j'ai retrouvé ma masse musculaire. La semaine dernière, à Monza, mes essais privés se sont parfaitement déroulés. J'étais dans le rythme après une quinzaine de tours, et j'ai tout de suite adoré ça.»

Malgré ce discours résolument positif, l'Autrichien ne souriait guère. Concentré sur ses paroles, il laissait rapidement percer le malaise. Son inactivité forcée lui avait laissé tout loisir de songer à son avenir. Mais quel avenir? «A l'hôpital, je n'avais que quelques magazines stupides et quatre murs blancs à contempler, lâchait-il. En plus, j'ai vécu une période difficile lors du décès de mon père. J'ai eu largement le temps de réfléchir à ma vie. Sur ce que j'avais envie d'en faire. Beaucoup de choses m'intéressent, et

j'ai plusieurs possibilités, pas toutes liées à la course automobile. Dans ma tête, je crois que je sais dans quelle direction aller, mais je pense qu'il serait faux de prendre une décision au terme de ces dernières semaines d'inactivité. Mon jugement en est un peu faussé. Je me laisse donc deux ou trois courses, pour voir comment je me sens. Après, je déciderai de mon avenir.» L'Autrichien, qui affirmait il y a peu vouloir rester encore dix ans en Formule 1 n'avait jamais semblé aussi proche de la retraite...

Sa saison avait bien démarré, mais c'est alors que l'Autrichien contracte un rhume, lors du Grand Prix d'Argentine. «J'avais mal à la tête. Je suis allé voir un médecin, qui m'a dit que j'avais une bonne sinusite, et que mes sinus étaient trop petits pour résoudre le problème sans opérer. Mais avant toute chirurgie, il fallait juguler l'infection. C'est là que mes ennuis ont commencé, car j'ai très mal supporté les médicaments. L'infection s'est généralisée. Au début, à Imola, Monaco et en Espagne, j'ai couru sous antibiotiques, mais à Montréal c'était devenu trop grave. Les médecins m'ont interdit de courir et m'ont hospitalisé. Une histoire comme ça peut arriver à n'importe qui, mais dans mon cas, elle a détruit ma saison.»

Haute tension chez Williams

Le Grand Prix d'Allemagne est terminé depuis plus de deux heures. Sous l'auvent de son motorhome, Frank Williams se tient debout dans son support de tétraplégique. Pantalon noir et blanc en drapeau à damier, cheveux en bataille, Jacques Villeneuve vient saluer son patron avant de quitter le circuit. Frank Williams esquisse une moue. Il y a de quoi: Hockenheim se conclut sur une nouvelle débâcle pour son écurie.

A qui la faute? Chez Williams, on n'a pas pour habitude de se remettre en question. Après avoir remporté huit titres de champion du monde des constructeurs, Frank Williams estime savoir mener sa barque. Du coup, ce sont les pilotes qui se retrouvent dans le collimateur. Heinz-Harald Frentzen se laissant pousser les favoris, et Jacques Villeneuve se teignant les cheveux en blond, ils se sont vus surnommés «Elvis Frentzen» et «Billy Idol» dans le paddock.

Il leur reste toutefois à gommer les fausses notes de leur récital. A Hockenheim, tous deux ont commis des erreurs de pilotage qui ne vont pas remonter leur cote. La semaine précédente, Frank Williams a déclaré qu'il allait «vraisemblablement reconduire son équipe actuelle en 1998». Mais les négociations traînaient en longueur, et Heinz-Harald Frentzen, malgré son contrat de deux ans, se montrait très nerveux lorsqu'on abordait le sujet de sa présence chez Williams en 1998. Le contrat de Jacques Villeneuve, lui non plus, n'était pas encore officialisé. A Hockenheim, le Québécois a pris

du retard au championnat, même s'il conservait une attitude optimiste: «10 points de retard avec 7 Grands Prix à courir, ce n'est pas si grave, remarquait-il. En tout cas, c'est plus confortable que l'an dernier à la même époque. Cette année au moins je n'ai pas à lutter contre mon coéquipier.» A Hockenheim, les Williams n'étaient plus que l'ombre d'elles-mêmes. Samedi, Mika Hakkinen a d'ailleurs osé dire tout haut ce que certains pensaient tout bas: «La cause du problème des Williams? Les pilotes!» a-t-il lâché. Sympa pour ses petits copains Heinz et Jacques...

TOUS LES ESSAIS

No	Pilote	Châssis/Moteur/Modèle	Libres vendredi	Libres samedi	Qualifs	Warm-up
1.	Damon Hill	Arrows/Yamaha/A18/5 (B)	1'47"542	1'44"875	1'43"361	1'45"347
2.	Pedro Diniz	Arrows/Yamaha/A18/4 (B)	1'46"873	1'45"454	1'44"069	1'46"477
3.	Jacques Villeneuve	Williams/Renault/FW19/4 (G)	1'48"639	1'44"291	1'42"967	1'45"006
4.	Heinz-Harald Frentzen	Williams/Renault/FW19/5 (G)	1'48"958	1'43"646	1'42"421	1'45"483
5.	Michael Schumacher	Ferrari/Ferrari/F310B/177 (G)	1'46"322	1'43"628	1'42"181	1'46"662
6.	Eddie Irvine	Ferrari/Ferrari/F310B/173 (G)	1'47"594	1'44"988	1'43"209	1'47"502
7.	Jean Alesi	Benetton/Renault/B197/2 (G)	1'48"541	1'43"257	1'42"493	1'46"448
8.	Gerhard Berger	Benetton/Renault/B197/4 (G)	1'47"887	1'43"428	1'41"873	1'45"497
9.	Mika Hakkinen	McLaren/Mercedes/MP4/12/5 (G)	1'47"385	1'42"989	1'42"034	1'46"258
10.	David Coulthard	McLaren/Mercedes/MP4/12/7 (G)	1'48"648	1'43"579	1'42"687	1'46"138
11.	Ralf Schumacher	Jordan/Peugeot/197/6 (G)	1'46"196	1'42"987	1'42"498	1'45"782
12.	Giancarlo Fisichella	Jordan/Peugeot/197/4 (G)	1'49"010	1'43"349	1'41"896	1'45"403
13.	Jarno Trulli	Prost/Mugen Honda/JS45/3 (B)	1'47"784	1'44"328	1'43"226	1'46"560
14.	Shinji Nakano	Prost/Mugen Honda/JS45/2 (B)	1'47"143	1'44"741	1'44"112	1'46"655
15.	Johnny Herbert	Sauber/Petronas/C16/5 (G)	1'46"517	1'45"082	1'43"560	1'46"639
16.	Norberto Fontana	Sauber/Petronas/C16/6 (G)	1'46"706	1'44"927	1'44"552	1'46"376
17.	Jos Verstappen	Tyrrell/Ford/025/4 (G)	1'47"720	1'46"548	1'45"811	1'49"418
18.	Mika Salo	Tyrrell/Ford/025/1 (G)	1'49"831	1'45"983	1'45"372	1'48"420
20.	Ukyo Katayama	Minardi/Hart/M197/4 (B)	1'51"058	1'46"569	1'46"499	1'50"614
21.	Tarso Marquès	Minardi/Hart/M197/2 (B)	1'49"543	1'46"800	1'45"942	1'47"775
22.	Rubens Barrichello	Stewart/Ford/SF1/1 (B)	1'46"526	1'44"096	1'43"272	1'46"797
23.	Jan Magnussen	Stewart/Ford/SF1/3 (B)	1'47"769	1'45"446	1'43"927	1'50"058

CLASSEMENT & ABANDONS

Pos	Pilote	Equipe	Temps
1.	Berger	Benetton Renault	en 1h20'59"046
2.	Schumacher	Ferrari	à 17"527
3.	Hakkinen	McLaren Mercedes	à 24"770
4.	Trulli	Prost Mugen Honda	à 27"165
5.	Schumacher	Jordan Peugeot	à 29"995
6.	Alesi	Benetton Renault	à 34"717
7.	Nakano	Prost Mugen Honda	à 1'19"722
8.	Hill	Arrows Yamaha	à 1 tour
9.	Fontana	Sauber Petronas	à 1 tour
10.	Verstappen	Tyrrell Ford	à 1 tour
11.	Fisichella	Jordan Peugeot	crevaison

Tour	Pilote	Equipe	Motif d'abandon
0	Marquès	Minardi Hart	transmission
1	Irvine	Ferrari	accrochage
1	Frentzen	Williams Renault	accrochage
2	Coulthard	McLaren Mercedes	accrochage
9	Diniz	Arrows Yamaha	accrochage
9	Herbert	Sauber Petronas	accrochage
24	Katayama	Minardi Hart	panne d'essence
28	Magnussen	Stewart Ford	moteur
34	Barrichello	Stewart Ford	moteur
34	Salo	Tyrrell Ford	embrayage
34	Villeneuve	Williams Renault	sortie de route

MEILLEURS TOURS

	Pilote	Temps	Tour
1.	Berger	1'45"747	9
2.	Alesi	1'45"917	20
3.	R. Schum.	1'46"127	24
4.	Fisichella	1'46"274	34
5.	Hill	1'46"560	10
6.	M. Schum.	1'46"603	43
7.	Trulli	1'46"733	23
8.	Hakkinen	1'46"831	9
9.	Villeneuve	1'47"044	24
10.	Barrichello	1'47"074	24
11.	Fontana	1'47"908	27
12.	Nakano	1'47"939	24
13.	Magnussen	1'48"189	14
14.	Diniz	1'48"836	5
15.	Herbert	1'49"184	3
16.	Salo	1'49"611	25
17.	Verstappen	1'50"159	4
18.	Katayama	1'50"161	22
19.	Coulthard	2'22"236	1
20.	Frentzen	3'13"699	1
21.	Irvine	3'16"256	1

TOUR PAR TOUR

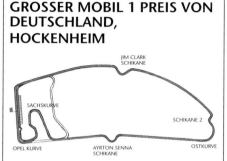

CHAMPIONNATS

(après dix manches)

Conducteurs :

1. Michael SCHUMACHER 53
2. Jacques VILLENEUVE 43
3. Jean ALESI..................................22
4. Gerhard BERGER 20
5. Heinz-H. FRENTZEN 19
6. Eddie IRVINE..............................18
7. Olivier PANIS 15
8. David COULTHARD 14
   Mika HAKKINEN 14
10. Ralf SCHUMACHER......................9
11. Giancarlo FISICHELLA 8
12. Johnny HERBERT 7
13. Rubens BARRICHELLO 6
14. Alexander WURZ 4
15. Jarno TRULLI 3
16. Mika SALO..................................2
17. Nicola LARINI 1
    Shinji NAKANO 1
    Damon HILL 1

Constructeurs :

1. Ferrari 71
2. Williams / Renault......................62
3. Benetton / Renault......................46
4. McLaren / Mercedes 28
5. Prost / Mugen Honda 19
6. Jordan / Peugeot........................17
7. Sauber / Petronas 8
8. Stewart / Ford 6
9. Tyrrell / Ford 2
10. Arrows / Yamaha 1

DIXIÈME MANCHE

GROSSER MOBIL 1 PREIS VON DEUTSCHLAND, HOCKENHEIM

Date : 27 juillet 1997
Longueur : 6823 mètres
Distance : 45 tours, soit 307.035 km
Météo : beau, 32 degrés

LES ECHOS DU WEEK-END

• Tricherie chez Ferrari?

Michael Schumacher ne laisse rien au hasard. Lors de chaque Grand Prix, au moment de s'élancer pour le dernier tour de formation, l'Allemand fait systématiquement cirer ses pneus sur l'emplacement d'où il partira quelques instants plus tard. Histoire d'aider ses pneus à moins patiner au moment crucial du départ.

Cela ne saurait toutefois expliquer les superbes envols réussis par l'Allemand ces derniers temps. *«Je présume que tout ce que fait Ferrari reste dans la limite de la légalité»*, avançait Patrick Head, le directeur technique de l'écurie Williams. *«Mais j'avoue que j'étais surpris de voir la traction de la Ferrari à la sortie du dernier virage, à Magny-Cours. Il y avait d'ailleurs un bruit bien étrange qui émanait de la voiture à cet endroit...»*

Head suggérait ainsi que Ferrari pourrait utiliser un système d'antipatinage similaire à celui qui sert de limitateur de vitesse dans la voie des stands – et qui couperait partiellement l'alimentation du moteur pour empêcher les roues de patiner. McLaren ayant déposé réclamation, la FIA a finalement clarifié le règlement en admettant le système de Ferrari.

Mais ce n'était pas tout. A Montréal, Williams a accusé Ferrari d'avoir utilisé 31 pneus – au lieu des 28 autorisés par pilote – sur la voiture de Michael Schumacher, vainqueur du Grand Prix du Canada. Malheureusement, la direction de course n'a pu vérifier l'infraction, les officiels chargés de surveiller le stand Ferrari s'étant emmêlés dans leurs notes!

Enfin, la légalité de l'essence utilisée par les Ferrari était elle aussi mise en doute, l'écurie McLaren accusant la Scuderia – et son partenaire pétrolier Shell – d'ajouter des additifs congelés dans ses réservoirs juste avant le départ des courses. Ces additifs serviraient à stabiliser le carburant, procurant ainsi un gain illégal en puissance. Chez Shell, on clamait que la FIA était parfaitement au courant de la situation depuis le début de la saison. A Hockenheim, la Scuderia courait ainsi sous haute surveillance...

• Finie la bourse

L'entrée de la Formule 1 en bourse pourrait ne jamais avoir lieu. Initialement prévue pour le 14 juillet, celle-ci avait été repoussée au mois de septembre. Et il semblait qu'elle pourrait se voir totalement annulée. *«Un vendeur de voitures d'occasion a davantage de principes moraux que les hautes sphères de la bourse»*, avait commenté Bernie Ecclestone.

• Honda revient

Le constructeur Japonais Honda, qui avait remporté le titre mondial par cinq fois entre 1987 et 1991, a annoncé à Tokyo son intention de revenir à la Formule 1 en l'an 2000.

LE FILM DE LA COURSE

- Au départ, Berger prend le meilleur sur Fisichella et Schumacher.

- Frentzen, mal parti, s'accroche avec Irvine au premier tour. Tous deux abandonnent après avoir ramené leur voiture endommagée aux stands.

- Berger prend rapidement le large. Sa stratégie à deux ravitaillements lui permet de disposer d'une monoplace nettement plus légère que celle de ses rivaux.

- A l'arrière, Villeneuve, 5e, a du mal à résister aux attaques de la Prost de Trulli.

- Après les ravitaillements, les positions se retrouvent inchangées. Les Benetton sont les seules à s'arrêter deux fois parmi le peloton de tête.

- Villeneuve part à la faute et abandonne au 34e tour.

- Fisichella, solide deuxième, est victime d'une crevaison.

- Pour éviter la panne d'essence, Michael Schumacher doit effectuer un ravitaillement supplémentaire à 5 tours de l'arrivée. Il conserve sa deuxième place. Sa F310B souffrait d'une fuite d'essence.

Paul Stewart, Phil Collins et Michael Schumacher. Le musicien, qui réside en Suisse, assistait à un Grand Prix pour la première fois de sa carrière.

Super Damon est de retour

Le champion du monde en titre avait été pratiquement inexistant tout au long de la saison. Au volant de son Arrows, il avait dû se battre à la fois contre des problèmes de performance et de fiabilité.

Ce fut donc à la stupeur générale que le Britannique parvint à mener la quasi-totalité du Grand Prix de Hongrie. A Budapest, Damon Hill fut plus royal que jamais. Et ne dut s'incliner face à Jacques Villeneuve qu'en raison d'une boîte de vitesses bloquée. Qu'importe. Il était bel et bien le héros de Budapest.

MARLBORO MAGYAR NAGYDÍJ
BUDAPEST

▷ *Le champion du monde troisième des essais*

Jacques Villeneuve attaquait ce Grand Prix de Hongrie le couteau entre les dents. Il ne devait plus laisser Michael Schumacher s'échapper au championnat. Et il ne l'a pas laissé prendre trop d'avance aux essais, puisque le Québécois s'est qualifié à ses côtés en première ligne.

Damon sort les griffes

Les pilotes sont unanimes à fustiger le circuit de Budapest. Ils lui reprochent son manque d'emplacements pour doubler. La seule ligne droite y mesurant à peine cinq cent mètres et se terminant sur un virage rapide, sans gros freinage, dépasser en course y tient de la mission impossible.

La séance qualificative prenait donc une importance toute particulière. A son terme, la grosse surprise est venue de Damon Hill. Contre toute attente, le Britannique est parvenu à hisser sa modeste Arrows-Yamaha à la troisième place, lui qui n'avait jusque-là jamais fait mieux que neuvième aux essais.

Sa performance stupéfiait le champion du monde en titre lui-même: *«Je dois bien avouer que je suis très surpris, mais ravi, de me retrouver là. C'est totalement inattendu. Ce matin, j'espérais peut-être me qualifier dans les dix premiers, mais pas sur la deuxième ligne!»*

Tirer l'écurie Arrows des tréfonds des grilles de départ représentait une tâche pharaonique. Pourtant, il semblait que Damon Hill était sur le point de l'accomplir. *«Je crois que nous montrons aujourd'hui nos réels progrès*, soulignait-il. *Parce que je ne pense pas que ce circuit nous convienne davantage qu'un autre. Mon châssis est assez équilibré, même s'il reste loin des meilleurs.»*

Ses progrès, Damon Hill les mettait sur le compte d'un ensemble de facteurs: *«Depuis qu'il a rejoint Arrows, il y a deux mois, John Barnard a modifié plusieurs détails sur la voiture. Mais je suis aussi très surpris de la qualité de nos pneus ici. Bridgestone n'avait jamais tourné sur ce circuit, et les Japonais ont réussi à produire un mélange qui convient parfaitement à la piste. La victoire? Oui, j'y crois.»* Boutade ou ambitions réelles?

«Tiens, ça tournait ici.» Jan Magnussen soulève une gerbe de graviers au cours des essais. Ce n'était pourtant pas le bon week-end pour ce genre de frasques: à Budapest, Jack Nasser, le numéro 2 de Ford était présent sur le circuit. Sur la voiture, cela se manifestait par un immense logo «Ka» sur le capot-moteur. Qu'est-ce qu'on ne ferait pas pour faire plaisir au patron...

▷ ▽

Michael Schumacher s'assure la pole devant Villeneuve

Michael Schumacher a signé à Budapest sa troisième pole-position de la saison. Une fois de plus, l'Allemand est parvenu à faire rimer vitesse avec adresse pour propulser sa F310B «allégée» (lire en page 168) au sommet du classement. *«L'avantage apporté par la nouvelle voiture ne se remarque pas vraiment au chronomètre*, précisait-il. *Par contre, le châssis semble plus équilibré, ce qui est important sur un circuit nécessitant de forts appuis aérodynamiques comme celui-ci.»* Pour la course, le pilote Ferrari semblait relativement optimiste. *«Je suis assez confiant. Bien*

sûr, notre stratégie de course sera importante. Mais davantage que choisir deux ou trois arrêts, la tactique consistera à foncer. Le plus vite possible!» Jacques Villeneuve, de son côté, est parvenu à se qualifier sur la première ligne de la grille de départ, satisfait des progrès effectués depuis la veille sur sa FW19. Et satisfait de se retrouver si bien placé sur la grille. *«L'année passée, je me souviens que j'avais effectué le début de la course derrière Michael, et que j'avais finalement gagné. Je m'étais bien amusé, et j'espère que l'histoire va se répéter cette année. L'écurie a fait de gros pro-*

grès depuis Hockenheim, et on va encore travailler fort cette nuit. On va en donner pour son argent à Michael. Mais ça va être une course de dragsters assez intéressante jusqu'au premier virage.» Derrière, c'était Mika Hakkinen qui plaçait sa McLaren à la quatrième place de la grille, qui comptait donc quatre voitures différentes aux quatre premières places. Si Ron Dennis, comme toujours, se lamentait de ne pas voir le potentiel de ses voitures reflété par ces positions de grille, Mika Hakkinen, lui, était ravi. *«Je suis certain que nous pourrons faire un truc en course.»*

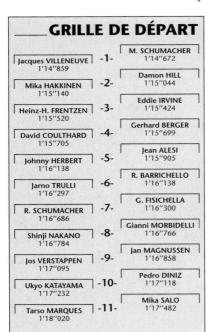

GRILLE DE DÉPART		
Jacques VILLENEUVE 1'14"859	-1-	M. SCHUMACHER 1'14"672
Mika HAKKINEN 1'15"140	-2-	Damon HILL 1'15"044
Heinz-H. FRENTZEN 1'15"520	-3-	Eddie IRVINE 1'15"424
David COULTHARD 1'15"705	-4-	Gerhard BERGER 1'15"699
Johnny HERBERT 1'16"138	-5-	Jean ALESI 1'15"905
Jarno TRULLI 1'16"297	-6-	R. BARRICHELLO 1'16"138
R. SCHUMACHER 1'16"686	-7-	G. FISICHELLA 1'16"300
Shinji NAKANO 1'16"784	-8-	Gianni MORBIDELLI 1'16"766
Jos VERSTAPPEN 1'17"095	-9-	Jan MAGNUSSEN 1'16"858
Ukyo KATAYAMA 1'17"232	-10-	Pedro DINIZ 1'17"118
Tarso MARQUES 1'18"020	-11-	Mika SALO 1'17"482

C'était Super-Damon

Cheveux en bataille, ruisselant de sueur, Damon Hill a retrouvé sa mine des grands jours! A Budapest, le Britannique effectua une stupéfiante démonstration de brio, menant la course avec une avance qui s'éleva jusqu'à 30 secondes devant tous ses adversaires.

Après avoir pris la tête, au onzième tour, Damon Hill était destiné à remporter ce Grand Prix de Hongrie. Jusqu'à trois rondes du drapeau à damier. «Tout allait sans problème, racontait-il. J'avais diminué la cadence pour ne pas prendre de risque. Mais en sortant de la chicane du fond, mon accélérateur est resté bloqué à fond. J'ai d'abord espéré que ce ne serait rien, mais le problème s'est reproduit trois virages plus loin. La boîte de vitesses s'est bloquée en deuxième. En forçant, j'ai pu passer la troisième, mais plus rien d'autre. Le moteur s'est même arrêté deux fois, et j'ai cru que j'allais devoir m'arrêter sur le côté. En fait, c'est un miracle de terminer deuxième...»

La course de Damon Hill fut d'autant plus remarquable que les Arrows, jusque-là, avaient davantage brillé par leurs problèmes mécaniques que leurs performances en course. Au début de la saison, le Britannique avait ainsi abandonné cinq fois en six Grands Prix.

A Budapest, l'écurie a prouvé qu'elle était enfin sur le point d'oublier cette mauvaise passe. «Bien sûr, je suis déçu de ne pas gagner, poursuivait le champion du monde. Mais d'un autre côté, j'ai déjà connu pire frustration dans ma carrière. Je crois que je vais garder un excellent souvenir de ce week-end.»

Sa grande forme, Damon Hill la mettait comme la veille sur le compte de ses pneus Bridgestone. «Comme le châssis n'a que très peu

évolué, ce sont surtout les pneus qui ont fait la différence. Ils ont été fantastiques.»

L'an dernier, les mauvaises langues avaient prétendu que Damon Hill ne devait son titre mondial qu'à la supériorité de sa voiture. A Budapest, au volant d'une monoplace loin de valoir une Williams ou une Ferrari, le brio du Britannique a prouvé qu'il comptait bien parmi les plus grands. A l'heure de négocier son contrat 1998, sa cote venait de remonter en flèche à la bourse des pilotes.

Villeneuve comble son retard

Jacques Villeneuve n'a mené qu'un seul tour du Grand Prix de Hongrie, mais c'était le bon: le dernier! Le Canadien a, à Budapest, a fait preuve d'une chance inespérée, puisque ce sont les ennuis de Hill qui lui ont ouvert les portes de la victoire à trois kilomètres de l'arrivée. «C'est sûr, j'ai eu de la chance, confirmait le Québécois. Mais je prends tout ce qui vient. A Hockenheim, je suis revenu sans un point... c'est comme ça.»

Qualifié sur la première ligne de la grille de départ, Jacques Villeneuve avait mal débuté sa course puisqu'il ne pointait qu'en cinquième place à la fin du premier tour. Profitant des problèmes de Schumacher, de Frentzen et de Hakkinen, le Québécois s'est retrouvé deuxième derrière Damon Hill sans avoir dû doubler le moindre adversaire. «Quand je suis arrivé deuxième, j'espérais que Damon ne termine pas la course, parce que j'étais incapable d'aller aussi vite que lui. Il volait littéralement», avouait-il.

Les voeux de Jacques Villeneuve exaucés, il remporta ce Grand Prix de Hongrie pour marquer dix points très importants. Michael Schumacher ne terminant que quatrième, le Canadien ne compte plus que trois points de retard sur l'Allemand. Il allait y avoir du sport!

Schumacher à la dérive

Pour le pilote Ferrari, les ennuis ont commencé pendant le warm-up, au cours duquel il était sorti de piste et avait plié la coque de sa F310B «allégée». L'Allemand dut ainsi prendre le départ au volant du mulet, avec lequel il n'avait pratiquement pas tourné du week-end, et qui lui réserva une méchante surprise: «C'était incroyable, mes pneus arrières se détruisaient après trois ou quatre tours», racontait-il. «J'ai dû en changer trois fois. Aux essais, on n'a jamais eu ce souci. C'est à n'y rien comprendre. Dommage que Damon n'ait pas gagné. Il l'avait mérité.»

«HH» parti pour gagner

Heinz-Harald Frentzen mérite incontestablement la médaille de la poisse. A Budapest, après les premiers ravitaillements, il se retrouvait largement en tête de la course et semblait parti pour la remporter.

Jusqu'au 30e tour, lorsqu'il vit le clapet anti-retour de sa valve de ravitaillement se casser. L'essence s'est alors mise à fuir du réservoir, se répandre sur ses échappements et causer un début d'incendie.

Un incident extrêmement rare qui désolait l'écurie Williams, mais aussi le pilote allemand: «Dommage, parce que jusque-là tout allait bien, commentait-il tristement après l'arrivée. J'étais le seul à être parti en pneus durs, et cette stratégie semblait porter ses fruits. Je roulais à ma main, et s'il avait fallu, j'aurais pu facilement augmenter la cadence...»

△
Belle synchronisation pour sabler le champagne sur le podium. Hill et Herbert ne devaient pourtant plus en avoir l'habitude: pour eux deux, c'était la première fois de la saison.

«Oui, je suis très satisfait.» Jacques Villeneuve, à Budapest, y allait de sa phrase habituelle pour commenter sa victoire la plus chanceuse de la saison.
▽

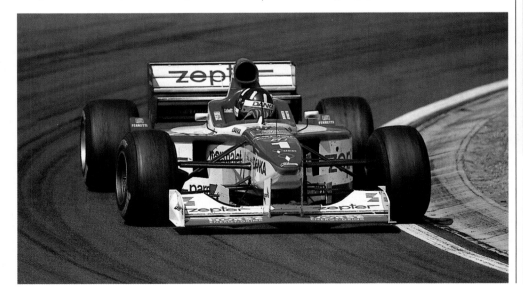

DANS LES POINTS

1.	Jacques VILLENEUVE	Rothmans Williams Renault	1 h 45'47''149
2.	Damon HILL	Danka Arrows Yamaha	à 9''079
3.	Johnny HERBERT	Red Bull Sauber Petronas	à 20''445
4.	M. SCHUMACHER	Scuderia Ferrari Marlboro	à 30''501
5.	Ralf SCHUMACHER	B&H Total Jordan Peugeot	à 30''715
6.	Shinji NAKANO	Prost Gauloises Blondes	à 41''512

Meilleur tour : H.-H. FRENTZEN, tour 25, 1'18''372, moy. 182.269 km/h

Aux essais, Damon Hill ayant fait explosé les chronos avec son troisième temps, Pedro Diniz a essayé de faire de même. Voilà le résultat: une superbe sortie de route, et... la 19e place sur la grille de départ!

LES 17 GRANDS PRIX — **MARLBORO MAGYAR NAGYDÍJ**

Herbert à la fête

La course est terminée depuis une bonne demi-heure. Peter Sauber, appuyé contre le camion-atelier de l'écurie, est en conversation sur son téléphone portable. C'est alors que Johnny Herbert revient enfin de la conférence de presse réservée aux trois premiers du Grand Prix. Peter Sauber aperçoit son pilote, oublie son téléphone, prend le petit Britannique par les épaules et lui donne une longue accolade. A l'évidence, le Zürichois attendait cet instant depuis longtemps – son dernier podium remontait au Grand Prix de Monaco 1996.

Cette année, après un début de saison prometteur, l'écurie Sauber a été victime d'une malchance qui se vit enfin compensée par la course de Budapest, au cours de laquelle Johnny Herbert a profité des ennuis de plusieurs pilotes devant lui. «*Oui, j'ai eu un peu de chance,* confirmait le Britannique. *Mais l'équipe a travaillé tellement fort ces derniers temps qu'elle mérite bien cette troisième place.*»

Dixième seulement sur la grille, Herbert prenait un départ-canon qui lui permit d'entrée de passer les deux Benetton. «*Avant la course, j'espérais bien passer Alesi ou Berger au premier virage, mais jamais les deux! Ensuite, j'ai pu rattraper le peloton retenu par Michael Schumacher, ce qui m'a permis d'économiser mes pneus. Nous savions que les gommes seraient un facteur crucial.*»

Après ses deux ravitaillements, Johnny Herbert se retrouva derrière Jacques Villeneuve, et devant Michael Schumacher. Dès lors, il n'eut plus qu'à contrôler l'écart qui le séparait de la Ferrari. «*Toute ma course a consisté à surveiller mon avance,* admettait-il. *Villeneuve était hors de portée: dès que je forçais un peu la cadence, mes pneus se détruisaient. Le tout, c'était de conserver ma concentration... J'ai vraiment été soulagé au moment de franchir la ligne d'arrivée.*»

Pour Johnny Herbert, ce résultat illustrait bien les progrès de l'écurie. «*Le principal défaut de la voiture, c'est son instabilité à vide d'essence. Elle saute sur les bosses, ce qui nous place toujours loin sur les grilles de départ.*»

Le règlement vote pour Ferrari

Johnny Herbert a mis un peu de baume au cœur de Peter Sauber en terminant sur la troisième marche du podium. Cette saison, il aurait déjà pu le faire plusieurs fois sans une noire malchance...

«*Nous nous sentons très frustrés de ce qui se passe en ce moment.*» Ingénieur-motoriste chez Renault, affecté à la voiture de Jacques Villeneuve, Denis Chevrier ne cachait pas ses sentiments: le constructeur français s'estimait piégé par la nouvelle interprétation que la FIA avait donné au règlement sur les moteurs (lire en page 161). Celle-ci déclara parfaitement légal le remplacement de la relation directe entre la pédale d'accélérateur et l'ouverture de l'admission d'essence par une relation calculée, pouvant tenir compte du régime-moteur. Permettant ainsi d'atténuer les brusques pointes de puissance du moteur, et donc d'éviter le patinage des roues à l'accélération. «*Nous trouvons regrettable que la Fédération change l'interprétation du règlement en milieu de saison,* poursuivait Denis Chevrier. *Parce que depuis que les antipatinages ont été interdits, nous travaillons pour rendre le moteur plus souple, moins pointu. Nous n'avons donc pas grand-chose à gagner avec le nouveau règlement.*» A deux mois de son retrait de la Formule 1, Renault n'avait sans doute d'ailleurs aucune intention d'entreprendre de profondes modifications sur ses moteurs.

Chez Ferrari, il semblait qu'un tel système était déjà prêt. «*Nous étions opposés à ce changement d'interprétation du règlement,* expliquait Jean Todt. *Mais puisque ce qui était interdit est désormais autorisé, on y travaille fort, c'est évident.*» Le moteur Ferrari 046/2 était réputé pour sa puissance, mais aussi sa brutalité. L'adaptation d'un système d'antipatinage constituait donc un avantage certain pour Michael Schumacher.

A Budapest, Ferrari annonçait aussi l'apparition d'un nouveau châssis sur ses F310B. «*On a gagné une dizaine de kilos*», expliquait Jean Todt. «*De toute façon, nous étions déjà au poids minimum, mais gagner des kilos permet de déplacer les masses pour abaisser le centre de gravité. La différence n'est pas énorme, peut-être un dixième au tour. Mais au point où nous en sommes, le moindre dixième est bon à prendre.*»

Seul Michael Schumacher disposait de ce nouveau châssis au Grand Prix de Hongrie, dont un seul exemplaire a pu être achevé à temps pour être emmené à Budapest.

Damon Hill faisant son marché. A Budapest, la question de l'avenir du champion du monde restait grande ouverte. McLaren? Sauber? Prost? Benetton? Toutes les options semblaient possibles.

Plus la saison avançait, et plus Shinji Nakano méritait sa place au sein de l'écurie Prost Grand Prix. A Budapest, il marquait en effet son deuxième point en terminant sixième, plus de trente secondes devant Jarno Trulli. En course, il s'était même permis d'attaquer Michael Schumacher et de pousser Eddie Irvine dans le décor au dernier tour.

TOUS LES ESSAIS

No	Pilote	Châssis/Moteur/Modèle	Libres vendredi	Libres samedi	Qualifs	Warm-up
1.	Damon Hill	Arrows/Yamaha/A18/5 (B)	1'18"161	1'16"556	1'15"044	1'17"953
2.	Pedro Diniz	Arrows/Yamaha/A18/4 (B)	1'20"002	1'17"117	1'17"118	1'17"696
3.	Jacques Villeneuve	Williams/Renault/FW19/4 (G)	1'18"805	1'15"500	1'14"859	1'17"393
4.	Heinz-Harald Frentzen	Williams/Renault/FW19/5 (G)	1'17"884	1'15"431	1'15"520	1'17"614
5.	Michael Schumacher	Ferrari/Ferrari/F310B/178 (G)	1'17"583	1'16"032	1'14"672	1'16"996
6.	Eddie Irvine	Ferrari/Ferrari/F310B/173 (G)	1'18"734	1'16"274	1'15"424	1'17"781
7.	Jean Alesi	Benetton/Renault/B197/2 (B)	1'19"358	1'16"205	1'15"905	1'19"013
8.	Gerhard Berger	Benetton/Renault/B197/4 (B)	1'18"923	1'16"373	1'15"699	1'17"875
9.	Mika Hakkinen	McLaren/Mercedes/MP4/12/5 (G)	1'20"176	1'15"839	1'15"140	1'17"579
10.	David Coulthard	McLaren/Mercedes/MP4/12/6 (G)	1'17"810	1'15"998	1'15"705	1'19"246
11.	Ralf Schumacher	Jordan/Peugeot/197/6 (G)	1'18"368	1'16"343	1'16"686	1'19"673
12.	Giancarlo Fisichella	Jordan/Peugeot/197/4 (G)	1'18"686	1'17"757	1'16"300	1'19"145
14.	Jarno Trulli	Prost/Mugen Honda/JS45/3 (B)	1'17"848	1'16"175	1'16"297	1'18"114
15.	Shinji Nakano	Prost/Mugen Honda/JS45/2 (B)	1'20"414	1'16"841	1'16"784	1'18"499
16.	Johnny Herbert	Sauber/Petronas/C16/3 (G)	1'18"796	1'16"739	1'16"138	1'18"050
17.	Gianni Morbidelli	Sauber/Petronas/C16/6 (G)	1'19"567	1'18"043	1'16"766	1'18"632
18.	Jos Verstappen	Tyrrell/Ford/025/4 (G)	1'19"346	1'18"025	1'17"095	1'19"332
19.	Mika Salo	Tyrrell/Ford/025/1 (G)	1'20"106	1'18"087	1'17"482	1'20"432
20.	Ukyo Katayama	Minardi/Hart/M197/3 (B)	1'19"521	1'17"605	1'17"232	1'17"890
21.	Tarso Marquès	Minardi/Hart/M197/2 (B)	1'20"707	1'19"912	1'18"020	1'20"778
22.	Rubens Barrichello	Stewart/Ford/SF1/2 (B)	1'18"565	1'17"129	1'16"138	1'19"122
23.	Jan Magnussen	Stewart/Ford/SF1/3 (B)	1'18"856	1'17"864	1'16"858	1'20"154

CLASSEMENT & ABANDONS

Pos	Pilote	Equipe	Temps
1.	Villeneuve	Williams Renault	en 1h45'47"149
2.	Hill	Arrows Yamaha	à 9"079
3.	Herbert	Sauber Petronas	à 20"445
4.	Schumacher	Ferrari	à 30"501
5.	Schumacher	Jordan Peugeot	à 30"715
6.	Nakano	Prost Mugen Honda	à 41"512
7.	Trulli	Prost Mugen Honda	à 1'15"552
8.	Berger	Benetton Renault	à 1'16"409
9.	Irvine	Ferrari	accrochage
10.	Katayama	Minardi Hart	à 1 tour
11.	Alesi	Benetton Renault	à 1 tour
12.	Marquès	Minardi Hart	à 2 tours
13.	Salo	Tyrrell Ford	à 2 tours

Tour	Pilote	Equipe	Motif d'abandon
5	Magnussen	Stewart Ford	accrochage
7	Morbidelli	Sauber Petronas	moteur
12	Hakkinen	McLaren Mercedes	syst. hydraul.
29	Barrichello	Stewart Ford	moteur
29	Frentzen	Williams Renault	clapet anti-retour ess.
42	Fisichella	Jordan Peugeot	tête-à-queue
53	Diniz	Arrows Yamaha	sortie de route
61	Verstappen	Tyrrell Ford	pression
65	Coulthard	McLaren Mercedes	syst. hydraul.

MEILLEURS TOURS

	Pilote	Temps	Tour
1.	Frentzen	1'18"372	25
2.	Villeneuve	1'19"066	15
3.	Fisichella	1'19"366	37
4.	Irvine	1'19"527	44
5.	Hill	1'19"648	13
6.	R. Schum.	1'19"651	48
7.	M. Schum.	1'19"684	28
8.	Berger	1'19"923	52
9.	Nakano	1'20"003	26
10.	Hakkinen	1'20"161	4
11.	Diniz	1'20"317	46
12.	Coulthard	1'20"329	19
13.	Alesi	1'20"573	57
14.	Herbert	1'20"606	28
15.	Katayama	1'20"672	46
16.	Trulli	1'21"074	71
17.	Morbidelli	1'21"167	4
18.	Barrichello	1'21"409	23
19.	Salo	1'21"578	67
20.	Magnussen	1'21"628	3
21.	Verstappen	1'21"676	43
22.	Marquès	1'21"874	45

TOUR PAR TOUR

ONZIÈME MANCHE

MARLBORO MAGYAR NAGYDÍJ, BUDAPEST

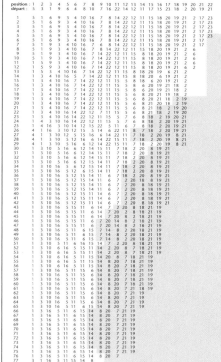

Date: 10 août 1997
Longueur: 3968 mètres
Distance: 77 tours, soit 305.536 km
Météo: beau, 31 degrés

CHAMPIONNATS

(après onze manches)

Conducteurs:

1.	Michael SCHUMACHER	56
2.	Jacques VILLENEUVE	53
3.	Jean ALESI	22
4.	Gerhard BERGER	20
5.	Heinz-H. FRENTZEN	19
6.	Eddie IRVINE	18
7.	Olivier PANIS	15
8.	David COULTHARD	14
	Mika HAKKINEN	14
10.	Ralf SCHUMACHER	11
	Johnny HERBERT	11
12.	Giancarlo FISICHELLA	8
13.	Damon HILL	7
14.	Rubens BARRICHELLO	6
15.	Alexander WURZ	4
16.	Jarno TRULLI	3
17.	Mika SALO	2
	Shinji NAKANO	2
19.	Nicola LARINI	1

Constructeurs:

1.	Ferrari	74
2.	Williams / Renault	72
3.	Benetton / Renault	46
4.	McLaren / Mercedes	28
5.	Prost / Mugen Honda	20
6.	Jordan / Peugeot	19
7.	Sauber / Petronas	12
8.	Arrows / Yamaha	7
9.	Stewart / Ford	6
10.	Tyrrell / Ford	2

LE FILM DE LA COURSE

- Au départ, Schumacher prend le meilleur sur Hill. Villeneuve, deuxième sur la grille, se retrouve cinquième.
- Hill passe Schumacher au 11e tour. Hakkinen, deuxième, abandonne deux tours plus tard.
- Schumacher perd rapidement du terrain, et stoppe pour ravitailler au 15e tour. Il reprend la piste 12e, et bute sur la Prost de Nakano.
- Après les premiers ravitaillement, Frentzen se retrouve en tête. Il ne veut stopper qu'une seule fois, mais abandonne au 29e tour sur perte de son bouchon de réservoir en pleine ligne droite.
- Hill se retrouve en tête et prend le large devant le tandem Villeneuve-Coulthard.
- Derrière, Schumacher ne parvient pas à suivre le rythme de Herbert. Après avoir ravitaillé trois fois, il bouchonne son frère Ralf, Irvine et Nakano.
- Coulthard, troisième, abandonne au 66e tour. Herbert devient troisième sur sa Sauber.
- A trois tours de la fin, Hill ralentit fortement et doit laisser Villeneuve s'imposer.

Tous les résultats
© 1997
Fédération Internationale de l'Automobile,
8, Place de la Concorde, Paris 75008, France

LES ECHOS DU WEEK-END

• Fin de la dispute?

La querelle opposant Frank Williams, Ron Dennis (directeur de l'écurie McLaren) et Ken Tyrrell à Bernie Ecclestone pourrait bien arriver à son terme. Un an après leur refus de signer les Accords de la Concorde, les trois patrons se sont réunis, avec Ecclestone, pendant plus d'une heure. D'après Ron Dennis, un terrain d'entente devait être trouvé avant la fin de la saison.

• Gianni est de retour

«Regardez ici, et encore ici: j'en ai des deux côtés.» Gianni Morbidelli, à Budapest, exhibait fièrement les 34 points de suture qui lui barraient l'avant bras gauche. Avec les renforts métalliques vissés sur ses os, c'était tout ce qui restait de l'accident dont l'Italien avait été victime fin juin, lors d'une séance d'essais privés à Magny-Cours. «Je me sens en pleine forme, affirmait le petit Italien avec un large sourire. Il faut dire que j'ai commencé ma rééducation deux jours à peine après la pose des plaques de métal...»

C'est la semaine suivant Hockenheim que Gianni Morbidelli a repris pour la première fois le volant de la Sauber, sur la piste de Ferrari, à Fiorano. «Pendant les premiers tours, j'étais un peu anxieux, racontait-il. Je ne parviens plus à tordre mon bras comme avant, et j'avais peur que ça me gêne dans les virages serrés. Mais en fait, tout s'est très bien passé.

Après quelques minutes, j'avais retrouvé mes marques...»

Pour Peter Sauber, le retour de Gianni Morbidelli constituait un soulagement. Ce dernier mettait un terme à l'interim assuré par Norberto Fontana, le pilote-essayeur de l'écurie, qui a commis trop de gaffes en trois Grands Prix pour mériter sa place sur les grilles de départ. Pourtant, le Zürichois souhaitait plutôt aligner Alexander Wurz sur sa seconde voiture pour les six derniers Grands Prix à disputer. A Budapest, Gianni Morbidelli ne donnait ainsi pas cher de son avenir au sein de l'écurie suisse: «Je n'ai pas de contrat avec Sauber, précise l'Italien. Je suis employé par Ferrari, qui me prête à Peter Sauber. Cette situation peut s'arrêter dimanche soir...»

• «Fisico» sort

En course, il était évident que Michael Schumacher bouchonnait ses adversaires dans l'espoir de marquer quelques points. Ralf, juste derrière son frère, ne faisait pourtant rien pour le passer. N'appartenant pas à la famille, Giancarlo Fisichella, lui, essaya de passer Michael, mais échoua dans le bac à gravier devant la détermination du pilote Ferrari. «C'est la course! J'étais beaucoup plus rapide que Michael, mais il m'a fermé la porte et je me suis retrouvé sur une portion de piste très sale. Je suis tout de suite parti en tête-à-queue. Ce n'est pas de sa faute, mais je suis extrêmement déçu...»

◁ «C'est la tête qu'il faudrait garder au frais, pas les pieds.»
Spectacle traditionnel de Budapest, les joueurs d'échecs des bains Gellert profitaient du temps magnifique qui régnait sur la Hongrie en cet été 1997.

Schumi défie les éléments

Quel talent! A Spa, Michael Schumacher a démontré plus que jamais que son talent de pilote surpasse celui de tous ses petits copains. En début de course, sur une piste encore détrempée, il parvint à prendre plus de six secondes au tour sur le reste du peloton. À la fin de l'épreuve, Jacques Villeneuve lui-même admit que l'Allemand était le plus fort.

Une performance qui relégua la course des autres pilotes au rang d'anecdote, même s'il fallait tout de même relever la superbe prestation de Giancarlo Fisichella, deuxième.

BELGIAN GRAND PRIX
SPA-FRANCORCHAMPS

Pole-position du Québécois

Villeneuve contre-attaque

Grosse animation dans le stand Ferrari, le samedi. Michael Schumacher y a reçu la visite de Carl Lewis et de Leroy Burell, deux fans de sport automobile qui avaient été invités par Marlboro.
▷ ▽

Déjà en pole en 1996, Jacques Villeneuve semblait affectionner le circuit de Spa. Tout au moins par temps sec. Vendredi, sous la pluie, il s'était montré inexistant (17e de la journée), en proie à une monoplace mal réglée. Mais le samedi, une fois le soleil revenu, le Canadien a assommé tous ses concurrents.

Lors des qualifications, c'est dans les premières minutes déjà qu'il signa un chrono que personne n'allait plus battre. «*En fait, dès que la piste était sèche, nos réglages se sont avérés excellents*», remarquait le Québécois au terme des essais. *On avait beaucoup travaillé là-dessus vendredi soir, en fonction de nos connaissances de l'an dernier. Je n'ai plus eu besoin de toucher à quoi que ce soit sur la voiture, et j'ai pu me concentrer sur mes trajectoires, pour trouver la limite de mes pneus.*»

Chez Goodyear, après la débâcle constatée en Hongrie, tous les pilotes ont apparemment opté pour un choix prudent, préférant les pneus plus résistants aux gommes les plus performantes. Aucune surprise n'était donc à attendre de ce côté pendant le Grand Prix. «*Ceux qui n'auront pas été prudents dans leur choix de pneus le paieront cher en course*», avertissait Jacques Villeneuve. *Aujourd'hui, la piste était adhérente en début de séance, mais ensuite, avec le soleil, le revêtement est devenu très glissant.*»

Derrière le Québécois, la surprise provenait de Jean Alesi, qui réussissait à hisser sa Benetton-Renault en première ligne pour la première fois de la saison. Une performance dont l'Avignonnais était très satisfait: «*Je suis très content, c'est vrai*, confirmait-il. *Parce que cette année, les vainqueurs sont toujours partis des premières places de grille. Comme je n'étais jamais bien qualifié, je n'avais aucune chance. Cette fois, ça va changer.*»

Pour Michael Schumacher, la journée de samedi n'avait été guère favorable. L'Allemand constata un problème sur sa voiture de course pendant les essais du matin déjà. «*Je préfère ne pas en dire trop à ce sujet*», lâchait-il. *En tout cas, le problème était trop important pour que nous puissions y remédier pour les qualifs.*»

C'est donc au volant de son mulet que le pilote Ferrari s'est qualifié. Il n'était pas doté du moteur «Spec 2», et son châssis n'était pas allégé. Dans ces conditions, le troisième chrono réussi par l'Allemand se posait comme un exploit: «*Je ne pensais pas faire aussi bien, c'est vrai. Mais je reste inquiet: nous n'avons aucune indication sur les réglages pour la course.*»

GRILLE DE DÉPART

		Jacques VILLENEUVE 1'49"450
Jean ALESI 1'49"759	-1-	
		M. SCHUMACHER 1'50"293
G. FISICHELLA 1'50"470	-2-	
		Mika HAKKINEN 1'50"503
R. SCHUMACHER 1'50"520	-3-	
		Heinz-H. FRENTZEN 1'50"656
Pedro DINIZ 1'50"853	-4-	
		Damon HILL 1'50"970
David COULTHARD 1'51"410	-5-	
		Johnny HERBERT 1'51"725
R. BARRICHELLO 1'51"916	-6-	
		Gianni MORBIDELLI 1'52"094
Jarno TRULLI 1'52"274	-7-	
		Gerhard BERGER 1'52"391
Shinji NAKANO 1'52"749	-8-	
		Eddie IRVINE 1'52"793
Jan MAGNUSSEN 1'52"886	-9-	
		Mika SALO 1'52"897
Ukyo KATAYAMA 1'53"544	-10-	
		Jos VERSTAPPEN 1'53"725
Tarso MARQUES 1'54"505	-11-	

Séance agitée

En tout début de séance qualificative, ce fut Pedro Diniz qui établit le premier chrono digne de ce nom. Mais aussitôt après, il fut chassé de sa première place par Herbert, à son tour détrôné par Alesi, puis Frentzen, Fisichella, Michael Schumacher puis enfin Villeneuve. Le tout en l'espace de 15 minutes.

Finalement, derrière le trio de tête, c'était Fisichella qui signait le quatrième temps. Une bonne surprise: «*Je ne m'attendais pas à me qualifier si haut. Mais la voiture est enfin bien réglée, et le résultat est là.*»

Pour Frentzen, 7e, c'était une nouvelle déconfiture. Il avait dû se qualifier sur le mulet, réglé pour Villeneuve, et avait souffert d'un important trafic en piste.

Schumacher comme un poisson dans l'eau

Ils s'étaient déplacés par dizaine de milliers de l'Allemagne proche pour soutenir leur héros. Ils ne furent pas déçus. A Spa-Francorchamps, Michael Schumacher a mené une course incroyable de virtuosité, dominant les éléments avec une aisance tenant du surnaturel.

Le matin, il n'avait signé que le 15e chrono du warm-up, montrant la petite forme de sa Ferrari. Jusqu'à ce que les nuages commencent à s'accumuler sur les Ardennes, pour déverser les grandes eaux quelques minutes seulement avant le départ. Sautant dans son mulet, Michael Schumacher prit également la décision de s'élancer avec des pneus pluie «intermédiaires», aux entailles peu profondes. «Je voyais que le ciel redevenait bleu derrière les sapins, expliquait Michael Schumacher. On a choisi les gommes en fonction, et c'était le bon choix.»

Au moment du départ, l'averse avait déjà cessé. Mais les nombreuses flaques d'eau qui s'étaient formées sur le circuit poussèrent les organisateurs à donner le départ derrière la voiture de sécurité – ce qui ne s'était produit qu'une fois, à Suzuka en 1994. «Je crois que le choix de partir sous Safety Car était le bon, relevait le pilote Ferrari. Un départ classique aurait été trop dangereux.» Après trois tours passés sagement derrière la voiture de sécurité, Michael Schumacher n'attendit pas longtemps avant de passer à l'action, attaquant Jean Alesi à l'épingle de la Source dans une manœuvre plutôt risquée. «J'ai pensé que nos deux voitures se toucheraient, avouait l'Allemand. Mais en me glissant comme je l'ai fait, j'ai estimé que cela se ferait en douceur et sans dégât. Heureusement, Jean s'est écarté et a évité tout contact.»

Un demi-tour plus tard, la Ferrari attaquait la Williams de Villeneuve et prenait la tête. Pour creuser une avance d'anthologie: 6 secondes à la fin du cinquième tour, 17 secondes au tour suivant, puis 1 minute et 8 secondes en bouclant le 13e passage. La concurrence était tétanisée.

Dès lors, il ne restait plus à l'Allemand qu'à gérer son avance et remporter sa quatrième victoire de la saison sous les acclamations du public qui saluait son exploit. «La foule a été fantastique, relevait Schumacher. Exactement comme à Monza en 1996. Pendant les hymnes nationaux, j'étais loin de tout, à savourer l'atmosphère. C'est ma plus belle victoire de la saison.»

L'Allemand comptait désormais 12 points d'avance sur Jacques Villeneuve, avec cinq Grands Prix restant à disputer.

△
En début de course, une fois Alesi et Villeneuve passés, Michael Schumacher prit le large à raison de 6 à 7 – et même jusqu'à 11 – secondes au tour. Quel talent!

Hakkinen en sursis

Ce fut le week-end de tous les problèmes pour Mika Hakkinen. Samedi matin, le Finlandais connaissait une sérieuse sortie de route due à la perte d'une de ses roues arrière. L'après-midi, il se qualifiait 6e, avant que les commissaires ne jugent son essence non conforme.

Le Finlandais aurait dû s'élancer dernier, mais un recours de son écurie lui permit de garder sa place sur la grille, en attendant décision du tribunal d'appel. En course, il termina troisième, mais quelques jours plus tard, il fut bel et bien disqualifié. Tous ses suivants – dont Villeneuve, 6e – marquèrent un point de plus.

◁
Mika Hakkinen ne profita pas longtemps de sa troisième place: il fut disqualifié quelques jours après le Grand Prix de Belgique. Il aurait mieux valu partir en fond de grille. Au moins, ses efforts n'auraient pas été totalement vains.

DANS LES POINTS

1. M. SCHUMACHER	Scuderia Ferrari Marlboro	1 h 33'46"717
2. Giancarlo FISICHELLA	B&H Total Jordan Peugeot	à 26"753
3. Mika HAKKINEN	West McLaren Mercedes	à 30"856
4. Heinz-H. FRENTZEN	Rothmans Williams Renault	à 32"147
5. Johnny HERBERT	Red Bull Sauber Petronas	à 39"025
6. Jacques VILLENEUVE	Rothmans Williams Renault	à 42"103

Meilleur tour : J. VILLENEUVE, tour 43, 1'52"692, moy. 222.596 km/h

Spectaculaire partie de saute-moutons sur les vibreurs de Spa. A ce petit jeu, c'était nettement Jan Magnussen qui sautait le plus haut. De toute évidence, le circuit belge ne convenait guère aux Stewart-Ford, qui allaient se montrer bien plus à l'aise en Autriche et au Nürburgring...

Villeneuve choisit les mauvais pneus. Une fois de plus

11 h 30, dimanche matin. Au cours du warm-up, la dernière séance d'essais avant la course, Jacques Villeneuve signe le meilleur chrono, et confirmait qu'il est le plus rapide sur le circuit belge après avoir décroché la pole-position le samedi. Toutes les conditions semblent réunies pour le voir dominer le Grand Prix de Belgique. 15 h 42, dimanche après-midi. Au moment de descendre de sa Williams-Renault numéro 3, Jacques Villeneuve s'avoue pourtant battu. Le cheveu en bataille, le visage tuméfié par l'effort, il lui faut quelques minutes pour se remettre d'une course où il signait son meilleur tour en toute fin d'épreuve, au moment de donner la chasse à la Sauber de Johnny Herbert. Sixième seulement, le Québécois s'inclinait

devant Michael Schumacher. Avec fair-play: «*J'ai fait le mauvais choix de pneus*, admet Villeneuve dans un premier temps. *Il y a deux jours que nous tournons par une température de 30 degrés, et la voiture était mal réglée pour la pluie. Mais je dois reconnaître que Michael a démontré aujourd'hui qu'il est le meilleur. Sur le mouillé, et pas seulement sur le mouillé.*»
18 h 00, dimanche soir. Revenu de ses émotions, le Québécois a changé de registre: «*Je ne comprends pas que la voiture de sécurité soit restée aussi longtemps sur la piste au début de la course*, se plaint-il. *Ce n'était pas correct, parce que ça a permis d'assécher le revêtement pour ceux qui avaient monté des pneus intermédiaires.*»
Debout dans un recoin de son motorhome,

Frank Williams partageait la colère de ses pilotes: «*Je pense qu'il n'était pas légal de laisser la voiture de sécurité si longtemps en piste.*»
Le règlement précisait que le départ pouvait être donné derrière la voiture de sécurité en cas de "circonstances exceptionnelles", mais il n'est précisé nulle part combien de tours celle-ci peut rester devant le peloton.
La responsabilité de son choix de pneus manifestement erroné, Jacques Villeneuve l'incombait à son écurie: «*Je pense que c'est du ressort de l'équipe que d'aller voir sur la grille les pneus choisis par nos adversaires. La seule chose qui m'intéressait aujourd'hui était de terminer devant Michael, et si j'avais su qu'il était en intermédiaires, j'aurais fait de même.*»

Giancarlo Fisichella très convoité

Toujours plus fort, Giancarlo Fisichella. A Spa, le Romain termina brillamment second après une course sans faute. «*Je suis parti en pneus intermédiaires, comme Michael, et ce fut le bon choix*, relevait-il. *Mais je n'aurais rien pu tenter contre lui. Je le voyais prendre le large sans pouvoir résister.*» Désormais, l'objectif de «Fisico» se nomme victoire: «*J'ai fini troisième au Canada, et deuxième ici. La logique voudrait que je gagne à Monza...*»

Dans les coulisses, pourtant, les nuages semblaient s'accumuler autour de l'avenir du Romain: alors qu'il avait déjà signé un contrat avec Benetton pour 1998, Eddie Jordan, son employeur actuel, ne voulait plus le laisser partir: «*Mon contrat avec Giancarlo porte sur deux ans, et j'ai bien l'intention de le voir respecté*» tonnait l'Irlandais au soir de la course. Les tribunaux allaient ainsi devoir décider de l'avenir du plus convoité des jeunes talents.

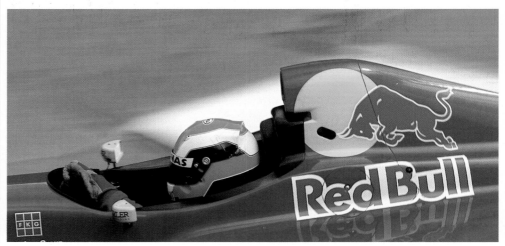

résultats

Tous les résultats
© 1997 Fédération Internationale de l'Automobile, 8, Place de la Concorde, Paris 75008, France

TOUS LES ESSAIS

No	Pilote	Châssis/Moteur/Modèle	Libres vendredi	Libres samedi	Qualifs	Warm-up
1.	Damon HIll	Arrows/Yamaha/A18/5 (B)	2'08''372	1'52''402	1'50''970	1'53''365
2.	Pedro Diniz	Arrows/Yamaha/A18/4 (B)	2'10''153	1'56''360	1'50''853	1'53''557
3.	Jacques Villeneuve	Williams/Renault/FW19/4 (G)	2'11''706	1'50''407	1'49''450	1'52''415
4.	Heinz-Harald Frentzen	Williams/Renault/FW19/5 (G)	2'10''914	1'51''179	1'50''656	1'53''777
5.	Michael Schumacher	Ferrari/Ferrari/F310B/179 (G)	2'09''272	1'52''562	1'50''293	1'54''593
6.	Eddie Irvine	Ferrari/Ferrari/F310B/173 (G)	2'10''993	2'07''786	1'52''793	1'55''993
7.	Jean Alesi	Benetton/Renault/B197/2 (G)	2'07''371	1'50''947	1'49''759	1'52''837
8.	Gerhard Berger	Benetton/Renault/B197/4 (G)	2'06''802	1'52''057	1'52''391	1'53''531
9.	Mika Hakkinen	McLaren/Mercedes/MP4/12/7 (G)	2'10''413	2'06''429	1'50''503	1'54''282
10.	David Coulthard	McLaren/Mercedes/MP4/12/6 (G)	2'09''288	1'52''604	1'51''410	1'53''846
11.	Ralf Schumacher	Jordan/Peugeot/197/6 (G)	2'12''750	1'52''682	1'50''520	1'52''619
12.	Giancarlo Fisichella	Jordan/Peugeot/197/5 (G)	2'11''093	1'51''625	1'50''470	1'53''999
14.	Jarno Trulli	Prost/Mugen Honda/JS45/3 (B)	2'09''772	1'55''895	1'52''274	1'53''760
15.	Shinji Nakano	Prost/Mugen Honda/JS45/2 (B)	2'10''272	1'54''299	1'52''749	1'55''202
16.	Johnny Herbert	Sauber/Petronas/C16/3 (G)	2'09''772	1'53''977	1'51''725	1'52''628
17.	Gianni Morbidelli	Sauber/Petronas/C16/6 (G)	2'11''262	1'54''310	1'52''094	1'54''448
18.	Jos Verstappen	Tyrrell/Ford/025/4 (G)	2'14''048	1'54''799	1'53''725	1'54''895
19.	Mika Salo	Tyrrell/Ford/025/1 (G)	2'13''256	1'53''929	1'52''897	1'55''588
20.	Ukyo Katayama	Minardi/Hart/M197/4 (B)	2'10''231	1'54''150	1'53''544	1'54''570
21.	Tarso Marquès	Minardi/Hart/M197/2 (B)	2'11''778	1'54''521	1'54''505	1'54''868
22.	Rubens Barrichello	Stewart/Ford/SF1/2 (B)	2'08''238	1'52''688	1'51''916	1'56''062
23.	Jan Magnussen	Stewart/Ford/SF1/3 (B)	2'12''545	1'54''608	1'52''886	1'55''695

TOUR PAR TOUR

position :	1	2	3	4	5	6	7	8	9	10	11	12	13	14	15	16	17	18	19	20	21	22
départ :	3	7	5	12	9	11	4	2	1	10	16	22	17	14	8	15	6	23	19	20	18	21
1	3	7	5	12	4	9	2	1	10	16	22	17	8	15	6	23	19	20	21	18	11	14
2	3	7	5	12	9	4	2	1	10	16	22	17	8	15	6	23	19	20	21	18	11	14
3	3	7	5	12	9	4	2	1	10	16	22	17	8	15	6	23	19	20	18	21	11	14
4	3	7	5	12	9	4	2	1	10	16	22	17	8	23	6	15	19	20	21	18	11	14
5	5	3	7	12	9	4	2	1	10	16	22	17	23	8	6	15	19	21	20	18	11	14
6	5	12	7	9	4	2	10	1	3	16	22	17	23	8	6	21	20	19	18	11	14	
7	5	12	9	7	4	10	2	1	16	22	23	17	8	21	6	20	18	3	19	11	14	
8	5	12	9	10	2	16	1	23	8	17	22	4	18	21	7	20	3	19	6	11	14	
9	5	12	9	10	2	16	1	23	17	8	18	21	7	3	20	4	19	11	6	14		
10	5	9	12	10	2	16	1	23	17	18	7	21	3	20	8	4	6	11	19	14		
11	5	9	2	16	23	10	17	18	12	7	3	21	1	8	4	20	6	19	11	14		
12	5	9	2	23	7	12	16	1	17	10	8	4	18	21	3	6	19	20	11	14		
13	5	7	12	23	9	16	10	1	8	4	18	2	3	6	17	19	21	20	11	14		
14	5	7	12	9	16	10	4	8	1	18	3	2	6	19	17	23	21	20	11	14		
15	5	7	12	9	16	10	4	8	18	3	1	2	19	6	17	23	21	20	11	14		
16	5	7	12	9	16	10	4	8	18	3	2	6	19	17	23	1	21	20	11	14		
17	5	7	12	9	16	4	10	8	18	3	2	6	19	17	23	21	11	20	1	14		
18	5	7	12	9	16	4	10	8	18	3	2	6	19	17	3	11	21	20	1	14		
19	5	7	12	9	16	4	10	8	3	18	6	2	19	17	23	11	20	1	14			
20	5	7	12	9	16	4	8	3	18	6	2	19	23	17	11	20	1	14				
21	5	7	12	9	4	16	8	3	18	6	2	19	23	17	11	20	1	14				
22	5	7	12	9	4	16	8	3	18	6	2	19	23	17	20	1	14					
23	5	7	12	9	4	16	8	3	18	6	2	19	23	17	20	1	14					
24	5	12	9	4	7	16	8	3	18	6	2	19	23	17	20	1	14					
25	5	12	9	7	16	3	4	18	6	2	8	19	23	17	20	1	14					
26	5	12	9	7	16	3	4	6	2	8	19	23	17	1	20	14						
27	5	12	9	7	16	3	4	6	2	8	19	23	17	1	20	14						
28	5	12	9	7	16	3	4	6	2	8	19	17	23	1	20	14						
29	5	12	9	7	16	3	4	6	2	8	19	17	23	1	20	14						
30	5	12	7	16	3	9	4	2	6	8	17	19	23	1	20	14						
31	5	12	7	16	3	9	4	2	8	6	17	19	23	1	20	14						
32	5	12	7	9	4	16	2	8	3	6	17	19	23	1	20	14						
33	5	12	9	4	16	7	8	3	2	6	17	19	23	1	20	14						
34	5	12	9	4	16	7	3	8	6	2	17	19	23	1	20	14						
35	5	12	9	4	16	7	3	6	8	2	19	17	23	1	20	14						
36	5	12	9	4	16	3	7	6	8	2	19	17	23	1	20	14						
37	5	12	9	4	16	3	7	6	8	2	19	17	23	1	20	14						
38	5	12	9	4	16	3	7	8	6	2	17	19	23	1	20	14						
39	5	12	9	4	16	3	8	6	2	7	17	19	23	1	20	14						
40	5	12	9	4	16	3	8	6	2	7	17	19	23	1	20	14						
41	5	12	9	4	16	3	8	6	2	7	17	19	23	1	20	14						
42	5	12	9	4	16	3	8	6	2	7	17	19	23	1	20	14						
43	5	12	9	4	16	3	8	6	2	7	17	19	23									
44	5	12	9	4	16	3	8	2	7	17												

BRIDGESTONE

Meilleur classement obtenu par un pilote équipé de pneus Bridgestone:

Pedro Diniz, Arrows Yamaha, *8e*

CLASSEMENT & ABANDONS

Pos	Pilote	Equipe	Temps
1.	Schumacher	Ferrari	en 1h33'46''717
2.	Fisichella	Jordan Peugeot	à 26''753
3.	Hakkinen	McLaren Mercedes	à 30''856
4.	Frentzen	Williams Renault	à 32''147
5.	Herbert	Sauber Petronas	à 39''025
6.	Villeneuve	Williams Renault	à 42''103
7.	Berger	Benetton Renault	à 1'03''741
8.	Diniz	Arrows Yamaha	à 1'25''931
9.	Alesi	Benetton Renault	à 1'42''008
10.	Morbidelli	Sauber Petronas	à 1'42''582
11.	Irvine	Ferrari	accrochage
12.	Salo	Tyrrell Ford	à 1 tour
13.	Magnussen	Stewart Ford	à 1 tour
14.	Hill	Arrows Yamaha	pneu
15.	Katayama	Minardi Hart	moteur
16.	Trulli	Prost Mugen Honda	à 2 tours

Tour	Pilote	Equipe	Motif d'abandon
5	Nakano	Prost Mugen Honda	probl. électron.
8	Barrichello	Stewart Ford	suspension
18	Marquès	Minardi Hart	sortie de route
19	Coulthard	McLarenMercedes	tête-à-queue
21	Schumacher	Jordan Peugeot	tête-à-queue
25	Verstappen	Tyrrell Ford	tête-à-queue

MEILLEURS TOURS

	Pilote	Temps	Tour
1.	Villeneuve	1'52''692	43
2.	Herbert	1'53''615	44
3.	Berger	1'53''649	43
4.	Diniz	1'53''652	42
5.	Frentzen	1'53''874	43
6.	Hill	1'54''074	41
7.	Hakkinen	1'54''175	43
8.	Fisichella	1'54''688	39
9.	Morbidelli	1'54''818	39
10.	Trulli	1'55''152	37
11.	Irvine	1'55''290	29
12.	M. Schum.	1'55''340	41
13.	Alesi	1'55''348	30
14.	Katayama	1'55''413	41
15.	Magnussen	1'55''726	41
16.	Salo	1'56''919	43
17.	R. Schum.	1'57''784	16
18.	Coulthard	1'59''169	16
19.	Verstappen	1'59''409	16
20.	Marquès	2'02''753	16
21.	Barrichello	2'16''804	5
22.	Nakano	2'19''161	5

DOUZIÈME MANCHE

BELGIAN GRAND PRIX, SPA-FRANCORCHAMPS

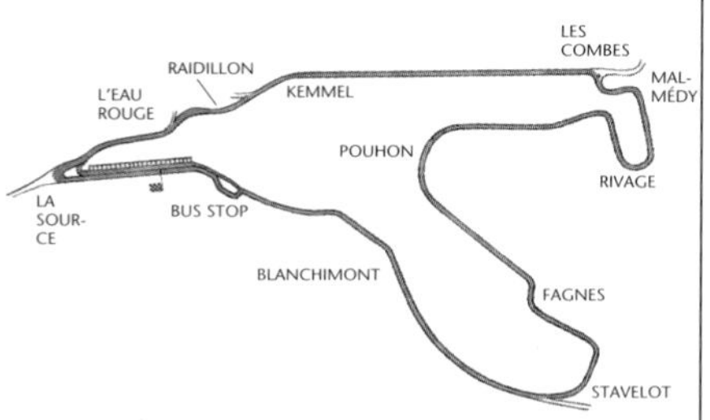

Date : 24 août 1997
Longueur : 6967 mètres
Distance : 44 tours, soit 306.577 km
Météo : pluie puis beau, 16 degrés

CHAMPIONNATS

(après douze manches)

Conducteurs :

1. Michael SCHUMACHER 66
2. Jacques VILLENEUVE 54
3. Heinz-H. FRENTZEN 22
   Jean ALESI 22
5. Gerhard BERGER 20
6. Eddie IRVINE 18
   Mika HAKKINEN 18
8. Olivier PANIS 15
9. David COULTHARD 14
   Giancarlo FISICHELLA 14
11. Johnny HERBERT 13
12. Ralf SCHUMACHER 11
13. Damon HILL 7
14. Rubens BARRICHELLO 6
15. Alexander WURZ 4
16. Jarno TRULLI 3
17. Mika SALO 2
    Shinji NAKANO 2
19. Nicola LARINI 1

Constructeurs :

1. Ferrari 84
2. Williams / Renault 76
3. Benetton / Renault 46
4. McLaren / Mercedes 32
5. Jordan / Peugeot 25
6. Prost / Mugen Honda 20
7. Sauber / Petronas 14
8. Arrows / Yamaha 7
9. Stewart / Ford 6
10. Tyrrell / Ford 2

LES ECHOS DU WEEK-END

- **Désastre chez Benetton**

Ce devait être le jour de Jean Alesi: qualifié deuxième, l'Avignonnais avait montré à Spa que sa Benetton était en forme. Au moment de tirer le bilan, pourtant, Jean Alesi ne termine que neuvième, deux places derrière un Gerhard Berger qui finit lui aussi hors des points. Un désastre.
L'Avignonnais – parti sur des pneus pluie classiques – se plaignait d'un problème mécanique: *«La voiture a commencé à perdre de l'adhérence à partir de la mi-course. J'ai d'abord pensé que c'était les pneus. Je me suis arrêté pour en changer, mais c'était encore pire. En fait, il semble qu'un élément de suspension ait cassé à l'arrière. Il faudra attendre un examen complet de la voiture pour le savoir.»*

- **McLaren confirme ses pilotes**

Le marché des transferts était en passe de se débloquer. Le vendredi après-midi, Damon Hill émit un virulent communiqué pour expliquer que ses négociations avec l'équipe anglo-allemande McLaren étaient désormais terminées: *«J'étais en discussion avec McLaren-Mercedes, mais lorsque j'ai reçu une offre de leur part, je n'ai pu que la refuser. Elle ne correspondait en rien à nos discussions préalables, et elle montrait que l'écurie n'avait aucun intérêt sérieux à me compter parmi ses pilotes.»* Et pan dans les dents.
Une heure plus tard, McLaren émettait son propre communiqué pour signaler que ses deux pilotes actuels, David Coulthard et Mika Hakkinen, étaient reconduits pour 1998.

- **Olivier Panis est de retour**

Bien sûr, il avait apporté deux béquilles avec lui. Mais elles étaient davantage destinées à le rassurer qu'à le soutenir physiquement. Olivier Panis était de retour à Spa. *«Je fais attention,* précisait-il. *Mes médecins m'ont demandé de ne pas causer de choc sur les jambes. C'est pourquoi je n'ai pas le droit de courir. Ma rééducation se joue essentiellement à vélo et en piscine.»*
En fait, le Grenoblois était présent pour annoncer le renouvellement de son contrat avec l'équipe Prost. *«Il y a longtemps qu'on en parlait avec Alain. Il savait que mes deux jambes cassées ne constitueraient qu'une interruption, sans conséquence pour l'avenir. Il voulait me garder, et je voulais rester. On a trouvé un terrain d'entente très rapidement.»* Pour le Grenoblois, la page la plus noire de sa carrière s'est en partie tournée à Spa. Le compte à rebours de son retour en piste avait commencé.

- **Soutien renouvelé**

Pour l'écurie Prost, ce jeudi 21 août fut un grand jour. En plus du contrat avec Olivier Panis, l'écurie a annoncé que l'accord avec son sponsor principal, le fabriquant de cigarettes SEITA, a été renouvelé pour trois nouvelles saisons, jusqu'en l'an 2000.

LE FILM DE LA COURSE

- Un orage inondant le circuit vingt minutes avant le départ, celui-ci est donné sous «safety car». La voiture de sécurité reste trois tours en piste. La pluie s'arrête alors.
- Troisième, Michael Schumacher passe Alesi au 5e tour. Quelques mètres plus loin, il double aussi Villeneuve et prend la tête.
- Au 6e tour, Fisichella passe Alesi et attaque Villeneuve. Ce dernier s'arrête à son stand pour monter des pneus pluie intermédiaires. Il repart 18e.
- Au 8e tour, Frentzen, 5e, est passé par Diniz et Herbert.
- Berger est le premier à monter des slicks au 9e tour. Il est imité par Fisichella et Hill.
- Diniz et Herbert passent Coulthard. Diniz se retrouve provisoirement troisième.
- Villeneuve s'arrête une seconde fois pour monter des pneus slicks. Il repart en 15e position.
- Hakkinen, deuxième, tire tout droit à la chicane des Combes et continue. Il s'arrête aux stands pour monter des slicks.
- Au 13e tour, Michael Schumacher monte des slicks à son tour et en profite pour ravitailler. Juste avant, son avance culminait déjà à 1 minute et 7 secondes.
- Villeneuve commence à remonter. Au 16e tour, il passe Hill.
- Les arrêts aux stands se succèdent sans changer le classement.
- Dans le dernier tour, Diniz tente de passer Irvine et le heurte à la chicane des Combes. Tous deux sont éliminés.

▽ *Grand spectacle à Spa. Même sous la pluie, le circuit des Ardennes reste un joyau*

Une victoire d'équipe

A Monza, David Coulthard a remporté son second Grand Prix de la saison grâce à la stratégie savamment calculée par l'écurie McLaren: emporter davantage d'essence au départ, et donc ravitailler en moins de temps que les autres.

C'est ainsi que l'Ecossais a pu passer Jean Alesi et Heinz-Harald Frentzen pour s'imposer dans un Grand Prix par ailleurs terriblement monotone. Aucun dépassement n'est venu agrémenter une course qui s'est davantage assimilée à un défilé de mode qu'à une compétition automobile.

68° GRAN PREMIO CAMPARI D'ITALIA
MONZA

Jean Alesi et Giancarlo Fisichella enflamment les tifosi

A la demande de Damon Hill, une minute de silence fut observée samedi à Monza, en mémoire de la Princesse Diana, décédée le week-end précédent.

«*Forza Jean. Monza è ancora con te*» (vas-y Jean, Monza est encore avec toi). Cette banderole géante, tendue dans la tribune principale, juste en face du stand Benetton, prouvait que les tifosi ont conservé intacte leur affection pour Jean Alesi. Même depuis qu'il ne pilotait plus pour Ferrari.

Le samedi, l'Avignonnais a bien récompensé le soutien de la foule en signant une superbe pole-position, sa première depuis trois ans – son unique autre pole remontait à ce même Grand Prix d'Italie, en 1994.

«*Bien sûr, mon passeport est français. Je parle mieux le français que l'italien. Mais toute ma famille est sicilienne, et mon cœur est italien.*» Jean Alesi, au terme des essais qualificatifs, ne savait plus comment exprimer sa joie. «*J'ai eu beaucoup de malchance sur ce circuit ces dernières années, mais je l'ai toujours adoré. C'est une piste où je me sens bien... Le soutien des tifosi a été incroyable, c'était comme si la foule me poussait sur les lignes droites.*»

Une aide qui ne fut pas de trop, puisque Jean Alesi ne précédait Heinz-Harald Frentzen que de 52 millièmes de seconde et Giancarlo Fisichella de 76 millièmes. En tout, la tête du classement changea huit fois de mains au cours d'une des séances qualificatives les plus disputées de la saison.

Après sa seconde pole-position, Jean Alesi espèrait que son circuit fétiche lui permettrait aussi de remporter sa seconde victoire. «*Je crois que j'ai une chance énorme de gagner ce Grand Prix*, concluait-il. *La voiture est compétitive avec*

le plein d'essence, et je pense que tout devrait bien se passer. Mais cela risque d'être très serré, et la différence se jouera peut-être dans les stands.*»

«Fisico» troisième

Giancarlo Fisichella occupa longtemps la première place avant de s'en voir délogé en fin de séance. Et avant de se voir convoqué par les commissaires sportifs italiens pour avoir ignoré les drapeaux jaunes montrés à l'endroit de la sortie de route de Jarno Trulli. Le chrono réussi par l'Italien à ce moment fut annulé. Heureusement pour lui, ce n'était pas son tour le plus rapide. «*Evidemment, je suis très excité à l'idée de partir troisième ici. Je pense que je vais faire une bonne course, parce que ma voiture est excellente avec le plein. Pour autant qu'il ne fasse pas plus chaud, car alors nos réglages seront différents. J'espère en tout cas faire un podium.*»

GRILLE DE DÉPART

Heinz-H. FRENTZEN 1'23"042	-1-	Jean ALESI 1'22"990	
Jacques VILLENEUVE 1'23"231	-2-	G. FISICHELLA 1'23"066	
David COULTHARD 1'23"347	-3-	Mika HAKKINEN 1'23"340	
R. SCHUMACHER 1'23"603	-4-	Gerhard BERGER 1'23"443	
Eddie IRVINE 1'23"891	-5-	M. SCHUMACHER 1'23"624	
Johnny HERBERT 1'24"242	-6-	R. BARRICHELLO 1'24"177	
Damon HILL 1'24"482	-7-	Jan MAGNUSSEN 1'24"394	
Jarno TRULLI 1'24"567	-8-	Shinji NAKANO 1'24"553	
Gianni MORBIDELLI 1'24"735	-9-	Pedro DINIZ 1'24"639	
Jos VERSTAPPEN 1'25"845	-10-	Mika SALO 1'25"693	
Tarso MARQUES 1'27"677	-11-	Ukyo KATAYAMA 1'26"655	

«Mais ce n'est pas possible. Les paparazzi me poursuivent jusque sur la piste maintenant?» Michael Schumacher, le samedi matin, rentre en remorque sur sa F310B. L'après-midi, il ne se qualifiait qu'en neuvième place. Sa plus mauvaise place sur la grille de la saison.

Coulthard l'emporte grâce à sa stratégie

Jean Alesi avait signé la pole-position. Sa voiture se comportait bien avec le plein d'essence, et il avait pris un excellent départ. En tête depuis le début de la course, parvenant à contenir Heinz-Harald Frentzen et David Coulthard, qui suivaient de près, l'Avignonnais avait toutes les raisons d'espérer remporter le second Grand Prix de sa carrière.

Pourtant, au moment de franchir le drapeau à damier, il était deuxième. Sans que rien ne puisse lui être reproché. Au 32e tour, le Français s'est arrêté pour ravitailler au même moment que David Coulthard. Tout s'est joué au talent des mécaniciens. Les secondes s'écoulaient, dramatiques – Alesi expliquera plus tard qu'il était aussi tendu que lors d'un départ –, et c'est Coulthard qui a repris la piste le premier.

La messe était dite. L'Ecossais, route dégagée devant lui, n'eut plus qu'à se diriger tranquillement vers sa seconde victoire de la saison. *«Après les ravitaillements, c'est vrai que la tension est retombée,* racontait David Coulthard. *J'avais adopté un rythme de croisière, et je me contentais de ne pas commettre d'erreur.»*

L'Ecossais avouait qu'il avait remporté le Grand Prix dans les stands: *«C'est une véritable victoire d'équipe. Les mécanos y ont vraiment participé. Mais je m'attendais à ressortir devant Jean. On avait choisi de remplir le réservoir à ras bord avant le départ. Au ravitaillement, on devait donc embarquer moins d'essence, ce qui a permis de gagner plus d'une seconde sur un ravitaillement classique.»*

La tactique de l'écurie McLaren avait si bien fonctionné que Coulthard avait également passé la Williams de Frentzen. L'Allemand avait stoppé trois tours plus tôt, et eut la mauvaise surprise de se retrouver troisième après les arrêts de Coulthard et Alesi, qui avaient adopté un rythme très rapide juste avant de stopper.

Mais sa victoire, Coulthard l'avait également bâtie au départ: parti sixième sur la grille, il négociait le premier virage en troisième place. *«C'est vrai, j'ai pris un bon départ. Je me concentre beaucoup là-dessus ces derniers temps. En fait, au départ, on peut doubler des pilotes en quelques secondes, alors que cela peut prendre 20 tours une fois la course lancée.»*

Jean Alesi finissait donc second. Il tenait toutefois à souligner que ses mécanos n'étaient pas responsables de la situation: *«Les gars ont fait un excellent travail,* soulignait-il. *Mais sur notre voiture, l'embout du réservoir ne permet pas de débiter l'essence aussi vite que sur d'autres monoplaces. Il n'y avait rien à faire de mieux. Je suis déçu, bien sûr. J'ai fait de mon mieux, mais je savais qu'il me serait impossible de repasser David s'il ne commettait pas d'erreur.»*

Problème résolu

Chez McLaren, on n'a pas spécialement le triomphe modeste. Une heure après l'arrivée, Norbert Haug, le directeur de la compétition de Mercedes, réglait la sono du motorhome à fond absolu pour célébrer la victoire de son pilote et sabler le champagne en compagnie de Jürgen Hubbert, membre du directoire du groupe Daimler-Benz, qui avait fait le déplacement de Monza.

Observant la scène de loin, Ron Dennis savourait l'instant. Et claironnait que désormais, McLaren avait résolu ses problèmes: *«Nous avions quelques soucis de fiabilité ces derniers temps,* admettait-il. *Mais nous en avons trouvé la cause probable, et nous avons repensé notre processus de fabrication de nos pièces. Désormais, je pense que nous allons viser la victoire plus régulièrement.»* L'avenir immédiat (en Autriche et au Nürburgring) allait lui donner tort...

A Monza, Mika Hakkinen aurait pu compléter le triomphe de l'écurie si une crevaison avec son deuxième train ne l'avait obligé à stopper une seconde fois à son stand. Il termina 9e.

△

Drapeau à damier. Les mécaniciens McLaren, sur le mur des stands, pouvaient être heureux du triomphe de David Coulthard. Ils y avaient largement contribué.

Herbert l'échappe belle

39e tour. Entre Johnny Herbert et Ralf Schumacher, la lutte dure depuis le premier virage. Le pilote Sauber semble toutefois en mesure de conserver sa place devant la Jordan jusqu'à l'arrivée.

C'est alors que Ralf Schumacher le passe à l'aspiration de la ligne droite des stands. Les deux voitures se présentent de front au freinage de la première chicane, et l'Allemand se rabat sur la droite, poussant littéralement le Britannique dans l'herbe. A plus de 330 km/h à cet endroit, la sortie de Herbert est effrayante et ne s'arrête que dans les piles de pneus. *«Il s'est déplacé sur la droite d'un seul coup, et je ne pouvais plus aller nulle part»,* tremblait un Johnny Herbert hors de lui une fois revenu à son stand.

Le Britannique était sorti indemne de l'accident, mais n'en nourrissait pas moins une colère bien compréhensible à l'encontre de Ralf Schumacher: *«J'aime la compétition, j'aime me battre pour une place, mais pas de cette manière. Ce type ne comprend pas qu'il doit laisser de la place pour ses adversaires. Ce qu'il a fait était inutile et inacceptable. C'est la preuve qu'il n'est qu'un débutant sans expérience de l'art de la course à haute vitesse.»*

Pour sa défense, «Schumi 2» répondait simplement qu'il «pensait» que Johnny Herbert disposait de suffisamment de place pour passer. En sortant de route, la Sauber avait touché la roue arrière de sa Jordan, et l'Allemand fut lui aussi éliminé dans l'accident.

◁

«Je vous le dis, je suis passé à ça de la catastrophe». Johnny Herbert se remet de ses émotions et explique aux commissaires de piste sa mésaventure. L'inconscience de Ralf Schumacher aurait pu lui faire très mal.

DANS LES POINTS

1. David COULTHARD	West McLaren Mercedes	1 h 17'04"609
2. Jean ALESI	Mild Seven Benetton Renault	à 1"937
3. Heinz-H. FRENTZEN	Rothmans Williams Renault	à 4"343
4. Giancarlo FISICHELLA	B&H Total Jordan Peugeot	à 5"871
5. Jacques VILLENEUVE	Rothmans Williams Renault	à 6"416
6. M. SCHUMACHER	Scuderia Ferrari Marlboro	à 11"481

Meilleur tour : M. HAKKINEN, tour 49, 1'24"808, moy. 244.929 km/h

Pour Jarno Trulli, ce fut un Grand Prix dans le gravier.
Sorti de piste le samedi matin et le samedi après-midi,
Jarno avait causé la colère d'Alain Prost. Qui
comprenait que l'on puisse sortir en qualifs, à la
recherche de la performance, mais pas en essais libres
lorsqu'il est important de chercher ses réglages. Mais
quand la fougue commande....

LES 17 GRANDS PRIX — **68° GRAN PREMIO CAMPARI D'ITALIA**

Et encore une deuxième place pour Jean Alesi. La... 15e de sa carrière. De quoi désespérer.

Les duellistes restent derrière

Les tifosi n'eurent guère l'occasion de crier leur soutien à Michael Schumacher. A Monza, l'Allemand mena une course discrète, qui le vit terminer sixième, un rang derrière son rival Jacques Villeneuve. *«En considérant nos ennuis des essais, je peux être satisfait du résultat,* commentait-il. *Je n'ai perdu qu'un point sur Jacques, ça aurait pu être plus sérieux.»*

Selon l'Allemand, le pire est passé: *«Le championnat reste très ouvert, bien sûr, mais je pense que notre voiture devrait mieux s'adapter aux prochains circuits. Ici, avec des appuis aérodynamiques minimum, rien n'a marché.»*

Chez Williams, Jacques Villeneuve tirait la tête des mauvais jours. Le matin, pour n'avoir pas ralenti devant des drapeaux jaunes – c'était la troisième fois cette saison –, il avait été condamné à un Grand Prix de suspension, mesure assortie d'un sursis pendant neuf courses. Et l'après-midi, la course ne lui avait guère été favorable puisqu'il terminait cinquième et ne reprenait qu'un point à Schumacher. *«Nous*

savions que ce circuit ne conviendrait pas à notre châssis. Bien sûr, j'ai refait un peu de mon retard, mais pas assez.»*

En fin de course, le Québécois collait à la Jordan de Fisichella, qui suivait lui-même la Williams de Frentzen. *«Je n'arrivais pas à doubler Giancarlo, parce que je perdais de l'appui si je m'approchais trop,* poursuivait Jacques Villeneuve. *J'espérais que Heinz, devant, le ralentirait pour me permettre de le passer, mais il ne l'a pas fait. Tant pis.»*

La topographie particulière de Monza a relégué les Williams et les Ferrari aux oubliettes du classement. Une mauvaise passe qui ne devrait rester qu'une parenthèse pour ces écuries.

«HH» prêt à aider Jacques

Sur la troisième marche du podium de Monza, Heinz-Harald Frentzen n'avait pas grand-chose à raconter. Pour lui aussi, la course avait été une longue attente, dans l'impossibilité de doubler qui que ce soit. *«En début de course, je pense que j'étais plus rapide que Jean (Alesi), mais je n'ai rien pu faire contre lui. J'avais un peu de sousvirage, et je ne voulais pas attaquer plus pour ne pas détruire mes pneus. Bon, sur la fin, j'ai essayé de pousser davantage Jean à la faute, mais ici il est très difficile de trouver le trou et de passer.»*

En tête pendant plusieurs tours, «HH» a en fait perdu la course dans les stands. *«Je me suis peut-être arrêté trop tôt,* admettait-il. *Il faut dire qu'au moment d'établir la stratégie, avant la course, il est difficile de juger à 100% ce qu'il faut faire et ne pas faire. C'est sûr qu'une fois la course finie, on peut mieux juger.»*

Questionné sur ses intentions face à Jacques Villeneuve, l'Allemand répondit qu'il aurait pu l'aider: *«Laisser passer Jacques s'il me suit? Pourquoi pas»,* lâcha-t-il simplement.

Silvester Stallone a fait une apparition remarquée à Monza. Le matin, il annonçait la signature d'un accord avec Bernie Ecclestone pour la réalisation d'un film sur la Formule 1. Dont il tiendrait évidemment le rôle du pilote-vedette-qui-a-un-accident-mais-qui-s'en-remet-et-qui-parvient-à-remporter-le-championnat-de-justesse. Le rôle de Bernie Ecclestone devait être tenu par Al Pacino. Voilà qui promettait.

Hill cherche volant

Le temps courait contre Damon Hill en cette fin d'été. Après avoir échoué dans ses négociations avec McLaren, Sauber et Jordan – aucun n'étant disposé à verser le salaire qu'il demandait –, le Britannique était toujours sans contrat pour 1998.

La semaine précédant Monza, il avait mené des discussions avancées avec Alain Prost. Ce dernier a toujours voué une grande admiration pour le Britannique. Seul problème: Hill exigeait un salaire de 5.6 millions de livres (54 millions de francs) qu'Alain Prost n'était pas prêt à débourser. Bernie Ecclestone, le grand argentier de la F1, semblait préoccupé par le «cas» Damon Hill. A lui seul, le champion du monde drainait l'essentiel de l'intérêt des Britanniques pour la F1. Pour Ecclestone, il était donc essentiel de lui dénicher un bon volant, pour augmenter la valeur du contrat qu'il devait signer prochainement avec la chaîne British Sky Broadcasting pour la retransmission en Angleterre des programmes numériques.

TOUS LES ESSAIS

No	Pilote	Châssis/Moteur/Modèle	Libres vendredi	Libres samedi	Qualifs	Warm-up
1.	Damon Hill	Arrows/Yamaha/A18/5 (B)	1'26"502	1'24"892	1'24"482	1'26"364
2.	Pedro Diniz	Arrows/Yamaha/A18/4 (B)	1'26"246	1'25"243	1'24"639	1'26"511
3.	Jacques Villeneuve	Williams/Renault/FW19/4 (G)	1'24"837	1'23"194	1'23"231	1'25"683
4.	Heinz-Harald Frentzen	Williams/Renault/FW19/5 (G)	1'23"991	1'23"658	1'23"042	1'25"962
5.	Michael Schumacher	Ferrari/Ferrari/F310B/180 (G)	1'26"224	1'23"815	1'23"624	1'26"228
6.	Eddie Irvine	Ferrari/Ferrari/F310B/179 (G)	1'25"340	1'24"236	1'23"891	1'26"907
7.	Jean Alesi	Benetton/Renault/B197/2 (G)	1'24"847	1'23"262	1'22"990	1'25"836
8.	Gerhard Berger	Benetton/Renault/B197/4 (G)	1'25"559	1'23"898	1'23"443	1'26"028
9.	Mika Hakkinen	McLaren/Mercedes/MP4/12/7 (G)	1'25"095	1'23"346	1'23"340	1'24"234
10.	David Coulthard	McLaren/Mercedes/MP4/12/4 (G)	1'25"050	1'23"434	1'23"347	1'25"093
11.	Ralf Schumacher	Jordan/Peugeot/197/6 (G)	1'25"422	1'23"387	1'23"603	1'24"937
12.	Giancarlo Fisichella	Jordan/Peugeot/197/5 (G)	1'25"050	1'23"329	1'23"066	1'25"118
14.	Jarno Trulli	Prost/Mugen Honda/JS45/3 (B)	1'25"317	1'24"749	1'24"567	1'25"493
15.	Shinji Nakano	Prost/Mugen Honda/JS45/2 (B)	1'26"727	1'25"034	1'24"553	1'25"608
16.	Johnny Herbert	Sauber/Petronas/C16/3 (G)	1'25"845	1'24"316	1'24"242	1'26"115
17.	Gianni Morbidelli	Sauber/Petronas/C16/6 (G)	1'26"696	1'25"391	1'24"735	1'27"012
18.	Jos Verstappen	Tyrrell/Ford/025/4 (G)	1'26"755	1'25"925	1'25"845	1'27"496
19.	Mika Salo	Tyrrell/Ford/025/3 (G)	1'26"608	1'25"561	1'25"693	1'26"037
20.	Ukyo Katayama	Minardi/Hart/M197/4 (B)	1'26"891	1'26"709	1'26"655	1'28"279
21.	Tarso Marquès	Minardi/Hart/M197/2 (B)	1'28"388	1'27"929	1'27"677	1'38"060
22.	Rubens Barrichello	Stewart/Ford/SF1/2 (B)	1'26"421	1'24"379	1'24"177	1'25"860
23.	Jan Magnussen	Stewart/Ford/SF1/3 (B)	1'25"488	1'24"436	1'24"394	1'27"343

TOUR PAR TOUR

CLASSEMENT & ABANDONS

Pos	Pilote	Equipe	Temps
1.	Coulthard	McLaren Mercedes	en 1h17'04"609
2.	Alesi	Benetton Renault	à 1"937
3.	Frentzen	Williams Renault	à 4"343
4.	Fisichella	Jordan Peugeot	à 5"871
5.	Villeneuve	Williams Renault	à 6"416
6.	Schumacher	Ferrari	à 11"481
7.	Berger	Benetton Renault	à 12"471
8.	Irvine	Ferrari	à 17"639
9.	Hakkinen	McLaren Mercedes	à 49"373
10.	Trulli	Prost Mugen Honda	à 1'02"706
11.	Nakano	Prost Mugen Honda	à 1'03"327
12.	Morbidelli	Sauber Petronas	à 1 tour
13.	Barrichello	Stewart Ford	à 1 tour
14.	Marquès	Minardi Hart	à 3 tours

Tour	Pilote	Equipe	Motif d'abandon
4	Diniz	Arrows Yamaha	suspension
8	Katayama	Minardi Hart	pneu
12	Verstappen	Tyrrell Ford	boîte de vitesses
31	Magnussen	Stewart Ford	boîte de vitesses
33	Salo	Tyrrell Ford	moteur
38	Herbert	Sauber Petronas	sortie de route
39	Schumacher	Jordan Peugeot	accrochage
46	Hill	Arrows Yamaha	moteur

MEILLEURS TOURS

	Pilote	Temps	Tour
1.	Hakkinen	1'24"808	49
2.	Frentzen	1'25"600	47
3.	Berger	1'25"653	47
4.	Irvine	1'25"655	53
5.	Villeneuve	1'25"715	20
6.	M. Schum.	1'25"863	47
7.	R. Schum.	1'25"909	31
8.	Fisichella	1'25"960	28
9.	Coulthard	1'25"975	31
10.	Alesi	1'26"067	52
11.	Nakano	1'26"383	53
12.	Herbert	1'26"572	27
13.	Trulli	1'26"718	44
14.	Hill	1'27"081	27
15.	Morbidelli	1'27"257	26
16.	Magnussen	1'27"447	21
17.	Barrichello	1'27"571	20
18.	Salo	1'28"004	12
19.	Verstappen	1'28"227	9
20.	Diniz	1'28"569	3
21.	Marquès	1'29"116	7
22.	Katayama	1'29"133	3

TREIZIÈME MANCHE

68° GRAN PREMIO CAMPARI D'ITALIA, MONZA

CURVA DI LESMO
CURVA DI SERRAGLIO
SECONDA VARIANTE
VARIANTE ASCARI
CURVA GRANDE
VARIANTE DEL RETTIFILIO
PARABOLICA

Date : 7 septembre 1997
Longueur : 5769.5 mètres
Distance : 53 tours, soit 305.785 km
Météo : beau, 26 degrés

CHAMPIONNATS

(après treize manches)

Conducteurs :

1.	Michael SCHUMACHER	67
2.	Jacques VILLENEUVE	57
3.	Jean ALESI	28
4.	Heinz-H. FRENTZEN	27
5.	David COULTHARD	24
6.	Gerhard BERGER	21
7.	Eddie IRVINE	18
8.	Giancarlo FISICHELLA	17
9.	Olivier PANIS	15
10.	Mika HAKKINEN	14
11.	Johnny HERBERT	14
12.	Ralf SCHUMACHER	11
13.	Damon HILL	7
14.	Rubens BARRICHELLO	6
15.	Alexander WURZ	4
16.	Jarno TRULLI	3
17.	Mika SALO	2
	Shinji NAKANO	2
19.	Nicola LARINI	1

Constructeurs :

1.	Ferrari	85
2.	Williams / Renault	84
3.	Benetton / Renault	53
4.	McLaren / Mercedes	38
5.	Jordan / Peugeot	28
6.	Prost / Mugen Honda	20
7.	Sauber / Petronas	15
8.	Arrows / Yamaha	7
9.	Stewart / Ford	6
10.	Tyrrell / Ford	2

LES ECHOS DU WEEK-END

• BMW avec Williams

C'est fait! Comme la rumeur le voulait depuis quelques mois, BMW a décidé de revenir à la Formule 1 en l'an 2000, en qualité de motoriste de l'écurie Williams.

L'annonce en a été faite officiellement le lendemain de Monza dans le cadre du Salon Automobile de Francfort, par Karl-Heinz Kalbfell, le directeur du marketing du constructeur munichois. BMW a déjà disputé 91 Grands Prix entre 1982 et 1987, en tant que motoriste de plusieurs écuries, dont notamment Brabham. En 1983, associé au pilote Nelson Piquet, le constructeur allemand avait ainsi été le premier à décrocher le titre mondial avec un moteur turbo. Aujourd'hui, il ne pouvait plus se permettre de voir Mercedes profiter seul de la popularité croissante de la Formule 1 en Allemagne.

Pour l'écurie Williams, cette annonce assurait l'avenir à long terme. Pour 1998 et 1999, l'écurie disposait déjà d'un contrat avec Mecachrome – en partie financé par BMW. Mais oui!

• Pas de Malaise

Il n'y aura en principe pas de Grand Prix en Malaisie en 1998. Bernie Ecclestone a déclaré qu'aucun pays d'Extrême-Orient n'était prêt à accueillir son grand cirque. La dévaluation des monnaies locales n'a pas aidé les gens du circuit coréen, qui croyaient déjà que c'était fait.

• Les Etats-Unis s'y mettent?

Par contre, Don Panoz, le milliardaire ayant récemment racheté le circuit de Road Atlanta, envisageait de moderniser ses infrastructures pour y organiser un Grand Prix en 1999. Bernie Ecclestone soutiendrait le projet. Bernie a toujours été un fan du circuit de Road Atlanta, qu'il avait lui-même tenté de racheter au début des années '90. Un autre projet aux USA était préparé par Chris Pook, l'ancien promoteur du Grand Prix de Long Beach.

• L'Afrique du Sud aussi

Enfin, les Sudafricains aimeraient voir revenir leur Grand Prix, dès 1998. Depuis l'arrivée de Nelson Mandela au pouvoir, la situation politique s'est nettement améliorée, et de nombreuses compagnies investissent dans le pays.

• Ciao la Concorde

Les fameux Accords Concorde pourraient avoir bientôt vécu: il semblait que Max Mosley envisageait de les supprimer purement et simplement, en ajoutant quelques aspects commerciaux au règlement sportif de la F1.

• Monza modernisé

Monza avait remplacé les vibreurs plats de l'an dernier, et leurs piles de pneus, par des vibreurs plus élevés, plus difficiles à escalader. Les pilotes jugèrent qu'il s'agissait d'un bon travail dans l'ensemble.

LE FILM DE LA COURSE

- Au départ, Alesi prend le meilleur sur Frentzen et Coulthard. Ce dernier prend un excellent départ puisqu'il était sixième sur la grille.

- Tandis qu'Alesi creuse une petite avance, Coulthard se rapproche de Frentzen. Derrière, un trio de voitures est formé de Fisichella, Villeneuve et Hakkinen.

- Schumacher, bien parti, est septième mais perd de son terrain sur Hakkinen.

- Aucun dépassement ne survient jusqu'aux ravitaillements. Les Williams sont les premières à s'arrêter parmi le peloton de tête.

- Grâce à la rapidité de ses mécaniciens, Coulthard passe Alesi et Frentzen au cours des ravitaillements.

- Les positions sont alors figées jusqu'à la fin de la course. Sauf pour la neuvième place: Ralf Schumacher pousse Herbert dans l'herbe. Les deux voitures sont éliminées.

- Coulthard gagne le Grand Prix le moins disputé de la saison devant Alesi et Frentzen. Ce dernier s'est rapproché de la Benetton, mais n'est pas parvenu à la doubler.

C'était la foule des grands jours qui était accourue à Monza. Avec Michael Schumacher, Ferrari avait une chance de remporter le titre mondial pour la première fois depuis 1979. Aucun tifoso ne voulait rater l'événement. Le dimanche, 150 000 personnes se sont massées ▽ dans l'Autodrome, son record historique.

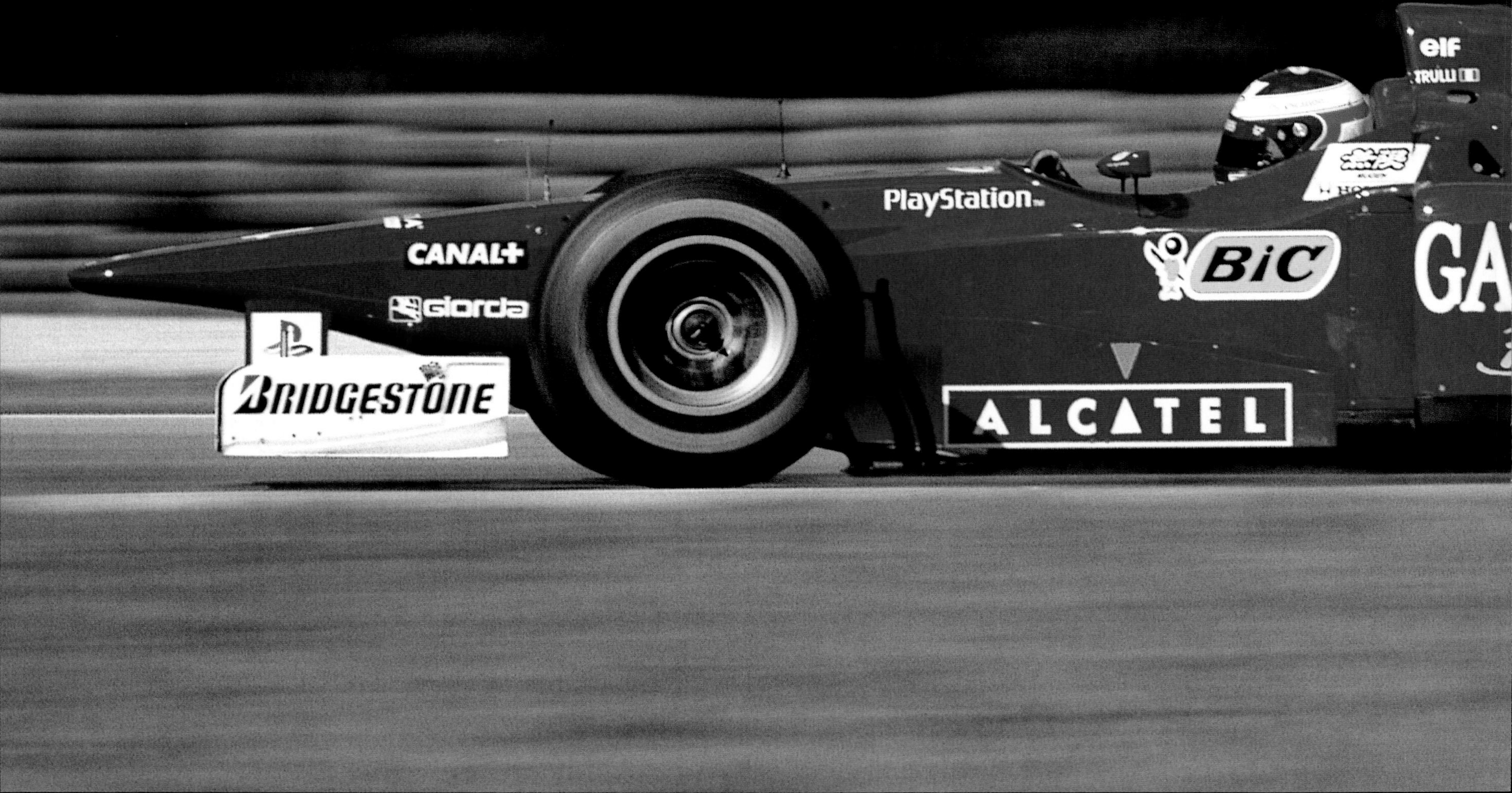
elf
TRULLI
PlayStation
CANAL+
BiC
BRIDGESTONE
ALCATEL

Les adieux de Jarno

Dans le cadre forestier des montagnes de Styrie, Jarno Trulli a démontré que les Prost Mugen-Honda avaient retrouvé leur superbe perdue au cours de l'été. L'Italien mena près de la moitié de la course avant de voir son moteur exploser. Qu'importe. Il savait qu'Olivier Panis reprendrait son volant au Nürburgring, et il avait réussi son au-revoir.

Jacques Villeneuve a lui aussi vécu un grand jour à Spielberg: en remportant la course, le Québécois ramenait pratiquement à néant son retard au championnat.

Pour Michael Schumacher, par contre, le Grand Prix d'Autriche restera comme un mauvais souvenir: pénalisé pour n'avoir pas respecté des drapeaux jaunes qu'il ne pouvait voir, il dut cravacher comme jamais pour marquer un petit point.

GROSSER PREIS VON ÖSTERREICH
SPIELBERG

Jacques Villeneuve à l'attaque

Jean Alesi ne se qualifiait qu'en 15e position, lui qui était en pole-position deux semaines plus tôt à Monza! A Spielberg, l'Avignonnais fut victime du resserrement de la grille de départ, qui vit 14 voitures dans la même seconde. Un record absolu dans l'histoire de la Formule 1.

Le circuit étant situé à plus de 900 mètres d'altitude, il faisait une petite fraîcheur le matin des essais...

Jacques Villeneuve semble insensible à la pression. En tout cas, à chaque fois que le rendez-vous est d'importance, le Canadien sait tirer le meilleur de sa voiture.

En Autriche, à l'heure où il devenait vital pour lui de combler son retard au championnat, il est parvenu à s'emparer d'une pole-position importante au terme d'une des séances d'essais les plus disputées de la saison.

Les écarts étaient si faibles, samedi, que la moindre erreur se voyait sanctionnée de plusieurs places perdues. Mais Jacques Villeneuve a su boucler un tour parfait. *«Je dois dire que ce fut une séance assez excitante»*, commentait-il à son terme. *«Quand j'ai pris la piste pour la dernière fois, je savais que je devais combler un retard de plus de deux dixièmes sur Mika (Hakkinen). J'ai été à fond absolu et ça a marché. Mais je dois dire que je suis très heureux de me retrouver en pole, parce qu'après les essais d'hier et de ce matin, je ne pensais pas pouvoir faire mieux que la cinquième ou sixième place. On a simplement effectué un petit changement de réglage pendant la pause de midi, et tout est allé beaucoup mieux depuis.»*

Pour la course, toutefois, le Québécois ne s'attendait pas à un jeu d'enfants. *«Il faut qu'il fasse grand beau demain, continuait-il. Parce que nous n'arrivons pas à amener nos pneus à température quand le temps reste frais. Je me méfie de Mika, mais*

La grande foule s'était déplacée sur le circuit dès les essais. Les Autrichiens semblaient tout heureux de retrouver leur Grand Prix national au calendrier. Des plus grands... aux plus petits.

surtout de Jarno (Trulli). *Il n'aura rien à perdre en course, et ses pneus peuvent faire la différence.»*

Pour Mika Hakkinen, deuxième sur la grille, le Grand Prix d'Autriche se posait comme l'occasion de rattraper la malchance essuyée depuis le début de la saison. *«La voiture fonctionne super-bien»*, se réjouissait le Finlandais. *Il est très important de partir en première ligne ici. C'était mon but, et je suis satisfait d'y être parvenu.»*

Trulli en deuxième ligne

Olivier Panis ayant annoncé son retour à la F1 pour le Nürburgring, l'Italien Jarno Trulli vivait ici sa dernière course au sein de l'écurie Prost.

Des adieux qu'il entendait bien réussir, puisque le samedi il s'est qualifié à la troisième place de la grille de départ. Ses qualifications avaient pourtant mal commencé, avec l'explosion de son moteur avant la fin de son premier tour lancé. *«Là, j'ai bien cru que tout était fichu»*, racontait-il après les essais, avec un sourire jusqu'aux oreilles. *«Il ne restait que 40 minutes avant la fin de séance, et le mulet n'était pas prêt! Mais les mécanos ont fait du bon boulot.»*

Troisième en partie grâce à la forme des pneus Bridgestone ici, Trulli fut chaudement félicité par Alain Prost. *«Ce que Jarno a réussi aujourd'hui est absolument remarquable»*, soulignait-il.

GRILLE DE DÉPART

Mika HAKKINEN 1'10''398	-1-	Jacques VILLENEUVE 1'10''304
Heinz-H. FRENTZEN 1'10''670	-2-	Jarno TRULLI 1'10''511
Jan MAGNUSSEN 1'10''893	-3-	R. BARRICHELLO 1'10''700
Eddie IRVINE 1'11''051	-4-	Damon HILL 1'11''025
David COULTHARD 1'11''076	-5-	M. SCHUMACHER 1'11''056
Johnny HERBERT 1'11''210	-6-	R. SCHUMACHER 1'11''186
G. FISICHELLA 1'11''299	-7-	Gianni MORBIDELLI 1'11''261
Shinji NAKANO 1'11''596	-8-	Jean ALESI 1'11''382
Gerhard BERGER 1'11''620	-9-	Pedro DINIZ 1'11''615
Jos VERSTAPPEN 1'12''230	-10-	Ukyo KATAYAMA 1'12''036
Mika SALO 1'14''246	-11-	Tarso MARQUES 1'12''304

Le grand jour du Québécois

Samedi soir, veille du Grand Prix d'Autriche. A l'heure du repas, Jacques Villeneuve se hasarde à prédire son résultat du lendemain. *«Tu verras, je vais faire le triplé»*, confie-t-il à son manager et ami Craig Pollock. *«J'ai réussi la pole-position cet après-midi, et demain je remporterai la course en signant le meilleur tour!»* Mission accomplie. A Spielberg, le Grand Prix d'Autriche terminé, Craig Pollock était fier de rapporter l'anecdote. *«Jacques n'a pas pour habitude de se livrer à de telles prédictions*, confiait-il. *Cette victoire, il la sentait tout spécialement.»*

Si Jacques Villeneuve a effectivement remporté le Grand Prix d'Autriche en signant le meilleur tour, sa course fut loin de relever de la promenade de santé. Principalement en raison d'un départ très moyen. *«J'ai lâché mon embrayage trop sèchement, c'est vrai*, admettait le Québécois. *Les roues ont patiné, et je me suis fait passer par Mika (Hakkinen) et Jarno (Trulli). Quelques mètres plus loin, Barrichello en profitait aussi. Je savais que j'avais un problème avec la température de mes pneus, et qu'il me faudrait cinq ou six tours pour les chauffer avant de bénéficier de l'adhérence maximale. J'ai simplement attendu mon tour.»*

Ce délai passé, Jacques Villeneuve a accéléré la cadence avant de repasser la Stewart de Rubens Barrichello, deuxième derrière la Prost de Trulli qui menait le bal. *«Je n'étais pas trop inquiet au sujet de Rubens*, poursuivait-il. *Mais je ne voulais prendre aucun risque en le doublant, c'est pourquoi je ne me suis pas pressé. Par contre, j'avais peur de ne pas pouvoir remonter sur Trulli.»*

La Prost était effectivement plus de dix secondes devant. Au fil des tours, pourtant, ses pneus Bridgestone finirent par se dégrader, ce qui permit à Jacques Villeneuve de prendre l'avantage à l'occasion des ravitaillements. A partir de là, il ne s'est plus agi plus pour lui que de contrôler son avance.

Pour le Québécois, le Grand Prix d'Autriche remettait pratiquement à zéro le compteur du championnat. *«C'est une victoire un peu spéciale à cause de mon duel avec Michael. De mon côté, je ne pouvais pas faire mieux que gagner. Alors je suis d'autant plus heureux de voir qu'il ne marque qu'un point aujourd'hui. C'est un grand jour.»*

Grâce à Olivier Panis

Jarno Trulli a été l'un des héros du Grand Prix d'Autriche. Pendant les 37 premiers tours de course, l'Italien eut l'honneur de permettre à Alain Prost de mener un Grand Prix pour la première fois en tant que directeur d'écurie. La fête fut toutefois brutalement interrompue au 58e tour, lorsque les moteurs Mugen-Honda des deux voitures cassèrent à quelques secondes d'intervalle.

Alain Prost n'a pas été surnommé «le Professeur» pour rien. La course était à peine terminée que le Français l'analysait déjà avec sa mesure habituelle: *«Parfois, il arrive que nous marquions des points sans les mériter. Aujourd'hui, c'était l'inverse. Nous méritions un résultat et nous rentrons les mains vides. Mais je ne suis pas trop déçu, car nous avons prouvé que nous sommes vraiment compétitifs.»*

Le retour d'Olivier Panis étant programmé pour le Grand Prix du Luxembourg, le week-end suivant, la situation des Prost ne peut que s'améliorer. D'autant que l'influence du Grenoblois s'est déjà fait sentir depuis qu'il était remonté dans la voiture, deux semaines plus tôt. *«A Magny-Cours, Olivier a signé un chrono qui l'aurait placé en pole-position au Grand Prix de France»*, expliquait-on chez Prost. *Mais surtout, il a redéfini la cartographie du moteur Mugen, qu'il trouvait trop brutal. C'est sûrement ce qui a permis à Jarno de se qualifier si bien ici.»*

DANS LES POINTS

1. Jacques VILLENEUVE	Rothmans Williams Renault	1 h 27'35"999
2. David COULTHARD	West McLaren Mercedes	à 2"909
3. Heinz-H. FRENTZEN	Rothmans Williams Renault	à 3"962
4. Giancarlo FISICHELLA	B&H Total Jordan Peugeot	à 12"127
5. Ralf SCHUMACHER	B&H Total Jordan Peugeot	à 31"859
6. M. SCHUMACHER	Scuderia Ferrari Marlboro	à 33"410

Meilleur tour : J. VILLENEUVE, tour 36, 1'11"814, moy. 216.709 km/h

▽ *Jarno Trulli est resté 37 tours en tête du Grand Prix d'Autriche. Les Prost confirmaient les progrès affichés lors des essais.*

«Attention dessous!» Jean Alesi part dans un vol plané impressionnant
après son accrochage avec Eddie Irvine (on distingue l'impact de la
Benetton sur le flanc droit de la Ferrari). Jean Alesi, après son
atterrissage, entrera dans une colère noire contre l'Irlandais: «Si je
n'étais pas certain que cela me coûterait 10 000 dollars d'amende, je
lui aurais mis mon poing dans la figure!»

GROSSER PREIS VON ÖSTERREICH — LES 17 GRANDS PRIX

Schumacher plaide non coupable

«Je n'ai rien vu. Je vous assure que je n'ai rien vu.» Michael Schumacher, après la course, répétait inlassablement la même explication. Pour lui, la pénalité de dix secondes qui le fit rétrograder de la troisième à la neuvième place était totalement incompréhensible.

Les commissaires sportifs autrichiens lui reprochaient d'avoir doublé Heinz-Harald Frentzen au freinage de la courbe Remus, au moment précis où les drapeaux jaunes étaient déployés suite à l'accident entre Jean Alesi et Eddie Irvine. Une manœuvre formellement interdite. *«Je suivais Heinz-Harald* (Frentzen) *et Gerhard* (Berger) *de près, j'essayais de les attaquer et je me suis concentré sur l'intérieur du virage,* se justifiait Michael Schumacher. *Quand j'ai revu l'incident à partir des enregistrements de la caméra placée sur ma voiture, je me suis rendu compte qu'il m'était impossible de voir les drapeaux jaunes, parce qu'au moment où ils ont été déployés, j'étais déjà à la droite de Heinz-Harald, et Gerhard était directement devant moi, ce qui m'a empêché de voir les drapeaux, d'autant que nos roues étaient très proches l'une de l'autre. Vous pouvez bien vous douter que si j'avais vu quelque chose, je n'aurais pas doublé...»*

Notifié de sa pénalité, l'Allemand commença par piquer une grosse colère sous son casque. *«De mon point de vue, je n'ai pas commis d'erreur. J'avais de quoi être furieux. Mais je me suis calmé et j'ai essayé de me tirer de cette situation.»* Après avoir purgé ses dix secondes d'arrêt, l'Allemand reprit la piste en neuvième place. Il restait alors vingt tours à couvrir et Michael

Schumacher sortit le grand jeu. A deux tours de la fin, il était encore septième, derrière Damon Hill, et poussa littéralement ce dernier au virage Remus pour s'emparer du point de la sixième place. Une maigre consolation. *«Je rentre de cette course avec un sentiment mitigé,* concluait-il pourtant. *D'un côté, j'ai bêtement perdu cinq points, mais d'un autre, j'ai pu voir en course que j'étais capable de remonter sur Jacques Villeneuve. La voiture s'est mieux comportée que je ne le prévoyais, et c'est bon signe pour la fin de la saison.»*

Hill a choisi Jordan

Grand Prix d'Italie, vendredi après-midi. Eddie Jordan et Damon Hill, par hasard, se retrouvent assis l'un à côté de l'autre à l'occasion d'une conférence de presse. Damon Hill s'empare de l'occasion pour signaler à Jordan qu'il est disponible. *«Malheureusement, tu es hors de prix»,* rétorque l'Irlandais. Dont la réputation proche de l'avarice semblait rendre l'entente entre les deux hommes impossible.

Deux jours plus tard, pourtant, des circonstances inattendues changeront le cours des événements. Au soir du Grand Prix d'Italie, Damon Hill doit rejoindre l'Angleterre dans l'avion privé de Tom Walkinshaw, le patron de l'écurie Arrows. Mais au moment d'arriver à l'aéroport de Milan Linate, Hill constate que Walkinshaw ne l'a pas attendu. Désemparé, il croise alors Eddie Jordan qui lui propose de grimper dans son propre avion. Et c'est au cours de ce vol que les deux hommes trouvent un terrain d'entente.

L'équipe Jordan, vendredi matin, était ainsi fière d'annoncer l'arrivée du champion du monde en titre pour les saisons 1998 et 1999. Pour Hill, ses autres options étant épuisées, l'accord avec Jordan sonnait toutefois comme celui de la dernière chance, bien que le champion du monde niait s'être raccroché à l'équipe jaune comme à une bouée de sauvetage.

Jean Alesi signe chez Sauber pour deux ans

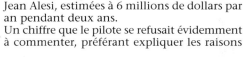

Au lendemain de sa deuxième place de Monza, Jean Alesi avait été rendre une visite furtive à l'usine Sauber de Hinwil, près de Zürich.

Sur le moment, ce ne fut qu'un premier contact. Mais depuis, les rumeurs allaient bon train quant à la proche arrivée du pilote Benetton au sein de l'écurie suisse.

Des rumeurs qui furent confirmées le lundi précédant le Grand Prix d'Autriche: Jean Alesi allait piloter pour Sauber en 1998 et 1999. Financièrement, le Français réalisait une bonne opération. Grâce à un budget généreux alimenté par ses sponsors Red Bull et Petronas, Peter Sauber a pu s'aligner sur les exigences de Jean Alesi, estimées à 6 millions de dollars par an pendant deux ans.

Un chiffre que le pilote se refusait évidemment à commenter, préférant expliquer les raisons

qui l'ont poussé dans les bras de l'écurie suisse: *«L'équipe Sauber m'a vraiment surpris cette saison,* analysait-il. *Je pense qu'elle a toutes les prédispositions nécessaires pour grimper dans le cercle fermé des écuries de pointe à l'avenir.»*

Après cinq saisons passées chez Ferrari et deux chez Benetton, il ne faisait aucun doute que l'expérience de Jean Alesi, forte de 131 Grands Prix, allait se montrer bien utile aux ingénieurs de Hinwil pour développer la future C17. *«Jean Alesi compte depuis des années parmi les pilotes de pointe,* commentait pour sa part Peter Sauber. *Ces dernières années, nous avons amélioré notre écurie sur le plan technique, et nous l'avons passablement renforcée au niveau du personnel. Il était temps que nous adaptions également le niveau de nos pilotes aux buts que nous nous sommes fixés.»* C'est-à-dire la victoire à court terme.

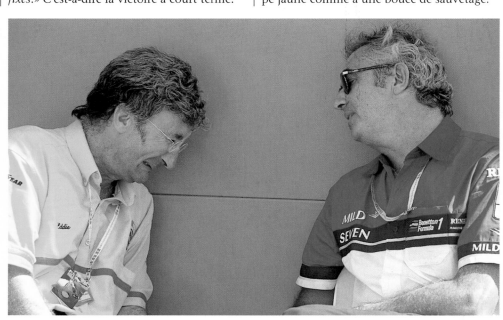

TOUS LES ESSAIS

No	Pilote	Châssis/Moteur/Modèle	Libres vendredi	Libres samedi	Qualifs	Warm-up
1.	Damon Hill	Arrows/Yamaha/A18/5 (B)	1'12"614	1'11"471	1'11"025	1'13"929
2.	Pedro Diniz	Arrows/Yamaha/A18/4 (B)	1'12"519	1'10"782	1'11"615	1'13"625
3.	Jacques Villeneuve	Williams/Renault/FW19/4 (G)	1'11"638	1'10"798	1'10"304	1'13"695
4.	Heinz-Harald Frentzen	Williams/Renault/FW19/5 (G)	1'11"527	1'11"300	1'10"670	1'13"755
5.	Michael Schumacher	Ferrari/Ferrari/F310B/180 (G)	1'12"265	1'11"018	1'11"056	1'13"173
6.	Eddie Irvine	Ferrari/Ferrari/F310B/179 (G)	1'12"548	1'10"824	1'11"051	1'13"621
7.	Jean Alesi	Benetton/Renault/B197/2 (G)	1'12"820	1'11"346	1'11"382	1'15"266
8.	Gerhard Berger	Benetton/Renault/B197/4 (G)	1'12"283	1'12"109	1'11"620	1'14"276
9.	Mika Hakkinen	McLaren/Mercedes/MP4/12/7 (G)	1'11"902	1'10"872	1'10"398	1'12"803
10.	David Coulthard	McLaren/Mercedes/MP4/12/4 (G)	1'11"967	1'11"752	1'11"076	1'13"227
11.	Ralf Schumacher	Jordan/Peugeot/197/6 (G)	1'13"041	1'11"933	1'11"186	1'13"510
12.	Giancarlo Fisichella	Jordan/Peugeot/197/4 (G)	1'11"899	1'11"927	1'11"299	1'13"224
14.	Jarno Trulli	Prost/Mugen Honda/JS45/3 (B)	1'12"935	1'10"815	1'10"511	1'12"868
15.	Shinji Nakano	Prost/Mugen Honda/JS45/2 (B)	1'13"280	1'11"698	1'11"596	1'14"466
16.	Johnny Herbert	Sauber/Petronas/C16/7 (G)	1'12"751	1'11"513	1'11"210	1'13"692
17.	Gianni Morbidelli	Sauber/Petronas/C16/6 (G)	1'12"966	1'12"561	1'11"261	1'13"603
18.	Jos Verstappen	Tyrrell/Ford/025/4 (G)	1'14"188	1'13"187	1'12"230	1'14"766
19.	Mika Salo	Tyrrell/Ford/025/5 (G)	1'14"079	1'13"574	1'14"246	1'15"340
20.	Ukyo Katayama	Minardi/Hart/M197/4 (B)	1'13"348	1'12"285	1'12"036	1'17"435
21.	Tarso Marquès	Minardi/Hart/M197/2 (B)	1'14"739	1'13"038	1'12"304	disqualifié
22.	Rubens Barrichello	Stewart/Ford/SF1/2 (B)	1'11"798	1'11"387	1'10"700	1'13"509
23.	Jan Magnussen	Stewart/Ford/SF1/3 (B)	1'13"286	1'10"785	1'10"893	1'15"894

CLASSEMENT & ABANDONS

Pos	Pilote	Equipe	Temps
1.	Villeneuve	Williams Renault	en 1h27'35"999
2.	Coulthard	McLaren Mercedes	à 2"909
3.	Frentzen	Williams Renault	à 3"962
4.	Fisichella	Jordan Peugeot	à 12"127
5.	Schumacher	Jordan Peugeot	à 31"859
6.	Schumacher	Ferrari	à 33"410
7.	Hill	Arrows Yamaha	à 37"207
8.	Herbert	Sauber Petronas	à 49"057
9.	Morbidelli	Sauber Petronas	à 1'06"455
10.	Berger	Benetton Renault	à 1 tour
11.	Katayama	Minardi Hart	à 2 tours
12.	Verstappen	Tyrrell Ford	à 2 tours
13.	Diniz	Arrows Yamaha	moteur
14.	Barrichello	Stewart Ford	sortie de route

Tour	Pilote	Equipe	Motif d'abandon
1	Hakkinen	McLaren Mercedes	moteur
38	Alesi	Benetton Renault	accident
39	Irvine	Ferrari	accident
49	Salo	Tyrrell Ford	boîte de vitesses
58	Nakano	Prost Mugen Honda	moteur
59	Magnussen	Stewart Ford	moteur
59	Trulli	Prost Mugen Honda	moteur

MEILLEURS TOURS

	Pilote	Temps	Tour
1.	Villeneuve	1'11"814	36
2.	M. Schum.	1'12"169	71
3.	Coulthard	1'12"207	65
4.	Frentzen	1'12"223	55
5.	Fisichella	1'12"375	64
6.	Barrichello	1'12"535	55
7.	Herbert	1'12"574	34
8.	Trulli	1'12"598	30
9.	Magnussen	1'12"605	38
10.	Berger	1'12"624	66
11.	Irvine	1'12"704	35
12.	Morbidelli	1'12"826	71
13.	R. Schum.	1'12"862	65
14.	Hill	1'12"903	53
15.	Alesi	1'12"953	29
16.	Nakano	1'13"010	57
17.	Diniz	1'13"074	63
18.	Verstappen	1'13"708	69
19.	Salo	1'13"862	34
20.	Katayama	1'14"394	63
21.	Hakkinen	1'31"574	1

TOUR PAR TOUR

BRIDGESTONE

Meilleur classement obtenu par un pilote équipé de pneus Bridgestone :

Damon Hill, Arrows Yamaha, 7e

CHAMPIONNATS

(après quatorze manches)

Conducteurs :

1. Michael SCHUMACHER 68
2. Jacques VILLENEUVE 67
3. Heinz-Harald FRENTZEN 31
4. David COULTHARD 30
5. Jean ALESI 28
6. Gerhard BERGER 21
7. Giancarlo FISICHELLA 20
8. Eddie IRVINE 18
9. Olivier PANIS 15
10. Mika HAKKINEN 14
Johnny HERBERT 14
12. Ralf SCHUMACHER 13
13. Damon HILL 7
14. Rubens BARRICHELLO 6
15. Alexander WURZ 4
16. Jarno TRULLI 3
17. Mika SALO 2
Shinji NAKANO 2
19. Nicola LARINI 1

Constructeurs :

1. Williams / Renault 98
2. Ferrari 86
3. Benetton / Renault 53
4. McLaren / Mercedes 44
5. Jordan / Peugeot 33
6. Prost / Mugen Honda 20
7. Sauber / Petronas 15
8. Arrows / Yamaha 7
9. Stewart / Ford 6
10. Tyrrell / Ford 2

QUATORZIÈME MANCHE

GROSSER PREIS VON ÖSTERREICH, SPIELBERG

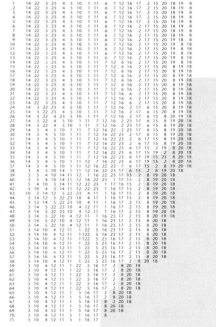

Date : 21 septembre 1997
Longueur : 4323 mètres
Distance : 71 tours, soit 306.933 km
Météo : beau, 19 degrés

Tous les résultats
© 1997 Fédération Internationale de l'Automobile,
8, Place de la Concorde, Paris 75008, France

LE FILM DE LA COURSE

• Au départ, Hakkinen part devant Trulli et Villeneuve. Barrichello passe également le Québécois pendant le premier tour.

• Hakkinen abandonne à la fin du premier tour, moteur cassé. Trulli est en tête.

• La Prost prend le large devant Barrichello et Villeneuve. Derrière, Magnussen retient un paquet de voitures composé de Frentzen, Michael Schumacher, Coulthard et Hill.

• Au 24e tour, Villeneuve passe Barrichello et remonte sur Trulli.

• Au 38e tour, Trulli ravitaille le premier. Quand Villeneuve l'imite, deux tours plus tard, le Québécois repart en tête.

• Au 39e tour, Irvine tasse Alesi et la Benetton

part en vol plané. Les drapeaux jaunes sont sortis. Michael Schumacher double Frentzen à l'endroit où ceux-ci sont déployés.

• Schumacher se retrouve en tête l'espace de deux tours avant de ravitailler. Il repart des stands troisième et remonte sur Trulli.

• Au 49e tour, une pénalité de dix secondes pour avoir doublé sous drapeaux jaunes est signifiée à Michael Schumacher. Il repart neuvième.

• Au 58e tour, les deux Prost abandonnent à quelques secondes d'intervalle, moteur cassé.

• Michael Schumacher parvient à passer Hill dans l'avant-dernier tour et termine sixième. Villeneuve l'emporte et lui reprend neuf points au championnat.

Dessiné dans la pente des collines de Styrie, au cœur de l'Autriche, le circuit de Spielberg n'avait plus rien des charmes de l'ancien tracé de l'Österreichring qui accueillait le Grand Prix jusqu'en 1987. Restait au moins le cadre...

LES ECHOS DU WEEK-END

• **Wurz avec «Fisico»**

Alexander Wurz et Giancarlo Fisichella seront les deux coéquipiers de l'écurie Benetton la saison prochaine. Quelques jours avant le Grand Prix d'Autriche, un tribunal londonien trancha en effet le litige qui opposait Jordan à Benetton au sujet de la garde du petit Giancarlo: ce fut à Maman Benetton qu'il fut confié pour 1998.

• **Le club des Berger**

Gerhard Berger, le régional de l'étape, ne comptait plus ses fans autour de la piste. Le jeudi, la radio autrichienne ORF a annoncé qu'elle offrait le déplacement à Spielberg – depuis Vienne – ainsi que l'entrée au circuit pour les 140 premiers Berger qui s'inscriraient.

La liste fut remplie en quelques minutes. Le dimanche, trois autocars de Berger vinrent ainsi soutenir leur célèbre homonyme.

• **Marquès a trop maigri**

Samedi, plusieurs heures après la fin des essais, Tarso Marquès était disqualifié par les commissaires autrichiens. Les vérifications techniques avaient révélé que sa voiture était trois kilos sous le poids minimal autorisé.
Vérification faite, c'est le pilote qui a perdu ces 3 kilos. Pesé au début de la saison pour additionner son poids à celui de sa voiture, Tarso Marquès a maigri depuis, ce qui a suffi à faire passer sa Minardi sous le poids minimal. En F1, les régimes sont interdits...

La baraka de Jacques

Au Nürburgring, le fief de Michael Schumacher, Jacques Villeneuve n'eut qu'à attendre que les choses se passent pour remporter le Grand Prix avec une aisance déconcertante.

La route s'était ouverte toute seule devant les roues du Québécois au moment de l'abandon des deux McLaren, qui semblaient sinon imbattables sur ce circuit.

Michael Schumacher ayant été éliminé au premier virage par un accrochage avec son frère Ralf, Villeneuve s'octroyait 9 points d'avance au championnat à deux manches de son terme. Un coup dur pour les espoirs de Ferrari...

**GROSSER PREIS VON LUXEMBOURG
NÜRBURGRING**

Première pole-position du Finlandais. Et première pole de Mercedes depuis... le Grand Prix d'Italie 1955

△

Olivier Panis effectuait son grand retour au Nürburgring. Le samedi, il n'occupait finalement que la onzième place sur la grille. «La voiture n'était pas trop mal», expliquait-il. «J'ai fait quelques ajustements pendant la séance pour trouver plus d'adhérence dans la dernière chicane, mais j'ai été gêné par une Stewart dans mon dernier tour.»

A Spielberg, la semaine précédente, Mika Hakkinen s'était fait souffler la pole-position par Jacques Villeneuve pour 94 millièmes de seconde seulement. Sur le circuit du Nürburgring, le pilote finlandais a pris sa revanche puisqu'il a devancé le Québécois de... 89 millièmes. Ce qui lui permit de décrocher sa première pole-position, après 93 Grands Prix.

De quoi rendre Mika Hakkinen heureux. D'un naturel peu expansif, le Finlandais s'est tout de même abandonné à quelques sourires de circonstance après son exploit. «Ça fait dix ans que je lutte pour arriver là où je suis aujourd'hui: à la première place d'une grille de départ!» lâchait-il. «J'espère que cette pole-position restera comme le nouveau départ de ma carrière.»

La première de Mika

Pour le moteur Mercedes, c'était aussi la première pole-position depuis que la marque s'est retirée de la Formule 1, en 1955 – elle y est revenue en 1994 avec l'écurie Sauber.
Samedi, l'événement a été célébré par une petite fête improvisée sous l'auvent du motorhome de l'écurie. Le verre de champagne à la main, Mario Ilien, le père du moteur Mercedes, n'était pas peu fier de sa journée. Tout comme Norbert Haug, le directeur de la compétition de la marque à l'étoile. «Je pense que nous méritions cette pole-position, soulignait ce dernier. Après tout, Mika a déjà échoué par trois fois pour moins de deux dixièmes de seconde cette saison.» Le lendemain, Mika Hakkinen allait fêter son 29e anniversaire. Et il promettait qu'il allait essayer de s'offrir une victoire en cadeau.

Olivier Panis de retour au volant

Il boitille encore un tantinet, Olivier Panis. Mais à part ça, tout va bien, merci. Le vendredi, 103 jours après son accident, il s'est retrouvé en F1 pour la première fois depuis son accident du Grand Prix du Canada.
Calme, reposé, en grande forme, le Grenoblois semblait heureux comme un gamin devant son premier train électrique. «Tout va bien, assurait-il. J'ai récupéré à 100%. Les essais privés que j'ai mené la semaine dernière m'ont prouvé que je n'ai rien perdu de mes sensations.» A Magny-Cours, Olivier Panis avait en effet bouclé 175 tours en quatre jours, signant au passage un chrono de 1:13'9, six dixièmes de seconde plus rapide que la pole-position que Michael Schumacher a obtenu au Grand Prix de France! «Les*

deux premières semaines après l'accident n'ont pas été faciles. Mais dès que les médecins m'ont assuré que je retrouverais toutes mes capacités, je savais que je ne vivais qu'une parenthèse dans ma carrière, et je me suis concentré à fond sur mon retour.»

GRILLE DE DÉPART

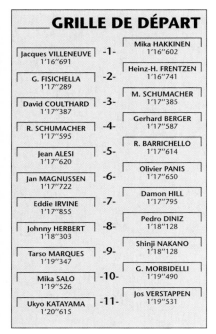

Jacques VILLENEUVE 1'16"691	-1-	Mika HAKKINEN 1'16"602
G. FISICHELLA 1'17"289	-2-	Heinz-H. FRENTZEN 1'16"741
David COULTHARD 1'17"387	-3-	M. SCHUMACHER 1'17"385
R. SCHUMACHER 1'17"595	-4-	Gerhard BERGER 1'17"587
Jean ALESI 1'17"620	-5-	R. BARRICHELLO 1'17"614
Jan MAGNUSSEN 1'17"722	-6-	Olivier PANIS 1'17"650
Eddie IRVINE 1'17"855	-7-	Damon HILL 1'17"795
Johnny HERBERT 1'18"303	-8-	Pedro DINIZ 1'18"128
Tarso MARQUES 1'19"347	-9-	Shinji NAKANO 1'18"128
Mika SALO 1'19"526	-10-	G. MORBIDELLI 1'19"490
Ukyo KATAYAMA 1'20"615	-11-	Jos VERSTAPPEN 1'19"531

▷

«Tiens Bernie, goûte-moi ça!» Le samedi, un petit (?) gâteau avait été préparé chez Ferrari pour fêter le 100e Grand Prix de Michael Schumacher. Toujours aussi facétieux, l'Allemand en a profité pour faire le coup de la tarte à la crème à Bernie Ecclestone, sous le regard hilare de Jean Todt (à droite). Il fallait oser!

Septième victoire de la saison pour Jacques Villeneuve

Les Dieux du sport automobile sont-ils Québécois?

C'était le jour de chance de Jacques Villeneuve. Au départ, manquant son envol, le Canadien est victime d'un accrochage avec son coéquipier Heinz-Harald Frentzen au premier virage. Sa voiture en sort intacte, un miracle en soi, tandis qu'une fraction de seconde plus tard Michael Schumacher, son rival au championnat, est éliminé dans un autre accident.

On aurait pu penser que Dame Chance avait déjà assez gâté donné au Québécois en ce beau dimanche d'automne. Erreur.

La course ayant pris son rythme, Villeneuve se retrouve alors troisième, impuissant à disputer la première place aux McLaren-Mercedes. C'est alors qu'il voit la piste se dégager toute seule devant le capot de sa Williams au moment où David Coulthard et Mika Hakkinen abandonnent coup sur coup au 42e et au 43e tour. Si les dieux du sport automobile existaient, ils devraient être québécois: *«Il est vrai que je n'aurais pas pu battre les McLaren si elles étaient restées en piste,* avouait Jacques Villeneuve au terme de la course. *Tant Mika que David ont pris un excellent départ, je ne sais pas comment ils font ça. Il faudra que nous étudions la question pour ne plus nous laisser avoir dans le futur.»*

Propulsé en tête de la course, Jacques Villeneuve s'est alors retrouvé avec une avance confortable se montant à près de 40 secondes sur ses poursuivants. Une marge qui lui permettait de voir venir. *«En fait, ce fut la partie la plus difficile de la course,* poursuivait-il. *J'ai d'abord commencé par lever le pied, pour épargner le matériel. Mais là, le danger était grand de s'endormir. L'écurie*

m'a signalé que je commençais à perdre beaucoup de terrain, et j'ai donc décidé d'accélérer à nouveau pour garder ma concentration... Même si je crois que l'écurie aurait préféré que j'épargne le matériel.»*

Jacques Villeneuve était évidemment ravi de sa journée. Désormais, le championnat était presque sien: *«J'ai toujours pensé que je pouvais gagner cette saison, même lorsque j'avais beaucoup de retard. Mais désormais, j'en suis presque sûr»,* expliquait-il avec un sourire radieux.

Le Québécois affirmait qu'au Japon, deux semaines plus tard, il pensait pouvoir conserver l'avantage sur son rival. *«J'adore le circuit de Suzuka, et je pense que notre voiture sera idéale pour ses longues courbes. En plus, toute la pression psychologique se trouve désormais sur les épaules de Michael. Moi, je sais que je vais rester calme.»*

Avec Jean Alesi deuxième, Heinz-Harald Frentzen troisième et Gerhard Berger quatrième, c'était le carton plein pour Renault. A trois Grands Prix de sa retraite sportive, le constructeur français prouvait ainsi qu'il n'avait pas baissé les bras.

Jean Alesi blâme son équipe

Dixième sur la grille, Jean Alesi ne nourrissait guère d'espoir avant la course. Il la terminait pourtant deuxième. *«Je n'y croyais pas. Avant mon deuxième ravitaillement, j'étais huitième. Et en reprenant la piste, j'étais deuxième. Je n'ai rien compris!»* En fait, c'est un départ raté qui l'avait sauvé: *«Oui, mon départ a été très moyen. Mais c'est exactement ce qui m'a permis d'éviter l'accrochage du premier virage!»*

«Ce résultat tombe à pic pour secouer un peu l'écurie. Les gens ont tendance à croire que le championnat est déjà fini et ils s'endorment.»

Heinz-Harald se mélange les manettes

Au Nürburgring, Heinz-Harald Frentzen terminait sur la troisième marche du podium pour la... quatrième fois consécutive.

Pendant toute la fin de la course, l'Allemand a tenté de doubler la Benetton de Jean Alesi, mais sans succès. Il aurait sans doute pu terminer devant s'il n'avait pas commis une gaffe au premier virage. *«On s'est touché avec Jacques*

au bout de la ligne droite, racontait-il. Rien de bien sérieux. Mais dans la confusion, j'ai abaissé le bouton du coupe-circuit sans m'en rendre compte. Le moteur s'est éteint, et il m'a fallu plusieurs secondes pour que j'en trouve la raison. J'ai remis le contact et c'est reparti, mais j'avais perdu beaucoup de place.»*

Effectivement, le pilote allemand bouclait le premier tour en 13e place. *«Ça m'a découragé. Mais bon, je me suis craché dans les gants et je suis reparti à l'attaque...»*

Schumacher contre Schumacher

Il ne fallut pas plus de 400 mètres pour voir la course se transformer en catastrophe pour la famille Schumacher: alors qu'il avait réussi ce qu'il décrit comme le meilleur départ de sa carrière, Ralf s'est retrouvé pris en sandwich entre la voiture de son coéquipier et celle de son frère Michael. Trois monoplaces ne pouvant passer là où il n'y avait de place que pour deux, l'accrochage était inévitable. La Jordan de Ralf survola la Ferrari de Michael et lui brisa la suspension avant droite. *«Je suppose que nous devrions être satisfaits que personne ne soit blessé,* commentait Ralf, *mais je suis très déçu pour ma course et celle de mon frère.»*

Un accident qui impliqua l'abandon des trois pilotes. *«Ma suspension avant a été pliée, il n'y avait rien à faire. Personne ne peut être tenu responsable, c'est la course»,* philosophait Michael Schumacher. On pouvait toutefois se demander quelle ambiance allait régner lors du repas familial du dimanche soir...

Michael resta au circuit jusqu'à l'arrivée pour voir Villeneuve l'emporter. *«Je crois qu'il n'y a plus rien à espérer au championnat»,* conclut-il.

DANS LES POINTS

1.	Jacques VILLENEUVE	Rothmans Williams Renault	1 h 31'27"843
2.	Jean ALESI	Mild Seven Benetton Renault	à 11"770
3.	Heinz-H. FRENTZEN	Rothmans Williams Renault	à 13"480
4.	Gerhard BERGER	Mild Seven Benetton Renault	à 16"416
5.	Pedro DINIZ	Danka Arrows Yamaha	à 43"147
6.	Olivier PANIS	Prost Gauloises Blondes	à 43"750

Meilleur tour : H.-H. FRENTZEN., tour 32, 1'18"805, moy. 208.128 km/h

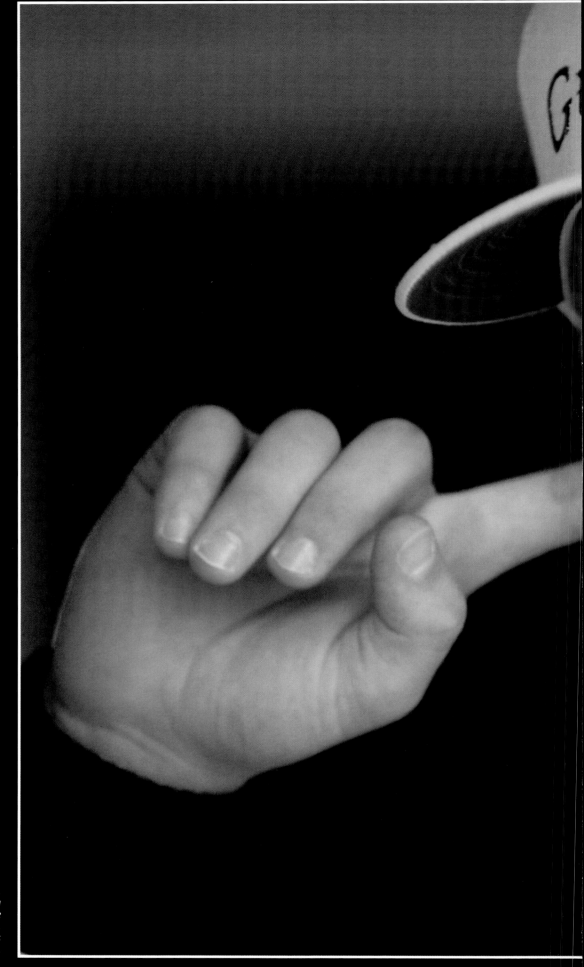

Ralf Schumacher est rentré du Nürburgring la queue entre les jambes. Par son inconscience, il avait causé l'élimination de son frère au premier virage du Grand Prix du Luxembourg. Il ne savait pas encore qu'il lui avait sans doute aussi coûté le titre mondial. Pour ne plus entendre les critiques à son égard, il ne lui restait plus qu'à se boucher les oreilles...

GROSSER PREIS VON LUXEMBOURG — LES 17 GRANDS PRIX

Mika Hakkinen et David Coulthard ont confortablement mené le Grand Prix avant de devoir tous deux abandonner sur panne de leur moteur Mercedes.
△

David Richards entra en fonction le dimanche soir du Grand Prix du Luxembourg. Au Nürburgring, il était là en observateur.
▷

Les Stewart se sont montrées brillantes au Nürburgring en début de course. Tout comme à Spielberg, une semaine plus tôt, elles ont péché par manque de fiabilité.
▷ ▽

«Mon cher Ralf, toute l'Allemagne est avec vous. Mais attention à ne pas gêner votre frère Michael.» Le chancelier Helmut Kohl donne ses recommandations à Ralf Schumacher sur la grille de départ.
▽

L'écurie Williams a résolu ses problèmes

Au début de la saison, les performances époustouflantes de la Williams-Renault ont endormi ses concepteurs. Persuadés de la supériorité de leur FW19, ses ingénieurs se sont concentrés dès le mois de mars sur la FW20.

Une grave erreur. En juillet, les Ferrari avaient rattrapé les Williams en performance. Ce que confirmait au Nürburgring Patrick Head: «Heinz-Harald (Frentzen) nous avait signalé que la voiture avait un problème structurel depuis le début de la saison», expliquait-il. «Mais comme Jacques ne se plaignait de rien et qu'Heinz était nouveau chez nous, nous avions mis ses remarques sur le compte de ses difficultés à s'intégrer dans l'équipe. Et nous n'avons rien fait. Ce n'est qu'à Hockenheim que les relevés télémétriques nous ont confirmé qu'il y avait effectivement un problème avec le châssis.»

Une découverte qui fit l'effet d'un coup de pied dans la fourmilière. Délaissant pour un temps ses travaux pour 1998, la machine de guerre Williams-Renault s'est remise en marche pour corriger le défaut constaté. Comme l'ont montré les deux derniers Grands Prix, tous deux remportés par Jacques Villeneuve, l'opération se solda par un succès. «Nous n'avons pas vraiment résolu notre problème», de poursuivre pourtant Patrick Head. «Mais disons que nous avons travaillé fort, et que nous sommes parvenus à l'identifier et à en limiter les conséquences.»

Une opération d'autant plus complexe que l'aérodynamicien en chef de l'écurie, Adrian Newey, était parti chez McLaren avant le début de la saison. «Nous avons de nouveaux collaborateurs, confirmait Patrick Head, et il leur a fallu du temps pour se mettre dans le bain. Mais aujourd'hui, tout est réglé. Nous avons encore quelques nouveautés à venir, puis nous nous concentrerons à nouveau sur notre programme 1998, qui a pris un certain retard.»

Le mystère demeure chez McLaren

Le Grand Prix du Luxembourg se déroulant sur sol germanique, Mercedes tenait à y réussir une prestation d'envergure.

Aux essais, tout s'était bien déroulé pour la marque à l'étoile, Mika Hakkinen parvenant à signer la pole-position. Et en course, les deux monoplaces de l'écurie anglo-allemande semblaient s'envoler vers une victoire facile avant d'abandonner toutes deux, moteur explosé. Avaient-elles décidé d'épater la galerie, tirant les moteurs au-delà de leurs limites? Impossible d'en avoir confirmation: le drapeau à damier abaissé, le motor-home Mercedes était désert. Les responsables de la marque s'étaient tous éclipsé. Norbert Haug, le directeur de la compétition de Mercedes avait toutefois laissé un communiqué qui demandait pardon à ses deux pilotes et qui ajoutait que «le problème sera réglé très prochainement.»

Pour Jacques Villeneuve, longtemps troisième derrière les deux McLaren, il subsistait toutefois un mystère: «Nous avions bien deviné que les McLaren partiraient devant et ne ravitailleraient qu'une fois. Nous avons donc choisi deux ravitaillements pour ne pas rester bloqués derrière elles. Ce qui m'étonne, c'est qu'en procédant ainsi, elles devaient embarquer davantage d'essence, et leur ravitaillement aurait dû être plus long que le nôtre... Je ne m'explique pas pourquoi ce fut l'inverse.»

Tandis que l'écurie Williams ravitaillait la voiture du Québécois en 8.8 secondes, il en fallait effectivement moins de cinq pour celle de David Coulthard et moins de sept pour celle de Mika Hakkinen. A mots cachés, Villeneuve suggérait que pour déverser autant d'essence en aussi peu de temps, il devait y avoir «légère» modification de l'installation de ravitaillement. Et donc «légère» entorse au règlement.

Ce qui serait surprenant de la part d'une équipe aussi sérieuse et irréprochable que McLaren. A moins que l'écurie était persuadée que ses voitures n'atteindraient pas l'arrivée, et qu'elle n'a volontairement pas rempli leur réservoir à fond...

Le rêve de David Richards s'est concrétisé

L'écurie Benetton, ces dernières années, a représenté l'un des plus brillants fleurons du paddock. Entre 1994 et 1995, associée à Michael Schumacher, l'équipe a remporté 19 victoires et trois titres mondiaux. Flavio Briatore, son patron, était le roi des paddocks.

Depuis, la situation a bien changé. Les deux directeurs techniques de l'écurie – Rory Byrne et Ross Brawn – sont partis chez Ferrari, l'ambiance au sein de l'écurie s'est dégradée, et une seule victoire est venue récompenser deux ans d'efforts. Découragé, Flavio Briatore décida de passer l'éponge – à moins, comme le veut la rumeur, que la famille Benetton lui ait suggéré de le faire.

Une décision qui, à peine annoncée, prit un effet immédiat puisque son successeur, David Richards, a été intronisé au Grand Prix du Luxembourg. «Quand je me suis levé ce matin et que j'ai revêtu pour la première fois mon uniforme Benetton, je me suis senti comme un gamin lors de son premier jour d'école», racontait le Britannique au cours d'une conférence de presse improvisée sur un coin de table. «Alessandro Benetton m'a donné les pleins pouvoirs, mais je ne vais pas tout bouleverser tout de suite», poursuivait-il. «De toute façon, je n'ai pas d'objectif à court terme. Je serai ravi de travailler avec deux jeunes pilotes la saison prochaine (Giancarlo Fisichella et Alexander Wurz, ndlr), mais mes objectifs concernent plutôt l'an 2000 et les suivants.»

Comptable de formation, impliqué dans le monde des rallyes depuis plus de 20 ans, David Richards continuera de diriger sa société,

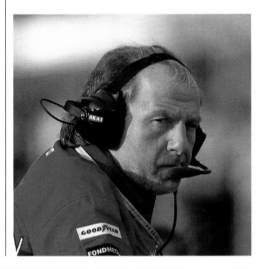

Prodrive, tout en occupant la fonction de directeur de l'écurie Benetton. «Cette dualité ne posera aucun problème, assurait-il encore. Il me suffira de déléguer. J'ai toujours voulu faire de la Formule 1, c'est un rêve pour tous ceux qui touchent au sport automobile. Un temps, j'ai songé à lancer ma propre écurie, ou à en racheter une autre. Mais il aurait été impossible d'envisager la victoire dans un délai de deux ou trois ans. Par conséquent, lorsque Alessandro Benetton m'a proposé ce poste, j'ai accepté immédiatement. Je me retrouve directement dans une écurie de pointe. Mon rêve se concrétise aujourd'hui.»

TOUS LES ESSAIS

No	Pilote	Châssis/Moteur/Modèle	Libres vendredi	Libres samedi	Qualifs	Warm-up
1.	Damon Hill	Arrows/Yamaha/A18/5 (B)	1'19"091	1'18"180	1'17"795	1'20"051
2.	Pedro Diniz	Arrows/Yamaha/A18/4 (B)	1'19"750	1'18"788	1'18"128	1'20"558
3.	Jacques Villeneuve	Williams/Renault/FW19/4 (G)	1'19"640	1'17"395	1'16"691	1'19"548
4.	Heinz-Harald Frentzen	Williams/Renault/FW19/5 (G)	1'18"926	1'17"158	1'16"741	1'19"493
5.	Michael Schumacher	Ferrari/Ferrari/F310B/178 (G)	1'18"954	1'17"567	1'17"385	1'19"512
6.	Eddie Irvine	Ferrari/Ferrari/F310B/180 (G)	1'19"708	1'19"139	1'17"855	1'20"011
7.	Jean Alesi	Benetton/Renault/B197/2 (G)	1'18"794	1'18"233	1'17"620	1'19"918
8.	Gerhard Berger	Benetton/Renault/B197/4 (G)	1'18"434	1'17"778	1'17"587	1'20"121
9.	Mika Hakkinen	McLaren/Mercedes/MP4/12/3 (G)	1'17"998	1'17"220	1'16"602	1'17"959
10.	David Coulthard	McLaren/Mercedes/MP4/12/6 (G)	1'18"912	1'17"884	1'17"387	1'19"088
11.	Ralf Schumacher	Jordan/Peugeot/197/6 (G)	1'18"713	1'17"948	1'17"595	1'19"569
12.	Giancarlo Fisichella	Jordan/Peugeot/197/4 (G)	1'19"034	1'17"390	1'17"289	1'19"490
14.	Olivier Panis	Prost/Mugen Honda/JS45/3 (B)	1'19"412	1'18"106	1'17"650	1'19"970
15.	Shinji Nakano	Prost/Mugen Honda/JS45/2 (B)	1'20"373	1'19"031	1'18"699	1'28"017
16.	Johnny Herbert	Sauber/Petronas/C16/7 (G)	1'20"373	1'17"953	1'18"303	1'19"754
17.	Giancarlo Morbidelli	Sauber/Petronas/C16/6 (G)	1'21"387	1'20"256	1'19"490	1'20"291
18.	Jos Verstappen	Tyrrell/Ford/025/4 (B)	1'20"947	1'20"064	1'19"531	1'21"695
19.	Mika Salo	Tyrrell/Ford/025/5 (B)	1'21"118	1'19"490	1'19"526	1'21"391
20.	Ukyo Katayama	Minardi/Hart/M197/4 (B)	1'38"344	1'19"883	1'20"615	1'21"251
21.	Tarso Marquès	Minardi/Hart/M197/2 (B)	1'21"424	1'19"609	1'19"347	1'21"477
22.	Rubens Barrichello	Stewart/Ford/SF1/2 (B)	1'18"339	1'17"778	1'17"614	1'20"377
23.	Jan Magnussen	Stewart/Ford/SF1/3 (B)	1'20"592	1'18"167	1'17"722	1'20"463

TOUR PAR TOUR

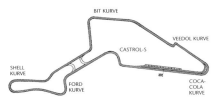

CLASSEMENT & ABANDONS

Pos	Pilote	Equipe	Temps
1.	Villeneuve	Williams Renault	en 1h31'27"843
2.	Alesi	Benetton Renault	à 11"770
3.	Frentzen	Williams Renault	à 13"480
4.	Berger	Benetton Renault	à 16"416
5.	Diniz	Arrows Yamaha	à 43"147
6.	Panis	Prost Mugen Honda	à 43"593
7.	Herbert	Sauber Petronas	à 44"354
8.	Hill	Arrows Yamaha	à 44"777
9.	Morbidelli	Sauber Petronas	à 1 tour
10	Salo	Tyrrell Ford	à 1 tour

Tour	Pilote	Equipe	Motif d'abandon
1	Fisichella	Jordan Peugeot	accrochage
1	Schumacher	Jordan Peugeot	accrochage
2	Katayama	Minardi Hart	accrochage
2	Marquès	Minardi Hart	panne générale
3	Schumacher	Ferrari	accrochage
17	Nakano	Prost Mugen Honda	moteur
23	Irvine	Ferrari	panne générale
41	Magnussen	Stewart Ford	transmission
43	Coulthard	McLaren Mercedes	moteur
44	Barrichello	Stewart Ford	pression hydraul.
44	Hakkinen	McLaren Mercedes	moteur
51	Verstappen	Tyrrell Ford	transmission

MEILLEURS TOURS

	Pilote	Temps	Tour
1.	Frentzen	1'18"805	32
2.	Hakkinen	1'19"576	27
3.	Alesi	1'19"716	65
4.	Villeneuve	1'19"838	31
5.	Coulthard	1'19"920	23
6.	Berger	1'19"996	61
7.	Hill	1'20"407	64
8.	Herbert	1'20"518	33
9.	Barrichello	1'20"737	25
10.	Morbidelli	1'20"865	31
11.	Panis	1'21"086	29
12.	Diniz	1'21"262	25
13.	Magnussen	1'21"448	22
14.	Irvine	1'21"793	13
15.	Nakano	1'21"969	14
16.	Salo	1'21"996	26
17.	Verstappen	1'22"455	30

QUINZIÈME MANCHE

GROSSER PREIS VON LUXEMBURG, NÜRBURGRING

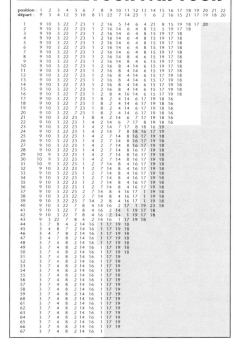

Date : 28 septembre 1997
Longueur : 4555 mètres
Distance : 67 tours, soit 305.235 km
Météo : beau, 20 degrés

BRIDGESTONE

Meilleur classement obtenu par un pilote équipé de pneus Bridgestone:

Pedro Diniz, Arrows-Yamaha, 5th

CHAMPIONNATS

(après quinze manches)

Conducteurs :
1. Jacques VILLENEUVE 77
2. Michael SCHUMACHER 68
3. Heinz-Harald FRENTZEN 35
4. Jean ALESI 34
5. David COULTHARD 30
6. Gerhard BERGER 24
7. Giancarlo FISICHELLA 20
8. Eddie IRVINE 18
9. Olivier PANIS 16
10. Mika HAKKINEN 14
    Johnny HERBERT 14
12. Ralf SCHUMACHER 13
13. Damon HILL 7
14. Rubens BARRICHELLO 6
15. Alexander WURZ 4
16. Jarno TRULLI 3
17. Mika SALO 2
    Pedro DINIZ 2
    Shinji NAKANO 2
20. Nicola LARINI 1

Constructeurs :
1. Williams / Renault......................112
2. Ferrari 86
3. Benetton / Renault........................62
4. McLaren / Mercedes.....................44
5. Jordan / Peugeot 33
6. Prost / Mugen Honda 21
7. Sauber / Petronas 15
8. Arrows / Yamaha 9
9. Stewart / Ford 6
10. Tyrrell / Ford 2

LE FILM DE LA COURSE

- Au départ, Hakkinen conserve l'avantage de sa pole-position, tandis que Coulthard prend un excellent départ et se place deuxième.
- Villeneuve et Frentzen se touchent au premier virage, sans gravité. Derrière, un accrochage sérieux élimine les deux Jordan ainsi que Michael Schumacher.
- Frentzen boucle le premier tour en 13e place et entame sa remontée.
- En tête, Hakkinen creuse rapidement un écart important sur le tandem Coulthard-Villeneuve.
- Derrière ces trois pilotes, Barrichello est quatrième et Alesi cinquième. L'Avignonnais

partait dixième sur la grille et a bien profité de la confusion du premier virage.
- Les Williams ont opté pour une stratégie à deux ravitaillements, tandis que les McLaren ne stoppent qu'une fois.
- Coulthard et Hakkinen abandonnent coup sur coup sur la ligne droite des stands à deux minutes d'intervalle.
- Villeneuve se retrouve alors en tête et n'a plus qu'à rallier tranquillement le drapeau à damier.
- Jean Alesi termine deuxième juste devant Frentzen et Berger. Derrière, Panis reste bloqué derrière Diniz et termine sixième.

Le vieux château du Nürburg domine toujours la région avec autant de majesté. L'Eifel pourrait d'ailleurs avoir beaucoup de charme s'il n'y faisait pas si froid...

LES ECHOS DU WEEK-END

- **Villeneuve et Frentzen confirmés**

L'écurie Williams a fait savoir le lundi suivant le Grand Prix du Luxembourg que ses deux pilotes Jacques Villeneuve et Heinz-Harald Frentzen, étaient officiellement confirmés pour 1998. Officieusement, toutefois, il n'était pas exclu que le Québécois quitte tout de même son écurie à la fin de la saison, son contrat contenant une clause lui permettant de quitter Williams s'il remportait le titre mondial.

- **Modifications cosmétiques**

Samedi après-midi, Bernie Ecclestone, Max Mosley – le président de la FIA – et tous les directeurs d'écurie se sont réunis pour discuter des règlements sportifs de 1998 (les règlements tech-

niques, eux, étaient figés depuis plusieurs mois).
Mais alors qu'il était question de grand chambardement – avec le retour des essais qualificatifs du vendredi –, il n'en est ressorti que quelques modifications cosmétiques, les essais du vendredi devant notamment commencer à 10 h 30 au lieu de 11 heures. Dire qu'il a fallu plus de trois heures de réunion pour que la montagne accouche de cette souris...

- **Dudot chez Prost**

Le mardi, l'écurie Prost annonçait l'arrivée de Bernard Dudot en tant que directeur technique dès le 1er novembre. Le Français, avant de s'occuper exclusivement de moteurs, avait été ingénieur-châssis chez Renault, et bénéficiait ainsi d'une vision globale.

La Scuderia joue tactique

A Suzuka, ce fut Michael qui rit et Jacques qui pleure. Exclu de la course pour n'avoir pas respecté des drapeaux jaunes alors qu'il était sous le coup d'un sursis, le Québécois tenta d'empêcher une victoire de Michael Schumacher.

Mais bien épaulé par son coéquipier Eddie Irvine, celui-ci s'imposa et reprit 10 points sur son rival au championnat. Ferrari avait tout misé sur cette épreuve et avait tout gagné. La dernière manche de la saison s'annonçait passionnante.

FUJI TELEVISION JAPANESE GRAND PRIX
SUZUKA

Un après-midi de chien

Coup de théâtre à Suzuka: alors qu'il avait signé la pole-position, Jacques Villeneuve a été exclu du Grand Prix du Japon, avant d'être réintégré après appel.

La journée avait pourtant bien commencé pour le jeune Québécois. Au terme des essais, il s'était qualifié en pole-position pour la neuvième fois de la saison, juste devant son rival Michael Schumacher. La course s'annonçait passionnante entre les deux rivaux au championnat du monde.

Quelques heures plus tard, pourtant, cette perspective s'évanouissait lorsque les commissaires sportifs de Suzuka décidaient d'exclure Jacques Villeneuve. Chronologie d'une journée meurtrière pour le Québécois:

9 h 30: lors des essais libres du matin, Jos Verstappen arrête sa Tyrrell dans l'herbe suite à une panne d'alimentation. Bien que le Batave ait immobilisé sa voiture à bonne distance de la piste, les commissaires japonais agitent les drapeaux jaunes. Des neufs voitures qui passent alors devant ceux-ci, seuls trois pilotes lèvent le pied. Jacques Villeneuve signe alors son meilleur tour de la matinée. Sachant qu'il est sous le coup d'une suspension avec sursis pour une faute similaire, il commet là une erreur qui va lui coûter cher. Le règlement, au sujet des drapeaux jaunes, est en effet extrêmement clair: «drapeaux jaunes agités: ralentissez (...)»

14 h 15: les essais qualificatifs terminés, le Québécois revient sur l'incident du matin: «J'ai bien vu ces drapeaux jaunes. S'ils avaient été agités dans une courbe, j'aurais ralenti. Mais dans une ligne droite, ce n'était pas nécessaire.»

15 h 00: Jacques Villeneuve est convoqué devant les commissaires sportifs pour n'avoir pas ralenti, de même que Michael Schumacher, Johnny Herbert, Ukyo Katayama, Rubens Barrichello et Heinz-Harald Frentzen.

17 h 50: Après délibérations, la décision tombe: Jacques Villeneuve est exclu du Grand Prix du Japon. L'écurie Williams dispose d'une heure pour faire appel de cette décision. Les cinq autres pilotes écopent tous d'une suspension d'un Grand Prix avec sursis.

18 h 30: L'équipe Williams-Renault annonce sa volonté de faire appel.

19 h 10: Les commissaires sportifs déclarent que ce recours autorise Jacques Villeneuve à prendre le départ du Grand Prix.

19 h 15: Entouré de dizaines de journalistes, Jacques Villeneuve sort du baraquement réservé à l'écurie Williams. «Ce qui m'arrive aujourd'hui est très difficile à accepter, commente-t-il simplement. Je constate que six des neufs voitures en piste au moment de l'incident ont commis la même faute, ce qui nous mène à penser que nous avons de bons arguments pour faire appel. Je vais me battre jusqu'au bout, mais ce championnat est de loin le plus difficile auquel j'ai jamais participé.»

Rideau! Le dernier acte devait appartenir au tribunal d'appel de la FIA, qui devait se réunir dans le courant de la semaine. Quelques jours plus tard, Max Mosley était en voyage à Münich. Lors d'une conférence, il conseilla à l'écurie Williams de retirer son appel pour ne pas risquer de voir la peine d'exclusion doublée. Un conseil qui fut suivi par l'écurie.

◁ *Jacques Villeneuve, face à la presse, ne laissa rien transparaître de son émotion après sa disqualification.*

▽ *Ukyo Katayama annonça à Suzuka qu'il allait prendre sa retraite. Le choc fut rude pour ses nombreux fans.*

GRILLE DE DÉPART

M. SCHUMACHER 1'36"133	-1-	Jacques VILLENEUVE 1'36"071
Mika HAKKINEN 1'36"469	-2-	Eddie IRVINE 1'36"466
Heinz-H. FRENTZEN 1'36"628	-3-	Gerhard BERGER 1'36"561
Johnny HERBERT 1'36"906	-4-	Jean ALESI 1'36"682
Olivier PANIS 1'37"073	-5-	Giancarlo FISICHELLA 1'36"917
R. BARRICHELLO 1'37"343	-6-	David COULTHARD 1'37"095
Jan MAGNUSSEN 1'37"480	-7-	R. SCHUMACHER 1'37"443
Pedro DINIZ 1'37"853	-8-	Shinji NAKANO 1'37"588
Gianni MORBIDELLI 1'38"556	-9-	Damon HILL 1'38"022
Tarso MARQUES 1'39"678	-10-	Ukyo KATAYAMA 1'38"983
Mika SALO 1'40"529	-11-	Jos VERSTAPPEN 1'40"259

Ferrari abat ses dernières cartes

Avant Suzuka, avec neuf points de retard sur Villeneuve à deux manches de la fin, et au volant d'une Ferrari qui paraît inférieure à la Williams, la situation de Michael Schumacher semblait délicate. Voire désespérée. Pour remporter le titre mondial dès ce Grand Prix du Japon, il suffisait en effet à Villeneuve de marquer un point de plus que son rival.

Dans ces conditions, la Scuderia avait décidé de jouer son va-tout. Elle aligna sur ses F310B un accélérateur électronique révolutionnaire – lisez «antipatinage» – de même qu'un aileron avant «mou», s'affaissant sous la charge aérodynamique et testé la semaine précédente à Fiorano.

Il ne restait plus à espérer que cette nouveauté fasse la différence: «Tant que j'ai une chance de décrocher le titre, je m'y accrocherai, remarquait Michael Schumacher. On n'a plus rien à perdre. Si ça passe, tant mieux, et si ça casse, tant pis. Mes chances sont d'environ 30%.»

La victoire de la tactique

Michael Schumacher, débarrassé de son casque, tombe dans les bras de Jean Todt. La victoire que l'Allemand vient de décrocher n'aurait pas pu mieux tomber. *«Je dois dire que je dois remonter loin dans ma mémoire pour retrouver une journée aussi fantastique,* se félicite le pilote Ferrari. *Parce que ce n'est pas seulement un Grand Prix que j'ai décroché ici, mais aussi un ticket pour le championnat. C'est fantastique.»*

Une victoire qui ne fut pas de tout repos. Dans un premier temps, Michael Schumacher a été passablement gêné par Jacques Villeneuve. Avec un premier moment chaud au départ, lorsque le Canadien a zigzagué devant l'Allemand: *«Je ne crois pas que Jacques ait tenté là quelque chose de dangereux,* commentait Michael Schumacher. *J'espérais bien qu'il serait assez professionnel pour ne pas risquer une folie. Mais comme il savait qu'il ne marquerait rien aujourd'hui, sa seule tactique était de me freiner en comptant que d'autres en profitent pour me doubler. Bon, ce n'était pas une surprise, et c'est raté. Jacques m'a tout de même placé quelques méchants coups de freins avant les virages, et on s'est touché à deux ou trois reprises.»*

Ne souhaitant prendre aucun risque, Michael Schumacher a préféré attendre les ravitaillements pour porter l'estocade. Et effectivement, l'Allemand a pris la tête au moment où son rival s'est arrêté et a repris la piste juste derrière lui. *«Là, Jacques a tenté une manœuvre très dangereuse,* tenait à ajouter Michael Schumacher. *Il y a une entente tacite entre les pilotes qui veut que celui qui sort des stands tienne sa ligne. Mais Jacques m'a coupé la route, et nous aurions pu* avoir un accident très sérieux vu les différences de vitesse à cet endroit. Ce n'était vraiment pas nécessaire de la part de quelqu'un qui prétend devenir champion du monde.»*

L'écurie Ferrari ayant alors appelé Eddie Irvine à l'aide de son chef de file, l'Irlandais se chargea de ralentir le Québécois. Qui perdit encore plus de temps lors de son deuxième ravitaillement à la suite d'un problème d'alimentation.

Seul en tête, Michael Schumacher n'eut pas une minute pour se reposer. Au terme des seconds ravitaillements, Heinz-Harald Frentzen se mit à lui donner la chasse, et échoua une seconde à peine derrière la Ferrari. Tout était dit. La course la plus folle de la saison s'achevait sur un triomphe total de la Scuderia.

Heinz-Harald inutile

A l'heure où Jacques Villeneuve aurait souhaité compter sur lui autant que Michael Schumacher a compté sur Eddie Irvine, Heinz-Harald Frentzen n'a pas réussi dans sa mission: prendre quelques précieux points à Michael Schumacher. *«Bien sûr, j'aurais bien voulu prendre ces quatre points à Michael, mais ça n'a pas marché. J'ai couru tout seul dans mon coin.»*

Champagne! Ferrari a réussi à s'imposer à Suzuka, soit exactement au meilleur moment.

Feu vert. A l'avant, Jacques Villeneuve termine ses zigzags et vire devant Michael Schumacher.

Irvine attendait le coup de fil du patron

Troisième, Eddie Irvine avouait qu'il avait dû modifier sa stratégie en cours de Grand Prix. *«Quand on a vu que Villeneuve nous bloquait, on a changé de tactique, et j'ai décidé de passer tout le monde. Bon, Jacques a bien essayé de me fermer la porte, mais j'ai réussi à le passer par l'extérieur. A partir de là, je n'ai plus qu'attendu les instruc-* tions de l'équipe. On s'était entendu avant la course, et j'étais d'accord de faire de mon mieux pour aider Michael. Quand je suis passé en tête, je n'ai eu qu'à attendre le coup de fil du patron. Et quand il est arrivé, j'ai fait ce qu'on m'a demandé. C'est tout.»* Un vrai pilote modèle quand l'on songe qu'il a ainsi sacrifié sa première victoire...

DANS LES POINTS		
1. M. SCHUMACHER	Scuderia Ferrari Marlboro	1 h 29'48''446
2. Heinz-H. FRENTZEN	Rothmans Williams Renault	à 1''378
3. Eddie IRVINE	Scuderia Ferrari Marlboro	à 26''384
4. Mika HAKKINEN	West McLaren Mercedes	à 27''129
5. Jacques VILLENEUVE	Rothmans Williams Renault	à 39''776
6. Jean ALESI	Mild Seven Benetton Renault	à 40''403

Meilleur tour : H.-H. FRENTZEN, tour 48, 1'38''942, moy. 213.361 km/h

Jacques Villeneuve dans l'œil du cyclone. A Suzuka, fut le week-end de tous les problèmes pour le Québécois, qui avait transformé une avance de 9 points en un retard de 1 point sur Michael Schumacher.

LES 17 GRANDS PRIX — **FUJI TELEVISION JAPANESE GRAND PRIX**

Frank Williams dans l'histoire

Frank Williams n'aura pas complètement gâché son week-end japonais. Si Jacques Villeneuve a perdu son avance sur Michael Schumacher au championnat des conducteurs, l'écurie a tout de même remporté le titre de champion du monde des constructeurs.

Un titre honorifique qui ne passionne pas les foules, mais qui permet au directeur d'écurie de négocier un budget plus important avec ses sponsors. Et qui reste le seul qui intéresse vraiment Frank Williams.

L'écurie Williams comptait désormais 120 points, contre 100 à Ferrari. Avec un seul Grand Prix restant à disputer, la Scuderia ne pouvait plus rattraper l'écurie anglaise, qui décrochait ainsi son neuvième titre des constructeurs – le record absolu dans l'histoire de la Formule 1. Une performance d'autant plus remarquable que le premier titre décroché par Williams remonte à 1980 seulement. Neuf titres en 18 saisons, le rendement est extraordinaire...

L'avantage semble désormais dans le camp Ferrari

En débarquant dans le paddock de Suzuka, jeudi dernier, Michael Schumacher ne se donnait guère que 30% de chances de remporter le championnat du monde. Sa voiture marquait le pas face aux Williams, et les neuf points d'avance que comptait Jacques Villeneuve semblaient difficiles à rattraper.

C'est alors que survint le samedi noir du Québécois. Exclu du Grand Prix, ce dernier a cassé d'un coup la spirale du succès qui devait le porter jusqu'au titre mondial. A Suzuka, mal inspiré, il a tenté dans la foulée de s'opposer à la marche triomphale des Ferrari. En vain. Désormais devançant Jacques Villeneuve d'un point – sa cinquième place ayant été annulée après le retrait de l'appel de Williams –, Michael Schumacher semblait parfaitement en mesure de remporter son troisième titre mondial.

Alors que le Québécois allait se présenter à Jerez sous l'effet de la colère de sa disqualification du Japon, Michael Schumacher y arriverait l'esprit aussi tranquille que d'habitude.

L'Allemand a prouvé à Suzuka que sa Ferrari pouvait tenir tête aux Williams, et cette compétitivité retrouvée tombe à pic pour inquiéter encore davantage le Québécois. Au Japon, la bonne fortune qui l'avait abandonné ces deux derniers Grands Prix s'est rappelée au bon souvenir de Michael Schumacher. La spirale du succès tourne désormais en sa faveur. Le dimanche soir, il se donnait d'ailleurs désormais 50% de chances de l'emporter. Conservateur...

Jean Todt n'appartient pas à la catégorie des rigolos de la Formule 1. Souvent sévère, le directeur sportif de Ferrari ne se déride vraiment que dans les grandes occasions. La course de Suzuka en était une. Tout souriant, il était ravi de commenter la marche de ses voitures vers l'un de ses plus beau triomphes: «Evidemment, je suis très content. Nous avons montré aujourd'hui que nous sommes sur la bonne voie.»

«Villeneuve nous a gênés»

Mais lorsqu'on lui demanda s'il n'aurait pas souhaité une victoire moins polémique, c'est-à-dire sans l'exclusion de Jacques Villeneuve, le visage de Jean Todt se ferma à nouveau: «*Villeneuve nous a beaucoup gêné aujourd'hui. Mais je n'ai que peu de choses à dire à son sujet. Tout ce que je sais, c'est qu'il y aura un dernier Grand Prix dans deux semaines. J'espère que la course sera belle et que le championnat couronnera un beau vainqueur.*»

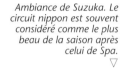

TOUS LES ESSAIS

No	Pilote	Châssis/Moteur/Modèle	Libres vendredi	Libres samedi	Qualifs	Warm-up
1.	Damon Hill	Arrows/Yamaha/A18/5 (B)	1'39"898	1'38"514	1'38"022	1'40"227
2.	Pedro Diniz	Arrows/Yamaha/A18/4 (B)	1'42"893	1'39"702	1'37"853	1'40"576
3.	Jacques Villeneuve	Williams/Renault/FW19/4 (G)	1'40"616	1'37"758	1'36"071	1'40"061
4.	Heinz-Harald Frentzen	Williams/Renault/FW19/5 (G)	1'39"398	1'37"755	1'36"628	1'39"084
5.	Michael Schumacher	Ferrari/Ferrari/F310B/178 (G)	1'40"460	1'38"403	1'36"133	1'39"163
6.	Eddie Irvine	Ferrari/Ferrari/F310B/180 (G)	1'38"903	1'38"910	1'36"466	1'39"233
7.	Jean Alesi	Benetton/Renault/B197/2 (G)	1'39"454	1'37"905	1'36"561	1'44"098
8.	Gerhard Berger	Benetton/Renault/B197/4 (G)	1'40"422	1'38"147	1'36"561	1'40"685
9.	Mika Hakkinen	McLaren/Mercedes/MP4/12/4 (G)	1'40"724	1'37"481	1'36"469	1'38"113
10.	David Coulthard	McLaren/Mercedes/MP4/12/6 (G)	1'39"945	1'39"537	1'37"095	1'39"734
11.	Ralf Schumacher	Jordan/Peugeot/197/6 (G)	1'38"911	1'37"372	1'37"443	1'38"547
12.	Giancarlo Fisichella	Jordan/Peugeot/197/5 (G)	1'40"720	1'37"649	1'36"917	1'40"312
14.	Olivier Panis	Prost/Mugen Honda/JS45/3 (B)	1'38"941	1'38"816	1'37"073	1'39"370
15.	Shinji Nakano	Prost/Mugen Honda/JS45/2 (B)	1'40"563	1'38"343	1'37"588	1'39"553
16.	Johnny Herbert	Sauber/Petronas/C16/7 (G)	1'39"840	1'37"929	1'37"906	1'39"418
17.	Gianni Morbidelli	Sauber/Petronas/C16/6 (G)	1'44"736	1'39"546	1'38"556	
18.	Jos Verstappen	Tyrrell/Ford/025/3 (G)	1'42"290	1'41"370	1'40"259	1'42"835
19.	Mika Salo	Tyrrell/Ford/025/5 (G)	1'42"587	1'40"905	1'40"529	1'42"021
20.	Ukyo Katayama	Minardi/Hart/M197/4 (B)	1'41"158	1'39"995	1'38"983	1'41"685
21.	Tarso Marquès	Minardi/Hart/M197/2 (B)	1'46"282	1'41"348	1'39"678	1'41"480
22.	Rubens Barrichello	Stewart/Ford/SF1/4 (B)	1'40"937	1'38"723	1'37"343	1'41"983
23.	Jan Magnussen	Stewart/Ford/SF1/3 (B)	1'42"000	1'38"947	1'37"480	1'40"345

TOUR PAR TOUR

CLASSEMENT & ABANDONS

Pos	Pilote	Equipe	Temps
1.	Schumacher	Ferrari	en 1h29'48"446
2.	Frentzen	Williams Renault	à 1"378
3.	Irvine	Ferrari	à 26"384
4.	Hakkinen	McLaren Mercedes	à 27"129
5.	Villeneuve	Williams Renault	à 39"776
6.	Alesi	Benetton Renault	à 40"403
7.	Herbert	Sauber Petronas	à 41"630
8.	Fisichella	Jordan Peugeot	à 56"825
9.	Berger	Benetton Renault	à 1'00"429
10.	Schumacher	Jordan Peugeot	à 1'22"036
11.	Coulthard	McLaren Mercedes	moteur
12.	Hill	Arrows Yamaha	à 1 tour
13.	Diniz	Arrows Yamaha	à 1 tour
14.	Verstappen	Tyrrell Ford	à 1 tour

Tour	Pilote	Equipe	Motif d'abandon
4	Magnussen	Stewart Ford	sortie de route
7	Barrichello	Stewart Ford	sortie de route
9	Katayama	Minardi Hart	moteur
23	Nakano	Prost Mugen Honda	roul. de roue
37	Panis	Prost Mugen Honda	moteur
47	Salo	Tyrrell Ford	moteur
47	Marquès	Minardi Hart	transmission

MEILLEURS TOURS

	Pilote	Temps	Tour
1.	Frentzen	1'38"942	48
2.	M. Schum.	1'39"268	48
3.	Alesi	1'39"381	29
4.	R. Schum.	1'39"737	46
5.	Coulthard	1'39"771	52
6.	Irvine	1'39"935	15
7.	Berger	1'39"998	48
8.	Hakkinen	1'40"151	24
9.	Villeneuve	1'40"163	22
10.	Fisichella	1'40"217	45
11.	Herbert	1'40"266	49
12.	Panis	1'40"430	34
13.	Hill	1'41"419	35
14.	Nakano	1'41"608	15
15.	Diniz	1'41"611	33
16.	Marquès	1'42"699	34
17.	Salo	1'42"996	20
18.	Verstappen	1'43"051	49
19.	Barrichello	1'43"883	3
20.	Magnussen	1'44"089	3
21.	Katayama	1'44"403	5

SEIZIÈME MANCHE

FUJI TELEVISION JAPANESE GRAND PRIX, SUZUKA

Date : 12 octobre 1997
Longueur : 5860 mètres
Distance : 53 tours, soit 310.596 km
Météo : beau, 22 degrés

Tous les résultats
© 1997 Fédération Internationale de l'Automobile, 8, Place de la Concorde, Paris 75008, France

BRIDGESTONE

Meilleur classement obtenu par un pilote équipé de pneus Bridgestone:

Damon Hill, Arrows Yamaha, 12e

CHAMPIONNATS

(après seize manches)

Conducteurs :

1.	Michael SCHUMACHER	78
2.	Jacques VILLENEUVE	77
3.	Heinz-H. FRENTZEN	41
4.	Jean ALESI	35
5.	David COULTHARD	30
6.	Gerhard BERGER	24
7.	Eddie IRVINE	22
8.	Giancarlo FISICHELLA	20
9.	Mika HAKKINEN	17
10.	Olivier PANIS	16
11.	Johnny HERBERT	14
12.	Ralf SCHUMACHER	13
13.	Damon HILL	7
14.	Rubens BARRICHELLO	6
15.	Alexander WURZ	4
16.	Jarno TRULLI	3
17.	Mika SALO	2
	Pedro DINIZ	2
	Shinji NAKANO	2
20.	Nicola LARINI	1

Constructeurs :

1.	Williams / Renault	120
2.	Ferrari	100
3.	Benetton / Renault	63
4.	McLaren / Mercedes	41
5.	Jordan / Peugeot	28
6.	Prost / Mugen Honda	21
7.	Sauber / Petronas	15
8.	Arrows / Yamaha	9
9.	Stewart / Ford	6
10.	Tyrrell / Ford	2

LE FILM DE LA COURSE

- Au départ, Villeneuve tasse Michael Schumacher et prend la tête.

- Derrière les deux rivaux, Hakkinen précède Irvine. L'Irlandais passe le Finlandais au deuxième tour.

- Villeneuve ralentit tout le peloton. Irvine en profite pour prendre la tête. Il passe Villeneuve à l'extérieur du freinage de la chicane!

- Irvine prend très vite le large. Après quelques tours, Villeneuve augmente son allure, mais Schumacher le suit toujours à moins d'une seconde.

- Schumacher ravitaille au 18e tour. Quand Villeneuve l'imite, il repart troisième, mais revient rapidement sur la Ferrari.

- Irvine, 11 secondes devant Schumacher, ralentit et le laisse passer. Par contre, il se rabat devant Villeneuve et le bouchonne.

- Lors des deuxièmes ravitaillements, Villeneuve perd du temps aux stands. Il repart 7e.

- Frentzen repart de son deuxième arrêt juste devant Irvine. Il entreprend aussitôt une remontée sur Schumacher.

- Schumacher perd trois secondes pour prendre un tour à Hill et parvient de justesse à terminer devant Frentzen.

Suzuka, c'est chaque année 130 000 spectateurs et une course à guichets fermés. Mais c'est aussi «Motopia», un parc d'attractions concentré autour du thème automobile.

▽

LES ECHOS DU WEEK-END

• Stewart confirme Magnussen

On ne change rien chez Stewart pour la saison prochaine. Si le volant de Rubens Barrichello était confirmé depuis longtemps, le jeune Danois Jan Magnussen était désormais également confirmé.

• La Concorde au tribunal

Aucun arrangement n'étant en vue concernant les Accords de la Concorde, les trois écuries qui n'en faisaient pas partie ont décidé de porter l'affaire devant les tribunaux, invoquant la violation des articles 86 et 87 du Traité de Rome qui interdisent les cartels et l'abus d'une position dominante.

• Réunion des pilotes

Le GPDA, l'association des pilotes, s'est réunie le jeudi précédant les essais, pendant deux heures et demi. Jackie Stewart, en sa qualité de fondateur du premier GPDA, dans les années soixante, fut accepté comme membre d'honneur. A part ça, la seule décision fut de donner à la FIA une liste des virages jugés dangereux, de même qu'une demande de modification des nez élevés des monoplaces, jugés dangereux en cas de choc latéral.

• Jean Alesi parle japonais

Jean Alesi est une vraie star au Japon. A Tokyo, on ne compte plus les affiches montrant le pilote Benetton en train de jouer avec la nouvelle console Sony Playstation '97 – qui était lancée le jeudi précédant les essais. Un spot TV montrait également Jean d'Avignon commentant le jeu en japonais. Un véritable morceau d'anthologie!

Jacqu
Villene
FIA
Formu
Wo
Cham

Tout s'est joué en un virage

Le combat était titanesque: qualifiés côte à côte en première ligne, avec un chrono identique, Jacques Villeneuve et Michael Schumacher se sont lancés dans une poursuite éperdue au Grand Prix d'Europe. Le championnat était au bout de la route pour celui qui terminerait devant l'autre.

Tout s'est alors terminé en une seconde, au 48e tour, lorsque Villeneuve a porté son attaque et que les rivaux se sont touchés. Michael était éliminé et Jacques devenait champion du monde. La saison s'était conclue en queue de poisson...

GRAND PRIX OF EUROPE
JEREZ

Les trois premiers qualifiés ex-aequo

Les trois premiers avec un chrono identique au millième près: il fallait le voir pour le croire...

Un final de folie

Invraisemblable, hallucinant, historique, fantastique: le vocabulaire fait défaut pour décrire la grille de départ du Grand Prix d'Europe: Jacques Villeneuve, Michael Schumacher et Heinz-Harald Frentzen ont tous trois signé un chrono exactement identique, au millième de seconde près!

Si l'on considère que la recherche du dernier dixième tient de l'aléatoire, la probabilité que cela se produise était d'une sur un million! Une telle situation ne s'était jamais produite dans l'histoire de la Formule 1.

Pour rendre la situation encore plus improbable, cet événement s'est produit entre les deux rivaux du championnat du monde, Jacques Villeneuve et Michael Schumacher. Comme le Québécois l'a lui-même dit: «Si on n'y était pas, on croirait que c'est truqué!» D'ailleurs, bon nombre de personnes mettaient en doute la justesse de la mesure, tant l'événement paraissait incroyable!

Le Canadien ayant signé son chrono le premier, c'est lui qui allait partir de la pole-position. Ce dont il se montrait évidemment satisfait: «Je ne suis pas trop surpris de me retrouver devant, déclarait-il. Tout a bien marché depuis que nous sommes arrivés ici. La voiture fonctionne si bien que nous n'en avons pratiquement pas retouché les réglages. J'ai totale confiance pour la course.»

Michael Schumacher, de son côté, ne s'avouait pas trop déçu de manquer la pole-position même en ayant signé le meilleur temps: «Quand j'ai terminé mon tour, je sentais bien que j'étais dans les 1'21'0. Mais je ne savais pas si je finirais devant ou derrière Jacques. Bon, ce n'est pas grave. Je suis en première ligne, et c'était mon objectif. Pour être franc, être en pole ou deuxième, c'est pareil. Tout se jouera de toute façon au moment du départ...»

Apparemment détendu, le pilote Ferrari affirmait ne pas ressentir la moindre pression. Jacques Villeneuve, par contre, semblait plus crispé. «Je ressentais davantage la pression avant la course de Suzuka, nuançait-il pourtant. Ici, mon seul souci est de devoir terminer à tout prix. Mais sinon, la situation est simple. Pas de stratégie de course ni de tactique de ravitaillement complexe: je dois terminer devant Michael, c'est tout!»

Heinz-Harald Frentzen, fidèle à son caractère taciturne, n'avait pas grande déclaration à formuler sur sa séance d'essais: «Je savais que mon troisième tour était excellent, et je pensais que je pourrais finir devant. Mais la piste était un peu plus lente sur la fin, et il n'y a rien eu à faire.»

Tous les ingrédients d'un suspense parfait étaient réunis pour la course.

Les adieux de Renault à la Formule 1

Du beau monde pour la fête de Renault. Entre autres, Alain Prost, Damon Hill, Nigel Mansell et les quatres pilotes 1997. Mais aussi les principaux dirigeants de la marque française, ainsi qu'Alessandro et Luciano Benetton.

Le cadre est absolument somptueux: une gigantesque hacienda privée, dans l'arrière-pays de Cadiz, à une cinquantaine de kilomètres de Jerez. C'est là, entre palmiers et danseuses de flamenco, que Renault a organisé la gigantesque fête célébrant son retrait de la Formule 1.

Nous sommes alors samedi soir, et l'ambiance reste chargée d'électricité: le titre de Jacques Villeneuve n'est pas encore acquis, et les dirigeants de Renault souhaitent ardemment pouvoir se retirer avec une couronne supplémentaire: «Nous visons la qualité totale», explique Christian Contzen, le directeur général de Renault Sport. Et nous ne pouvons nous satisfaire qu'en remportant les deux titres mondiaux, pilote et constructeur. Ou qu'en terminant un Grand Prix avec nos quatre voitures aux quatre premières places. En y regardant de plus près, jusqu'ici, nous n'y sommes parvenus qu'à deux reprises. La technologie est une grande leçon d'humilité.»

Renault avait invité pour l'occasion tous les pilotes qui sont devenus champions du monde avec ses moteurs: Nigel Mansell, Alain Prost et Damon Hill. Seul Michael Schumacher avait décliné l'invitation, s'affirmant trop occupé au circuit. Au fil de la soirée, toutes les personnalités liées à l'histoire de la marque en Formule 1 vinrent souligner à quel point le constructeur avait brillé au firmament de la discipline.

Louis Schweitzer, son président, en profita pour rappeler que Renault se retirait précisément en raison de ces succès. Bernard Dudot, l'ingénieur en chef de la marque, précisa que le propre d'un événement, c'était sa rareté: «Les gens ne venaient plus nous voir quand nous gagnions, mais quand nous avions des problèmes. On s'en est rendu compte à Monaco, en 1996, quand le moteur de Damon Hill a cassé alors qu'il était en tête. Ça ne nous était plus arrivé depuis 1993, et nous n'avons jamais eu autant de succès dans la presse que ce jour-là. C'était la défaite qui était devenue l'événement.»

Aujourd'hui, Renault se retire de la F1 avec un palmarès exceptionnel (voir la page 13). La saison prochaine, ses moteurs seront repris et développés par la firme Mécachrome, pour être fournis – contre paiement – aux écuries Williams et Benetton. Mais ce ne sera plus le même coeur qui battra dans les cylindres...

GRILLE DE DÉPART

M. SCHUMACHER 1'21"072	-1-	Jacques VILLENEUVE 1'21"072	
Damon HILL 1'21"130	-2-	Heinz-H. FRENTZEN 1'21"072	
David COULTHARD 1'21"476	-3-	Mika HAKKINEN 1'21"369	
Gerhard BERGER 1'21"656	-4-	Eddie IRVINE 1'21"610	
Jean ALESI 1'22"011	-5-	Olivier PANIS 1'21"735	
R. BARRICHELLO 1'22"222	-6-	Jan MAGNUSSEN 1'22"167	
Johnny HERBERT 1'22"263	-7-	Pedro DINIZ 1'22"234	
R. SCHUMACHER 1'22"740	-8-	Shinji NAKANO 1'22"351	
Norberto FONTANA 1'23"281	-9-	Giancarlo FISICHELLA 1'22"804	
Tarso MARQUES 1'23"854	-10-	Ukyo KATAYAMA 1'23"409	
Jos VERSTAPPEN 1'24"301	-11-	Mika SALO 1'24"222	

C'EST JACQUES!

Jacques Villeneuve franchit la ligne d'arrivée et devient champion du monde de Formule 1. Sur le mur des stands, toute l'équipe Williams laisse éclater sa joie. Une longue saison d'efforts se termine enfin. Massés devant le podium, ses mécaniciens se sont coiffés d'une perruque jaune pour se moquer de leur «Blondie» (leur blondinet). Là haut, sur sa troisième marche du podium, le Québécois sourit. Il semble planer dans un autre monde.

Quelques minutes plus tard, au cours de la conférence de presse, il s'assied aux côtés du vainqueur du jour, Mika Hakkinen. A la joie de la première victoire de sa carrière, ce dernier ne peut retenir ses larmes. Au même moment, on distingue de grosses gouttes rouler sur les joues de Jacques Villeneuve. Furtivement.

Plus tard, le Québécois niera pourtant avoir pleuré de bonheur. Tout simplement parce qu'en cette fin d'après-midi, il s'affirme incapable de réaliser ce qui lui arrive. «Je pense qu'il faut du temps pour prendre pleinement conscience de ce titre mondial. J'ai beaucoup de peine à expliquer ce que je ressens. La saison a été si longue, si pénible... Mais c'est un sentiment d'intense bonheur. Enfin, j'y suis arrivé!»

Au terme de la conférence de presse, Jacques Villeneuve sacrifie à d'innombrables interviews télévisées avant de retrouver les membres de son écurie. Qui le portent immédiatement en triomphe. «Il faut que je remercie toute l'écurie, ajoute-t-il plus tard. Un titre mondial ne se gagne pas seulement sur la piste, mais aussi à l'usine. On a adapté beaucoup de nouveautés sur la voiture cette année, et chacune d'elles a représenté des centaines d'heures de travail. Le week-end dernier, encore, les ingénieurs de Renault ont modifié le moteur au lieu de passer leur dimanche en famille. Un titre mondial représente une somme de travail énorme.»

69 tours de qualification

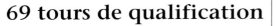

Sa course, Jacques Villeneuve l'a menée pratiquement à la perfection. Constamment à l'attaque, le Québécois s'est montré plus aggressif que jamais pour suivre le train d'enfer de Michael Schumacher.

En fait, il n'a raté que son départ: «J'ai été vraiment surpris de voir la façon dont Michael est parti, expliquait-il. J'estime que j'ai pris un envol très correct si je compare avec les voitures derrière moi. Mais lui, je ne sais pas comment il a fait. Il semblait coller à l'asphalte... Evidemment, ça m'a frustré de me retrouver derrière lui, mais je me suis vite rendu compte qu'en fait j'étais plus rapide, d'autant que mon premier train de pneus n'était pas très bon. C'étaient des gommes que j'avais déjà utilisé pendant les essais, et je savais devoir attendre les ravitaillements pour monter des pneus neufs.»

Après son premier arrêt, Jacques Villeneuve reprit la chasse, mais sans succès. «C'était une course très physique, constamment à fond, sans un instant de répit, poursuivait-il. C'était comme boucler une longue série de tours de qualification!»

A Jerez, Jacques Villeneuve a su faire face à la plus grande pression qu'un pilote puisse connaître au cours de sa carrière. Il n'a pas failli une seule seconde au cours des 69 tours du Grand Prix d'Europe.

Pour le Canadien, cette première couronne conclut une saison loin d'avoir été rose. «Ce fut le championnat le plus dur de toute ma carrière, confirmait-il. Parce que j'ai dû me battre sans arrêt pour reprendre la tête du classement à Michael. Après le Nürburgring, je pensais que tout était réglé, et voilà que ma situation a replongé au Japon. Vraiment, ce fut dur, jusqu'au dernier tour. J'ai perdu beaucoup de cheveux cette saison...»

Jacques Villeneuve a quitté le paddock avec son manager. «Ce soir, on va faire une sacrée fête», lance-t-il. Il l'avait largement mérité.

C'est gagné! Jacques Villeneuve franchit la ligne d'arrivée en troisième place, mais cela suffit pour lui donner le titre de champion du monde.

La chasse est donnée. Entre les deux rivaux du championnat, le Grand Prix d'Europe s'est joué comme une course-poursuite hallucinante.

Retour au stand en scooter pour Michael Schumacher. Une course bien partie avait tourné au désastre au 48e tour.

DANS LES POINTS

1.	Mika HAKKINEN	West McLaren Mercedes	1 h 38'57''771
2.	David COULTHARD	West McLaren Mercedes	à 1''654
3.	Jacques VILLENEUVE	Rothmans Williams Renault	à 1''803
4.	Gerhard BERGER	Mild Seven Benetton Renault	à 1''919
5.	Eddie IRVINE	Scuderia Ferrari Marlboro	à 3''789
6.	Heinz-H. FRENTZEN	Rothmans Williams Renault	à 4''537

Meilleur tour : H.-H. FRENTZEN, tour 30, 1'23''135, moy. 191.745 km/h

△

La boucle des McLaren était bouclée: après leur victoire lors du premier Grand Prix, en Australie, les flèches d'argent renouaient avec le succès par leur doublé de Jerez. Certains initiés du paddock affirmaient toutefois que cette victoire avait été programmée à l'avance entre Ron Dennis et Frank Williams, au titre de leur solidarité dans l'affaire des Accords Concorde.

Un triste incident de course

C'est après son second ravitaillement que Jacques Villeneuve a porté l'attaque qui allait décider de l'issue du championnat: plongeant à l'intérieur de la courbe «Dry Sac», le Canadien a freiné extrêmement tard pour se porter à la hauteur de Michael Schumacher.

Totalement surpris par cette attaque – sinon, il se serait porté vers l'intérieur de la trajectoire –, l'Allemand n'a pas supporté de voir son rival le passer et a donné un coup de volant pour embrocher le ponton de la Williams. Porté sur l'une des deux roues, le coup aurait été fatal. Par chance pour le Québécois, la Ferrari ne toucha que son radiateur gauche. «*Le choc a été très rude*, racontait Jacques Villeneuve. *J'ai pensé que tout était fichu. J'ai continué, mais la voiture se comportait bizarrement dans les lignes droites. J'ai ralenti pendant deux tours, et quand j'ai vu que les suspensions tenaient, j'ai accéléré. Je crois que mes mécaniciens étaient plus inquiets que moi, mais je reste très surpris d'avoir terminé la course.*»

Avec sa tentative, le Canadien savait risquer gros: «*J'étais conscient que Michael était capable de me sortir*, poursuivait-il. *En fait, je pense que cette attaque avait moins de 50% de chances de réussir. Mais j'avais remarqué que ma voiture était nettement meilleure après avoir monté des pneus neufs, et je devais attaquer sans attendre. Il ne me*

servait à rien de finir deuxième, et j'ai préféré risquer de terminer dans le gravier que de rester derrière jusqu'au bout.*» Un calcul qui a porté ses fruits puisque c'est la Ferrari qui restait ensablée. «*Bien fait pour lui!*» lâchait encore Jacques Villeneuve.

Sanction en vue

Quelques heures avant la course, au cours du briefing des pilotes, Bernie Ecclestone est intervenu pour demander aux protagonistes du championnat de demeurer fair-play. «*Si l'un ou l'autre pilote sort un adversaire, les sanctions seront impitoyables*», avait-il prévenu.

Un avertissement qui n'a pas empêché l'accrochage.

Sur le moment, la rumeur circulant dans le paddock voulait que Michael Schumacher risque l'exclusion du premier Grand Prix de la saison 1998. Mais finalement, les commissaires sportifs de Jerez ont conclu que l'accrochage du 48e tour devait être classé dans les «incidents de course». Le lendemain, pourtant, la FIA annonçait qu'elle convoquait l'Allemand courant novembre pour qu'il s'explique sur son attitude.

Après la course, le visage fermé, Michael Schumacher refusa de reconnaître sa faute: «*Avec Bernie, nous avons parlé de mes futures vacances*», se bornait-il à répéter. «*Ma voiture était parfaite, et je pense que j'aurais pu contenir Jacques jusqu'à l'arrivée. Je ne crois pas avoir commis d'erreur. J'ai déjà connu des jours plus heureux dans ma carrière, mais c'est la course.*»

Hakkinen n'y a jamais cru

96 départs pour une victoire! A Jerez, Mika Hakkinen a remporté le premier Grand Prix de sa longue carrière en Formule 1. Une victoire pratiquement passée inaperçue dans la fête du premier titre mondial de Jacques Villeneuve. D'autant plus que ce dernier n'a pas opposé de réelle résistance aux deux McLaren, à qui il a littéralement offert la première place dans le dernier tour. «*Je n'avais pas de raison de me défendre contre les McLaren*, expliquait Villeneuve. *Mika avait été assez sympa en début de course pour rester derrière moi alors qu'il était plus rapide. Je l'ai donc laissé gagner. Ce n'était pas un sacrifice, c'était un échange de bons procédés.*»

Pour le Finlandais, qui était encore troisième à trois tours du drapeau à damier, cette première victoire était totalement inespérée. «*C'est*

fantastique... c'est incroyable, balbutiait-il après l'arrivée. *Pour moi, ce fut une course passionnante du départ à l'arrivée. Au début, c'est vrai que j'étais plus rapide que Jacques. Mais comme il était en lutte pour le championnat, je ne voulais pas prendre de risque et je suis volontairement resté derrière. Mais je n'ai jamais pensé une seconde pouvoir gagner cette course. J'ai pu passer David (Coulthard) à un endroit normalement impossible, puis Jacques n'a pas résisté. Fantastique.*»

Le Finlandais, cette saison, avait connu son lot de malchance. S'il n'a pas vraiment mérité sa victoire de Jerez, celle-ci récompense enfin un pilote au talent indiscutable.

David Coulthard terminant deuxième, l'écurie McLaren-Mercedes signait à Jerez le premier doublé de la saison, toutes écuries confondues.

résultats

TOUS LES ESSAIS

No	Pilote	Châssis/Moteur/Modèle	Libres vendredi	Libres samedi	Qualifs	Warm-up
1.	Damon Hill	Arrows/Yamaha/A18/5 (B)	1'22"898	1'21"780	1'21"130	1'24"231
2.	Pedro Diniz	Arrows/Yamaha/A18/4 (B)	1'24"797	1'22"750	1'22"234	1'25"103
3.	Jacques Villeneuve	Williams/Renault/FW19/4 (G)	1'22"922	1'21"593	1'21"072	1'23"849
4.	Heinz-Harald Frentzen	Williams/Renault/FW19/5 (G)	1'23"124	1'21"263	1'21"072	1'24"089
5.	Michael Schumacher	Ferrari/Ferrari/F310B/178 (G)	1'23"532	1'22"120	1'21"072	1'24"063
6.	Eddie Irvine	Ferrari/Ferrari/F310B/180 (G)	1'23"695	1'22"820	1'21"610	1'24"560
7.	Jean Alesi	Benetton/Renault/B197/3 (G)	1'23"174	1'21"814	1'22"011	1'24"540
8.	Gerhard Berger	Benetton/Renault/B197/5 (G)	1'23"923	1'21"525	1'21"656	1'23"160
9.	Mika Hakkinen	McLaren/Mercedes/MP4/12/5 (G)	1'23"024	1'20"856	1'21"369	1'23"016
10.	David Coulthard	McLaren/Mercedes/MP4/12/6 (G)	1'23"440	1'20"738	1'21"476	1'23"359
11.	Ralf Schumacher	Jordan/Peugeot/197/6 (G)	1'23"678	1'21"881	1'22"740	1'24"386
12.	Giancarlo Fisichella	Jordan/Peugeot/197/5 (G)	1'24"263	1'22"438	1'22"804	1'25"377
14.	Olivier Panis	Prost/Mugen Honda/JS45/3 (B)	1'22"735	1'21"364	1'21"735	1'23"166
15.	Shinji Nakano	Prost/Mugen Honda/JS45/2 (B)	1'24"735	1'21"671	1'22"351	1'24"125
16.	Johnny Herbert	Sauber/Petronas/C16/7 (G)	1'24"507	1'22"065	1'22"263	1'24"012
17.	Norberto Fontana	Sauber/Petronas/C16/2 (G)	1'25"134	1'22"404	1'23"281	1'24"795
18.	Jos Verstappen	Tyrrell/Ford/025/3 (G)	1'25"327	1'23"742	1'24"301	1'26"307
19.	Mika Salo	Tyrrell/Ford/025/5 (G)	1'25"025	1'24"429	1'24"222	1'25"419
20.	Ukyo Katayama	Minardi/Hart/M197/4 (B)	1'24"329	1'22"512	1'23"409	1'25"159
21.	Tarso Marquès	Minardi/Hart/M197/2 (B)	1'26"816	1'23"369	1'23"854	1'25"707
22.	Rubens Barrichello	Stewart/Ford/SF1/2 (B)	1'22"964	1'22"117	1'22"222	1'25"275
23.	Jan Magnussen	Stewart/Ford/SF1/3 (B)	1'23"685	1'21"605	1'22"167	1'24"309

CLASSEMENT & ABANDONS

Pos	Pilote	Equipe	Temps
1.	Hakkinen	McLaren Mercedes	en 1h38'57"771
2.	Coulthard	McLaren Mercedes	à 1"654
3.	Villeneuve	Williams Renault	à 1"803
4.	Berger	Benetton Renault	à 1"919
5.	Irvine	Ferrari	à 3"789
6.	Frentzen	Williams Renault	à 4"537
7.	Panis	Prost Mugen Honda	à 1'07"145
8.	Herbert	Sauber Petronas	à 1'12"961
9.	Magnussen	Stewart Ford	à 1'17"487
10.	Nakano	Prost Mugen Honda	à 1'18"215
11.	Fisichella	Jordan Peugeot	à 1 tour
12.	Salo	Tyrrell Ford	à 1 tour
13.	Alesi	Benetton Renault	à 1 tour
14.	Fontana	Sauber Petronas	à 1 tour
15.	Marquès	Minardi Hart	à 1 tour
16.	Verstappen	Tyrrell Ford	à 1 tour
17.	Katayama	Minardi Hart	à 1 tour

Tour	Pilote	Equipe	Motif d'abandon
12	Diniz	Arrows Yamaha	tête-à-queue
31	Barrichello	Stewart Ford	boîte de vitesses
45	Schumacher	Jordan Peugeot	fuite d'eau
48	Hill	Arrows Yamaha	boîte de vitesses
48	Schumacher	Ferrari	sortie de route

MEILLEURS TOURS

Pilote	Temps	Tour
1. Frentzen	1'23"135	30
2. Berger	1'23"361	31
3. M. Schum.	1'23"692	42
4. Villeneuve	1'23"906	42
5. Panis	1'23"941	45
6. Alesi	1'23"975	27
7. Coulthard	1'24"006	27
8. Hakkinen	1'24"072	28
9. Irvine	1'24"266	37
10. Hill	1'24"274	40
11. Nakano	1'24"679	45
12. Fontana	1'25"154	32
13. Herbert	1'25"159	30
14. Salo	1'25"237	37
15. Magnussen	1'25"370	31
16. Fisichella	1'25"434	45
17. R. Schum.	1'25"895	34
18. Marquès	1'25"947	55
19. Barrichello	1'26"169	13
20. Katayama	1'26"215	27
21. Verstappen	1'26"369	40
22. Diniz	1'26"434	3

TOUR PAR TOUR

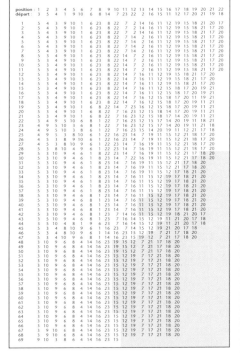

LE FILM DE LA COURSE

- Au départ, Villeneuve rate son envol et se fait passer par Michael Schumacher et Frentzen.
- Schumacher creuse l'avance en début de course. Frentzen ne parvient pas à le rejoindre et laisse Villeneuve le passer au 8e tour.
- Villeneuve et Schumacher se lancent alors dans un hallucinant duel au chronomètre. Ils signent alternativement plusieurs fois le record du tour.
- Petit à petit, Schumacher parvient à augmenter son avance. Au moment des ravitaillements, celle-ci est de 5"2 secondes.
- Après son premier ravitaillement, Schumacher est gêné par Frentzen et Coulthard. Villeneuve le rejoint.

- Frentzen et Coulthard s'étant arrêtés à leur tour, Schumacher reprend la tête. Villeneuve est dans ses roues. Au 30e tour, le Canadien est fortement gêné par la Sauber de Fontana, à qui il prend un tour. Il se retrouve à 3"2 secondes de Schumacher.
- Après son deuxième ravitaillement, Schumacher ralentit la cadence. Villeneuve le rattrape en deux tours et l'attaque à la courbe «Dry Sac». Schumacher lui assène volontairement un coup de volant et est éliminé.
- Touchée, la voiture de Villeneuve peut continuer. Le Canadien diminue toutefois la cadence et laisse les deux McLaren le passer dans le dernier tour.

CHAMPIONNATS

(après dix-sept manches)

Conducteurs :

1.	Jacques VILLENEUVE	81
2.	Michael SCHUMACHER	78
3.	Heinz-H. FRENTZEN	42
4.	David COULTHARD	36
5.	Jean ALESI	36
6.	Gerhard BERGER	27
7.	Mika HAKKINEN	27
8.	Eddie IRVINE	24
9.	Giancarlo FISICHELLA	20
10.	Olivier PANIS	16
11.	Johnny HERBERT	15
12.	Ralf SCHUMACHER	13
13.	Damon HILL	7
14.	Rubens BARRICHELLO	6
15.	Alexander WURZ	4
16.	Jarno TRULLI	3
17.	Mika SALO	2
	Pedro DINIZ	2
	Shinji NAKANO	2
20.	Nicola LARINI	1

Constructeurs :

1.	Williams / Renault	123
2.	Ferrari	102
3.	Benetton / Renault	67
4.	McLaren / Mercedes	63
5.	Jordan / Peugeot	33
6.	Prost / Mugen Honda	21
7.	Sauber / Petronas	16
8.	Arrows / Yamaha	9
9.	Stewart / Ford	6
10.	Tyrrell / Ford	2

DIX-SEPTIÈME MANCHE

GRAND PRIX OF EUROPE JEREZ

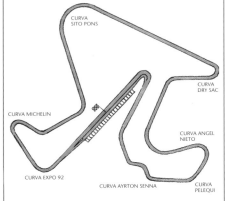

Date : 26 octobre 1997
Longueur : 4428 mètres
Distance : 69 tours, soit 305.532 km
Météo : beau, 27 degrés

Bleu du ciel, blancheur des bâtisses. Charme de l'Andalousie. ▽

LES ECHOS DU WEEK-END

• Fête gâchée

En Allemagne comme en Italie, c'était la fête au Schumacher: à Kerpen, la ville où le petit Michael a passé toute son enfance, 800 personnes s'étaient réunies dans l'enceinte du petit musée «Michael» créé là-bas. A Maranello, c'étaient 18 000 tifosi qui se bousculaient sur la place du village pour regarder le Grand Prix sur un écran géant. Que de gens qui furent déçus.

• Drapeaux jaunes

Michael Schumacher est passé sous les drapeaux jaunes au cours de la séance qualificative. Mais ils étaient fixes, et non pas agités comme dans le cas de Suzuka. «*J'ai bien vu ces drapeaux*, affirmait Michael. *Mais comme ils étaient stationnaires, je n'avais pas à ralentir. Un drapeau stationnaire signifie qu'il faut rester dans ses limites.*» Il signa pourtant son meilleur tour à ce moment.

Tout va changer en 1998

«Miroir, joli miroir, dis-moi quel est l'avenir de la Formule 1.» Reflets dans les vitres de la salle de presse du circuit de Barcelone.

Bernard Dudot terminait sa vie avec Renault pour se lancer dans une nouvelle aventure: dès le 1er novembre, il officiait comme directeur technique de Prost Grand Prix.

La Formule 1 est à la veille de sa révolution culturelle. Lorsqu'il est devenu temps de définir un nouvel ensemble de règlements techniques, en vue de la saison 1998, les ingénieurs des différentes écuries ont opté pour des «mini-Formule 1». Moins larges de 20 centimètres, dotées de pneus sculptés de plusieurs rainures, les F1 de la saison 1998 seront bien différentes des modèles 1997, et risquent de changer l'équilibre des forces dans la discipline.
La largeur réduite des monoplaces implique une surface d'ailerons plus faible. Combinée avec des pneus eux-mêmes moins adhérents, les vitesses de passage en courbe seront nette-

ment moins élevées, et les experts estiment que les temps au tour seront ralentis de deux à trois secondes – ce qui sera naturellement rattrapé dans l'espace de deux ans au plus.
En ligne droite, la largeur moindre des monoplaces leur permettront d'atteindre des vitesses de pointe plus élevées. Avec une vitesse plus lente en courbe, on se rend compte que les freinages vont devoir s'allonger passablement.

D'où l'espoir de revoir des dépassements.
Car en 1997, on l'a vu à plusieurs reprises, les performances des voitures étaient très proches les unes des autres, et les manœuvres de dépassement s'étaient faites de plus en plus rares. Les premiers essais de voitures aux spécifications 1998 n'ont pas convaincus les pilotes, qui les jugent trop peu adhérentes. Il risque d'y avoir du sport à partir du 8 mars 98...

Coup de tabac sur la Formule 1

Max Mosley, le Président de la FIA, a fait une intervention remarquée à Jerez, le samedi des essais du Grand Prix d'Europe.
Il s'est livré à une longue intervention dans la salle de presse pour donner le point de vue des autorités sportives sur la situation concernant les nouvelles lois anti-tabac que s'apprêtaient à voter la communauté européenne. Accrochez-vous, ça décoiffe! *«Si ces lois anti-tabac passent en Europe, nos plans sont assez simples,* expliquait Max Mosley. *Nous réduirions le nombre de courses en Europe au même nombre d'épreuves que nous avons aujourd'hui sans publicité tabac – c'est-à-dire trois: l'Angleterre, l'Allemagne, et, normalement, le Grand Prix de France. Pour l'instant, nous avons neuf courses en Europe, un nombre qui serait réduit à trois, chacune des neuf courses étant donc organisée tous les trois ans en alternance. Par exemple, le Grand Prix d'Angleterre à Silverstone ne compterait pour le championnat du monde qu'une fois tous les trois ans. Les autres années, les organisateurs seraient libres d'organiser des courses selon leur envie, mais celles-ci ne compteraient pas pour le championnat du monde. Quant aux courses tenues en Europe mais qui*

ne souffriront pas de la législation européenne – Monaco et la Hongrie – elles seraient naturellement maintenues tel quel. Bien sûr, il faudrait remplacer les six courses manquantes. Mais là, je peux dire immédiatement où quatre d'entre elles prendraient place, parce que nous avons une pression considérable de la part des pays asiatiques pour organiser des Grands Prix. Ces pressions proviennent de différentes sources, mais principalement du fait que 70% de l'audience TV des Grands Prix provient désormais de cette partie du monde. De toute façon, les plans pour interdire les publicités tabac ne devraient pas être imposés avant trois ou cinq ans, ce qui nous laisse largement le temps de reconvertir notre championnat. Pour la Formule 1, les sponsors du monde du tabac représentent entre 200 et 300 millions de dollars chaque année pour les écuries. Même si les équipes ne nous communiquent évidemment pas le chiffre exact, nous ne pouvons pas perdre cela.»
«Cette position ne signifie pas que la FIA encourage la cigarette. Nous avons mené de nombreuses études indépendantes, qui ont prouvé que l'interdiction de la publicité pour le tabac augmente en fait la consommation chez les jeunes au lieu de la diminuer. Je pense que les gouvernements devraient se pencher sur la question suivante: pourquoi les jeunes commencent-ils à fumer?»
Max Mosley expliqua alors que la FIA était en contact avec les gouverments, et qu'elle était prête à négocier la surface des autocollants «tabac» autorisés. Mais quoi qu'il en soit, il apparaissait clairement que le visage de la F1, tel que nous le connaissons aujourd'hui, est appelé à changer dans un avenir proche.

Peu de changements sur le front des volants

Comme chaque année, les pilotes mécontents de leur sort ont tous décidé de changer d'écurie pour la saison 1998.

Une définition dans laquelle se rangeaient surtout cette saison Damon Hill, Jean Alesi et Gerhard Berger. Tous trois font partie des vétérans de la discipline, et tous trois ont connu une saison 1997 en demi-teinte.

Damon Hill et son attaché d'affaires, Michael Breen, ont passé leur été à écumer les écuries qui pourraient être intéressées par les services du champion du monde 1996. Après un échec avec Sauber, les discussions allèrent assez loin avec l'équipe McLaren-Mercedes, avant d'échouer sur une manifeste intention de l'écurie argent de conserver ses deux pilotes du moment.

Damon Hill s'est alors tourné vers Prost Grand Prix. Le Britannique a eu la naïveté de croire que l'écurie française était prête à lui offrir un pont d'or, à l'heure où Alain Prost, en fin gestionnaire, tente de limiter les dépenses superflues pour consacrer son budget à l'essentiel. Finalement, et contre toute attente, c'est avec Eddie Jordan que Damon Hill a trouvé un terrain d'entente. Le sens des économies de l'Irlandais laissait pourtant penser son mariage avec Hill impossible – en 1997, Jordan avait aligné deux pilotes «gratuits», et il semblait impensable de le voir prendre en considération un champion du monde aussi gourmand que Hill l'était devenu.

Le sponsor de l'écurie, Benson & Hedges, réglant la note d'honoraire de Damon, tout s'est finalement arrangé.

Jean Alesi, de son côté, a lui aussi cherché à fuir l'horizon de l'écurie Benetton. Après deux années au goût amer d'inachevé, l'Avignonnais ne voulait plus perdre son temps dans une écurie en apparente décomposition. Depuis le début de l'été, il est en effet devenu évident que Flavio Briatore ne serait plus aux commandes en 1998, et de lourdes interrogations pesaient alors sur la volonté réelle de la famille Benetton de conserver son écurie de F1.

Jean Alesi, dans sa quête d'une nouvelle écurie, a fait la même constatation que Damon Hill: en fait, cet été, les places disponibles étaient plutôt rares. Lui aussi aboutit chez Sauber et trouva un accord. Entre le calme directeur suisse et le bouillant pilote d'Avignon, le mariage paraît contre-nature. Il est à craindre que tout ne se passe pas pour le mieux entre eux.

A part chez Benetton, qui fera confiance en 1998 à deux jeunes pilotes, Wurz et Fisichella, la plupart des écuries ne changeront rien à leur ligne de pilotes. Prost devrait opter pour Trulli en second d'Olivier Panis, tandis que McLaren, Williams, Ferrari et Stewart resteront avec leurs deux pilotes de 1997.

A l'arrière-garde, Tyrrell, à la fin de la saison, n'avait encore rien décidé. Giancarlo Minardi non plus. Pour eux, le choix du pilote se résumera avant tout à celui de son porte-monnaie.

Mécachrome à la hauteur de Renault?

Avec le retrait de Renault, c'est toute une page de l'histoire de la Formule 1 qui se tourne. A Jerez, au soir de la course, l'ambiance était mêlée de joie – pour titre de Villeneuve – et de tristesse du côté des gens de Viry-Châtillon. Pour la plupart des hommes de terrain, pourtant, la Formule 1 ne s'arrêtera pas. Mécachrome, la marque qui a repris les moteurs Renault sous licence, va en effet en engager la plupart.

Rien ne permet toutefois d'affirmer que les RS9B «Mécachrome» seront développés avec la même énergie et le même talent que l'étaient les blocs Renault. Pour la marque française, après tout, il ne s'agit que d'une affaire commerciale, les moteurs étant vendus aux deux écuries contractées, Williams et Benetton. Ce qui, pour la première, ne fera pas de différence: ses factures Mécachrome seront réglées par BMW, qui équipera l'écurie de Grove à partir de l'an 2000.

△

Jean Alesi entamera une nouvelle vie en 1998. Après cinq saisons chez Ferrari et deux chez Benetton, le Français pilotera pour l'écurie Sauber.

◁

Un coup d'œil sur les ailerons des F1 suffit à se rendre compte à quel point la discipline dépend de l'industrie du tabac...

Le cadre somptueux de Melbourne servira aussi de théâtre pour le premier Grand Prix de la saison 1998.

▽

Récapitulatif de la saison 1997

Pos.	Pilote	Marque	AUS	BRE	ARG	RSM	MON	ESP	CAN	FRA	GB	GER	HON	BEL	ITA	AUT	LUX	JAP	EUR	Poles	Victoires	Meilleurs tours	Tours en tête	Km en tête	Class. final
1	Jacques VILLENEUVE	Williams Renault	A	1	1	A	A	1	A	4	1	A	1	5	5	1	5	D	3	10	7	3	349	1'602	81
2	Michael SCHUMACHER	Ferrari	2	5	A	2	1	4	1	1	A	2	4	1	6	6	A	1	A	3	5	3	300	1'393	78
3	Heinz-H. FRENTZEN	Williams Renault	8	9	A	1	A	8	4	2	A	3	3	3	3	2	6	A	6	1	1	6	76	379	42
4	David COULTHARD	McLaren Mercedes	1	10	A	A	6	7	7	4	A	A	A	2	1	11	2	A	A	–	2	1	77	396	36
5	Jean ALESI	Benetton Renault	A	6	7	5	A	3	2	5	2	6	11	8	2	A	2	6	13	–	–	1	32	184	36
6	Gerhard BERGER	Benetton Renault	4	2	6	A	9	10	–	–	–	1	8	6	7	10	4	9	4	1	1	2	41	272	27
7	Mika HAKKINEN	McLaren Mercedes	3	4	5	6	A	7	A	A	3	A	D	9	A	4	A	A	1	1	1	1	50	234	27
8	Eddie IRVINE	Ferrari	A	16	2	3	3	12	A	3	A	9	10	8	A	3	5	3	A	–	–	–	23	125	24
9	Giancarlo FISICHELLA	Jordan Peugeot	A	8	A	4	6	9	3	9	7	11	A	2	4	4	8	11	A	–	–	1	7	48	20
10	Olivier PANIS	Prost Mugen Honda	5	3	A	8	4	2	11	–	–	–	–	–	–	–	6	A	7	–	–	–	–	–	16
11	Johnny HERBERT	Sauber Petronas	A	7	4	A	A	5	5	8	A	3	4	A	8	7	7	8		–	–	–	–	–	15
12	Ralf SCHUMACHER	Jordan Peugeot	A	A	3	A	A	A	A	6	5	5	5	A	A5	A	10	A		–	–	–	–	–	13
13	Damon HILL	Arrows Yamaha	A	17	A	A	A	9	12	6	8	2	13	A	7	8	12	A		–	–	–	62	246	7
14	Rubens BARRICHELLO	Stewart Ford	A	A	A	2	A	A	A	A	13	A	A	14	A	A	A			–	–	–	–	–	6
15	Alexander WURZ	Benetton Renault	–	–	–	–	–	–	A	A	3	–	–	–	–	–	–			–	–	–	–	–	4
16	Jarno TRULLI	Minardi Hart	9	12	9	A	A	15	A	–	–	–	–	–	–	–	–			–	–	–	–	–	3
		Prost Mugen Honda	–	–	–	–	–	–	10	8	4	7	16	10	A	–	–						37	160	
17	Mika SALO	Tyrrell Ford	A	13	8	9	5	A	A	8	A	A	13	11	A	10	A	12		–	–	–	–	–	2
18	Pedro DINIZ	Arrows Yamaha	10	A	A	A	A	8	A	A	A	7	A	13	5	13	A			–	–	–	–	–	2
19	Shinji NAKANO	Prost Mugen Honda	7	14	A	A	A	6	A	11	7	6	A	11	A	A	A	10		–	–	–	–	–	2
20	Nicola LARINI	Sauber Petronas	6	11	A	7	A	–	–	–	–	–	–	–	–	–	–			–	–	–	–	–	1

Puis, par ordre alphabétique :

	Pilote	Marque	AUS	BRE	ARG	RSM	MON	ESP	CAN	FRA	GB	GER	HON	BEL	ITA	AUT	LUX	JAP	EUR						
	Norberto FONTANA	Sauber Petronas	–	–	–	–	–	–	A	9	9	–	–	–	–	–	14								
	Ukyo KATAYAMA	Minardi Hart	A	18	A	11	10	A	A	11	A	10	14	A	11	A	17								
	Jan MAGNUSSEN	Stewart Ford	A	–	10	A	7	13	A	A	12	A	A	9											
	Tarso MARQUES	Minardi Hart	–	–	–	–	–	A	10	A	12	A	14	D	A	15									
	Gianni MORBIDELLI	Sauber Petronas	–	–	–	–	14	10	–	A	9	12	9	9	F										
	Riccardo ROSSET	Lola Ford	NQ	–	–	–	–	–	–	–	–	–	–	–	–	–	–								
	Vincenzo SOSPIRI	Lola Ford	NQ	–	–	–	–	–	–	–	–	–	–	–	–	–	–								
	Jos VERSTAPPEN	Tyrrell Ford	A	15	A	10	8	11	A	A	10	A	A	12	A	14	16								

Nbre de poles

Senna … 65
Prost … 33
Clark … 33
Mansell … 32
Fangio … 28
Lauda … 24
Piquet … 24
D. Hill … 20
Andretti … 18
Arnoux … 18
Stewart … 17
M. Schumacher … 17
Moss … 16
Ascari … 14
Hunt … 14
Peterson … 14
Brabham … 13
G. Hill … 13
Ickx … 13
J. Villeneuve … 13
Berger … 12
Rindt … 10
Surtees … 8
Patrese … 8
Laffite … 7
Fittipaldi … 6
P. Hill … 6
Jabouille … 6
Jones … 6
Reutemann … 6
Amon … 5
Coulthard … 5
Farina … 5
Regazzoni … 5
Rosberg … 5
Tambay … 5
Hawthorn … 4
Pironi … 4
De Angelis … 3
Brooks … 3
T. Fabi … 3
Gonzales … 3
Gurney … 3
Jarier … 3
Scheckter … 3
Puis :
Alesi … 2
Frentzen … 1
Barrichello … 1
Hakkinen … 1

Nbre de victoires

Prost … 51
Senna … 41
Mansell … 31
Stewart … 27
M. Schumacher … 27
Clark … 25
Lauda … 25
Fangio … 24
Piquet … 23
D. Hill … 21
Moss … 16
Brabham … 14
Fittipaldi … 14
G. Hill … 14
Ascari … 13
Andretti … 12
Jones … 12
Reutemann … 12
J. Villeneuve … 11
Hunt … 10
Peterson … 10
Scheckter … 10
Berger … 10
Hulme … 8
Ickx … 8
Arnoux … 7
Brooks … 6
Laffite … 6
Rindt … 6
Surtees … 6
G. Villeneuve … 6
Patrese … 6
Alboreto … 5
Farina … 5
Regazzoni … 5
Rosberg … 5
Watson … 5
Gurney … 4
McLaren … 4
Boutsen … 3
P. Hill … 3
Hawthorn … 3
Pironi … 3
Coulthard … 3
Puis :
Herbert … 2
Panis … 1
Panis … 1
Alesi … 1
Frentzen … 1
Hakkinen … 1

Nombre de meilleurs tours

Prost … 41
Mansell … 30
Clark … 28
M. Schumacher … 28
Lauda … 25
Fangio … 23
Piquet … 23
Berger … 21
Moss … 20
D. Hill … 19
Senna … 19
Regazzoni … 15
Stewart … 15
Ickx … 14
Jones … 13
Patrese … 13
Arnoux … 12
Ascari … 11
Surtees … 11
Andretti … 10
Brabham … 10
G. Hill … 10
Hulme … 9
Peterson … 9
J. Villeneuve … 9
Hunt … 8
Laffite … 7
G. Villeneuve … 7
Farina … 6
Fittipaldi … 6
Gonzalez … 6
Gurney … 6
Hawthorn … 6
P. Hill … 6
Pironi … 6
Scheckter … 6
Frentzen … 6
Pace … 6
Watson … 5
Coulthard … 5
Alesi … 4
Alboreto … 4
Beltoise … 4
Depailler … 4
Reutemann … 4
Siffert … 4
Puis:
Fisichella … 1
Hakkinen … 1

Nbre total de points marqués

Prost … 798.5
Senna … 614
Piquet … 485.5
Mansell … 482
M. Schumacher … 440
Lauda … 420.5
Berger … 385
Stewart … 360
D. Hill … 333
Reutemann … 310
G. Hill … 289
E. Fittipaldi … 281
Patrese … 281
Fangio … 277.5
Clark … 274
Brabham … 261
Scheckter … 255
Hulme … 248
Laffite … 228
Alesi … 225
Regazzoni … 212
Jones … 206
Peterson … 206
McLaren … 196.5
Alboreto … 186.5
Moss … 186.5
Arnoux … 181
Ickx … 181
Ma. Andretti … 180
Surtees … 180
Hunt … 179
Watson … 169
Puis :
J. Villeneuve … 159
Hakkinen … 118
Coulthard … 117
Herbert … 82
Frentzen … 71
Panis … 54
Irvine … 52
Barrichello … 51
Fisichella … 20
R. Schumacher … 13
Salo … 12
Verstappen … 11
Katayama … 5
Wurz … 4
Trulli … 3
Diniz … 2
Nakano … 2
Larini … 1

Nombre de tours en tête

Senna … 2'999
Prost … 2'705
Mansell … 2'099
Clark … 2'039
Stewart … 1'893
Lauda … 1'620
Piquet … 1'572
M. Schumacher … 1'568
D. Hill … 1'325
G. Hill … 1'073
Brabham … 827
Andretti … 799
Peterson … 706
Berger … 695
Scheckter … 671
Reutemann … 648
Hunt … 634
J. Villeneuve … 634
Jones … 594
Patrese … 568
G. Villeneuve … 533
Ickx … 529
Arnoux … 506
Rosberg … 506
Fittipaldi … 459
Hulme … 436
Rindt … 387
Regazzoni … 361
Surtees … 310
Coulthard … 310
Pironi … 295
Watson … 287
Laffite … 279
Alesi … 271
Alboreto … 218
Tambay … 197
Gurney … 191
P. Hill … 189
Jabouille … 184
Amon … 183
Brooks … 173
Depailler … 165
Puis :
Frentzen … 76
Hakkinen … 66
Trulli … 37
Herbert … 27
Irvine … 23
Panis … 16
Fisichella … 7
Barrichello … 4

Nombre de kilomètres en tête

Senna … 13'613
Prost … 12'575
Clark … 10'189
Mansell … 9'642
Stewart … 9'077
Piquet … 7'465
M. Schumacher … 7'211
Lauda … 7'188
D. Hill … 6'062
G. Hill … 4'618
Brabham … 4'541
Andretti … 3'577
Berger … 3'456
Reutemann … 3'309
Peterson … 3'304
Hunt … 3'229
Ickx … 3'067
J. Villeneuve … 2'972
Jones … 2'877
Scheckter … 2'837
Patrese … 2'571
Arnoux … 2'561
G. Villeneuve … 2'244
Rosberg … 2'137
Surtees … 2'131
Fittipaldi … 2'122
Rindt … 1'905
Hulme … 1'900
Regazzoni … 1'855
P. Hill … 1'715
Brooks … 1'525
Gurney … 1'518
Laffite … 1'476
Coulthard … 1'455
Alesi … 1'297
Watson … 1'245
Pironi … 1'238
Jabouille … 978
Tambay … 975
Alboreto … 927
Von Trips … 787
Amon … 784
Puis :
Frentzen … 379
Hakkinen … 319
Trulli … 160
Herbert … 149
Irvine … 125
Panis … 53
Fisichella … 48
Barrichello … 18

Abréviations : A = abandon; NQ = non qualifié; NPQ = non préqualifié; F = forfait; D = disqualifié; NC = arrivé, mais non classé (distance parcourue insuffisante). ARG = Argentine; AUS = Australie; AUT = Autriche; BEL = Belgique; BRE = Brésil; CAN = Canada; DAL = Dallas; ESP = Espagne; EUR = Europe; FIN = Finlande; FRA = France; GB = Grande-Bretagne; GER = République Fédérale d'Allemagne; HOL = Pays-Bas; ITA = Italie; JAP = Japon; MEX = Mexique; MON = Monaco; NZ = Nouvelle-Zélande; PAC = Pacifique; POR = Portugal; RSM = Saint-Marin; SA = Afrique du Sud; SUE = Suède; SUI = Suisse; USA = Etats-Unis; USAE = Etats-Unis est; USAW = Etats-Unis ouest; VEG = Las Vegas. NB : Le nombre de tours en tête n'est comptabilisé que depuis 1957.

Les 48 champions du monde

Année	Pilote	Nationalité	Marque	Nbre d'épreuves	Nbre poles	Nbre victoires	Nbre meil. tours
1950	Giuseppe Farina	ITA	Alfa Roméo	7	2	3	3
1951	Juan Manuel Fangio	ARG	Alfa Roméo	8	4	3	5
1952	Alberto Ascari	ITA	Ferrari	8	5	6	5
1953	Alberto Ascari	ITA	Ferrari	9	6	5	4
1954	Juan Manuel Fangio	ARG	Mercedes/Maserati	9	5	6	3
1955	Juan Manuel Fangio	ARG	Mercedes	7	3	4	3
1956	Juan Manuel Fangio	ARG	Lancia/Ferrari	8	5	3	3
1957	Juan Manuel Fangio	ARG	Maserati	8	4	4	2
1958	Mike Hawthorn	GB	Ferrari	11	4	1	5
1959	Jack Brabham	AUS	Cooper Climax	9	1	2	1
1960	Jack Brabham	AUS	Cooper Climax	10	3	5	3
1961	Phil Hill	USA	Ferrari	8	5	2	2
1962	Graham Hill	GB	BRM	9	1	4	3
1963	Jim Clark	GB	Lotus Climax	10	7	7	6
1964	John Surtees	GB	Ferrari	10	2	2	2
1965	Jim Clark	GB	Lotus Climax	10	6	6	6
1966	Jack Brabham	AUS	Brabham Repco	9	3	4	1
1967	Dennis Hulme	NZ	Brabham Repco	11	0	2	2
1968	Graham Hill	GB	Lotus Ford	12	2	3	0
1969	Jackie Stewart	GB	Matra Ford	11	2	6	5
1970	Jochen Rindt	AUT	Lotus Ford	13	3	5	1
1971	Jackie Stewart	GB	Matra Ford	11	6	6	3
1972	Emerson Fittipaldi	BRE	Lotus Ford	12	3	5	0
1973	Jackie Stewart	GB	Tyrrell Ford	15	3	5	1
1974	Emerson Fittipaldi	BRE	McLaren Ford	15	2	3	0
1975	Niki Lauda	AUT	Ferrari	14	9	5	2
1976	James Hunt	GB	McLaren Ford	16	8	6	2
1977	Niki Lauda	AUT	Ferrari	17	2	3	3
1978	Mario Andretti	USA	Lotus Ford	16	8	6	3
1979	Jody Scheckter	SA	Ferrari	15	1	3	1
1980	Alan Jones	AUS	Williams Ford	14	3	5	5
1981	Nelson Piquet	BRE	Brabham Ford	15	4	3	1
1982	Keke Rosberg	FIN	Williams Ford	16	1	1	0
1983	Nelson Piquet	BRE	Brabham BMW Turbo	15	1	3	4
1984	Niki Lauda	AUT	McLaren TAG Porsche Turbo	16	0	5	5
1985	Alain Prost	FRA	McLaren TAG Porsche Turbo	16	2	5	5
1986	Alain Prost	FRA	McLaren TAG Porsche Turbo	16	1	4	2
1987	Nelson Piquet	BRE	Williams Honda Turbo	16	4	3	4
1988	Ayrton Senna	BRE	McLaren Honda Turbo	16	13	8	3
1989	Alain Prost	FRA	McLaren Honda	16	2	4	5
1990	Ayrton Senna	BRE	McLaren Honda	16	10	6	2
1991	Ayrton Senna	BRE	McLaren Honda	16	8	7	2
1992	Nigel Mansell	GB	Williams Renault	16	14	9	8
1993	Alain Prost	FRA	Williams Renault	16	13	7	6
1994	Michael Schumacher	GER	Benetton Ford	14	6	8	9
1995	Michael Schumacher	GER	Benetton Renault	17	4	9	7
1996	Damon Hill	GB	Williams Renault	16	9	8	5
1997	Jacques Villeneuve	CAN	Williams Renault	17	10	7	3

Championnat des constructeurs 1997

Position	Marque	Nbre de points	Nbre poles	Nbre victoires	Nbre meil. tours	Nbre tours en tête	Nbre de kil. en tête
1.	Williams Renault	123	11	8	9	425	1981
2.	Ferrari	102	3	5	3	323	1518
3.	Benetton Renault	67	2	1	2	73	456
4.	McLaren Mercedes	63	1	3	2	127	630
5.	Jordan Peugeot	33	1	0	1	7	48
6.	Prost Mugen Honda	21	0	0	0	37	160
7.	Sauber Petronas	16	0	0	0	0	0
8.	Arrows Yamaha	9	0	0	0	62	246
9.	Stewart Ford	6	0	0	0	0	0
10.	Tyrrell Ford	2	0	0	0	0	0

Nbre de titres au championnat des constructeurs
(existe depuis 1958)

9 : Williams 1980 - 81 - 86 - 87-92 - 93-94-96-97

8 : Ferrari 1961 - 64 - 75 - 76 77 - 79 - 82 - 83

7 : Lotus 1963 - 65 - 68 - 70-72 - 73 - 78

McLaren 1974 - 84 - 85 - 88-89 - 90 - 91

2 : Cooper 1959 - 60
Brabham 1966 - 67

1 : Vanwall 1958
BRM 1962
Matra 1969
Tyrrell 1971
Benetton 1995

Nombre de poles par marque

Ferrari 121
Lotus 107
Williams 107
McLaren 80
Brabham 39
Renault 31
Benetton 15
Tyrrell 14
Alfa Roméo 12
BRM 11
Cooper 11
Maserati 10
Ligier 9
Mercedes 8
Vanwall 7
March 5
Matra 4
Shadow 3
Lancia 2
Arrows 1
Honda 1
Jordan 1
Lola 1
Porsche 1
Wolf 1

Nbre de victoires par marque

Ferrari 113
McLaren 107
Williams 103
Lotus 79
Brabham 35
Benetton 26
Tyrrell 23
BRM 17
Cooper 16
Renault 1
Alfa Roméo 10
Maserati 9
Matra 9
Mercedes 9
Vanwall 9
Ligier 9
March 3
Wolf 3
Honda 2
Hesketh 1
Penske 1
Porsche 1
Shadow 1

Nbre de meilleurs tours par marque

Ferrari 126
Williams 109
McLaren 71
Lotus 70
Brabham 41
Benetton 36
Tyrrell 20
Renault 18
BRM 15
Maserati 15
Alfa Roméo 14
Cooper 13
Matra 12
Ligier 11
Mercedes 9
March 7
Vanwall 6
Surtees 4
Eagle 2
Honda 2
Shadow 2
Wolf 2
Ensign 1
Gordini 1
Hesketh 1
Lancia 1
Parnelli 1
Jordan 1

Photo de famille du championnat 1997, à Melbourne. Debout, de gauche à droite : Eddie Irvine, Rubens Barrichello, Jan Magnussen, David Coulthard, Mika Hakkinen, Ralf Schumacher, Giancarlo Fisichella, Ricardo Rosset, Vincenzo Sospiri. Au centre: Michael Schumacher, Jarno Trulli (alors chez Minardi), Ukyo Katayama, Jacques Villeneuve, Heinz-Harald Frentzen, Shinji Nakano et Olivier Panis. Assis, au premier plan: Jos Verstappen, Mika Salo, Pedro Diniz, Damon Hill, Nicola Larini, Johnny Herbert, Gerhard Berger et Jean Alesi.

Pour conclure, voici les principaux extraits de la brochure «Règlements du Championnat du Monde de Formule 1 de la FIA 1997». Cette saison, la plupart des articles de ce règlement ont été remaniés. Fidèle à la tradition, «L'Année Formule 1» en reproduit l'essentiel ici. Faute de place, par contre, il ne nous est plus possible de publier également les règlements techniques.

Règlement sportif du championnat du monde de Formule 1 de la FIA

La FIA organisera le Championnat du Monde de Formule 1 de la FIA qui est la propriété de la FIA et qui comprend deux titres de Champion du Monde, un pour les pilotes et un pour les constructeurs. Il est constitué des Grands Prix de Formule 1 inscrits au calendrier de Formule 1 et pour lesquels les ASN et les organisateurs ont signé la Convention d'Organisation prévue par la Convention de la Concorde 1997. (...)

Licences

10. Tous les pilotes, concurrents et officiels participant au Championnat doivent être titulaires d'une Super Licence FIA. Les demandes de Super Licences doivent être présentées à la FIA par l'intermédiaire de l'ASN des candidats. Le nom du pilote restera sur la liste des Super Licences pendant un an.

Les épreuves du Championnat

12. Les épreuves sont réservées aux voitures de Formule 1 telles que définies par le Règlement Technique.

13. Chaque épreuve aura le statut d'épreuve internationale réservée.

14. La distance de toutes les courses (du signal de départ jusqu'au drapeau à damier, à l'exclusion du tour de formation prevu à l'Article 142) sera égale au nombre minimum de tours complets nécessaire pour dépasser la distance de 305km, sauf au cas où deux heures s'écoulent avant que la distance prévue ne soit couverte, le drapeau à damier étant montré à la voiture en tête quand elle traverse la Ligne de départ/arrivée (la Ligne), à la fin du tour pendant lequel cette période de deux heures aura expiré. La Ligne consiste en une ligne unique traversant la piste et la voie des stands.

15. Le nombre maximum des Epreuve du Championnat est fixé à 17, le minimum à 8.

17. Une Epreuve annulée sans un préavis écrit à la FIA d'au moins trois mois ne sera pas prise en considération pour être inscrite au Championnat de l'année suivante, sauf si la FIA estime que l'annulation résulte d'un cas de force majeure.

18. Une Epreuve peut être annulee si moins de douze voitures sont disponibles.

Championnat du Monde

19. Le titre de pilote Champion du Monde de Formule 1 sera attribué au pilote qui aura totalisé le plus grand nombre de points en prenant en considération tous les résultats obtenus au cours des épreuves qui auront réellement eu lieu.

20. Des points ne seront attribués pour le Championnat dans une Epreuve déterminée que si le pilote a conduit la même voiture pendant toute la course.

21.Le titre de Champion du Monde de Formule 1 pour les constructeurs sera attribué à la marque qui aura totalisé le plus grand nombre de points, en prenant en considération tous les résultats obtenus par un maximum de deux voitures par marque.

22. Le constructeur d'un moteur ou d'un châssis roulant est la personne (y compris toute personne morale ou organisme non enregistré) qui détient les droits de propriété intellectuelle de ce moteur ou châssis. La marque d'un moteur ou d'un châssis est le nom qui lui est attribué par son constructeur. Si la marque du moteur n'est pas la même que celle du châssis, le titre sera attribué à cette dernière, qui devra toujours précéder la marque du moteur dans le nom de la voiture.

23. Les points pour les deux titres seront attribués lors de chaque Epreuve selon le barême suivant :
1er : 10 points, 2ème : 6 points, 3ème : 4 points, 4ème :3 points, 5ème: 2 points, 6ème : 1 point

24. Si une course est interrompue dans les cas prévus aux articles 158 et 159, sans pouvoir repartir, aucun point ne sera attribué dans le cas A, la moitié des points sera attribuée dans le cas B et la totalité des points sera attribuée dans le cas C.

25.Les pilotes terminant premier, second et troisième du Championnat doivent être présents lors de la cérémonie annuelle de Remise des Prix de la FIA. Tout pilote absent sera pénalisé d'une amende d'un maximum de US $ 50.000,00. Tous les concurrents devront faire tout leur possible pour assurer que leurs pilotes respectent cette obligation.

Ex aequo

26. Les prix et les points attribués aux positions des concurrents arrivés ex aequo seront additionnés et partagés de facon égale.

27. Si deux ou plusieurs constructeurs ou pilotes terminent la saison avec le même nombre de points, la place la plus élevée au Championnat (dans les deux cas de figure) sera attribuée :

a) Au titulaire du plus grand nombre de premières places.

b) Si le nombre de premières places est le même, au titulaire du plus grand nombre de secondes places.

c) Si le nombre de secondes places est le même, au titulaire du plus grand nombre de troisièmes places et ainsi de suite jusqu'à ce qu'un vainqueur se dégage.

d) Si cette procédure ne permet pas de dégager un résultat, la FISA désignera le vainqueur en fonction des critères qu'elle jugera convenables.

Candidatures des Concurrents

43. Les candidatures de participation au Championnat pourront être soumises à la FIA à tout moment entre le 1er et le 15 novembre de chaque année, au moyen du formulaire d'engagement (...). Les candidats acceptés sont automatiquement admis à toutes les Epreuves du Championnat et sont les seuls concurrents dans ces Epreuves.

45. Un concurrent pourra changer de marque et/ou de type de moteur à tout moment du Championnat. Tous les points marqués avec un moteur de marque différente de celui qui a d'abord été engagé au Championnat compteront (et seront additionnés) pour l'attribution de Bénéfices et pour déterminer le classement des équipes en vue des pré-qualifications, mais ces points ne compteront pas (ni ne pourront être additionnés) pour le Championnat des Constructeurs de Formule 1 de la FIA.

46. A l'exception de ceux dont les voitures ont obtenu des points pour le Championnat de l'année précédente, les candidats doivent fournir des informations sur la taille de leur entreprise, leur situation financière et leur capacité d'honorer les obligations prescrites. Tous les candidats qui n'ont pas pris part au Championnat entier pour l'année précédente doivent également déposer une caution de US $ 500.000 auprès de la FIA en présentant leur candidature. Cette somme leur sera retournée sur-le-champ si leur candidature est refusée, ou à la fin de leur première saison de Championnat s'ils ont respecté toutes les dispositions de la Convention et de ses annexes.

47. Toutes les candidatures seront étudiées par la FIA qui publiera la liste des voitures et des pilotes acceptés avec leurs numéros de course lcembre (ou le lundi suivant si le 1er décembre correspond à un week-end). Les candidats refusés ayant déjà été informés, conformément à l'Article 43.

48. Un maximum de deux engagements sera accepté pour chaque concurrent.

Incidents

54. Un «incident» signifie un fait ou une série de faits impliquant un ou plusieurs pilotes, ou toute action d'un pilote, qui est rapporté aux commissaires sportifs par le directeur de course et qui

- a nécessité l'arrêt d'une course en application de l'Article 158;

- a violé le présent Règlement Sportif ou le Code;

- a fait prendre un faux départ à une ou plusieurs voitures;

- a causé une collision évitable;

- a fait quitter la piste à un pilote;

- a illégitimement empêché une manoeuvre de dépassement légitime par un pilote;

- a illégitimement gêné un autre pilote au cours d'une manoeuvre de dépassement.

55. Il appartiendra aux commissaires sportifs de décider, sur rapport ou demande du directeur de l'épreuve, si un ou des pilote(s) mêlé(s) à un incident doi(ven)t être pénalisé(s). Si un pilote est impliqué dans une collision ou un incident (voir Article 54), il ne doit pas quitter le circuit sans l'accord des commissaires sportifs.

56. Les commissaires sportifs pourront infliger une pénalité en temps à tout pilote impliqué dans un Incident.

57. Au cas où les commissaires sportifs décideraient d'imposer une pénalité en temps, la procédure suivante devra s'appliquer:

a) au plus tard vingt-cinq minutes après le moment où s'est produit l'Incident, les commissaires sportifs notifieront par écrit à un responsable de l'équipe concernée sur le mur des stands, la pénalité en temps qui a été imposée, celle-ci étant également transmise sur les moniteurs vidéo le plus rapidement possible.

b) sous réserve des dispositions du point e) ci-dessous, après que la notification aura été faite à l'équipe en application du point a) ci-dessus, le pilote concerné ne pourra couvrir plus de trois tours complets avant d'entrer dans les stands et de se rendre à son stand où il devra rester pendant la durée de la pénalité en temps. Tant que la voiture sera immobilisée, il ne pourra y être effectué aucun travail, sauf arrêt du moteur, auquel cas celui-ci pourra être redémarré une fois écoulée la pénalité en temps.

c) une fois écoulée la pénalité en temps, le pilote pourra rejoindre la course,

d) tout non-respect ou toute violation des Art. 57b) ou 57c) pourra entraîner l'exclusion de la voiture,

e) si un incident pour lequel une pénalité en temps est infligée se produit à 12 tours complets ou moins de l'arrivée de la course, les commissaires sportifs auront le droit d'ajouter la pénalité en temps au temps réalisé par le pilote concerné.

58. Aucune décision prise ou pénalité imposée conformément à l'Article 56 ne pourra restreindre l'effet des Articles 160 ou 161 du Code.

Réclamations

59. Les réclamations devront être formulées conformément au Code et accompagnées d'une caution de 2500 Francs Suisses ou d'une somme équivalente en Dollars US ou monnaie locale.

Sanctions

60. Les commissaires sportifs peuvent infliger les pénalités expressément prévues par le présent Règlement Sportif en plus ou à la place de toute autre pénalité dont ils disposent en vertu du Code.

Changements de pilotes

61. Pendant une saison, chaque équipe pourra effectuer un changement de pilote pour sa première voiture. Pour la seconde voiture de chaque équipe, trois pilotes pourront être changés à tout moment, sous réserve que tout changement de pilotes soit effectué conformément au Code et avant le début des essais qualificatifs. Après 18h00 le jour des vérifications techniques, un changement de pilote ne pourra s'effectuer qu'avec l'accord des commissaires sportifs. Dans toute autre circonstance, les concurrents seront obligés d'utiliser les pilotes qu'ils ont désignés en s'engageant au Championnat, sauf dans les cas de force majeure qui seront considérés séparément. Tout nouveau pilote pourra marquer des points au Championnat.

Nombre de voitures participantes

63. Le nombre de voitures autorisées à prendre le départ de la course est limité à 26. Pour les essais, ce nombre est limité à 30 à l'exception des essais libres le jour de la course qui ne sont ouverts qu'aux voitures qualifiées pour la course.

64. Si le nombre des voitures engagées dans le Championnat dépasse 30, la procédure suivante sera appliquée :

- 26 places pour les essais qualificatifs seront réservées aux voitures des constructeurs en fonction du classement du Championnat du Monde des Constructeurs pour les deux demi-saisons précédentes (...).

- 4 places seront disponibles pour les autres voitures d'après les essais pré-qualificatifs.

- Les voitures qui ne sont pas comprises dans les 26 automatiquement admises pour les essais qualificatifs participeront à une séance d'essais chronométrés deux jours avant la course (voir Article 118) et les 4 plus rapides d'entre elles seront autorisées à prendre part aux séances d'essais libres et qualificatifs (voir Art. 119 et 120) avec les 26 voitures précédemment mentionnées.

Numéros de course et nom de la voiture

65. Chaque voiture portera le numéro de course de son pilote (ou de son remplaçcant) tel qu'il aura été publié par la FIA au début de la saison. Quand une voiture apparait sur un écran de télévision de 25 cm de telle manière que son image remplisse substantiellement l'écran dans au moins une dimension, son numéro de course doit être clairement visible de l'avant et respectivement de chaque côté de la voiture.

66. Le nom ou l'emblème de la marque de la voiture doivent apparaître à l'avant du capot avant de la voiture et dans les deux cas avoir une dimension minimum de 25 mm. Le nom du pilote doit aussi apparaître sur la carrosserie, à l'extérieur du cockpit ou sur le casque du pilote, et être facilement lisible.

Voie des stands

69. a) Pour éviter qu'il y ait le moindre doute et à des fins descriptives, la voie des stands sera divisée en deux voies. La voie la plus rapprochée du mur des stands est appelée «la voie rapide», et la voie la plus proche des stands est appelée «voie intérieure»; c'est la seule zone où il soit permis de travailler sur la voiture.

b) A aucun endroit les concurrents ne doivent peindre de lignes sur la voie des stands.

c) Aucun équipement ne peut être laissé sur la voie rapide. Une voiture ne pourra entrer dans la voie rapide ou y rester que si son pilote est assis derrière son volant dans la position normale de conduite, même si la voiture est poussée.

d) Le personnel des équipes n'est admis sur la voie des stands qu'immédiatement avant de devoir intervenir sur une voiture, et il doit évacuer la voie des stands dès que ce travail est achevé.

Vérifications sportives

71. Lors de la première Epreuve de chaque Championnat, la FIA vérifiera toutes les licences.

Vérifications techniques

73. Pendant les vérifications techniques préliminaires des voitures seront effectuées entre 1OHOO et 18HO, la veille des premiers essais, dans le garage attribué à chaque équipe.

74. Les concurrents qui n'auront pas respecté ces limites de temps ne seront pas autorisés à prendre part à l'Epreuve, sauf dérogation accordée par les commissaires sportifs.

75. Aucune voiture ne pourra prendre part à une Epreuve tant qu'elle n'aura pas été approuvée par les commissaires techniques.

76. Les commissaires techniques peuvent :

a) Vérifier la conformité d'une voiture ou d'un concurrent à tout moment d'une Epreuve.

b) Exiger qu'une voiture soit démontée par le concurrent pour s'assurer que les conditions d'admission ou de conformité sont pleinement respectées.

c) Demander à un concurrent de payer les frais raisonnables résultant de l'exercice des droits mentionnés dans cet Article.

d) Demander à un concurrent de fournir tel échantillon ou telle pièce qu'ils pourraient juger nécessaire.

77. Toute voiture qui, après avoir été approuvée par le commissaires techniques, serait démontée ou modifiée de telle manière que cela puisse affecter sa sécurité ou mettre en question sa conformité ou qui aurait été engagée dans un accident avec des conséquences similaires, doit être présentée de nouveau aux commissaires techniques pour approbation.

78. Le directeur de l'Epreuve ou le directeur de course peut demander que toute voiture impliquée dans un accident soit arrêtée et contrôlée.

80. Les commissaires sportifs publieront les conclusions des commissaires techniques à chaque vérification des voitures pendant l'Epreuve. Ces résultats ne comprendront pas de données chiffrées particulières sauf lorsqu'une voiture sera jugée non conforme au Règlement Technique.

Fourniture des pneumatiques dans le championnat et limitation des pneumatiques durant l'Epreuve

81. Fourniture de pneus

Seuls pourront être utilisés au cours du Championnat, les pneus fournis par une société qui accepte et respecte les conditions suivantes : - un seul fournisseur au Championnat : il devra équiper 100% des concurrents engagés sur la base des conditions commerciales d'usage;

- deux fournisseurs au Championnat : chacun d'eux devra, si la demand lui est faite, être prêt à équiper jusqu'à 60% des concurrents engagés, sur la base des conditions commerciales d'usage.

- trois fournisseurs ou plus : chacun devra, si la demande lui est faite, être prêt à équiper jusqu'à 40% des concurrents engagés, sur la base des conditions commerciales d'usage.

- chaque fournisseur de pneus ne doit se charger de fournir que deux spécifications de pneu pour temps sec à chaque Epreuve, chacune de ces deux spécifications devant être d'un seul mélange homogène; (...)

82. Quantité et types de pneux :

a) Un même pilote ne pourra pas utiliser plus de trente-six pneus pour temps sec et vingt-huit pneus pluis pendant la durée totale de l'Epreuve.

Avant les essais qualificatifs, chaque pilote peut utiliser deux spécifications de pneus pour temps sec, mais il doit, avant le début des essais qualificatifs, désigner la spécification de pneu qu'il utilisera pour le reste de l'Epreuve. Pour les essais qualificatifs, le warm-up et la course, chaque pilote ne pourra utiliser plus de vingt-huit pneus (quatorze à l'avant et quatorze à l'arrière).

b) Un pneu pluie est un pneu qui est conçu pour l'utilisation sur piste humide, et dont la surface de contact est inférieure à 75% de celle d'un pneu pour temps sec de taille équivalente. Les pneus pluie ne peuvent être utilisés qu'une fois que la piste a été déclarée humide par le directeur de l'Epreuve.

83. La procédure de contrôle sera la suivante :

a) Tous les pneus devant être utilisés lors d'une Epreuve seront marqués d'une identification unique.

b) A tout moment de l'Epreuve, le délégué technique de la FIA pourra, à sa discrétion absolue, sélectionner les pneus pour temps sec qui seront utilisés par toute Equipe parmi la réserve totale de pneus dont le fournisseur désigné de l'Equipe dispose lors de l'Epreuve.

c) Au cours des premières vérifications techniques, chaque concurrent pourra faire en sorte que jusqu'à trente-six pneus pour temps sec et vingt-huit pneus pluie par pilote soient prêts à être marqués dans son garage. Les pneus non marqués lors de ces vérifications préliminaires pourront être marqués à un autre moment choisi en accord avec le délégué technique de la FIA.

d) Parmi les vingt-huit pneus pour temps sec choisis pour chaque voiture pour les essais qualificatifs, le warm-up et la course, le délégué technique de la FIA choisira au hasard seize pneus (huit pneus avant et huit pneus arrière) qui sont les seuls pneus pour temps sec que cette voiture pourra utiliser lors de la séance d'essais qualificatifs.

e) Un concurrent souhaitant remplacer un pneu non utilisé déjà marqué par un autre non utilisé doit présenter ces deux pneus au délégué technique de la FIA.

84. L'utilisation de pneus sans marquage approprié est formellement interdite.

Pesage

85. Le poids de toute voiture pourra être vérifié pendant l'Epreuve de la façon suivante :

a) Tous les pilotes engagés dans le Championnat seront pesés, revêtus de leur équipement de course complet, lors de la première Epreuve de la saison. Si un pilote est engagé en cours de saison, il sera pesé lors de sa première Epreuve.

b) Pendant la séance d'essais qualificatifs,

1) la FIA installera le matériel de pesage dans une zone aussi rapprochée que possible du premier stand. Cette zone sera utilisée pour la procédure de pesage.

2) des voitures seront sélectionnées au hasard pour la procédure de pesage. Au moyen d'un feu rouge placé dans la voie d'accès aux stands, le délégé technique de la FIA informera le pilote que sa voiture a été sélectionnée pour le pesage.

3) ayant été prévenu (au moyen d'un feu rouge) que sa voiture a été sélectionnée pour le pesage, le pilote se rendra directement dans la zone du pesage et arrêtera son moteur.

4) la voiture sera alors pesée, et les résultats seront communiqués par écrit au pilote.

5) si la voiture ne peut arriver jusqu'à la zone du pesage par ses propres moyens, elle sera placée sous le contrôle exclusif des commissaires de piste qui l'y amèneront.

6) une voiture ou un pilote ne peuvent pas quitter la zone du pesage sans l'autorisation du délégué technique de la FIA.

c) après la course : chaque voiture franchissant la Ligne sera pesée. Si une voiture est pesée sans son pilote, le poids tel que déterminé au point 2 ci-dessus sera ajouté pour obtenir le poids total requis par l'Article 4.1 du Règlement Technique.

d) si le poids d'une voiture, relevé conformément aux points b) ou c) ci-dessus, est inférieur à celui spécifié à l'Article 4.1 du Règlement Technique, la voiture et son pilote seront exclus de l'Epreuve, sauf si l'insuffisance de poids est due à la perte accidentelle d'une pièce de la voiture pour une raison de force majeure.

e) aucune matière ou substance solide, liquide, gazeuse ou de quelque nature que ce soit ne pourra être ajoutée à une voiture, y être posée ou en être enlevée une fois qu'elle a été sélectionnée ou a terminé la course ou pendant la procédure de pesage.

f) seuls les commissaires techniques et les officiels peuvent pénétrer dans la zone du pesage. Aucune intervention, quelle qu'elle soit, n'est autorisée dans cette zone, à moins qu'elle n'ait été permise par ces officiels.

86. Toute infraction à ces dispositions pour le pesage des voitures pourra entraîner l'exclusion de la voiture concernée.

Voitures de réserve

89. Un concurrent peut utiliser plusieurs voitures pour les essais et la course pourvu que :

a) il n'utilise pas plus de deux voitures (une seule voiture pour une Equipe d'une voiture) pour les essais libres pendant chacun des deux jours d'essais;

b) il n'utilise pas plus de trois voitures (deux voitures pour une Equipe d'une voiture) pendant la séance d'essais qualificatifs;

c) elles soient toutes de la même marque et aient été engagées dans le Championnat par le même concurrent;

d) elles aient été vérifiées conformément au présent Règlement Sportif;

e) chaque voiture porte le numéro de course du pilote qui la conduit.

90. Les changements de voiture ne pourront intervenir que dans les stands sous le contrôle des commissaires.

91. Aucun changement de voiture ne sera autorisé après le feu vert (Voir l'Article 142) à la condition expresse que, si une course doit être recommencée selon l'Article 160 Cas A, l'instant à partir duquel aucun changement de voiture n'est autorisé sera celui où le drapeau vert est présenté pour le départ suivant.

Sécurité générale

93. Il est strictement interdit aux pilotes de conduire leur voiture dans la direction opposée à celle de la course à moins que ce ne soit absolument nécessaire pour éloigner la voiture d'une position dangereuse. Une voiture peut seulement être poussée pour être éloignée d'un position dangereuse selon les indications des commissaires.

94. Tout pilote ayant l'intention de quitter la piste ou de rentrer à son stand ou à la zone du paddock en manifestera l'intention en temps utile et s'assurera qu'il pourra le faire sans danger.

96. Un pilote qui abandonne sa voiture doit la laisser au point mort ou débrayée, avec le volant en place.

97. Des réparations ne peuvent être effectuées sur une voiture que dans la zone du paddock, dans les stands ou sur la grille.

99. Les ravitaillements en carburant ne sont autorisés que dans les stands, sauf dans le cas prévu par l'Article 141.

102. Sauf dans les cas expressément autorisés par le Code ou le présent Règlement Sportif, personne, excepté le pilote, ne peut toucher une voiture arrêtée à moins qu'elle ne se trouve dans les stands ou sur la grille de départ.

104. Pendant les périodes commençant 5 minutes avant et se terminant 5 minutes après chaque séance d'essais, ainsi que pendant la période comprise entre l'allumage des feux verts (Article 142) et le moment où la dernière voiture entre dans le parc fermé, personne n'est autorisé sur la piste à l'exception

a) des commissaires de piste ou d'autres personnels autorisés dans l'exercice de leurs fonctions;

b) des pilotes lorsqu'ils conduisent ou sous la direction des commissaires de piste;

c) des mécaniciens en application de l'Article 143 uniquement.

105. Pendant une course, le moteur ne peut être remis en marche qu'à l'aide du démarreur, sauf dans la voie des stands où l'utilisation d'un dispositif de démarrage extérieur est autorisé. (...)

107. Une vitesse limitée à 80 km/h en essais et 20 km/h en course, ou telles autres limitations de vitesses pouvant être décidées par le Bureau Permanent de la Commission de Formule 1, sera imposée sur la voie des stands. Pendant les tours de reconnaissance, tout pilote dépassant la limitation se verra infliger une amende d'un maximum de 10.000 $US (20.000 $US en cas de récidive durant la même saison de Championnat). Pendant la course, les commissaires sportifs pourront imposer une pénalité en temps à tout pilote qui dépassera cette limite.

108. Si un pilote est confronté à de graves problèmes mécaniques durant les essais ou la course, il doit évacuer la piste dès que cela peut être fait en sécurité.

109. Le feu arrière de la voiture doit être allumé en permanence quand elle roule avec des pneus pluie. (...)

110. Seuls six membres d'équipe par voiture participante (dont chacun aura reçu et devra porter une identification spéciale) sont admis dans la zone de signalisation pendant les essais et la course. (...)

112. Le directeur de l'Epreuve, le directeur de course ou le délégué médical de la FIA peuvent demander à un pilote de se soumettre à un examen médical à tout moment pendant la durée d'une Epreuve.

113. Toute infraction commise aux dispositions du Code ou du présent Règlement Sportif relatives à la discipline générale de sécurité pourra entraîner l'exclusion de l'Epreuve de la voiture et du pilote concernés.

Préqualifications, essais libres, qualifications et warm-up

115. Aucun pilote ne pourra prendre le départ de la course sans avoir pris part aux essais qualificatifs.

116. Pendant toute la durée des essais, un feu rouge/vert sera placé à la sortie des stands. Les voitures ne pourront sortir de la voie des stands que lorsque le feu vert sera allumé.

117. Pendant l'Epreuve, le circuit ne sera pas utilisé pour d'autres fins que celles de l'Epreuve, excepté chaque jour après la séance d'essais et pendant la période commencant après les essais libres le jour de la course et finissant 60 minutes avant l'ouverture de la voie des stands ou à d'autres moments avec l'autorisation écrite de la FIA.

118. S'il est nécessaire pour certaines voitures de se préqualifier conformément à l'Article 64, la séance d'essais se déroulera deux jours (à Monaco : trois jours) avant la course de 8H00 à 9H00.

119. Les séances d'essais libres se dérouleront :

a) deux jours (à Monaco, trois jours) avant la course de 11H00 à 12H00 et de 13H00 à 14H00.

b) la veille de la course, de 09H00 à 09H45 et de 10H15 à 11H00.

c) Chaque pilote est limité à 30 tours max. d'essais libres par jour. Tout tour supplémentaire couvert par ce pilote sera déduit de sa séance d'essais qualificatifs.

120. La séance d'essais qualificatifs se déroulera :

a) la veille de la course de 13H00 à 14H00.

b) Sous réserve de l'Article 119c), chaque pilote

est limité à 12 tours par séance d'essais qualificatifs. Si un pilote accomplit plus de 12 tours, tous les temps réalisés par ce pilote seront annulés.

121. Warm-up : une séance d'essais libres aura lieu le jour de la course, d'une durée de 30 minutes et commençant 4 heures et 30 minutes avant l'heure du départ de la course.

122. L'intervalle entre la séance d'essais libres et d'essais qualificatifs ne pourra jamais être inférieur à une heure et 30 minutes. Ce n'est que dans des conditions tout à fait exceptionnelles qu'un retard de la séance d'essais libres ou d'autres difficultés le matin de la course pourront entraîner un changement de l'heure de départ de la course.

123. Pendant les essais une voiture qui s'arrête doit être dégagée de la piste le plus rapidement possible afin que sa présence ne constitue pas un danger, ou ne gêne pas les autres concurrents. Si le pilote est dans l'impossibilité de dégager la voiture d'une position dangereuse en la conduisant, il est du devoir des commissaires de piste de lui prêter assistance. Si la voiture, grâce à cette assistance, est conduite ou poussée jusqu'aux stands, la voiture ne pourra plus être utilisée au course de cette séance. De plus, si cette aide est apportée lors des essais pré-qualificatifs ou qualificatifs, tous les temps au tour réalisés par le pilote pendant cette séance seront annulés.

124. Le directeur de la course peut interrompre les essais aussi souvent et pour aussi longtemps qu'il l'estime nécessaire pour dégager la piste ou permettre l'enlèvement d'une voiture. Dans le cas d'essais libres exclusivement, le directeur de course, avec l'accord des commissaires sportifs, peut décider de ne pas prolonger la période d'essais après une interruption de ce genre. En outre, si, de l'avis des commissaires sportifs, un arrêt est causé délibérément, le pilote concerné pourra voir annulés les temps qu'il a réalisés dans cette séance, et il pourra se voir refuser l'autorisation de participer à toute autre séance d'essais ce jour-là.

126. Au cas où une ou plusieurs séances d'essais seraient ainsi interrompues, aucune réclamation relative aux effets possibles sur la qualification des pilotes admis au départ ne pourra être admise.

127. Tous les tours effectués pendant les essais qualificatifs seront chronométrés pour déterminer la position des pilotes au départ conformément à l'Article 132. A l'exception des tours pendant lesquels un drapeau rouge est présenté (Article 158), il sera considéré qu'une voiture a effectué un tour chaque fois qu'elle franchira la Ligne. Sur un circuit où la Ligne est située avant le premier stand, il sera considéré que toute voiture s'arrêtant sur le circuit après avoir déjà effectué le nombre total de tours qui lui est alloué aura effectué un tour supplémentaire.

Arrêt des essais

128. S'il devient nécessaire d'arrêter les essais à cause de l'encombrement du circuit à la suite d'un accident ou parce qu'à ce moment les conditons atmosphériques ou d'autres raisons en rendent la poursuite dangereuse, le directeur de course ordonnera qu'un drapeau rouge soit déployé sur la Ligne et que tous les feux d'annulation y soient allumés. Simultanément, des drapeaux rouges seront déployés à tous les postes de commissaire de piste. Lorsque le signal de cesser de courir sera donné, toutes les voitures réduiront immédiatement leur vitesse et rentreront lentement à leurs stands respectifs; et toutes le voitures abandonnées sur la piste en seront enlevées et placées en lieu sûr. Un tour pendant lequel le drapeau rouge est présenté ne comptera pas pour l'allocation totale de tours d'une voiture pour cette séance.

Conférences de presse

129. Le délégué presse de la FIA choisira un maximum de cinq pilotes qui devront assister à une conférence de presse dans le centre médias pendant une période d'une heure à partir de 15h00 le jeudi de l'épreuve (le mercredi à Monaco). Les Equipes de ces pilotes seront notifiées au moins 48 heures avant la conférence. Par ailleurs, un maximum de deux personnalités d'Equipe pourront être choisies par le délégué presse de la FIA pour assister à cette conférence de presse. Le vendredi de l'Epreuve (ou le jeudi à Monaco), un minimum de trois et un maximum de six pilotes et/ou personnalités d'équipe (autres que ceux ayant assisté à la conférence de presse de la veille et sous réserve de l'accord du directeur d'équipe) seront tirés au sort ou désignés par roulement par le Délégué Presse FIA pendant l'Epreuve, et devront se mettre à la disposition des médias pour une conférence de presse au centre médias, pendant une période d'une heure à partir de 15H30.

130. Aussitôt après la séance d'essais qualificatifs, les trois premiers pilotes des qualifications devront se rendre disponibles pour des interviews télévisées dans la salle unilatérale, puis pour participer à une conférence de presse dans le centre médias pendant une période maximale de 30 minutes.

La grille

131. A l'issue de la séance d'essais qualificatifs, le temps le plus rapide réalisé par chaque pilote sera officiellement publié.

132. La grille sera déterminée dans l'ordre des temps les plus rapides réalisés par chaque pilote. Si deux ou plusieurs pilotes obtenaient le même temps, la priorité serait donnée à celui qui l'a obtenu le premier.

133. Le pilote le plus rapide prendra le départ de la course sur la position de la grille qui était celle de la «pole position» l'année précédente ou, sur un nouveau circuit, celle qui a été désignée comme telle par le délégué à la sécurité de la FIA..

134. Un pilote dont le meilleur tour d'essai dépasse 107% du temps de la pole position ne sera pas admis à participer à la course, sauf dans des circonstances exceptionnelles acceptées comme telles par les commissaires sportifs. Si plusieurs pilotes sont acceptés de cette manière, leur ordre sera déterminé par les commissaires sportifs.

135. La grille de départ définitive sera publiée après le warm-up, le jour de la course. Tout concurrent dont la (les) voiture(s) est (sont) dans l'impossibilité de prendre le départ pour quelque raison que ce soit (ou qui a de bonnes raisons de croire que sa (ses) voiture(s) ne sera (seront) pas prête(s) à prendre le départ) doit en informer le directeur de course dès qu'il en aura l'occasion, et dans tous les cas,l pas plus tard que 45 minutes avant le départ de la course. Si une ou plusieurs voitures en est (sont) retirée(s), l'(les) intervalle(s) de la grille sera (seront) comblé(s) en conséquence.

137. Une voiture n'ayant pas pris sa place sur la grille au moment où le signal 10 minutes est montré ne sera plus autorisée à le faire et partira des stands en application de l'Article 140.

Briefing

138. Un briefing par le Directeur de l'Epreuve aura lieu une heure après la fin du warm up, le jour de la course, à l'endroit prévu à cet effet. Tous les concurrents (ou leurs représentants attitrés) et pilotes de ces voitures admises à participer à la course doivent être présents pendant tout le briefing, sous peine d'exclusion de la course.

Procédure de départ

139. 30 minutes avant l'heure du départ de la course, les voitures quitteront les stands pour couvrir un tour de reconnaissance. A la fin de ce tour, elles s'arrêteront sur la grille dans l'ordre de départ, moteur arrêté. Au cas où souhaiteraient effectuer plus d'un tour de reconnaissance, ils les conduiront pour ce faire dans la voie des stands à une vitesse très réduite entre chacun des tours.

140. 17 minutes avant l'heure de départ, retentira un signal sonore annonçant que la fermeture de la sortie des stands aura lieu 2 minutes plus tard.

15 minutes avant l'heure de départ, la sortie des stands sera fermée et un second signal sonore retentira. Toute voiture se trouvant encore dans les stands pourra prendre le départ des stands mais seulement sous la direction des commissaires. Elle ne pourra être amenée à la sortie des stands qu'avec le pilote au volant.

Lorsque la sortie des stands est située juste derrière la Ligne, les voitures ne pourront rejoindre la course qu'après le passage de l'ensemble du plateau devant la sortie des stands lors de leur premier tour de course. Lorsque la sortie des stands se trouve juste devant la Ligne, les voitures pourront rejoindre la course dès que l'ensemble du plateau aura traversé la Ligne après le départ.

141. Pendant la procédure de départ, les ravitaillements en carburant et les changements de roues seront autorisés sur la grille de départ jusqu'au signal 5 minutes. Tout ravitaillement sur la grille de départ ne pourra être effectué qu'au moyen d'un unique récipient non pressurisé d'une capacité maximale de 12 litres. Ce récipient ne pourra pas être rempli pendant la procédure de départ, et il devra être connecté à la voiture par un ou plusieurs coupleurs auto-obturants.

142. L'approche du départ sera annoncée par la présentation des signaux dix minutes, cinq minutes, trois minutes, une minute et trente secondes avant le départ du tour de formation. Chacun de ces signaux sera accompagné par un signal sonore.

Lorsque le signal dix minutes est montré, toutes les personnes sauf les pilotes, officiels et personnels techniques des équipes doivent quitter la grille.

Lorsque le signal une minute sera montré, les moteurs seront démarrés et tous les personnels techniques des équipes devront quitter la grille.

Lorsque les feux verts sont allumés, les voitures doivent entamer le tour de formation sous la conduite du pilote en «pole position». Il est interdit d'effectuer des essais de départ pendant ce tour et les voitures doivent rester en formation aussi serrée que possible.

Pendant le tour de formation, les dépassements ne sont autorisés que si une voiture est retardée en quittant sa position de grille et que les voitures se trouvant derrière elle ne peuvent éviter de la dépasser sans retarder indûment le reste du plateau. En ce cas, les pilotes ne peuvent dépasser que pour rétablir l'ordre de départ initial.

Un pilote retardé en quittant la grille ne peut dépasser une autre voiture en mouvement s'il est resté immobile après le franchissement de la Ligne par le reste des voitures et il doit prendre le départ de la course à partir de l'arrière de la grille. Si plusieurs pilotes sont affectés, ils doivent se placer à l'arrière de la grille dans l'ordre dans lequel ils sont partis pour effectuer le tour de formation.

Une pénalité en temps sera imposée à tout pilote qui, de l'avis des commissaires sportifs, a doublé sans nécessité une autre voiture pendant le tour de formation.

143. Tout pilote se trouvant dans l'impossibilité de prendre le départ du tour de formation doit lever le bras et, après le franchissement de la Ligne par le reste des voitures, ses mécaniciens sont autorisés à essayer de résoudre le problème sous le contrôle des commissaires de piste. Si la voiture demeure incapable de prendre le départ du tour de formation, elle sera poussée dans la voie des stands par le chemin le plus court, et les mécaniciens pourront de nouveau travailler dessus.

144. Lorsque les voitures reviendront à la grille à la fin du tour de formation, elles s'arrêteront sur leurs positions respectives de grille, en gardant leur moteur en marche. Lorsque toutes les voitures se seront immobilisées, le signal cinq secondes apparaîtra, suivi des signaux quatre, trois, deux et une secondes. A tout moment après l'apparition du signal une seconde, la course commencera à l'extinction de tous les feux rouges.

146. Toute voiture qui ne peut pas maintenir l'ordre de départ pendant le tour de formation ou est en mouvement lorsque le feu une seconde s'allume doit entrer dans la voie des stands et prendre le départ des stands comme le prévoit l'Article 140.

147. Si, après être revenu à la grille de départ au terme du tour de formation, le moteur d'un pilote s'arrête et si ce pilote est dans l'impossibilité de redémarrer sa voiture, il doit lever immédiatement les mains au-dessus de sa tête et le commissaire responsable de sa ligne doit immédiatement agiter un drapeau jaune.

Si le départ est retardé (voir Article 148), un commissaire se tiendra avec un drapeau jaune devant la voiture concernée pour l'empêcher de bouger jusqu'à ce que tout le plateau ait quitté la grille. Le pilote pourra alors suivre la procédure prévue aux Articles 143 et 146. Comme indiqué dans l'Article 144, les autres voitures garderont leur position de grille, et la ou les position(s) vacante(s) resteront inoccupées. Si plusieurs pilotes se trouvent dans cette situation, leur nouvelle position à l'arrière de la grille sera déterminée en fonction de leur position relative sur la grille au début du tour de formation.

148. Si un problème se pose lorsque les voitures reviennent sur la grille de départ à la fin du tour de formation, la procédure suivante s'appliquera :

a) Si le départ de la course n'a pas été donné, tous les feux d'annulation seront allumés, tous les moteurs seront arrêtés et le nouveau tour de formation commencera 5 minutes plus tard, la distance de la course étant réduite d'un tour. Le signal suivant sera le signal trois minutes.

b) Si le départ de la course a déjà été donné, les commissaires situés le long de la grille agiteront leurs drapeaux jaunes afin d'informer les pilotes qu'une voiture est immobilisée sur la grille.

c) Si, après le départ de la course, une voiture reste immobile sur la grille de départ, il est du devoir des commissaires de la pousser dans la voie des stands par le chemin le plus rapide. Si le pilote peut redémarrer la voiture alors qu'elle est poussée, il pourra rejoindre la course.

d) Si le pilote ne peut redémarre la voiture alors qu'elle est poussée, ses mécaniciens pourront essayer de la démarrer dans la voie des stands. Si, à ce moment-là, la voiture démarre, elle pourra rejoindre la course. Le pilote et les mécaniciens doivent à tous moments suivre les instructions des commissaires de piste pendant cette période.

150. Aucun ravitaillement en carburant ne sera autorisé sur la grille si plus d'une procédure de départ s'est révélée nécessaire en application de l'Article 148.

151. Une pénalité en temps sera infligée pour un faux départ jugé au moyen d'un transpondeur fourni par la FIA qui devra équiper la voiture comme spécifié.

152. La seule variation permise dans cette procédure de départ relève des cas suivants :

a) Si la piste est sèche pendant toute la durée des essais mais devient mouillée (ou vice-versa) après la fin du warm up et au moins 60 minutes avant l'heure du départ, une séance de 15 minutes d'essais libres pourra être autorisée.

b) S'il commence à pleuvoir après l'apparition du signal 5 minutes, mais avant le départ de la course, les feux d'annulation seront allumés sur la Ligne, et la procédure de départ recommencera à partir du point 15 minutes. Si nécessaire, la procédure prévue à l'Article 148 sera suivie.

c) Si le départ de la course est imminent et que de l'avis du directeur d'Epreuve, la quantité d'eau sur la piste est telle que celle-ci ne puisse être négociée en sécurité, même avec des pneus pluie, les feux d'annulation seront allumés sur la Ligne et simultanément un panneau «10» à fond rouge sera présenté.

Ce panneau «10» à fond rouge signifiera qu'il doit y avoir un délai de 10 minutes avant que ne soit reprise la procédure de départ. Si les conditions atmosphériques se sont améliorées au terme de cette période de 10 minutes, un panneau «10» à fond vert sera présenté. Le panneau «10» à fond vert signifiera que le feu vert sera allumé dix minutes plus tard.

Cinq minutes après la présentation du panneau «10» à fond vert, la procédure de départ commencera et les signaux normaux afférents à la procédure de départ (c'est à dire 5 - 3 - 1 min - 30 secondes) seront présentés.

Cependant, si les conditions atmosphériques ne se sont pas améliorées dans les dix minutes suivant la présentation du panneau «10» sur fond rouge, les feux d'annulation seront allumés sur la Ligne et le panneau «10» à fond rouge sera présenté de nouveau, ce qui signifiera un délai supplémentaire de dix minutes avant que la procédure de départ ne puisse être reprise.

Cette procédure pourra être répétée plusieurs fois.

A tout moment pendant la présentation d'un panneau «10» (à fond rouge ou vert), celle-ci sera accompagnée d'un avertissement sonore.

d) Si le départ de la course est donné derrière la voiture de sécurité, l'Article 157 m) s'appliquera.

La course

154. Une course ne sera pas arrêtée en cas de pluie sauf si le circuit est bloqué ou si la poursuite de la course s'avérait dangereuse (voir Article 158).

155. Pendant la course (...), une voiture qui s'arrête doit être dégagée de la piste le plus rapidement possible afin que sa présence ne constitue pas un danger, ou ne gêne pas les autres concurrents. Si le pilote est dans l'impossibilité de dégager la voiture d'une position dangereuse en la conduisant, il est du devoir des commissaires de piste de lui prêter assistance. Si cette assistance permet au moteur de redémarrer et au pilote de rejoindre la course, la voiture sera exclue du classement de la course.

156. Pendant la course, les pilotes sortiront de la voie des stands sous leur propre responsabilité. Toutefois, un feu jaune clignotant à la sortie des stands, ainsi qu'un drapeau bleu déployé par un commissaire de piste, leur signaleront l'approche d'autres voitures.

Voiture de sécurité

157. (...) b) 30 minutes avant l'heure du départ de la course, la voiture de sécurité prendra position à l'avant de la grille et restera là jusqu'à ce que le signal des cinq minutes soit donné. A ce moment-là, (excepté en application du point m) ci-dessous), elle couvrira un tour complet du circuit et rentrera dans la voie des stands. Si l'Article 152a) s'applique, la voiture de sécurité prendra position à l'avant de la grille dès que la séance de 15 minutes d'essais libres sera terminée.

c) La voiture de sécurité pourra être mise en service pour neutraliser la course sur décision du directeur de course. Elle ne sera utilisée que si des concurrents ou des officiels courent un danger physique immédiat, dans des circonstances ne justifiant néanmoins pas l'arrêt de la course.

d) Quand l'ordre sera donné d'utiliser la voiture de sécurité pendant la course, tous les postes de surveillance (y compris la Ligne) dépoieront des drapeaux jaunes immobiles et un panneau «SC», qui seront maintenus jusqu'à la fin de l'intervention.

e) Pendant la course, la voiture de sécurité, gyrophares allumés, partira de la voie des stands et gagnera la piste, où que se trouve la voiture en tête de la course.

f) Toutes les voitures en course doivent se mettre en file derrière la voiture de sécurité à une distance inférieure à 5 longueurs de voiture. Il est absolument interdit de dépasser (excepté en application du point m) ci-dessous), à moins qu'une voiture n'y soit invitée par la voiture de sécurité.

g) Quand le directeur de course le lui ordonnera, l'observateur à bord de la voiture de sécurité utilisera un feu vert pour faire signe de dépasser à toutes les voitures se trouvant entre cette voiture et la voiture de tête. Ces voitures continueront de rouler à vitesse réduite et sans se dépasser, jusqu'à ce qu'elles atteignent la file de voitures se trouvant derrière la voiture de sécurité.

h) La voiture de sécurité sera utilisée au moins jusqu'à ce que la voiture de tête soit derrière la voiture de sécurité et que les autres voitures soient alignées derrière la voiture de tête. (...)

i) Pendant que la voiture de sécurité sera en service, les voitures concurrentes pourront s'arrêter à leur stand, mais elles ne pourront regagner la piste que lorsque le feu vert à la sortie des stands aura été allumé. Il sera allumé en permanence, sauf lorsque la voiture de sécurité et la file de voiture qui la suit passeront devant la sortie des stands, ou seront sur le point de le faire. Une voiture regagnant la piste avancera à vitesse réduite jusqu'à ce qu'elle atteigne l'extrémité de la file de voitures se trouvant derrière la voiture de sécurité.

j) Lorsque le directeur de course rappellera la voiture de sécurité, elle éteindra tous ses gyrophares et rentrera dans les stands à la fin de ce tour. Lorsque la voiture de sécurité rentrera dans les stands, les drapeaux et les panneaux aux postes de surveillance seront retirés.

k) Lorsque la voiture de sécurité aura quitté le circuit et que les voitures approcheront de la Ligne, des feux verts seront allumés. Tous les postes de surveillance déploieront alors un drapeau vert. Les dépassements restent formellement interdits jusqu'à ce que les voitures passent devant le feu vert sur la Ligne. Les drapeaux verts seront retirés au bout d'un tour.

l) Chaque tour accompli pendant que la voiture de sécurité est en service sera compté comme un tour de course.

m) Dans des circonstances exceptionnelles, le départ de la course peut être donné derrière la voiture de sécurité. Dans ce cas, ses gyrophares jaunes seront allumés au signal des cinq minutes. C'est le signal pour les pilotes que le départ de la course sera donné derrière la voiture de sécurité. Lorsque les feux verts s'allumeront, la voiture de sécurité quittera la grille suivie de toutes les voitures dans l'ordre de la grille à une distance inférieure à 5 longueurs de voiture. Il n'y aura aucun tour de formation et la course commencera lorsque la voiture de tête franchira la Ligne pour la première fois. Le dépassement est autorisé, pendant le premier tour uniquement, si une voiture est retardée lorsqu'elle quitte sa position sur la grille et que les voitures derrière ne peuvent éviter de la dépasser sans retarder outre mesure le reste du plateau. Dans ce cas, les pilotes ne peuvent dépasser que pour rétablir l'ordre de départ initial.

Un pilote retardé en quittant la grille ne peut dépasser une autre voiture en marche s'il était immobile après le franchissement de la Ligne par les autres voitures, et doit se ranger à l'arrière de la file de voitures se trouvant derrière la voiture de sécurité. Si plusieurs pilotes sont concernés, ils doivent se ranger à l'arrière de la file de voitures selon l'ordre dans lequel ils ont quitté la grille.

Une pénalité en temps sera imposée à tout pilote qui aura, de l'avis des commissaires sportifs, dépassé sans nécessité une autre voiture pendant le premier tour.

Arrêt de la course

158. S'il devient nécessaire d'arrêter la course à cause de l'encombrement du circuit à la suite d'un accident ou parce qu'à ce moment les conditions atmosphériques ou d'autres raisons en rendent la poursuite dangereuse, le directeur de course ordonnera qu'un drapeau rouge soit déployé sur la Ligne et que les feux d'annulation y soient allumés. Simultanément, des drapeaux rouges seront déployés à tous les postes de commissaire de piste. Lorsque le signal de cesser de courir sera donné, toutes les voitures devront immédiatement réduire leur vitesse, sachant que :

- le classement de la course sera le classement à la fin de l'avant-dernier tour précédant celui au cours duquel le signal d'arrêt a été donné,
- des véhicules de course ou de secours peuvent se trouver sur la piste,
- le circuit peut être complètement obstrué à cause d'un accident,
- les conditions atmosphériques auront pu rendre le circuit impraticable à grande vitesse,
- la voie des stands sera ouverte.

159. La procédure à suivre varie selon le nombre de tours complets effectués par le leader de la course avant que le signal d'arrêt ne soit donné :

Cas A : moins de deux tours complets. Si un nouveau départ peut être donné, l'Article 1160 s'appliquer.

Cas B : deux tours complets, ou plus, mais moins de 75% de la distance prévue pour la course (arrondie au nombre entier supérieurs de tours). Si un nouveau départ peut être donné, l'Article 61 s'appliquer.

Cas C : 75% ou plus de la distance de la course (arrondie au nombre entier supérieur de tours). Les voitures seront directement dirigées vers le parc fermé, et la course sera considérée comme terminée quand la voiture de tête aura dépassé la Ligne pour l'avant-dernière fois avant que la course ne soit arrêtée.

Nouveau départ d'une course

160. Cas A

a) Le premier départ sera considéré comme nul et non avenu.

b) La longueur de la nouvelle course sera la distance intégrale prévue.

c) Les pilotes qualifiés pour la course seront admis au nouveau départ soit dans leur voiture d'origine soit dans une voiture de réserve.

d) Après que le signal d'arrêt de la course aura été donné, toutes les voitures en état de marche se dirigeront directement mais lentement soit vers la voie des stands, soit , si la grille est libre, vers leur position de grille initiale, soit, si la grille n'est pas libre, vers une position située derrière la dernière position de la grille, selon les directives des commissaire de piste.

e) Il sera permis de travailler sur toutes les voitures.

f) Le ravitaillement en carburant sera autorisé jusqu'à ce que le signal cinq minutes soit présenté.

161. Cas B

a) La course sera considérée comme étant en deux parties, la première se terminant quand la voiture de tête franchit la Ligne pour l'avant-dernière fois avant que la course ne soit arretée.

b) La longueur de la seconde partie sera inférieure de trois tours à la distance prévue pour la course moins la première partie.

c) Pour la seconde partie, la grille sera une grille standard, les voitures étant positionnées dans leur ordre d'arrivée à la fin de la première partie.

d) Seules les voitures ayant pris le premier départ seront admises, à condition qu'elles soient retournées à la grille ou aux stands par leurs propres moyens en empruntant une voie autorisée : soit à la voie des stands, soit à une position à l'arrière de la dernière position de grille, selon les instructions des commissaires de piste.

e) Aucune voiture de réserve ne sera admise.

f) Il sera permis de travailler sur les voitures dans les stands ou sur la grille. Tout travail effectué sur la grille devra être fait dans la position de grille correcte de la voiture et ne devra en aucune façon empêcher le nouveau départ.

g) Si une voiture rentre aux stands, elle pourra être ravitaillée. Si une voiture est ravitaillée, elle devra prendre le nouveau départ de l'arrière de la grille et, si plusieurs voitures sont concernées, leurs positions seront déterminées par leur ordre dans l'avant-dernier tour avant l'arrêt de la course. En ce cas, leurs positions de grille initiales resteront vacantes.

162. Dans les deux cas A et B :

a) 10 minutes après le signal d'arrêt, la sortie des stands sera fermée.

b) 15 minutes après le signal d'arrêt, le signal cinq minutes sera présenté, la grille sera fermée et la procédure normale de départ recommencera.

c) Toute voiture dans l'impossibilité de reprendre sa position sur la grille avant le signal 5 minutes, sera dirigée vers les stands. Elle pourra alors partir des stands comme le prévoit l'Article 140.

L'organisateur doit disposer d'assez de personnel et de matériel pour que cet horaire puisse être respecté même dans les circonstances les plus difficiles.

Arrivée

163. Le signal de fin de course sera donné sur la Ligne dès que la voiture de tête aura parcouru toute la distance de la course conformément à l'Article 14. Si deux heures s'écoulent avant que la distance totale ait été parcourue, le signal de fin de course sera donné à la voiture de tête la première fois qu'elle franchira la Ligne après l'expiration de ce délai.

164. Si le signal de fin de course est donné, pour quelque raison que ce soit (autre que celle prévue par l'Article 158) avant que la voiture de tête ait effectué le nombre de tours prévus, ou que le temps prescrit soit écoulé, la course sera considérée terminée quand la voiture de tête aura franchi la Ligne pour la dernière fois avant que le signal ait été donné. Si le signal de fin de course est retardé pour quelque raison que ce soit, la course sera considérée comme s'étant terminée au moment où elle aurait dû se terminer.

165. Après avoir reçu le signal de fin de course, toutes les voitures doivent se rendre sur le circuit directement au parc fermé, sans s'arrêter, sans recevoir aucun objet quel qu'il soit et sans aucune assistance (sauf celle des commissaires de piste, si nécessaire).

Toute voiture classée ne pouvant atteindre le parc fermé par ses propres moyens sera placée sous le contrôle exclusif des commissaires de piste, qui emmèneront la voiture au parc fermé.

Parc Fermé

166. Seuls les officiels chargés des contrôles peuvent pénétrer dans le parc fermé. Aucune intervention de quelque nature que ce soit ne peut y être effectuée sans l'autorisation des officiels.

167. Lorsque le parc fermé sera en cours d'utilisation, la règlementation du parc fermé s'appliquera à la zone comprise entre la Ligne et l'entrée du parc fermé.

168. Le parc fermé sera suffisamment grand et protégé pour assurer qu'aucune personne non autorisée ne puisse y avoir accès.

Classement

169. La voiture classée première sera celle ayant couvert la distance prévue dans le temps le plus court ou, selon le cas, ayant franchi en tête la Ligne à la fin de deux heures. Toutes les voitures seront classées compte tenu du nombre de tours complets qu'elles auront accomplis et, pour celles qui auraient totalisé le même nombre de tours, compte tenu de l'ordre dans lequel elles ont franchi la Ligne.

170. Si une voiture met plus de deux fois le temps le plus rapide du vainqueur pour parcourir son dernier tour, le dernier tour ne sera pas pris en considération lors du calcul de la distance totale couverte par cette voiture.

171. Les voitures ayant parcouru moins de 90% du nombre de tours couverts par le vainqueur (arrondi au nombre inférieur de tours) ne seront pas classées.

172. Le classement officiel sera publié après la course. Ce sera le seul classement valable, sous réserve des modifications qui pourraient y être introduites en vertu du Code ou du présent Règlement Sportif.

Cérémonie de podium

173. Les pilotes finissant la course en première, deuxième et troisième positions et un représentant du constructeur vainqueur doivent participer à la cérémonie de remise des prix sur le podium, et respecter la procédure de podium établie (...), et aussitôt après, se rendre disponibles pendant une période de 90 minutes pour les interviews unilatérales télévisées et la conférence de presse au centre médias.

Signification des drapeaux

Drapeau blanc :	voiture de service sur la piste
Drapeau bleu :	(immobile) : une voiture vous suit de près (agité) : une voiture est en train de vous doubler
Drapeau jaune :	(immobile) : défense de doubler, danger (agité) : danger immédiat, ralentir
Drapeau rouge :	(par les postes de commissaires et par le directeur de course) : arrêt de la course sur la Ligne
Drapeau vert :	le danger est écarté, piste libre
Drapeau jaune à rayures rouges :	danger, piste glissante
Drapeau noir :	(avec numéro de voiture) : arrêtez-vous au prochain tour
Drapeau noir avec rond jaune :	votre voiture est en danger
Drapeau noir et blanc :	conduite non-sportive, avertissement
Drapeau à damier :	fin de la course ou de la séance d'essais